D0270625

JOHN ET JACKIE
HISTOIRE D'UN COUPLE TRAGIQUE

Christopher Andersen

JOHN ET JACKIE
HISTOIRE D'UN COUPLE TRAGIQUE

Traduit de l'américain
par Laurence Kiéfé

Éditions Ramsay

© 1996 by Christopher Andersen
Titre original : *Jack and Jackie*
Édition originale : William Morrow & Company, New York
© Éditions Ramsay, Paris, 2003
pour la traduction française.

À Valerie, Kate et Kelly
l'âme de ce livre.

Prologue

D'emblée, leur union était destinée à devenir l'une des plus célèbres du XXe siècle : lui, le beau jeune homme qui dégageait un tel magnétisme, le représentant parfait de l'une des plus puissantes familles des États-Unis, et elle, la sombre beauté racée. Jusqu'au moment où tout s'acheva par des coups de feu à Dallas, John Fitzgerald Kennedy et sa femme, Jacqueline, furent indiscutablement le « premier couple du monde ».

Mais l'image qui devait se dessiner ultérieurement reflète les désillusions et le cynisme grandissant de notre époque. Dans les années 1980, Camelot[1] *fut démantelé pierre par pierre et le mythe Kennedy s'effondra définitivement. Même ceux qui ont gardé le choc qu'ils ressentirent en apprenant l'assassinat de JFK, les souvenirs du président et de la première dame ont fini par disparaître sous l'avalanche de révélations scandaleuses. Les journaux à sensation ont fait leurs choux gras des conquêtes féminines de John, tandis que sa veuve se métamorphosait en une Jacqueline Onassis relevant davantage de la créature de légende que de la femme de chair et de sang.*

Ces deux individus exceptionnels furent attirés l'un vers l'autre par des forces puissantes qui les menèrent au pinacle du pouvoir et de la gloire. Ils étaient extraordinairement riches, séduisants, brillants, élégants, jeunes, excitants. *La beauté, le pouvoir, le sexe*

1. Camelot est le château du roi dans la légende arthurienne. On s'en servit plus tard comme métaphore pour parler des mille jours que dura la présidence de JFK. (N. du T.)

et l'argent – sans parler des rêves et des aspirations d'une génération – étaient incarnés par ce président de quarante-trois ans et son épouse de trente et un. Ils paraissaient vraiment bénis des dieux, et il n'est donc pas étonnant que leur histoire prît les dimensions d'une tragédie grecque.

Étant donné tout ce que Jackie et John Kennedy ont symbolisé, aujourd'hui plus que jamais, il est passionnant de démêler l'écheveau embrouillé de leurs relations. Car, ce qui subsiste de la saga de leur couple, c'est une grande histoire d'amour à l'américaine.

CHAPITRE 1

LOVE *(luv)*, n. *:*
1. Affection intense, sentiment chaleureux à l'égard d'un tiers.
2. Puissant désir sexuel à l'égard d'un tiers.
3. Penchant fort ou enthousiasme.
4. Une personne que l'on chérit.
5. Un score nul au tennis.

Au niveau affectif, de bien des manières, je n'ai jamais rencontré deux individus aussi isolés, aussi solitaires. Ils avaient désespérément besoin de communiquer, mais ils ignoraient comment s'y prendre. Voilà ce qui rendait leur histoire d'amour si douloureusement poignante. Car il s'agissait bien, dans tous les sens du terme, d'une histoire d'amour.

CHUCK SPALDING, L'AMI INTIME DE JFK

Nous sommes deux icebergs –
notre vie publique est bien visible,
mais notre vie privée est immergée.
C'est un lien entre nous.

JACQUELINE KENNEDY

Jack devait assister à ce mariage, mais il souffrait le martyre, et pas seulement physiquement. Il avait mal au dos depuis des années : une hernie discale provoquait des crises terribles, qu'une armée de médecins sortis de Harvard paraissait impuissante à soulager. Mais il avait toujours refusé que ce handicap prît le pas sur sa vie sociale ou amoindrît, si peu que ce fût, son prodigieux appétit sexuel.

À coup sûr, si un homme pouvait être qualifié d'*irrésistible*, c'était bien Black Jack Bouvier. Jack était grand, bronzé, d'une beauté pleine de désinvolture, le type parfait du fils de famille, sorti de l'Ivy League, et l'héritier d'une fortune assez importante. Il était drôle et charmant, et sa compagnie était recherchée aussi bien par les femmes que par les hommes.

En début de soirée, pendant la « répétition du mariage », il s'était admirablement comporté. À son arrivée, le visage de la mariée s'était illuminé. Le lendemain, sous les yeux du « gratin » de la haute société de New York et de Washington, rassemblée dans l'église St. Mary de Newport, à Rhode Island, Black Jack mènerait à l'autel sa fille Jacqueline. La mariée était d'une beauté saisissante et, à vrai dire, personne n'en était aussi fier que lui. Il l'avait observée au fil des ans, tandis qu'elle s'épanouissait en une jeune femme élégante, sûre d'elle et absolument charmante. Mais, en de pareils moments, on est toujours assailli par les doutes, et Black Jack ne connaissait qu'un seul moyen de les apaiser – en même temps que la douleur chronique de son dos : il s'installa dans sa suite du Viking Hotel de Newport et se soûla à mort.

Tard dans la nuit, il passa une série de coups de fil de plus en plus incohérents à ses sœurs. À dix heures, le lendemain matin, il fallut se rendre à l'évidence : Jack Bouvier ne serait pas en état de conduire sa Jacqueline adorée à l'autel pour la donner à l'autre Jack de sa vie – un homme séduisant qui ressemblait étrangement à son père – John Fitzgerald Kennedy[1].

Tandis que les invités se rassemblaient à Hammersmith Farm, la propriété de la famille Auchincloss à Newport, la mère de la mariée se lançait dans une tirade virulente contre

1. Aux États-Unis, il est courant de surnommer Jack les hommes qui s'appellent John.

son ex-mari. Certes, elle était habituée à « la conduite dépravée et dévergondée » de Black Jack. Mais se soûler à mort dans une chambre d'hôtel le jour du mariage de sa fille – cela dépassait les bornes, même si Black Jack s'y connaissait en scandales. « Je savais qu'il allait nous faire un coup comme ça, dit Janet à sa fille tremblante, mais ce que je ne sais pas, c'est pourquoi tu as absolument voulu qu'il soit là ! »

Évidemment, Jacqueline elle-même fut affectée d'apprendre dans quel état se trouvait son père. La veille au soir, avant la répétition, il avait eu l'air tellement en forme. Depuis toujours, Jackie et sa sœur Lee servaient, bien malgré elles, de pions dans les guerres conjugales de leurs parents. Pétrie d'ambition sociale et de rectitude morale, leur mère avait fait en sorte, tout le temps que dura leur mariage, que les filles fussent au courant des dépenses fastueuses de leur père, de sa passion pour le jeu et la boisson et, surtout, de ses liaisons. Lorsque les affaires de Black Jack à Wall Street avaient commencé à se gâter, Janet et les filles s'étaient installées sur Park Avenue, dans un énorme appartement de treize pièces, qui appartenait au père de Janet, le banquier James T. Lee. Grand-père Lee s'était alors joint au chœur des reproches.

Dépassé par le nombre et largement coupable de ce dont on l'accusait, Black Jack refusa de se battre. Lorsque Janet voulut divorcer pour adultère en 1940, Black Jack accepta tout ce que demandait son ex-femme pour ne pas déclencher de nouvelles hostilités. Il valait mieux garder son énergie à prodiguer cadeaux, encouragements et affection à Jackie et Lee.

Toute cette vindicte eut pour effet de placer Black Jack dans le rôle de l'infortuné perdant, injustement calomnié – du moins aux yeux de ses filles. Alors qu'elles éprouvaient pour leur mère et sa volonté de fer un respect distant, elles adoraient leur père, qui était tellement incompris. Pour Jackie surtout, Black Jack devint la référence à laquelle mesurer les autres hommes. Il représentait ce que l'on pouvait en attendre de manière générale. Black Jack apprit à Jackie que les hommes (ceux qui sont intéressants, évidemment) sont congénitalement enclins à l'infidélité. Ce n'est pas de la méchanceté de leur part ; c'est simplement une des lois incontournables de la nature.

Très vite, Jackie avait mesuré toute l'importance de faire « un beau mariage ». Lorsque Janet devint la troisième femme d'un homme riche, membre de la bonne société, Hugh D. Auchincloss, les forces en présence furent dramatiquement déséquilibrées. Alors que toutes les propriétés immobilières de Black Jack se résumaient à un appartement de quatre pièces au 125 East Seventy-fourth Street à Manhattan (à cette époque, la propriété familiale des Bouvier, Lasata, avait été vendue), les Auchincloss partageaient leur temps entre deux splendides domaines : Merrywood, un manoir géorgien niché dans un immense domaine en plein cœur des régions giboyeuses de Virginie, et Hammersmith Farm, un « cottage » à bardeaux de vingt-huit pièces, avec vue panoramique sur la scintillante Narragansett Bay de Newport.

Tous les mois, Black Jack avait, jouant le jeu, scrupuleusement continué de payer la pension alimentaire de ses filles ; il se chargeait également de leurs frais de scolarité, de leurs chevaux, et même de leurs comptes chez Bloomingdales et Saks. Mais, à l'évidence, il ne pouvait guère rivaliser avec le clan monstrueusement riche des Auchincloss. C'était à leur beau-père, « Uncle Hughdie », que Jackie et Lee devaient de vivre aussi somptueusement.

Janet, quant à elle, n'avait pas perdu de temps pour forger des liens entre les filles Bouvier, catholiques à sang chaud, et leur WASP[1] de belle-famille. En 1945, elle mit au

1. White Anglo-Saxon Protestant : le fleuron de la haute bourgeoisie américaine, d'obédience protestante.

monde une petite fille, leur demi-sœur Janet, et deux ans plus tard, un demi-frère, Jamie. Il y avait déjà plusieurs demi-frères et sœurs Auchincloss. Hugh Dudley III (que sa mère russe surnommait Yusha), Nina (qui se trouvait également être la demi-sœur de l'écrivain Gore Vidal) et Thomas. Parmi tous ces enfants, c'était Yusha que Jackie préférait. Il n'avait que deux ans de plus qu'elle et il reconnaissait lui-même être « complètement captivé » par elle.

Quand Black Jack débarqua en Virginie, en avril 1953, pour le mariage de Lee, la modification du rapport de forces était criante. Lee épousait Michael Canfield, le fils adoptif du légendaire éditeur Cass Canfield ; il venait de terminer ses études à Harvard. Cette fois, le père de la mariée n'eut aucune difficulté pour conduire sa fille à l'autel. Mais, en arrivant à Merrywood pour la réception, il se sentit tellement écrasé par l'opulence des lieux qu'il faillit en avoir une crise de nerfs. À coup sûr, il n'avait pas de quoi s'aligner. Durant les mois qui suivirent, son ressentiment à l'égard de son ex-femme et de la famille de Auchincloss ne fit qu'empirer.

Bien décidé à braver Janet qui avait donné des ordres pour l'empêcher d'assister au mariage de Jackie, Black Jack avait voulu tout faire pour que sa fille fût fière de lui. Il consacra son mois de juillet à peaufiner son hâle et affermir sa silhouette à Maidstone Club, un des clubs de remise en forme de East Hampton. Il entreprit aussi de réunir les éléments d'une tenue adaptée à la circonstance – souliers en daim gris sur mesure (à porter avec des chaussettes de soie soigneusement repassées), chemise également sur mesure, gilet, queue-de-pie et pantalon à rayures, boutons de col en nacre et boutons de manchette en or. Et, pour couronner le tout, un héritage familial : l'épingle de cravate en perle du grand-père Bouvier.

Dès son arrivée à Newport pour assister à ce qui passait pour le « mariage de l'année », Black Jack fut traité comme un pacha. On lui envoya une limousine pour faire le trajet de la gare au Viking Hotel ; on lui donna une des suites les plus agréables, la meilleure table de la salle à manger et le service était assuré vingt-quatre heures sur vingt-quatre dans sa chambre.

De fait, le personnel se montra si attentionné que, ultérieurement, on soupçonna Janet d'avoir concocté toute cette débâcle – elle avait personnellement recommandé à la direction du Viking Hotel de fournir régulièrement Black Jack en alcool. Elle avait même téléphoné à des vieux copains de cuite de son ex-mari pour les encourager à « faire passer du bon temps à Jack ». Janet avait également veillé à ce que Black Jack fût exclu de tous les dîners et cocktails qui précédaient le mariage – un coup bas pour Bouvier, qui s'était attendu à être invité au moins une fois. Du coup, il ne lui restait qu'à boire avec ses vieux amis ou tout seul dans sa chambre – sa façon à lui de se mettre en condition pour tenir son rôle pendant la cérémonie.

Qu'il y ait eu ou non complot, les sœurs jumelles de Black Jack, Michelle et Maud, dépêchèrent leurs époux respectifs – Harrington Putnam et John E. Davis – pour essayer de le dégriser. À leur arrivée, notre homme était couché en travers du lit, en sous-vêtements.

Janet déclara qu'on ne le laisserait pas entrer dans l'église. S'il osait se présenter, il serait refoulé. Les Bouvier supplièrent Janet de lui accorder une deuxième chance. Ils se faisaient fort de le rendre présentable en peu de temps. Jackie demanda même à sa mère de retarder la cérémonie car elle voulait être conduite à l'autel par son père.

Mais la redoutable Janet, celle-là même qui avait déjà brandi un couteau au nez d'une femme de chambre coupable d'avoir mal plié les serviettes, refusa le moindre compromis. Le beau-père de Jacqueline, Hughdie Auchincloss, fut enrôlé à la place de Black Jack. Par une étrange coïncidence, Janet avait déjà prévu depuis belle lurette tout un costume de cérémonie pour lui – jusqu'à la queue-de-pie – qui l'attendait dans son placard, impeccable, repassé et prêt à être enfilé.

Toute cette tragédie ne fut qu'un incident pour Joseph Kennedy, l'homme qui contrôlait réellement la situation. Certes, le père du marié avait laissé quelques détails – la couleur des robes des demoiselles d'honneur et la composition florale des chemins de table – à l'appréciation de Janet Auchincloss, mais c'était lui qui avait orchestré l'essentiel, toute la couverture médiatique, avec la précision militaire d'un commandant en chef chevronné.

« Comme toujours, Papa Joe jouait les Monsieur Loyal, raconte Chuck Spalding, l'ami intime de JFK. Il prit en main la cérémonie comme une de ces grosses productions hollywoodiennes qu'il avait l'habitude de financer. Il savait qu'il s'agissait du mariage d'un futur président des États-Unis et qu'on en parlerait dans les livres d'histoire. C'était ça, la grande idée de Joe. Il n'était pas prêt à laisser un événement mineur, disons l'incapacité temporaire de Black Jack, foutre le spectacle en l'air. » Quand un journaliste du *New York Times* voulut savoir pourquoi Jack Bouvier n'était pas à l'église, ce fut Joe qui fournit la version officielle : le père de Jackie, déclara-t-il, était cloué au lit avec la grippe.

Un des Auchincloss appréciait cependant Black Jack : Yusha, un des « frères » de Jackie. « Nous étions amis, lui et moi. Je lui ai parlé pendant la répétition, la veille au soir, et il paraissait en forme », raconta Yusha. Ce qui fut corroboré par Paul « Red » Fay, un des anciens camarades de guerre de JFK, qui faisait partie du cortège nuptial. « Black Jack était en grande forme à la répétition. Ce qui explique que ce fut un tel choc de ne pas le voir. Jackie était désespérée. »

Tandis que Janet serinait à tout le monde qu'elle l'avait bien prévu, tous les frères et sœurs Auchincloss – de sang ou par alliance – se sentaient pleins de compassion pour Jackie. « C'était une situation très triste, fit observer plus tard Yusha, avec cette façon caractéristique des Auchincloss de rester en deçà de la vérité. J'ai été très déçu que le père de Jackie ne puisse la conduire à l'autel comme elle le souhaitait. Jackie en fut bouleversée, et moi aussi, par ricochet. »

Le marié, quant à lui, choisit de ne pas se mêler de cette histoire. Alors que tous les participants à ce mariage étaient en émoi, Jack se faisait plaquer dans un massif de roses, très absorbé par une partie de football improvisée à la dernière minute avec ses frères et deux amis. Plus tard, on retouchera, sur les photographies du mariage, les égratignures de son visage, bien visibles.

Jackie avait suffisamment d'empire sur elle-même pour accepter que son beau-père remplaçât son père. Elle sanglota un moment derrière les portes closes de Hammersmith Farm mais, quand elle apparut, elle était radieuse. « Mis à part le désordre et l'excitation prévisibles dans de telles circonstances, déclara une des demoiselles d'honneur, on n'aurait jamais pu deviner qu'il y avait un problème. Jackie était absolument magnifique, éthérée, la mariée des livres d'images. À la voir, on l'aurait crue absolument libre de tout souci. »

Le 12 septembre 1953, il fit un temps idéal. Il n'y avait pas un nuage, l'air était vif et la brise soufflait juste assez pour faire courir les moutons sur Naragansett Bay. Rosecliff, Marble House, les Breakers et tous les autres somptueux « cottages » d'été de Newport brillaient dans le soleil matinal comme des châteaux de contes de fées.

Joe Kennedy, ancien ambassadeur à la cour d'Angleterre et magnat extraordinaire, remarqua à peine le beau temps quand sa limousine s'arrêta devant St. Mary. Ce qui l'intéressait, c'était la foule envahissant les rues du centre ville dans l'espoir d'apercevoir le mariage. Il avait tiré suffisamment de sonnettes et convoqué suffisamment de ses obligés, pour être sûr que le mariage de ce jeune sénateur du Massachusetts, étoile montante au firmament du Parti démocrate, bénéficiât d'une publicité digne des stars de cinéma et des têtes couronnées.

Comme à son habitude, il ne prêta aucune attention à Rose, sa femme, qui se montrait toujours d'une patience à toute épreuve. Les dents serrées sur un sourire figé – à l'attention des photographes –, il la prit sans douceur par le bras et la mena à l'intérieur de l'église gothique sans dire un mot. Accoutumée à être traitée aussi cavalièrement, Rose trouvait quelque consolation à l'idée que sa robe de dentelle bleue avait coûté à son mari quelques bons milliers de dollars.

Les trois tribus que le mariage rassemblait – les Bouvier, fidèles du Parti républicain, les Auchincloss, également républicains, et les Kennedy – étaient chacune lourdement représentées. Janet avait insisté auprès de Jack pour limiter la liste des invités à un groupe discret (en y ajoutant un petit nombre de Vanderbilt et d'Astor), mais Jack et Joe n'en firent qu'à leur tête. Ils y ajoutèrent au contraire de nombreux sénateurs et membres du Congrès, un assortiment d'amis politiques de Boston, et les partenaires financiers et industriels de Joe. Quand ils eurent fait le tour de la question, sept cents personnes au moins étaient conviées à la cérémonie et on en attendait six cents de plus à la réception.

Joe n'avait tenu non plus aucun compte du désir de Janet qui souhaitait que la cérémonie ne fût pas « trop catholique ». Après tout, les Auchincloss étaient protestants, et les Bouvier pas plus que les Kennedy n'étaient particulièrement dévots. « S'il l'avait pu, fit remarquer un ami de la famille, Joe aurait fait venir le pape lui-même pour conduire la cérémonie. » Il fit presque aussi bien. On demanda au cardinal Richard Cushing, l'archevêque de Boston, de servir la grand-messe nuptiale et d'accorder aux jeunes mariés la bénédiction apostolique de Sa Sainteté Pie XII. Parmi les honorables membres du clergé il y avait le Très-Révérend John J. Cavanaugh, ancien président de l'Université de

Notre-Dame, et le chef du mouvement Christophers [1], le Très-Révérend James Kellor de New York. On avait également mandé de Boston le ténor Luigi Vena, pour chanter l'*Ave Maria* et *Jesu, Amor Mi.*

Quand Jackie fit son apparition, les trois mille curieux qui se pressaient dans la rue, contre les barrières de police, se précipitèrent brusquement en avant et manquèrent écraser la mariée désemparée. Cependant, au bras du solide Hugh Auchincloss, Jackie fut saisie d'admiration en entrant dans l'église. L'intérieur était inondé de chrysanthèmes blancs et de glaïeuls roses, et la lumière filtrant à travers les vitraux « vous donnait l'impression d'être à l'intérieur d'un tableau impressionniste », ainsi que l'exprima un des invités.

Jack l'attendait au pied de l'autel, en compagnie de son frère Bobby, son témoin. À en croire le cousin Bouvier de Jackie, John Davis, « ils étaient trop bronzés et trop beaux pour être vrais ».

La sœur de Jackie, Lee, était dame d'honneur et les jeunes demi-frère et sœur de Jackie avaient également leur rôle : Janet tenait un bouquet de fleurs et Jamie, vêtu d'un costume tout droit sorti d'un tableau de Thomas Gainsborough – culotte de velours noir et chemise à jabot de soie blanche – prenait ses responsabilités de page très au sérieux.

Lee et les onze demoiselles d'honneur portaient des robes en taffetas rose pâle, ceinturées du même satin bordeaux que les bandeaux de leurs cheveux, inspirés de Marie, la reine écossaise. Elles s'avancèrent lentement vers l'autel, précédant la mariée mais, dès que Jackie apparut, un murmure monta de la foule. Elle avait décidé de composer toute sa tenue de mariage autour du voile en dentelle au point de rose légèrement jauni qui lui venait de sa grand-mère. Au lieu d'un tissu blanc qui aurait juré à côté du voile ancien, elle avait choisi un taffetas de satin ivoire. La robe – corsage

1. Mouvement charismatique.

ajusté, encolure largement échancrée et manches courtes, jupe brodée de plis et de rosaces tombant en vagues mousseuses – avait demandé près de cinquante mètres de tissu. Le voile lui-même, pris dans un petit bonnet brodé de minuscules fleurs d'oranger, flottait jusqu'à terre.

Jackie n'avait pas choisi d'emblée cette robe, qualifiée d'« atroce » par une journaliste de mode. Elle aurait voulu une tenue simple, élégante et moderne, mais Jack avait exigé qu'elle portât quelque chose de « plus traditionnel ». Pour économiser quelques dollars Auchincloss, Janet s'était adressée à Ann Lowe, une couturière noire américaine, qui habillait les plus grandes dames de la meilleure société. À plusieurs reprises, Jackie s'était rendue en secret dans son atelier de Lexington Avenue pour les essayages. Malgré une inondation qui avait détruit la robe de Jackie et celles de toutes les demoiselles d'honneur cinq jours avant le mariage, Ann Lowe, miraculeusement, parvint à honorer ses engagements. Avant la cérémonie, elle vint en personne fixer le voile pour qu'il ne soit pas piétiné. (Cependant, quand on lui demanda plus tard qui avait fait sa robe de mariée, Jackie ne donna jamais le nom d'Ann Lowe. Elle se contenta de dire que c'était l'œuvre « d'une femme de couleur », et non d'un grand couturier.)

Durant la cérémonie, Jackie tenait un bouquet d'orchidées roses et blanches, de jasmin de Madagascar et de gardénias minuscules. Elle portait également, invisible sous le flot de taffetas ivoire, une jarretière bleue pour lui porter bonheur. Il n'y eut qu'un seul moment de panique, quand Bobby se mit à fouiller frénétiquement dans toutes ses poches à la recherche de l'alliance qu'il finit par brandir d'un air triomphant.

Comme tout le monde avait les yeux fixés sur les mariés, personne ne remarqua Chuck Spalding qui s'était glissé dans l'église avec un Black Jack encore bien amorti. « Jack [Kennedy] était venu me dire : "Rends-moi service, va chercher Black Jack et amène-le à l'église", raconta Spalding. Je l'ai installé sur un banc, mais ce fut une manœuvre délicate. Il fallait le soutenir. Il avait bu plus qu'il n'aurait dû, ce jour-là, mais il a réussi à tenir. » (Personne d'autre ne s'est souvenu d'avoir vu Bouvier dans l'église, mais Spalding maintient qu'il a bien assisté aux derniers moments de la cérémonie.)

Le cardinal Cushing déclara Jack et Jackie unis par les liens du mariage, puis les invités s'égaillèrent sur le parvis de l'église pour se répartir dans les cinq cents voitures qui devaient les emmener à Hammersmith Farm. Joe, attendant sa limousine sur les marches de l'église était aux anges. Le public partageait son enthousiasme. « La cérémonie, affirma l'édition du lendemain matin du *New York Times*, a grandement surpassé le mariage Astor-French de 1943. » Pour le fils d'un tenancier de bar de Boston, fût-il aussi phénoménalement riche, battre les Astor sur leur propre terrain ne pouvait lui inspirer qu'un profond sentiment de contentement.

À Hammersmith Farm, pour accueillir les treize cents invités, on avait dressé plusieurs tentes sur la pelouse ouest, ainsi que des douzaines de tables abritées par des parasols. Une armée de serveurs en uniforme noir courait partout, redressant les tables renversées par le vent, portant en équilibre des plateaux chargés de coupes de champagne.

À côté de la cheminée en brique, dans le salon lambrissé de blanc, Jack et Jackie restèrent debout à serrer la main de leurs hôtes pendant près de trois heures. À certains moments, la file d'attente s'allongeait hors de la pièce, et s'étalait sur une centaine de mètres jusqu'à la pelouse impeccablement tondue. Comme tout bon politicien de Boston, le marié sauta sur l'occasion pour forger de nouvelles alliances et renforcer les anciennes. « Le sénateur se montra très persuasif envers chacune de nos épouses ; à toutes, il présenta Jackie en lui expliquant que, sans leur mari, il n'aurait jamais été élu, raconta le copain de JFK, Kenneth P. O'Donnell. À partir de ce jour, aux yeux de nos femmes,

Kennedy ne pouvait pas avoir tort – ce qui était évidemment le but de l'opération. »

Au grand soulagement de Rose et de Janet, l'actrice Gloria Swanson, maîtresse de longue date de Joe, décida de ne pas apparaître à la réception. Ce qui n'empêcha pas Kennedy senior, souvent surnommé « l'Ambassadeur », de flirter avec plusieurs jeunes femmes au vu et au su de sa femme et de ses enfants. Jackie observa Jack qui regardait avec envie les frasques de son père. « N'en prends pas de la graine », murmura-t-elle à l'oreille du marié.

Le chef d'orchestre attitré de la bonne société, Meyer Davis, qui avait déjà officié lors du mariage, de triste mémoire, des parents de Jackie, déversait des flots de musique de danse sirupeuse. Pour le premier morceau, Jack avait choisi : *J'ai épousé un ange*. Sous le dais rayé de bleu et blanc, Jack et Jackie dansèrent seulement les premières mesures avant que le beau-père Hugh ne les interrompît.

À table, les nouveaux mariés subirent une sérénade cacophonique des frères Kennedy et la rituelle tournée des toasts. Joe Kennedy coinça alors George Smathers, le sénateur de Floride et le plus proche collègue de Jack. « Maintenant, il va falloir que vous fassiez un discours en l'honneur du marié, lui dit Joe. Je veux que vous soyez drôle. Je veux que vous soyez intelligent. Je veux vous entendre dire tout ce que vous pourrez pour mettre Jack en valeur. Je ne veux pas que les Bouvier puissent nous éclipser. » Il était terriblement sérieux.

« Bon, très bien, monsieur l'Ambassadeur, répondit Smathers avec nervosité. J'aurais aimé qu'on me prévienne un peu avant. Mais tant pis, je vais me débrouiller. » Smathers raconta par la suite qu'il ne pensait pas « avoir été très bon, en vérité. Mais j'ai été très applaudi, ajouta-t-il, tout s'est bien passé ».

Pendant ce temps, Jackie faisait admirer le bracelet en diamants que Jack lui avait offert en cadeau de noces, ainsi que sa bague de fiançailles, ornée d'un diamant de deux carats et d'une émeraude. Ensuite, l'heureux couple découpa la pièce montée, cinq étages, plus d'un mètre vingt de haut – cadeau d'un pâtissier de Quincy, dans le Massachusetts.

Dans les étages, les chambres débordaient de centaines de cadeaux, sans compter les deux camions qu'on n'avait pas encore déchargés. Tout en explorant les recoins de la maison et les jardins conçus par Frederick Law-Olmsted, les invités ne parlaient que de Black Jack. Il ne fallut pas longtemps pour que la version officielle de Joe Kennedy – le père de Jackie aurait la grippe – fût contredite par les gens qui l'avaient vu boire sans retenue la veille au soir à son hôtel. Black Jack, qui aurait dû accueillir les invités, brillait par son absence. Encore honteux, il était retourné furtivement à son hôtel pour faire ses valises et rentrer à New York. Il fit le voyage en ambulance.

Au moment où la fête battait son plein, Jackie, du haut de l'escalier, poussa le traditionnel « *eeny, meeny, miny, mo !* » et lança son bouquet aux demoiselles d'honneur tout excitées. Elle s'arrangea pour qu'il soit rattrapé par Nancy Tuckerman – c'est elle qui pourra se targuer, à juste titre, d'avoir été la meilleure amie de Jackie, et sa confidente.

Ensuite, Jackie alla se changer dans sa chambre jaune et blanche. Dans cette pièce, son refuge depuis l'enfance, elle se sentit libre de pleurer à nouveau, loin du regard de ses invités. « Elle avait énormément de peine, dit Yusha. Elle adorait son père et elle aurait voulu qu'il soit là. Mais elle acceptait la situation. »

Quelques instants plus tard, Jackie réapparut, vêtue d'un tailleur Chanel gris, tenant à la main un chapeau de velours vert que sa mère lui avait offert. En réalité elle trouvait le chapeau affreux et refusait de le mettre. Une superbe épingle ornée de diamants, cadeau de Joe Kennedy, scintillait à son revers. Jackie rejoignit son mari sur le palier du deuxième étage, embrassa chacune de ses filles d'honneur sur la joue, et remercia en aparté son beau-père pour avoir rempli le vide laissé par Black Jack. Jack Kennedy s'était entre-temps adressé aux membres de son équipe au Sénat et les avait invités à prendre des congés pendant sa lune de miel. Il leur suggéra de passer quelques jours à Boston avant de retourner à Washington. « Je n'ai pas envie de vous savoir au travail pendant que je prends du bon temps. »

Les jeunes mariés partirent ensuite sous un blizzard de riz et de confetti roses, grimpèrent dans la limousine qui les attendait pour les conduire à l'aéroport local d'où un avion privé devait les emmener à New York. Cependant, à peine étaient-ils sortis de l'allée et avaient-ils atteint l'avenue de l'Océan, qu'ils furent pris dans un formidable embouteillage provoqué par les centaines de chauffeurs éméchés par le champagne français. Consciente que Black Jack avait poursuivi de ses ardeurs la millionnaire Doris Duke dès sa lune de miel avec Janet, Jackie taquina Jack comme elle en avait pris l'habitude dès qu'il avait commencé à la courtiser. « Je parie que tu regrettes déjà l'âge d'or de ton célibat », ronronna-t-elle. Jack se contenta de sourire.

Ils passèrent leurs deux premières nuits au Waldorf-Astoria avant de s'envoler pour Acapulco. Jackie connaissait cette station balnéaire mexicaine pour y être venue avec sa mère quelques années plus tôt, et elle fantasmait depuis cette époque sur une villa rose accrochée à la falaise surplombant le Pacifique. Jackie avait fait allusion à la villa et Joe, qui aurait tout fait pour sa belle-fille chérie, s'était immédiatement mis en quête de son propriétaire. Il s'avéra heureusement que celui-ci était redevable à Joe de quelques faveurs.

Le fait est que Jackie et son beau-père avaient forgé entre eux un lien très fort, fait de respect mutuel et d'affection dès les premiers jours où Jack avait courtisé la jeune fille. Cela n'avait pas été facile. Les républicains convaincus qu'étaient les Auchincloss étaient farouchement opposés aux valeurs politiques défendues par les Kennedy. Malgré ses allures extravagantes, Black Jack était tout aussi engagé dans le

Grand Old Party[1] que les Kennedy pouvaient l'être dans le Parti démocrate. De plus, il avait des raisons personnelles de détester Joe Kennedy. En tant que président de la *Securities and Exchange Commission*[2], pendant les années trente, Kennedy père avait en effet découvert et mis fin à des pratiques douteuses de Wall Street, éclaboussant au passage la réputation de la firme de courtage de Bouvier. Bouvier et quelques autres alléguèrent que ce n'est qu'après avoir utilisé lui-même ces lacunes de la réglementation pour bâtir une des plus grandes fortunes d'Amérique que Kennedy les avait interdites pour empêcher la concurrence de s'en servir.

Les mois passant, Jackie et l'ambassadeur se rapprochèrent de plus en plus l'un de l'autre. Elle le trouvait sympathique, un peu bourru, et très intelligent. Lui se réjouissait de sa beauté, de son raffinement et de son esprit. Ils partageaient des plaisanteries et des confidences. Elle savait que c'était lui qui avait poussé son fils à l'épouser, autant par estime pour elle que par calcul stratégique pour son fils qui, en tant que candidat à la présidence, se devait d'être marié. Ironiquement, l'attachement profond et quasi spirituel qu'elle éprouvait pour son nouveau beau-père était presque aussi fort que ses liens avec Black Jack.

Une fois installés dans leur nid d'amour à Acapulco, Jackie écrivit une courte lettre très chaleureuse à Black Jack, pour lui signifier qu'elle lui pardonnait sa défection à l'église. Cette note redonna à son père, qui se terrait dans son appartement depuis le mariage, le courage d'affronter de nouveau le monde. « Un amour profond les unissait, dit Yusha Auchincloss, et Jackie savait le mal qu'il s'était

1. Grand Old Party : le Parti républicain, le grand et vieux parti des conservateurs.

2. SEC : équivalent américain de la Commission des opérations de Bourse.

infligé à lui-même. Elle comprenait ses faiblesses et avait choisi de les ignorer. » Black Jack ne montra la lettre qu'à une seule personne, son confident et associé à Wall Street, John Carrere. Le ton était plutôt celui d'anciens amants plus que celui d'une lettre adressée par une fille à son père. « Jackie parlait constamment de son père, et il était évident qu'ils s'adoraient, dit George Smathers. En effet, Black Jack parlait souvent de Jacqueline comme de « ce qu'il avait de plus sacré ». La dévotion de Jackie envers son père n'était pas moins intense. « Son mariage avec Jack Kennedy, continuait George Smathers, lui permit de trouver un équivalent à ce qu'elle n'aurait jamais pu faire dans la réalité : épouser Black Jack Bouvier. »

CHAPITRE 2

C'était un homme plein de réserve.
Il y avait énormément de choses chez lui
que tout le monde ignorait,
qu'il ne partageait pas.

KAY HALLE, UNE AMIE DE LA FAMILLE

« S'il existait une femme qu'il fût capable d'aimer, alors c'était Jackie », affirma l'ancienne journaliste de NBC, Nancy Dickerson, qui sortit avec Jack Kennedy et suivit toute sa carrière politique. « Mais ça n'a pas dû être facile pour aucun des deux. Sa vie durant, on lui a appris à considérer les femmes comme des objets à conquérir, à posséder. À la vérité, Jack n'avait aucun respect pour les femmes. On ne peut pas vraiment le lui reprocher. Après tout, il a été à bonne école. »

Si Black Jack Bouvier représentait pour Jackie le modèle de l'homme idéal, Joseph P. Kennedy offrit à ses enfants un exemple pour le moins tordu. On a du mal à imaginer un père exerçant sur la vie de ses rejetons une autorité aussi envahissante.

Fils d'un rabatteur électoral de Boston, P.J. Kennedy (son grand-père avait fui la disette de la pomme de terre en Irlande, dans les années 1840), Joe Kennedy ignora presque tout de la pauvreté. Le débit de boissons de P.J. et ses investissements divers lui avaient rapporté suffisamment pour lui permettre de passer l'hiver à Palm Beach, acheter une propriété au bord de la mer, avec une nombreuse domesticité, et embaucher un amiral à la retraite pour diriger son yacht de 18 mètres. Il put également se permettre d'envoyer Joe dans un collège de Boston réservé à l'élite, avant qu'il ne devînt étudiant à Harvard.

Cependant, dès son plus jeune âge, le fils de P.J., avec ses taches de rousseur et ses yeux bleus, était bien décidé à bâtir son propre empire. À douze ans, il devint livreur de chapeaux pour les dames protestantes chic de Beacon Hill – faisant bien attention à n'être connu que sous le nom de « Joseph », et se refusant à révéler ses origines irlandaises. Il colporta des papiers sur les docks, vendit des confiseries à bord d'un bateau qui faisait le tour du port de Boston, et se fit payer pour allumer les lampes et les fours des Juifs orthodoxes durant le sabbat.

À Harvard, Joe fit des prouesses dans l'équipe de base-ball et parvint même à s'introduire dans la société Hasty Pudding, dominée par les WASP. Mais c'était un étudiant médiocre ; ironie du sort, il obtint de si mauvais résultats dans un cours de finances et d'économie qu'il fut obligé d'abandonner au bout d'un trimestre. Néanmoins, un an après avoir obtenu son diplôme, en 1912, il réussit à prendre le contrôle de la Columbia Trust Company d'East Boston. À vingt-cinq ans, il était le plus jeune président qui se fût jamais trouvé à la tête d'une banque américaine. Il déclara dans un journal local qu'il « serait millionnaire à trente-cinq ans ».

À ce moment-là, Joe – qui s'était fait cataloguer d'« arriviste mielleux que rien ne décontenançait jamais », selon l'expression d'un de ses camarades d'Harvard – faisait déjà une cour assidue à Rose Fitzgerald, la fille aînée du légendaire maire de Boston, John Francis (« Honey Fitz ») Fitzgerald. Le maire avait la réputation – justifiée – de distribuer les postes importants à ses petits copains, de brailler *Sweet Adeline* à la moindre occasion et de mener une liaison tapageuse avec une demoiselle qui vendait des cigarettes. Mais il avait également l'espoir que Rose se marierait dans une famille catholique d'un rang social plus élevé, et dans ce dessein, l'avait envoyée dans les meilleurs pensionnats religieux d'Europe, éducation parachevée par une année au couvent du Sacré-Cœur, l'école la plus chic de New York.

Plus de quatre cents personnes assistèrent à la réception donnée en l'honneur du retour de Rose à Boston, dont deux membres du Congrès et le gouverneur. Et même s'il savait que Rose ne pourrait jamais se faire complètement accepter par les protestants aristocratiques qui tenaient le haut du pavé, « Fitzie » (comme on l'appelait) n'était pas emballé à l'idée de la voir épouser un Kennedy bien nanti.

En dépit des protestations de son père, Rose, qui se montrait en général assez obéissante, s'éprit du jeune et séduisant président de banque. À l'été 1914, il lui offrit une bague avec un diamant de deux carats – Rose raconta plus tard qu'il ne lui avait jamais vraiment demandé sa main, mais qu'il considérait leur mariage comme un acquis – et ils devinrent mari et femme le 7 octobre.

Ils s'installèrent dans une modeste maison de Brookline, dans les environs de Boston, et exactement neuf mois et deux semaines après la cérémonie, Rose mit au monde le premier de ses neuf enfants, Joseph Patrick Kennedy junior. Le 29 mai 1917, arriva John Fitzgerald, suivi rapidement par Rosemary en 1918, Kathleen en 1920, et Eunice en 1921. Après une interruption de trois ans, Patricia naquit en 1924, puis Robert Francis l'année suivante, Jean Ann en 1928, et enfin, Edward Moore en 1932.

Dès avant l'arrivée de Jack, leur mariage était vacillant. Alors que ses pairs s'engageaient comme volontaires dans la Grande Guerre, Joe préféra rester chez lui pour s'enrichir avec l'effort de guerre – une position si visiblement antipatriotique qu'elle mit dans l'embarras non seulement le clan Kennedy, mais également les Fitzgerald.

La réputation de Joe en prit encore un coup lorsque, après avoir été nommé à la tête des chantiers navals Fore River des Aciers Bethlehem, à Quincy, dans le Massachusetts, il menaça de faire tirer sur des milliers de travailleurs en grève plutôt que de payer l'augmentation de salaire qui leur avait été promise. Franklin Roosevelt, alors sous-secrétaire d'État à la Marine, considérant que la production de navires de Fore River était cruciale pour l'effort de guerre, fit pencher la balance en faveur des ouvriers, ce qui mit fin au conflit. Joe, désormais considéré comme un obstructionniste entêté incapable de gérer une masse importante de travailleurs, se fit passer un sacré savon par ses supérieurs et promptement rétrograder.

Rose était capable de faire face à ces échecs professionnels. Elle avait plus de mal à ignorer les liaisons de Joe. Mrs. Kennedy savait parfaitement que les longues soirées de Joe au bureau se passaient en réalité en compagnie de demoiselles de vestiaire et d'entraîneuses de boîtes de nuit. En janvier 1920, frustrée et humiliée des infidélités de son époux et de ses absences interminables, Rose laissa Joe junior, Jack et Rosemary à la garde de deux nourrices et revint dans le giron accueillant des Fitzgerald. Après deux semaines de séparation, Rose, qui était profondément catholique, comprit qu'une annulation ou un divorce était chose impossible. Il ne lui resta donc plus qu'à retourner auprès de son mari.

Comme elle refusait d'avoir des relations sexuelles avec lui, excepté pour faire des enfants, Joe poursuivit ses diverses relations hors programme. Une crise brutale les rapprocha, cependant, quand Jack, alors âgé de deux ans, fut terrassé par la scarlatine. On hospitalisa le gamin au Boston City Hospital, et à plusieurs reprises il se trouva entre la vie et la mort. Bouleversé, Joe promit de faire don à l'Église de la moitié de sa fortune si son fils survivait. Une fois Jack guéri, Joe ne se délesta que de 3 500 dollars – une somme dérisoire par rapport au million et demi qu'il aurait dû céder s'il avait respecté sa promesse.

Jack était à peine revenu dans sa famille, après un séjour de trois mois dans un sanatorium du Maine, que les

Kennedy emménagèrent dans une plus vaste demeure, située dans Abbotsford Road, à Brookline. Rose se consacra alors à sa maisonnée qu'elle gérait avec une efficacité toute prussienne et absolument redoutable – et cela en dépit du fait qu'elle était distraite au point de devoir épingler de petits pense-bêtes sur ses vêtements pour ne pas oublier ses tâches quotidiennes.

Rose tenait à jour des fiches sur chacun de ses enfants, notant les vaccinations, les maladies infantiles, le poids et la taille, la pointure des chaussures, les médicaments prescrits à chacun, et ainsi de suite. Tous les matins, les enfants passaient à l'inspection, et Rose était particulièrement attentive aux coutures qui se déchiraient ou aux boutons qui se décousaient. Quant à leurs jeux, Rose se servait de cloisons extensibles pour diviser la véranda panoramique d'Abbotsford Road en enclos séparés afin « qu'ils puissent passer des moments à s'amuser ensemble, tout en minimisant les risques qu'ils se fassent tomber ou se blessent avec quelque chose de pointu ».

De sa petite cellule en plein air, Jack voyait les passants défiler dans la rue. Mais ni lui ni ses frères et sœurs n'avaient le droit de jouer avec les enfants du voisinage, de crainte d'attraper quelque terrible microbe – ou, pire, de voir leur esprit soumis à quelque influence extérieure pernicieuse.

« À l'église, ils ne parlaient pas aux autres paroissiens, et n'entretenaient aucune relation avec leurs voisins, raconta un autre habitant d'Abbotsford Road. Si on essayait d'entrer en conversation avec Rose, elle passait littéralement son chemin, en souriant, mais sans prononcer un mot. Les enfants Kennedy ne jouaient pas avec les autres enfants. Tout le monde les considérait comme d'affreux snobs. Mais, pour les parents, c'était le moyen de contrôler complètement la vie de leur progéniture. »

À chaque nouvelle naissance, Rose embauchait une nourrice supplémentaire, établissant un nouvel ensemble de règles et devenant de plus en plus indifférente au sort de sa couvée. Par la suite, elle raconta qu'elle essayait de rentrer tous les jours à cinq heures et demie pour les aider à faire leurs devoirs, mais en réalité, elle passait presque toutes ses journées dehors, à courir les magasins, faire des visites, prier et, quand Joe était en voyage, à partir systématiquement dans la direction opposée.

Même quand elle était physiquement présente, son esprit était ailleurs. Obsédée par l'ordre et la discipline, « Madame » (comme elle exigeait d'être appelée par les domestiques) semblait apprécier les châtiments corporels. « Pour moi, expliqua-t-elle plus tard, c'était un devoir, qu'il ne fallait jamais accomplir sous le coup de la colère ou de l'agacement. Une fois que je leur avais dit de ne pas faire quelque chose, je leur donnais un coup de règle s'ils désobéissaient. Si un enfant qui marchait à côté de moi sur le trottoir courait vers une voiture, je lui donnais immédiatement une fessée, afin de lui ôter l'envie de recommencer. S'il s'approchait d'un four chaud, je mettais son doigt près du four pour lui montrer qu'il risquait de se brûler. Ou s'il prenait mes ciseaux pointus... je lui en enfonçais la pointe dans le bras ou le doigt pour lui montrer l'effet que cela ferait dans son œil. Si cette méthode ne fonctionnait pas, j'avais toujours ma règle sous la main, dans mon bureau, et je m'en servais. » Quand la règle n'était pas là, elle la remplaçait par une brosse à cheveux ou un cintre.

La ponctualité était d'une importance extrême. « Nous avons été informatisés dès notre plus jeune âge », déclara plus tard Eunice, avec fierté. Rose avait fait mettre une horloge dans la chambre de chaque enfant, aussi n'avaient-ils pas la moindre excuse. Le dîner était servi à une heure précise, et si un enfant arrivait avec quelques minutes de retard, il pouvait s'attendre à recevoir un sérieux savon. Les enfants – filles et garçons – étaient priés de se lever quand Rose entrait dans la pièce et ne devaient pas sortir de table avant elle.

Toutes les semaines, ils mettaient leur costume du

dimanche et leur col amidonné et, leur livre de prières à la main, se rendaient à la messe. À leur retour, Rose les interrogeait sur le sermon du jour. Au dîner, elle désignait un des enfants pour réciter les grâces – pas une prière débitée par cœur, mais un texte auquel on rajoutait une pensée différente chaque jour.

Fière de la minceur de sa silhouette, Rose surveillait d'un regard d'aigle le tour de taille de ses rejetons. Les filles étaient réprimandées dès qu'elles prenaient 500 g, tandis qu'on bourrait Jack de portions supplémentaires de dessert pour étoffer un peu son corps efflanqué. Si les filles Kennedy allaient passer leur vie à être obsédées par leur poids, le traitement de faveur dont Jack bénéficiait à table mena tout droit à une rivalité entre lui et son frère aîné pour conquérir l'affection de leur mère.

Décidée à les armer contre n'importe quel adversaire sur les terrains de sport, Rose embaucha un professeur d'éducation physique qui leur fit faire de la gymnastique suédoise, à l'extérieur, dès sept heures du matin. Ils furent également contraints de prendre des leçons de natation, de tennis, de voile et de golf. Même quand on s'amusait, ça devait servir à quelque chose. Rose surveillait les jeux de société qui allaient devenir un des fondements de la vie de famille des Kennedy, et faisait faire aux enfants des problèmes de maths, leur posait des colles et leur proposait au débotté des concours d'orthographe.

Rose était une présence froide et impitoyable dans la maison d'Abbotsford Road. Elle avait beau dominer la vie quotidienne de ses enfants, elle n'en était pas pour autant capable de leur témoigner de la tendresse. Quand la famille acheta une résidence d'été à Hyannis Port, au Cape Cod, elle n'hésita pas à faire construire son propre cottage sur la plage, où elle passait des heures dans la solitude, abîmée dans une contemplation religieuse.

Encore davantage que son frère et ses sœurs, Jack, avec sa sensibilité et sa mauvaise santé, aurait eu grand besoin de tendresse ; il en voulait ouvertement à sa mère de ne pas lui en offrir. Ayant appris que Rose partait, une nouvelle fois, pour quinze jours de vacances avec sa sœur, Jack l'affronta. « Quelle mère tu fais de partir comme ça, lui dit-il, en laissant tes enfants tout seuls. » Des années plus tard, Jack frémissait encore de colère en évoquant la façon détachée dont sa mère « gérait » ses enfants au lieu de les aimer. « Elle n'était jamais là quand on avait vraiment besoin d'elle. Ma mère ne m'a jamais pris dans ses bras pour m'embrasser. Jamais ! Jamais ! »

Pas plus, d'ailleurs, que Joe senior. Derrière leur façade tumultueuse et soudée, les membres de la famille n'avaient que peu d'intimité réelle. Ce qui explique que, sa vie durant, Jack détesta toucher et être touché d'une manière qui ne fût pas sexuelle. « Il détestait absolument qu'on le touche, raconta plus tard son ami George Smathers. Si on lui mettait la main sur l'épaule, il se rétractait, au sens littéral du terme. C'est simplement parce qu'il n'avait pas été élevé dans une famille où les gens s'embrassaient et se touchaient. Cela le mettait terriblement mal à l'aise. C'était bien malgré lui. En définitive, Jackie a réussi à percer une brèche dans ce mur, mais il lui a fallu très très longtemps. »

À la décharge de Rose, il faut reconnaître que les mères de son rang et de son niveau social – spécialement celles qui avaient des racines irlandaises et qui venaient de Nouvelle-Angleterre – ne se permettaient qu'en de très rares occasions, pour ne pas dire jamais, de se lancer dans des démonstrations d'affection, même à l'égard de leurs propres enfants. Sauf s'il s'agissait d'enfants gâtés, les baisers et les câlins étaient distribués au compte-gouttes, ou pas du tout. (Des années plus tard, Kathleen « Kick » Kennedy avoua à son petit ami du moment : « La chose que vous devez savoir sur moi, c'est que, comme Jack, je suis incapable d'avoir un sentiment profond. »)

Quoi qu'il en soit, Jack ne pardonna jamais à sa mère son approche rigide et mécanique de l'éducation des enfants.

C'est probablement parce qu'il a manqué de tendresse maternelle pendant toute son enfance qu'il a passé sa vie à en rechercher à travers ses innombrables liaisons. Cela explique sans doute en partie pourquoi, arrivé à l'âge adulte, il eut tant de difficultés à entrer en relation avec des femmes sur un plan autre que physique. « Il n'a jamais réussi à surmonter la manière dont Rose l'avait traité, dit Chuck Spalding. Durant toute son existence, cela a lourdement pesé sur ses relations avec les femmes. Mais je pense que Joe a encore eu plus d'influence sur Jack. »

Kennedy senior consacrait encore moins de temps à ses enfants que Rose. Il manqua la naissance de plusieurs d'entre eux, et il faisait d'interminables voyages d'affaires (sa fille Patricia avait plus d'un mois quand il fit enfin sa connaissance). Quant à jouer au quotidien les censeurs à domicile (Joe n'eut jamais à donner de fessée aux enfants), Rose pouvait facilement assumer le rôle. Mais, tandis que Rose ne pensait qu'à leur instruction, Joe leur prodiguait son attention : il leur posait des questions sur leurs loisirs et leur travail scolaire, et paraissait sincèrement intéressé par chacun en tant qu'individu.

On ne peut pourtant pas dire que Joe gâtait sa progéniture. Jack évoqua plus tard son père en disant qu'il était « sévère », « brutal » et « assez cassant » envers ses enfants. Il voulait qu'ils soient les meilleurs, et dans cette optique il s'était lancé dans une campagne énergique visant non seulement à les élever, mais aussi à leur inculquer un sens aigu de la compétition, pour gagner à tout prix.

La rivalité entre les deux aînés, pour attirer l'attention de leurs parents, se révélait parfois sanglante. Très vite, Joe junior, dont l'agressivité colérique contrastait fortement avec l'humeur pacifique de Jack, voulut s'affirmer comme un substitut d'image paternelle en l'absence de leurs parents. Ce qui ne faisait pas du tout l'affaire du cadet. Alors qu'il était jeune sénateur, Jack parlait de son frère aîné comme d'un tyran, d'une brute. « Mon frère aîné m'a toujours posé un problème. Nous nous battions très souvent, et évidemment, c'était lui qui gagnait. Quand j'étais petit, j'avais du mal à le supporter. »

Rose avait bien conscience de ce « problème », bien qu'elle ait rarement assisté aux incidents les plus violents. « Durant leur enfance, déclara-t-elle, ils se battaient ; j'en ai été rarement le témoin, mais on m'a raconté que leurs bagarres étaient terribles. Joe junior était plus vieux, plus grand et plus fort. Mais Jack, en dépit de sa constitution frêle, pouvait se déchaîner quand il le voulait. » Cependant, reconnut leur mère, « Joe était beaucoup plus costaud que Jack ; s'il y avait affrontement, Joe lui flanquait une vraie dérouillée. Si bien que, lorsqu'ils étaient petits, tout le monde s'efforçait plus ou moins de protéger Jack de Joe. »

À en croire un ami de la famille, Jack consacra une bonne partie de son enfance à essayer d'empêcher sa brute de frère aîné de « lui défoncer le crâne ». Dans ses Mémoires, Rose a raconté un incident – rapporté par les domestiques : Joe, dans une colère bleue à propos d'un grief imaginaire, s'était lancé à la poursuite de son maigrichon de frère – le poursuivant à travers la pelouse, le marais et jusque sur la plage. Là, il s'était mis à courir sur le vieux brise-lames. Il fallut qu'Eddie Moore, l'aide de camp de Joe et l'homonyme de Ted Kennedy, les séparât. « Je frissonne en pensant à ce qui aurait pu se passer si Eddie n'était pas arrivé à temps », reconnut Rose. Mais personne ne vint au secours de Jack quand, cédant aux instances de son frère, il accepta de faire avec lui une course à vélo autour du pâté de maisons, en partant chacun dans un sens opposé. Ils se heurtèrent de plein fouet, et Jack se retrouva avec une blessure qui exigea vingt-huit points de suture.

Pendant l'été 1929, leur gouvernante, Gertrude Frazer, fut témoin d'un autre incident similaire – encore une fois, en l'absence de Rose. « Nous avons trouvé les garçons en train de se disputer sur le quai, raconta Frazer. Très vite, ils en sont venus aux mains et il n'a pas fallu longtemps pour que l'aîné perde l'équilibre et tombe à l'eau. Son frère a sauté derrière lui. »

Joe senior était encore plus touché que Rose par ces scènes fratricides, bien qu'il en appréciât le côté bagarreur. Pardessus tout, Kennedy senior inculqua à sa progéniture le désir de gagner – au Monopoly, au Scrabble, aux échecs, aux cartes, ou en leur faisant pratiquer la voile, la natation, le golf, le tennis, le football, n'importe quel type de compétition. « Pour la famille Kennedy, jouer au football ne relevait pas de la stratégie, a déclaré Tom Bilodeau, un contemporain de Joe junior. On se plongeait dans le sang et la tempête. On se faisait bloquer, on se bagarrait, donc quand on jouait avec eux, il fallait se débrouiller pour être du côté des plus forts, sinon, on se faisait massacrer. Si Joe était dans une équipe, à tous les coups, Jack faisait partie des adversaires. Ils étaient dans un état permanent de compétition. »

Bilodeau a raconté les courses en bateau à voile de Hyannis Port, quand ils étaient tous trois étudiants à Harvard, des années plus tard. « Quand le vent soufflait, dit Bilodeau qui pesait alors plus de 100 kg, Jack et Joe se disputaient mon affection. » Une fois, au début d'une course, le poids de Bilodeau donna l'avantage à Jack contre son frère. « Mais en vue de la ligne d'arrivée, le vent tomba et nous commençâmes à ralentir. Jack s'est tourné vers moi et m'a dit : "Saute à l'eau, mon vieux." Et donc, en pleine mer, j'ai enjambé le bastingage. » Jack a gagné la course.

Au cœur de cette mentalité, autorisant tous les coups, on retrouvait un désir ardent de plaire au *pater familias*. À côté, l'attention de Rose ne représentait qu'un maigre prix de consolation. De fait, la force abrupte de la personnalité de Joe était si puissante que Rose paraissait se flétrir en présence de son époux. C'était, à coup sûr, lui le patron. Quand le Vieux était dans les parages, on buvait chacune de ses paroles et on se battait pour obtenir son approbation ; mais, la plupart du temps, il était parti pour ses affaires, et on se contentait de l'idolâtrer à distance.

Joe inspirait le même genre de crainte respectueuse à Wall Street. En 1924, il se déchaîna pour contrer une prise de possession de la Yellow Cab Company. Avec cette seule affaire, il tint sa promesse de devenir millionnaire à trente-cinq ans – et même bien plus.

À partir de ce moment-là, Joe saisit toutes les occasions pour s'enrichir – plus la mise était grosse, mieux c'était. Il ne s'embarrassait pas de légalité. Passé maître dans la manipulation boursière, il montait des intrigues avec d'autres investisseurs pour faire grimper artificiellement le prix des actions, et les revendre ensuite en réalisant d'énormes profits. La prohibition offrait d'autres moyens de faire de l'argent, plus ouvertement illégaux. À l'apogée des Roaring Twenties, à l'époque où tous les coups étaient permis, Joe Kennedy investit dans le whisky de contrebande et dans des réseaux de distribution de rhum auxquels était mêlée la crème du crime organisé, Frank Costello et Meyer Lansky.

Eût-il acquis sa fortune par des moyens plus « respectables », jamais le fils du tenancier de bar n'aurait réussi à se faire admettre dans la bonne société. Joe fut blackboulé des clubs les plus fermés de Boston et sa femme, Rose, promptement exclue de toutes les fonctions importantes. « Une femme charmante, disait un membre de la bonne société bostonienne qui trouvait les Kennedy désespérément nouveaux riches, mais qui a une voix tellement atroce ! »

Furieux de ne pas pouvoir forcer le système rigide des castes de Boston, et inquiet à l'idée que ses filles ne seraient pas invitées dans les réceptions indispensables aux débutantes, quand elles auraient l'âge requis, Joe embarqua sa famille dans une grande demeure située à Riverdale, le quartier nanti (et probablement plus tolérant en ce qui concernait les origines) du Bronx. Ensuite, ils s'installèrent à Westchester, dans un manoir de vingt pièces qui avait appartenu autrefois à un magnat de la bière.

Joe était alors bien décidé à ce que ses enfants ne se salissent jamais les mains en cherchant à gagner de l'argent. En 1925, il déposa, pour chacun, un fonds en fidéicommis d'un million de dollars. En 1938, quand Jack put toucher son premier acompte, à vingt et un ans, le fonds à lui seul était estimé à six millions de dollars. À l'époque où il devint président, ce chiffre avait doublé.

Bien installé dans de confortables bureaux à Manhattan, Joe se mit en quête de nouvelles industries dans lesquelles investir. Et il piqua droit sur un marché encore neuf représentant un milliard de dollars annuels, pratiquement ignoré par les banquiers bornés de New York. Même si cette industrie comptait parmi les six premières du pays, Hollywood ne s'appuyait que sur une demi-douzaine de banques pour son financement. Presque tout cet argent revenait aux studios les plus importants. Pendant les périodes creuses, il fallait faire appel à des requins de la finance qui consentaient des prêts à des taux d'usurier ou qui, dans certains cas, se réservaient une grosse part des recettes.

Pour Joe, Hollywood était une mine d'or potentielle, qui équivalait à « une autre industrie du téléphone ». Il commença par acheter une chaîne de trente petites salles de cinéma au nord de la Nouvelle-Angleterre, puis les revendit pour financer l'achat d'un studio qui s'appelait Film Booking Offices (FBO). Tandis que les autres studios tournaient des classiques muets, avec des stars comme Charlie Chaplin et Lilian Gish, FBO trouva un créneau avec des films à petit budget mettant en scène le légendaire joueur de football Red Grange et le cow-boy vedette Tom Mix.

Comme on pouvait s'y attendre, cela ne fut pas suffisant pour Joe. Poussé par le désir de se lier à l'élite d'Hollywood, il amena la Harvard Business School, à force de cajoleries, à lui faire diriger un séminaire. Puis il y convia les plus grands comme Adolph Zukor, Harry Warner, Marcus Loew et Cecil B. De Mille. Pour les universitaires à l'esprit étriqué d'Harvard, ce fut l'occasion de rencontrer l'aristocratie du monde du cinéma ; pour les producteurs et les réalisateurs, se faire inviter à ce séminaire, c'était le comble du snobisme. Dès lors, Kennedy fut accueilli à bras ouverts dans le giron d'Hollywood.

Il entra au conseil d'administration de la légendaire Twentieth Century Limited et finalement s'installa à Hollywood, laissant Rose et les enfants derrière lui. Si elle en fut blessée, Rose ne voulut pas l'avouer. Pas plus que les enfants, qui vivaient l'aventure indirectement à travers les lettres de leur père. Il revenait les voir, il arrivait les bras chargés de cadeaux : des chapeaux de cow-boys et des jambières de cuir pour les garçons, des poupées Mary Pickford pour les filles.

Pour Joe junior et Jack, qui entraient dans l'adolescence – eux-mêmes considérés comme des « dieux » par leurs petites sœurs et leur jeune frère Bobby – leur père était un personnage tout-puissant qui leur servait de modèle en toutes choses, y compris dans les affaires du sexe.

Les liaisons de Joe senior prirent de l'éclat le 11 novembre 1927, quand il rencontra pour la première fois Gloria Swanson, à Manhattan, lors d'un déjeuner au Savoy Plaza Hotel. Ayant dépassé le budget prévu pour la production de son dernier projet, une adaptation cinématographique de l'érotique *Sadie Thompson*, l'obstinée Gloria Swanson avait besoin d'un solide apport de capitaux – et de quelques conseils financiers avisés. Ironie du sort, Joe Kennedy avait tenté de couler *Sadie Thompson* en envoyant un télégramme de protestation au censeur Will Hays, dont la pruderie était célèbre. Au cours du déjeuner, Swanson rappela cet épisode à Kennedy, mais, manifestement, elle était disposée à passer l'éponge s'il lui consentait un prêt.

Si Joe comptait d'innombrables conquêtes féminines à son actif, il n'avait jamais encore rencontré quelqu'un d'aussi excitant. Encore plus petite que Rose, qui ne mesurait que 1,60 m, avec des yeux bleu clair fascinants et une bouche de séductrice, Gloria Swanson avait divorcé de Wallace

Beery pour épouser le marquis Henri de La Falaise. Devenue marquise par son mariage, elle pouvait en toute légitimité prétendre à un titre encore plus ronflant : Gloria Swanson était vraiment la reine d'Hollywood et, sans conteste, la femme la plus désirable du monde.

Sans hésiter, Kennedy monta une société indépendante, Gloria Productions, pour produire le premier parlant de Swanson. Impressionnée par la fougue et l'esprit de décision de cet Américano-Irlandais, elle était convaincue qu'il pouvait faire d'elle une des femmes les plus riches du pays. « J'eus le sentiment d'avoir de la chance qu'il prenne mes finances en main, raconta-t-elle plus tard. Il était diplômé d'Harvard, il avait fait trembler Wall Street, et il ne ressemblait pas à ces sacrés banquiers pompeux que je connaissais. »

Joe partageait son mépris pour ces banquiers prétentieux. « Regardez Boston, lui expliqua-t-il. Les Cabot et les Lodge préféreraient mourir plutôt que d'aller au cinéma, ou d'y laisser aller leurs enfants. Voilà pourquoi leurs domestiques sont plus au courant qu'eux de ce qui se passe. La classe laborieuse devient tous les jours plus maligne, grâce à la radio et au cinéma. Ces snobs de banquiers de Back Bay sont en train de rater le coche. »

À cette époque, Joe avait acheté une villa donnant sur la mer, à Palm Beach en Floride ; il y invita Gloria Swanson et son mari. Il s'arrangea pour qu'un de ses larbins emmenât l'infortuné marquis à la pêche, et tandis que Rose lisait dans une autre pièce, il se jeta sur sa séduisante invitée.

« D'une main, il me prit la nuque, et de l'autre, il me caressa le corps tout en m'ôtant mon kimono, raconta Gloria Swanson. Il répéta en grognant à plusieurs reprises : “Ça suffit, ça suffit. *Maintenant.*” On aurait dit un cheval pris au lasso, brutal, ardent, prêt à conquérir sa liberté. Après un rapide orgasme, il se coucha à côté de moi et me caressa les cheveux... » En deux mois, dit plus tard Gloria Swanson, « Joseph Kennedy s'était emparé de ma vie entière... J'étais littéralement en sa possession. Il tenait mon existence entre ses mains ».

Pendant trois ans, ils vécurent leur liaison au nez de la malheureuse Rose. Il payait le loyer du pavillon de Gloria Swanson, sur Rodeo Drive à Beverly Hills, il l'invitait à Hyannis Port (pour Kick, alors âgée de neuf ans, et son amie, elle accepta gentiment de signer le mur du garage qui était aussi celui de la cabane des enfants) et l'emmena même, en compagnie de sa femme, faire un voyage en Europe. Rose qualifiait toute l'histoire de « détail technique compliqué », et se conduisait comme si elle était intime avec la maîtresse de son mari. Gloria Swanson, de son côté, ne pouvait que s'émerveiller de son impassibilité. « Était-elle idiote, se demanda-t-elle, ou sainte ? Ou simplement meilleure actrice que moi ? »

La liaison Kennedy-Swanson était de notoriété publique tant sur la côte Ouest que Est. Mais tout le monde ignorait, à l'exception des intéressés, que Joe, qui était profondément catholique, passait son temps à essayer de persuader Swanson de lui donner un enfant. Pour la convaincre de son attachement, il lui fit remarquer que Rose n'était plus tombée enceinte depuis la naissance de Jean en 1928. (Teddy, le suivant et l'ultime enfant Kennedy, n'arriva qu'en 1932).

Mais Gloria Swanson, qui était déjà mère, résista au désir de paternité de Joe. « Sur ce sujet, il était totalement irrationnel, dit-elle. J'ignore pourquoi il voulait que nous ayons un enfant, si ce n'est pour satisfaire son gigantesque *ego.* Quant à moi, il n'en était pas question. »

La liaison avouée de son père avec Gloria Swanson eut sur Jack une influence évidente et durable. Il avait entre dix et quatorze ans. Durant un séjour à Hyannis Port, Joe emmena sa maîtresse faire un tour sur le yacht familial, le *Rose Elizabeth*. Ils étaient en train de faire l'amour quand Jack, qui s'était embarqué clandestinement, surgit brusquement. Stupéfait et troublé, Jack plongea par-dessus bord, prêt à regagner la côte à la nage. « Mais Joe n'était pas en colère, se souvint Swanson. Il s'est simplement mis à rire et il a repêché Jack. Moi, j'étais gênée, évidemment, et Jack était bouleversé, presque en larmes. Il n'avait pas bien compris ce que nous étions en train de faire, et il ne savait pas comment réagir. Joe trouvait cette histoire du plus haut comique. »

Jack surprit une autre fois Gloria Swanson et son père. Au cours d'un séjour à Westchester, alors qu'ils étaient en train de s'étreindre avec passion, elle s'aperçut brusquement que Jack les observait, à quelques mètres de là. « Automatiquement, je me suis éloignée de Joe en essayant de me reprendre. Mais Joe m'a rattrapée et s'est mis à m'embrasser avec encore plus d'enthousiasme. Il le faisait à l'intention de Jack : j'avais honte, mais Joe était en train de faire une démonstration devant son fiston. Il lui donnait une leçon, peut-être. Jack est resté planté là sans que son visage exprimât quoi que ce soit, puis il s'est éloigné comme s'il ne s'était rien passé d'exceptionnel. »

Vers la fin de leur liaison, Joe demanda à Gloria Swanson d'initier ses deux aînés à la sexualité. « À cette époque, plus rien de ce que me disait M. Kennedy ne pouvait me surprendre. Mais je me suis souvent demandé ce qu'en pensaient les enfants, surtout Jack. À la Maison-Blanche, a-t-il fait subir à Jackie ce que son père avait fait subir à Rose... ? »

En définitive, ce fut Joe qui laissa tomber Gloria Swanson pour une autre actrice plus jeune – Nancy Carroll. Mais non sans avoir auparavant ruiné sa carrière et son mariage. Le premier film réalisé sous la bannière de Gloria Productions, *Queen Kelly*, fut un tel désastre que même le solide Joe en fut ébranlé. Dans ses mémoires, Gloria se souvient de la réaction de Kennedy après la première projection. « Il était écroulé au fond de son fauteuil. Il ne voulait pas me regarder, il s'efforçait de récupérer la maîtrise de lui-même. Il avait la tête dans les mains, et des petits cris aigus et plaintifs s'échappaient de son corps tendu, comme ceux d'un animal pris au piège. Il a fini par retrouver sa voix. Elle était calme, retenue. "Jamais dans ma vie, dit-il, je n'ai connu l'échec." »

Dans les décennies qui suivirent, il y eut trop de conquêtes, tant pour le père que pour le fils, pour qu'on les mentionne, mais Joe ne permit jamais à Jack d'oublier sa liaison avec Gloria Swanson. Histoire de rappeler qui était la fine lame de la famille, il s'en vantait souvent, devant Jack et même devant Jackie.

Joe ne s'embarrassait pas de scrupules quand il s'agissait de tromper sa femme. Lorsque les enfants étaient encore petits, il amenait ses conquêtes aux sorties familiales ; plus tard, il fit du plat aux amies de ses filles et même aux flirts de ses fils.

Mary Pitcairn, une amie de la famille qui sortait avec John Kennedy, raconta que Kennedy senior avait l'habitude d'embrasser toutes ses invitées pour leur souhaiter bonne nuit. Un jour, alors qu'elle était à Hyannis Port avec Eunice, la sœur de Jack, et qu'en chemise de nuit, elle s'apprêtait à se coucher, Joe était entré et l'avait attrapée pour l'embrasser sur la bouche – sous les yeux de sa propre fille. Mary en fut navrée pour Eunice, mais celle-ci, au lieu d'être fâchée, se comporta comme si c'était là une habitude. « Je crois que tout ceci préoccupait Jack. C'était un homme sensible et cette situation le perturbait. Une femme, *ça sert à quoi ?* Est-ce qu'on doit les traiter comme son père le faisait ? »

« Il était complètement amoral, reconnut le célèbre journaliste Arthur Krock, ami intime de Joe. Je pense que seul un catholique romain est capable d'expliquer qu'on peut être amoral en gardant la foi. Comme si on souscrivait un contrat d'assurance avec les dieux, sans pour autant renoncer au reste. Oui, il était amoral. C'est certain... Mais ça ne m'a jamais dérangé, parce que Rose se comportait comme si elles [les autres femmes] n'existaient pas, et après tout, c'était son affaire, pas la mienne. »

Par réaction, Rose se jetait à corps perdu sur les vêtements et les bijoux. Comprenant qu'elle n'était qu'une « rien du tout » à côté de la magnétique miss Swanson, la fidèle épouse de Joe décida que « [elle] pouvait tirer le meilleur parti de ce qu'[elle] possédait en gardant une silhouette élancée, un teint éclatant, en étant toujours pomponnée à la perfection et vêtue de façon recherchée et seyante ».

Ce qui ne laissait guère de temps à consacrer à Jack, qui était entouré en permanence d'une nuée de nourrices et de gouvernantes. Après la scarlatine qui avait bien failli l'emporter, le fragile Jack attrapa, entre autres, la coqueluche, la rougeole, la varicelle, la rubéole, des bronchites, des otites, de l'anémie et des angines. Contraint de garder le lit la plupart du temps, il devint un lecteur avide, dévorant les œuvres de Sir Walter Scott, Kipling et Robert Louis Stevenson. Contrairement à son frère aîné, Jack était assez pataud ; on le voyait traîner dans la maison, avachi, la chemise sortie du pantalon et, manifestement, il mettait un point d'honneur à ne jamais être à l'heure nulle part.

Après une dernière année assez décevante à l'externat de Riverdale, on envoya Jack en pension, comme son frère. Joe voulait que son fils aîné fréquentât Choate School, à Wallingford dans le Connecticut, afin d'apprendre à se mouvoir avec aisance au sein des aristocratiques WASP, qui tenaient toujours le haut du pavé dans la société américaine.

Mais Rose avait d'autres objectifs. Comme Joe était toujours parti pour affaires, elle en profita pour envoyer Jack à Canterbury, un pensionnat catholique perché au sommet d'une colline qui dominait une autre ville propre du Connecticut, New Milford.

Jack arriva à Canterbury en septembre 1930. Il avait treize ans. Il fut rapidement en proie au mal du pays. Ses notes se mirent à dégringoler, et son poids avec. Il commença à voir flou et c'est de cette époque que datent ses premières lunettes. Et après une série de malaises, il perdit connaissance, en proie à de graves douleurs abdominales. On l'emmena en urgence à l'hôpital de Dansbury, où il subit une appendicectomie à chaud. Comme il ne se remettait pas de cette opération aussi vite que prévu, on l'envoya passer sa convalescence chez lui.

L'année suivante, Jack fut envoyé à Choate, où sa santé continua à se détériorer. Il passa plusieurs semaines d'affilée à l'infirmerie, souffrant de crises de toux, de vertiges et d'une bizarre enflure du cou qu'on diagnostiqua plus tard comme les oreillons. Cependant, il eut beau voir une armée de médecins durant sa scolarité, aucun ne fut capable de déterminer l'origine de ce que Jack lui-même appelait « ce mal qui me ronge ».

Tous ceux qui ont connu Jack Kennedy s'accordent sans exception sur une chose : quels que fussent ses souffrances ou ses malaises, il ne se plaignait *jamais*. Quand il n'était pas à l'infirmerie de Choate, il s'obligeait à rejoindre les élèves sur le terrain de football ou à la piscine. Il se démarquait de son frère, un garçon brutal et athlétique, en faisant le clown, toujours prêt à raconter des blagues ; grâce à cette insolence joyeuse, il devint un des garçons les plus appréciés de l'école – en dépit du fait que ses dents en avant (un trait Kennedy corrigé plus tard par l'orthodontiste attitré de Rose) et son visage maigre lui avaient valu le malheureux surnom de « Face de Rat ».

Cependant, il n'avait que peu de vrais amis. En dehors de Kirk Lemoyne « Lem » Billings, qui fut à coup sûr l'ami le plus proche et le plus fidèle que JFK ait jamais eu. Jack était en deuxième année, et Lem en troisième, quand ils posèrent tous deux leur candidature pour le journal annuel de Choate, *The Brief*, en 1933. Billings, dont les ancêtres étaient arrivés sur le *Mayflower*, avait en commun avec Jack une chose importante : il avait été, lui aussi, écrasé par un frère aîné trop encombrant. Peu de temps après la mort de son père, Billings fut invité à passer Noël avec les Kennedy, à Hyannis Port.

Dès le mois de février, Jack retourna à l'infirmerie de Choate, atteint à nouveau de symptômes qui décontenançaient le corps médical – douleurs d'estomac, urticaire, perte de poids, fièvre. À un moment, on parla de leucémie, et tous les élèves allèrent prier à la chapelle pour la guérison de leur camarade. Au bout d'un mois, l'urticaire disparut, Jack retrouva son appétit, et une fois de plus les médecins, perplexes, en furent réduits à se gratter la tête.

Au cours de l'été 1934, pendant que Billings était à Hyannis Port, Jack partit d'urgence à la Clinique Mayo tant ses douleurs abdominales étaient fortes. Tandis que son ami prenait le soleil à Cape Cod, Jack se faisait nettoyer à grands coups de lavements dans le Minnesota. Ironie du sort, Billings, qui était la robustesse même, avec ses 1,88 m et ses 80 kilos, s'ébouillanta accidentellement sous la douche, chez les Kennedy, et dut passer trois semaines à l'hôpital. Jack n'avait guère la force de se montrer compatissant envers son copain. « Navré pour tes brûlures, écrivit-il, mais pour en revenir à un sujet plus intéressant... mes intestins ont définitivement cessé de fonctionner, donc, la seule façon de me libérer, c'est que quelqu'un souffle du haut vers le bas ou du fondement vers le haut. »

À tout juste dix-sept ans, Jack était déjà capable d'écrire des lettres tellement crues qu'on les aurait dites de la main d'un marin deux fois plus âgé que lui. Il décrivait avec des détails pittoresques comment le médecin lui avait « enfoncé le doigt dans le cul ». « Évidemment, j'ai rougi, tu comprends pourquoi. Il l'a remué d'une manière suggestive et ils sont restés babas quand j'ai dit : “Vous faites ça bien !” Je me sentais vraiment à l'aise, comme j'imagine que tu le serais, avec un tas d'inconnus, les yeux braqués sur le trou de mon cul... Mon pauvre rectum trempé me regarde d'un air plein de reproche en ce moment. »

Comme on peut l'imaginer, un adolescent entouré d'infirmières blondes et pulpeuses avait du mal à penser à autre chose qu'au sexe. Inquiet de l'état de son « instrument » (qu'il appelait parfois son « organe vital »), Jack écrivit à Billings qu'il craignait que sa « vitalité » ne soit

« entamée » par les six lavements quotidiens. « Mon pénis, se lamenta-t-il, a l'air de sortir tout droit d'une essoreuse. »

Rien d'étonnant à ce qu'un jeune homme de dix-sept ans fît étalage d'obscénités, d'autant qu'il avait été élevé par une mère tellement prude et répressive. Mais le ton des lettres de Jack révèle bien d'autres choses sur la nature de sa relation avec ce jeune homme qui allait partager sa chambre à Choate.

À lire simplement les en-têtes de ses lettres (« Chère Merde !!! »), on voit bien que Jack prenait plaisir à assaisonner Billings avec le langage le plus grossier qu'il pût trouver (« Espèce de merde cradingue » – « Enculé de lèche-bottes » – « T'as déjà baisé une chatte ? Sale pute ! »). En même temps, il se confiait à lui comme il ne le fit jamais avec quiconque. Son effronterie et ses propos bravaches dissimulaient mal la tendresse qu'il ressentait à l'égard de son copain.

Ce couple mal assorti partageait une passion pour les ragots, un sens de l'humour décapant et un irrépressible besoin de faire des pieds de nez à l'autorité (dynamiques meneurs du Muckers Club, le Club des Fumiers, ils furent à deux doigts de se faire virer). Mais, sans conteste, Jack était le chef et Lem simplement un faire-valoir – même quand ils rédigèrent ensemble une lettre où ils demandaient à être admis dans la Légion étrangère de France. Pour plaisanter, Jack parlait souvent de Billings, qui ne faisait ses études à Choate que grâce à une bourse, comme de « leur parent pauvre ». Jack, qui eut toujours la manie de distribuer des surnoms à tout son entourage, appelait souvent son ami « LaMoan », « Pneumoan », Delemma » et « Lemer ».

Billings était plus que d'accord pour jouer les bouffons à la cour des Kennedy – un rôle qu'il assuma jusqu'à la mort de Jack, et même après. Membre permanent du personnel de la famille Kennedy, il fut particulièrement proche de Robert Kennedy et de ses enfants. Son rôle dans la saga Kennedy ne s'acheva qu'avec sa mort mystérieuse, probablement à la suite d'une overdose de drogue, en 1981. « Je suis persuadée, déclara Eunice Kennedy Shriver lors de son panégyrique aux obsèques de Billings, qu'il a d'ores et déjà tout organisé pour nous au paradis avec tout ce qu'il faut pour faire une énorme fête... Le paradis, c'est Jésus, Lem, Jack et Bobby qui s'aiment. »

Il ne faut pas sous-estimer la contribution de Lem à l'ascension de JFK, car il fut le premier, en dehors de ses frères et sœurs plus jeunes, à l'adorer ouvertement. Il était satisfait de se dorer au soleil de la gloire de Kennedy, et au fil des ans il prouva à maintes reprises son inaltérable loyauté. Fou de vitesse impénitent, dans la crainte de se faire retirer son permis, Jack exigeait que Billings prît le volant dès qu'ils entendaient les hurlements de la sirène de police. Billings obéissait volontiers et écopa pour son ami à plusieurs reprises.

Billings exerça également une profonde influence sur le comportement sexuel de Jack. Les deux étudiants étaient si intimes que Jack décida, lors d'un séjour à New York, qu'ils devaient perdre leur virginité ensemble. Vêtus de leurs plus beaux atours, ils se rendirent en taxi dans une maison close de Harlem et payèrent trois dollars pour avoir une prostituée. Billings attendit dans le vestibule pendant que Jack montait, mais quand vint son tour, il se déroba. Jack lui fit la leçon pendant une demi-heure ; finalement, Billings céda et accompagna la fille dans la chambre.

Plus tard dans la soirée, ils allèrent frapper chez un de leurs camarades de classe, Rip Horton, qui possédait un appartement à Manhattan. Horton raconta que Jack et Lem étaient « complètement affolés. Ils mouraient de peur à l'idée d'avoir attrapé une maladie vénérienne ». Tellement effrayés qu'ils se rendirent tout droit au Lennox Hill Hospital où « on leur donna des baumes et des pommades, et quelque chose pour se désinfecter le pénis ». Plusieurs heures après, toujours inquiets et incapables de dormir, ils réveillèrent le médecin personnel de Joe Kennedy pour avoir de la pénicilline. (Horton lui-même participa par la suite aux frasques sexuelles de Jack, surtout dans un des bordels favoris des Kennedy, le Gypsy Tea Room, à West Palm Beach.)

En perdant leur virginité avec la même prostituée, on pourrait dire que Jack et Lem avaient atteint le comble de l'intimité entre hétérosexuels. Mais après cette première expérience à Harlem – et on ne sait pas si Lem a vraiment conclu avec la prostituée, une fois la porte close –, Billings parut condamné à l'échec avec les femmes, tandis que Jack était promis au succès.

Les femmes ne résistaient pas au charme discret et à la belle allure de Jack, mais Billings n'exerçait pas la moindre fascination sur le sexe opposé. Jack se moquait de la vie amoureuse lamentable de Lem – comme le jour où Lem se cacha tranquillement dans une meule de foin pendant que Jack et un troisième larron faisaient l'amour avec leurs petites amies.

On ne sait pas exactement quand Jack comprit que son vieux copain était en réalité homosexuel. De même qu'on ignore quand il prit conscience de ce qui était patent : Billings était désespérément amoureux de lui. « C'était bien plus qu'une passade, raconta un ami de la famille, en soulignant le fait que Billings était resté un an de plus à Choate pour ne pas quitter Jack. C'était au-delà de la toquade. Lem fut profondément amoureux de Jack durant trente ans. Dans ces écoles de garçons, il se passe beaucoup de choses, mais je ne crois pas qu'il y ait eu quoi que ce soit de physique entre eux. Mais tout le monde savait que Lem était amoureux de Jack. Même Jackie. »

Durant les premières années de Choate, Jack a dû avoir du mal à comprendre que ce grand gaillard avec qui il partageait sa chambre pût être homosexuel. « C'est pour ça qu'on essayait de brancher Lem sur les femmes, raconta un de leurs camarades, et après, on se moquait de lui quand il échouait. Seul l'humour permettait à Jack d'accepter le fait que Lem n'aimât pas les filles. »

Tout en soutenant qu'il ignorait pourquoi Billings n'avait pas de petite amie, Jack lui écrivait : « On ne peut pas dire que tu sois exactement moche. Il me semble simplement que tu n'es pas le genre à faire craquer les dames. Franchement, mon gars, je suis perplexe. »

Au fil des années, Billings, sans aucun doute, poussa JFK à adopter une attitude plus tolérante vis-à-vis des homosexuels. « Il admirait chez les autres l'intelligence et l'esprit, dit Gore Vidal, que son roman homosexuel *The City and the Pillar*, rendit célèbre à vingt-deux ans. C'était peut-être un prodigieux consommateur de femmes, mais je crois qu'il se sentait à l'aise dans la compagnie des homosexuels, si tant est qu'ils fussent suffisamment intelligents pour retenir son intérêt. » En 1958, alors qu'il visait les élections présidentielles, Jack demanda à Gore Vidal de lui présenter un de ses plus célèbres amis homosexuels, l'auteur dramatique Tennessee Williams. Après un déjeuner à Palm Beach, Williams déclara que Jack n'avait aucune chance d'être élu : « Beaucoup trop séduisant pour les Américains. »

D'après un autre ami, Henry James, tout cela révélait que Jack avait des tendances féminines très fortes, qu'il s'efforçait de cacher derrière ses exploits machos. « Il était très narcissique, ce qui est tout à fait caractéristique des homosexuels, dit James. Si vous connaissez des homosexuels, vous savez qu'ils passent leur temps à se contempler dans un miroir. L'apparence a beaucoup d'importance pour eux – et Jack était ainsi. »

La maladie qui avait déconcerté les médecins de la Clinique Mayo disparut aussi vite et aussi mystérieusement qu'elle était apparue. Optimiste et rempli d'une nouvelle énergie, Jack ne se concentrait certes pas sur ses études, mais bien plutôt sur l'apprentissage de la politique. Il ne fallut pas longtemps pour que son magnétisme personnel poussât des étudiants à se faire admettre au sein du Muckers Club renégat.

Vers la fin de sa dernière année d'étude, il fit aussi campagne pour se faire élire « Champion de la Réussite » – un titre dont Jack savait qu'il impressionnerait son père, à ce moment-là à la tête de la commission Sécurité & Échange de Franklin Roosevelt. Jack avait raison. Il avait démontré qu'il était dans sa nature de remporter des victoires politiques, et qu'il avait hérité de son père ce désir ardent de vaincre. À n'importe quel prix, manifestement. En dépit du charme naturel de Jack, le vote pour l'élection du « Champion de la Réussite » fut truqué. Une fois diplômé de Choate, Jack offrit à son associé dans le crime, Rip Horton, une photo ainsi dédicacée : « À Boss Tweed de la part de Honest Abe[1]. En espérant que nous partagerons une cellule à Sing Sing. »

Comme on pouvait s'y attendre, Joe était bien décidé à ce que Jack suive son frère aîné à Harvard. Mais quand Lem Billings fut accepté à Princeton, Jack prouva son dévouement en insistant pour l'accompagner. Les deux universités acceptèrent sa candidature, mais avant qu'il n'ait eu le temps de faire ses valises pour le New Jersey, il fut littéralement enlevé par son père.

En septembre 1935, Joe et Rose emmenèrent Jack et Kick pour la première fois en Europe. Ils laissèrent Kick dans une école de bonnes sœurs et inscrivirent Jack pour un an d'études à la London School of Economics, la prestigieuse institution où Joe junior avait passé l'année précédente.

Jack n'y resta guère plus d'un mois. Atteint d'une grave jaunisse, il fut hospitalisé et les médecins supposèrent qu'il s'agissait d'une maladie du foie, peut-être une hépatite. Une fois de plus, il se remit très vite et, contre la volonté de son père, s'installa avec Billings et Rip Horton à Princeton. Il

1. Honest Abe : un des surnoms d'Abraham Lincoln.

n'y resta que six semaines. De nouveau malade, il passa deux mois au Peter Bent Brigharn Hospital, à Boston.

Dans les lettres scatologiques adressées à Billings, Jack se décrit comme une sorte de Candide jeté dans le monde médical. À l'en croire, des infirmières nubiles l'avaient tripoté, « lui avaient mis le doigt dans le cul », « l'avaient peloté ». Une fois même, en présence d'un bataillon de médecins et d'infirmières, le toubib de garde avait repoussé les draps et mis au jour le pénis en érection de Jack, « frémissant de vie ».

La plupart du temps, cependant, Jack supportait la routine habituelle des soins : on le poussait, on le tirait, on lui enfonçait des tubes dans tous les orifices. Il fut enchanté d'apprendre qu'il n'était pas atteint de la syphilis – une inquiétude de toujours – et prit avec beaucoup de philosophie le diagnostic possible de leucémie (hypothèse qui fut plus tard abandonnée).

Comme il l'avait déjà fait tant de fois par le passé, Jack se rétablit – mais pas suffisamment pour reprendre ses études à Princeton. Afin de se remettre complètement, il passa le reste de l'année scolaire entre Palm Beach, un ranch dans l'Arizona et Hollywood avec son père. Dans une lettre adressée à Lem Billings, on pourrait croire qu'il était complètement guéri : « J'ai rencontré cette figurante à Hollywood et c'est la plus jolie chose que j'aie jamais vue », écrivit-il.

À moins de vingt ans, Jack faisait de son mieux pour que son père fût fier de lui. « Papa disait à ses fils de baiser aussi souvent que possible, raconta-t-il plus tard. Je n'arrive pas à m'endormir tant que je n'ai pas tiré un coup. » Le jeune Kennedy affirmait également que s'il laissait passer vingt-quatre heures sans orgasme, il se retrouvait avec des maux de tête complètement invalidants.

Se pliant au désir de son père, Jack entra à Harvard à l'automne 1936. Une fois de plus, il passa son temps à entrer et sortir de l'infirmerie, selon un rythme assez régulier. Cependant, son état de santé précaire ne l'empêcha pas de rechercher la gloire sur les terrains de sport – ou dans les piscines. « Jack était tenace, raconta Charlie Houghton, une des trois stars de l'équipe de football du campus avec qui il avait choisi de partager sa chambre. Je me souviens des essais pour l'équipe de natation. Il est tombé très malade et il a dû aller à l'infirmerie. » Comme les médecins l'y retenaient, Jack demanda à un ami de le faire sortir en cachette. Grâce à son cran, Jack, qui mesurait plus d'1,83 m pour moins de 68 kg, réussit à faire partie des équipes de boxe et de natation lors de sa première année d'université.

Cependant, sa carrière de footballeur ne dura pas longtemps. En octobre 1937, Joe senior se rendit en voiture dans le New Jersey pour voir ses deux fils jouer contre Princeton – Joe junior dans l'équipe de l'université et Jack comme suppléant de deuxième catégorie. Juste avant le match, le chauffeur de la famille décida de surprendre Jack en le saisissant par-derrière à bras-le-corps.

Le dos meurtri, Jack se retrouva définitivement sur la touche. Mais par compassion, le directeur des études lui accorda le niveau H, appréciation qu'il n'aurait jamais obtenue si on s'en était tenu à ses compétences de joueur. « Quand il était à Harvard, il avait le dos en mauvais état, raconta Houghton. Il portait un corset en permanence. C'était assez grave. Si j'avais été dans un pareil état, je n'aurais jamais osé jouer au football ni à quoi que ce soit d'autre. »

Dans les interviews, Jack ne racontait jamais que sa blessure avait été provoquée par la blague du chauffeur de la famille. Il préférait affirmer que cet accident s'était produit au cours d'un entraînement. « Trois grandes baraques me sont tombées dessus, expliqua-t-il au cours d'une interview à la Maison-Blanche. Ce dont je me souviens, c'est que ma jambe gauche était pleine de fourmis et qu'elle ne réagissait plus quand je courais, m'accroupissais ou bougeais. Ensuite, j'ai commencé à avoir un mal de dos abominable. Depuis cette séance d'entraînement, la douleur ne m'a plus jamais lâché. »

Les problèmes de dos de Kennedy, dont on rejeta la responsabilité alternativement sur la blessure de football à Harvard et sur son célèbre acte d'héroïsme dans le Pacifique durant la Seconde Guerre mondiale, étaient en réalité congénitaux. Il était né, d'après les révélations d'un des médecins qui l'a soigné à Boston pendant son enfance, avec « un dos fragile ».

Le Dr Janet Travell, qui suivit Jack quand il devint sénateur, puis président, délivra un diagnostic encore plus surprenant : « Voilà la vérité sur ce qui est arrivé à son dos ; je ne l'ai encore jamais dit jusque-là, mais je pense qu'il est né avec un côté du corps plus grand que l'autre. Le côté gauche de son visage était plus petit que le droit. Son épaule gauche était plus basse. J'ai examiné des photos de lui du temps où il était à Harvard et quand il était enfant : lorsqu'il se tient debout, on voit bien que son épaule gauche est toujours plus basse et sa jambe notablement plus courte. Ce fut vrai toute sa vie durant. »

Les ennuis physiques de Jack continuèrent à se multiplier. En plus de ses problèmes de dos et de ventre, il commença à souffrir de migraines aveuglantes et de saignements de nez, à la suite d'une infection des sinus. Il décida également de se faire circoncire à l'âge de vingt-deux ans – une opération douloureuse qui, étant donné l'intensité de l'activité sexuelle de Jack, se justifiait, d'après les médecins. Billings, qui avait poussé son ami dans ce sens, lui écrivit pour demander des détails. « Quant à l'intérêt tout à fait déplacé que tu montres vis-à-vis de ma circoncision, lui répondit Jack, je t'informe que JJ [le surnom que Kennedy donnait à son pénis] n'a jamais été en meilleure forme et ne m'a jamais aussi loyalement servi. »

Le physique fragile de Jack n'entravait en rien ses moyens quand il s'agissait des femmes. Bien au contraire, il n'en avait que plus de chances de réussir. « Il avait la classe, le charme, *et* l'argent ! dit un de ses amis. Quelle combinaison ! Toutes les filles avaient envie de le materner, et Jack ne faisait rien pour les arrêter. »

Avant même d'être inscrit à Harvard, Jack comptait déjà à son actif un nombre impressionnant de conquêtes féminines. Mais, à l'exception d'Olive Field Cawley, qui épousa plus tard le patron d'IBM, Tom Watson, Jack ne prenait guère au sérieux toutes ces liaisons adolescentes. Même Olive, sa première vraie petite amie, n'échappa pas à ses sarcasmes. Après avoir exigé de savoir si un de leurs amis communs « l'avait ou non baisée », Jack raconta à Billings qu'il avait fait en sorte de calmer ses ardeurs : « Je lui ai sacrément foutu la trouille quand je me la suis faite, donc je ne pense pas qu'elle tentera quoi que ce soit. N'empêche, elle est tout à fait sexy. »

Les amies de Jack, à cette époque, découvrirent également qu'il pouvait être étonnamment radin. « Comme beaucoup de gens riches, il se montrait très désinvolte avec l'argent. Il n'avait jamais de liquide sur lui et je ne l'ai jamais vu signer un chèque, raconta une de ses petites amies d'Harvard. Si on dînait seuls, c'était toujours dans un endroit où son père avait un compte et quand le repas était fini, on se levait et on partait. Si on prenait un taxi, c'était moi qui ouvrais mon porte-monnaie pour régler la course. Il lui est même arrivé parfois de me téléphoner en PCV. À l'époque, je prenais ça pour de l'originalité, mais si un autre homme m'avait fait le coup, j'aurais été furieuse. Comme toutes les filles, j'étais folle de lui. »

« Jack remportait toujours un gros succès auprès des filles. Très gros, dit James Rousmaniere, un de ses camarades de la résidence Winthrop House. Il lui suffisait de claquer des doigts. Il avait une réserve inépuisable de femmes. Chaque fois qu'il partait le week-end à New York, il en revenait avec dix nouveaux noms. »

Cependant, durant les quatre ans qu'il passa à Harvard,

Jack ne s'intéressa sérieusement qu'à deux femmes. Au cours du premier cycle, il tomba amoureux de Frances Ann Cannon, l'héritière de la fortune des Moulins Cannon. Leur histoire devint si passionnée que Jack fut sur le point de la demander en mariage. Malheureusement, le père de Frances s'opposait catégoriquement à ce que sa fille épousât un catholique. Néanmoins, Jack continua à poursuivre Frances de ses assiduités, et après l'avoir emmenée dîner au Club 21, à Manhattan (un des nombreux restaurants de New York où Joe Kennedy senior avait un compte), il accepta de lui rendre visite le lendemain chez sa mère. Ce fut là que Frances présenta à un Jack éberlué son nouveau fiancé, l'écrivain John Hersey.

« Jack paraît déprimé d'avoir laissé échapper cette fille », écrivit Rose à son mari, qui, au début de l'année 1938, avait été nommé ambassadeur des États-Unis en Grande-Bretagne. Cependant, Jack fit bonne figure devant Joe senior. « Mes relations avec Cannon se sont légèrement rafraîchies, écrivit-il à l'ambassadeur, et j'ai l'œil aux aguets pour lui trouver une remplaçante. »

La remplaçante fut Charlotte McDonnell. « J'emmène l'amie de Kick, Charlotte Macdonald [*sic*] à la fête de Princeton, écrivit-il à Joe senior, et ce sera la première fois que je goûterai aux charmes d'une fille catholique, alors ce sera intéressant de voir ce qui se passe. » Charlotte n'était sûrement pas la première fille catholique avec laquelle sortait Jack. Mais ce qui la distinguait des autres, ce fut qu'il envisagea brièvement de l'épouser.

« Il arrivait très souvent en retard, raconta Charlotte, ou il envoyait un de ses amis me chercher, ce qui me faisait grimper au mur. Mais... une fois qu'on était avec lui, on oubliait tout ça. Jack parlait ouvertement de mariage, mais a-t-il jamais demandé ma main ? Eh bien, la réponse est non. »

Ce n'était certes pas à cause de ses études. « Il était gai, charmant, insolent, séduisant, raconta son directeur d'études à Winthrop House, John Kenneth Galbraith, mais loin d'être studieux. » Il ne se mit au boulot qu'en troisième année, concentrant ses efforts sur une matière qui, pour lui, était comme une seconde nature : les sciences politiques.

L'année d'après, Jack boucla une thèse sur ce qui se cachait derrière la formule pleine de suffisance du Premier ministre anglais Neville Chamberlain, qui avait mené à la Seconde Guerre mondiale : « Peace in our time », « Paix sur notre époque ». Son père embaucha le personnel de l'ambassade pour l'aider dans sa recherche et persuada Arthur Krock, du *New York Times*, de la mettre en forme ; il paya même une petite armée de dactylos pour taper le manuscrit définitif. *Why England Slept*, « Pourquoi l'Angleterre dormait » (une référence au texte-phare de Winston Churchill, *While England Slept*, « Pendant que l'Angleterre dormait ») sauva le cursus universitaire de Jack de la médiocrité et lui permit d'obtenir son diplôme avec tous les honneurs.

Ensuite, Joe tira toutes les ficelles nécessaires pour que *Why England Slept* devienne un livre à gros tirage. Entretemps, l'intérêt de Jack pour les événements internationaux n'avait fait que grandir grâce à ses voyages à l'étranger. Sur ses quatre années d'Harvard, Jack passa onze mois à Londres, avec son père, et à voyager en Europe. L'ambassadeur américain et sa charmante couvée de beaux enfants étaient les chéris de Fleet Street, et leurs visages souriants s'affichaient presque tous les jours dans les journaux populaires londoniens. Joe senior avait besoin de cette publicité. Son admiration pour Hitler et ses origines irlandaises lui avaient instantanément valu la sympathie de la plupart des Britanniques.

Jack et sa sœur Kick étaient très à l'aise en Angleterre. Ayant passé presque toute son existence dans des pensionnats et des collèges conçus sur le modèle anglais, il était tout naturel que Jack devînt à la fois anglophile et terriblement élitiste. « Il était épouvantablement snob, vous savez, dit le chroniqueur Joseph Alsop, un de ses amis. Il était très démodé, le genre de snobisme des grands seigneurs anglais. Un snobisme au niveau du style. »

En compagnie de Billings, Jack visita Paris et les châteaux de la Loire, assista à une corrida à Biarritz, joua à Monte-Carlo, escalada le Vésuve, et admira Naples, Capri, Milan, Pise, Florence, Venise et Rome. Ils manquèrent de peu Hitler lors d'un rassemblement à Nuremberg, mais ils entendirent un discours de Mussolini à Rome. Quand ils rentrèrent à Londres, Jack souffrait de terribles crises d'asthme – une réaction allergique à un chien qu'ils avaient ramené d'Allemagne.

Jack s'aventura encore plus loin en Europe. Grâce à un petit coup de pouce du secrétariat d'État (merci à Joe), Jack ajouta la Pologne, la Yougoslavie, la Russie, la Turquie et le Moyen-Orient à sa liste de destinations. À Munich, des troupes d'assaut lancèrent des pierres sur sa voiture en voyant les plaques d'immatriculation britanniques. Descendant sur la Côte d'Azur pour assister à une fête, Jack, saisi par le démon de la vitesse, rata un virage et la voiture fit un tonneau. Miraculeusement, ni lui ni son passager ne furent blessés.

Jack, en vérité, avait compris qu'il était aux premières loges de l'Histoire : l'Europe était plongée dans la tourmente et s'avançait vers une guerre inévitable. Il voulait en apprendre le plus possible, et le plus vite possible – sur le fascisme, le communisme, sur les forces historiques, économiques, ethniques et politiques en jeu derrière ce bouleversement.

L'éducation de Jack se poursuivait même lorsque l'ambassadeur rentrait pour quelque temps aux États-Unis. « Je me souviens qu'on était assis autour de la table du dîner et la conversation tournait autour de la politique et des événements internationaux, dit Rip Horton. Tous les enfants pouvaient poser des questions, si détaillées fussent-elles, et peu importait qu'elles aient l'air simples ou idiotes, il y répondait toujours en long, en large et en travers, soulignant les points forts et les faiblesses de telle ou telle ligne politique. Mais si c'était moi qui lui demandais quelque chose, il me traitait comme un moins que rien. Il m'ignorait. Il ne voulait pas qu'on l'embête avec des questions. Seule l'éducation de ses propres enfants l'intéressait. Point. »

Les hôtes de la maison remarquaient autre chose : derrière la façade d'une famille parfaitement unie, la réalité était tout autre. « La maison était toujours pleine de cris et de rires, reconnut un habitué. Il régnait une atmosphère de frénésie constante, puisque tous les gosses se démenaient pour faire plaisir à leur père. Mais en dehors de ces discussions intellectuelles sur des sujets "importants", on n'avait pas l'impression que les gosses étaient vraiment intimes avec leurs parents. C'est drôle, tout le monde pense que Hyannis Port était un de ces merveilleux foyers américains, mais quand les gamins revenaient pour les vacances, ils n'avaient même pas de chambre à eux ! Leurs affaires personnelles – leurs livres, leurs jouets, leurs souvenirs – avaient été emballées et montées au grenier à la minute même où ils étaient partis en pension. De fait, quand Jack venait faire un séjour à Hyannis Port ou à Palm Beach, il débarquait avec ses valises et demandait à sa mère : "Je dors dans quelle chambre, cette fois ?" »

Jack fut diplômé d'Harvard *cum laude* en juin 1940. Le mois suivant, *Why England Slept*, avec une préface du vieil ami de Joe, le fondateur de Time Inc., Henry Luce, débarquait dans les librairies. Ne laissant rien au hasard, Joe acheta secrètement 40 000 exemplaires – ce qui était plus que suffisant, en ce temps-là, pour faire figurer le livre sur plusieurs listes des meilleures ventes.

Ce fut à cette époque que George Mead, qui fut plus tard tué à Guadalcanal, amena son camarade de faculté Chuck Spalding, chez les Kennedy à Hyannis Port. « Au moment où nous sommes sortis de la voiture, toutes les fenêtres se sont ouvertes et tout le monde s'est mis à crier : "Rentre chez toi ! On veut pas te voir !" – c'était une blague destinée à George qui, manifestement, était un visiteur régulier. Mais audacieusement, nous avons continué à avancer, nous avons franchi la porte et nous sommes entrés dans une chambre. Là, il y avait Jack Kennedy, assis par terre, complètement nu. Il était en train de dédicacer des exemplaires de *Why England Slept*. Je lui ai demandé comment se passaient les ventes ; il a levé les yeux et il m'a répondu : "Parfait. Papa s'en est occupé." »

Avec cette nouvelle réputation, Jack se retrouvait moins que jamais destiné à suivre son frère aîné dans les études juridiques. De plus, il fut de nouveau hospitalisé – cette fois avec quelque chose qui ressemblait à des ulcères. On lui suggéra de se reposer pendant un an, pour retrouver toutes ses forces. Il partit ensuite pour la Californie où il devait suivre des cours à la Stanford School of Business Administration.

Jack ne resta que trois mois à Stanford. Étant donné ses loisirs, c'est surprenant qu'il ait tenu aussi longtemps. Sa réputation l'avait précédé. « Et arriva tout droit de Harvard le fils de l'ambassadeur – riche, beau, charmant et auteur à succès par-dessus le marché, dit un de ses camarades à Stanford. Il pouvait choisir n'importe quelle fille qui lui plaisait. »

Il passait ses week-ends dans le château de légende de Randolph Hearst, à San Simeon, et assistait aux premières en compagnie de starlettes à Hollywood. Robert Stack, qui partageait un appartement avec Jack tout en poursuivant sa propre carrière cinématographique, était « proprement sidéré » du succès de Jack auprès des femmes. « Il suffisait qu'il les regarde pour qu'elles succombent. »

Elles découvraient rapidement que son dos, régulièrement, l'obligeait à rester immobile. Il arrivait souvent à Kennedy de confier le volant de sa Buick décapotable vert foncé à sa petite amie du moment afin d'aller s'allonger sur la banquette arrière. Une de ses conquêtes, Harriet Price, raconta qu'un jour où « elle conduisait à toute allure » avec

Jack à l'arrière, elle fut brusquement obligée de freiner. Jeté par terre, Jack « se mit à jurer comme un charretier ». Il pouvait difficilement se plaindre de la façon dont les autres conduisaient. Plus d'une fille, parmi celles qui sortaient avec lui à cette époque, évoqua son imprudence au volant ; l'une d'elles a expliqué qu'elle avait bien failli mourir quand il avait raté un virage ; la voiture avait presque fait un tonneau, comme cela lui était déjà arrivé en France.

De toutes les femmes qu'il fréquenta durant l'épisode Stanford, Jack n'en prit aucune au sérieux. « Jack n'était jamais amoureux, selon Henry James qu'il connut à Stanford. Il aimait les femmes. Il avait besoin d'elles, mais il refusait de s'investir dans une relation. »

Jack revint à Boston au début du mois de décembre 1940, et se retrouva rapidement à l'hôpital, avec de graves douleurs à l'estomac – et, d'après son urologue, le Dr William P. Herbst, une blennorragie. Les sulfamides vinrent à bout de la blennorragie, mais durant tout le reste de son existence, Jack souffrit d'une infection persistante de l'urètre qui résistait aux médicaments, provoquant une inflammation de ses organes génitaux et un écoulement intermittent du pénis, ainsi qu'une sensation de brûlure pendant l'émission d'urine. Ajoutée à cela, il y eut une autre conséquence directe, une inflammation aiguë de la prostate, qu'on combattit à doses massives d'érythromycine, de pénicilline et de tétracycline. Inutile de dire que les maladies vénériennes de Jack, et leurs répercussions sur sa vie conjugale, furent soigneusement gardées secrètes.

Tandis que les médecins soignaient ses problèmes intestinaux et sa blennorragie, Jack suivait de près les événements internationaux depuis son lit d'hôpital. Les nouvelles n'étaient pas bonnes : l'Europe sombrait dans la guerre et le Japon resserrait son étau autour de la Chine. Même pour le fils d'un isolationniste convaincu, il paraissait évident que l'Amérique allait finalement devenir partie prenante du conflit.

Le numéro de mobilisation de Jack – 2748 – était déjà sorti, mais grâce à son sursis d'étudiant, il ne fut pas incorporé avant 1941. De plus, étant donné son état de santé précaire, il y avait une chance infime pour qu'il fût accepté dans un régiment quelconque.

Mais tous les candidats n'avaient pas pour père le puissant Joseph P. Kennedy. L'ancien ambassadeur fit pression sur le chef de la Naval Intelligence, son ex-attaché d'ambassade à Londres, et celui-ci s'arrangea pour que ses deux fils (Joe junior souffrait d'un petit problème de santé non divulgué) passent leur visite médicale à la Marine. En septembre 1941, Jack, avec une myriade de graves problèmes de santé et strictement aucun entraînement militaire, fut nommé enseigne de vaisseau.

Comme les relations de Joe au ministère de la Guerre le lui avaient promis, Jack se retrouva au Bureau de la Naval Intelligence à Washington. En compagnie de sa sœur préférée, Kick, qui était journaliste au *Times Herald* de Washington, Jack mena une vie de sybarite, comme à l'accoutumée. D'après Franck Waldrop, le rédacteur en chef de Kick, il avait toujours « tout du don Juan. On pouvait presque l'imaginer en train de rayer des noms dans un carnet ».

Un de ces noms ressortait au milieu de tous les autres : Inga Arvad. La beauté danoise, qui s'était mariée deux fois, travaillait aussi comme journaliste au *Times Herald*, et le 27 novembre 1941, elle consacra toute sa chronique « Avez-vous eu l'occasion de rencontrer... ? » à Jack. L'article commençait ainsi : « Un vieux proverbe scandinave affirme que la pomme ne tombe jamais loin de l'arbre. Si l'ancien ambassadeur Joe Kennedy a un esprit brillant (même ses ennemis politiques le reconnaissent), du charme à gogo, et du talent pour toucher le cœur des gens... alors son fils n° 2 en a hérité plus que sa part. Depuis vingt-quatre ans que Jack est sur terre, il a prouvé qu'il était un garçon plein d'avenir. »

Jack se toqua immédiatement de cette blonde aux yeux bleus, ancienne reine de beauté de Copenhague, qu'il appelait indifféremment « Inga Binga », « Bingo » ou « la Scandinave scandaleuse ». Elle avait quatre ans de plus que lui, l'expérience du monde et elle aimait s'amuser. Jack ne s'aperçut pas qu'elle était déjà, avant même qu'ils se rencontrent, sous la surveillance du FBI, qui la soupçonnait d'être une espionne nazie.

Dans les années 1930, Arvad s'était rendue à Berlin pour interviewer Hermann Göring pour un journal de Copenhague et elle l'avait tellement séduit qu'il l'avait invitée de nouveau en Allemagne pour assister à son mariage. Dont le témoin était Adolf Hitler. À cette occasion, elle demanda à ce dernier s'il portait un gilet pare-balles. « Fouillez-moi », répondit le Führer. Ce qu'elle fit.

Plus tard, Hitler invita Arvad à titre personnel pour assister aux jeux Olympiques de 1936. Le commentaire d'Hitler sur la journaliste – « un exemple parfait de beauté nordique » – fut largement rapporté dans la presse allemande.

Le ministre des Affaires étrangères nazi, Joachim von Ribbentrop, ne parvint pas à la recruter comme espionne ; elle revint au Danemark pour réaliser un film à petit budget et finit par épouser le réalisateur hongrois Paul Fejos. Lors d'un voyage avec son mari à Singapour, Arvad entama une liaison avec Axel Wenner-Gren, un industriel suédois lié de très près au régime hitlérien.

Le fait qu'elle fût toujours mariée avec Fejos n'empêcha pas Inga de s'embarquer dans une liaison torride avec Jack. Ils vécurent ensemble pendant un moment – jusqu'à ce que la Naval Intelligence eût vent de l'enquête du FBI et menaçât Jack de le renvoyer à la vie civile pour manquement à l'honneur. On se contenta de se débarrasser du fils de l'ambassadeur en le transférant à Charleston, en Caroline du Sud.

Leur liaison continua et ils faisaient la navette entre

Charleston et Washington. Dès qu'ils se retrouvaient dans l'intimité, le rituel était pratiquement toujours identique : Jack se déshabillait, prenait une douche et se baladait enveloppé dans une serviette. « S'il voulait faire l'amour, raconta plus tard Inga à son fils, il fallait s'exécuter – immédiatement. » Et quand elle se montrait réticente, parce qu'ils devaient sans tarder se rendre à une réception, il regardait sa montre et disait : « On a dix minutes. Allons-y. »

Grâce aux enregistrements du FBI, on peut mesurer l'intensité de leurs rendez-vous amoureux, que ce fût chez elle à Washington ou à l'hôtel de Charleston. Selon un rapport du FBI, la surveillance permit de découvrir que l'enseigne Kennedy « passait toutes les nuits avec elle, dans sa chambre, et qu'ils faisaient l'amour à de multiples reprises ». Le rapport mentionne que, pendant l'amour, elle l'appelait « mon chou », « mon chéri », « mon trésor », « mon bébé d'amour sauvage » et qu'elle disait « Je t'aime ».

Les conversations téléphoniques du couple ont également été enregistrées.

En vérité, ils avaient l'intention de se marier. Pour Jack, cela signifiait désobéir à son père qui la considérait comme une bombe à retardement pouvant faire exploser tous ses rêves de dynastie politique. Ce qui n'empêcha pas l'ambassadeur, évidemment, de faire du plat à Inga, quand elle vint en visite à Hyannis Port avec Jack.

D'après son fils, issu de son deuxième mariage avec le cow-boy vedette Tim McCoy, Inga pensait que « Joe était terriblement dur – un homme vraiment méchant. Il pouvait se montrer tout à fait charmant quand il était avec Jack et elle, mais si elle quittait la pièce, il se mettait à embêter Jack à propos d'elle, et si Jack s'en allait, il essayait de l'entraîner au plumard ».

Aux yeux de Joe, Inga – ou plutôt la passion de Jack pour Inga – représentait une très grave menace pour le destin de la famille. À cause de ses opinions isolationnistes, Kennedy senior avait été remplacé par Franklin Delano Roosevelt à l'ambassade des États-Unis à Londres, et son patriotisme était très controversé dans la presse. Les Kennedy n'avaient vraiment pas besoin que Jack épousât une femme qu'on soupçonnait d'être une espionne nazie.

Personne ne fut plus enchanté des résultats de la surveillance du FBI que J. Edgar Hoover. Il passa des heures à écouter les enregistrements du jeune officier de marine et de « l'exemple parfait de beauté nordique », pris en flagrant délit. Il savait que cela représentait un moyen de pression important pour ses futures négociations avec le puissant Joe Kennedy. Il ne pouvait pas imaginer que cela lui donnerait aussi de quoi avoir prise sur un futur président des États-Unis.

Au début, Jack resta ferme sur ses positions, obligeant Joe à chercher les moyens de faire annuler le mariage d'Inga avec Paul Fejos. Le 2 mars 1942, il semblait que Jack avait finalement cédé aux pressions paternelles quand il rendit visite à Inga à Washington pour lui annoncer la fin de leur histoire.

Quatre jours plus tard, il changea de nouveau d'avis.

Une fois de plus, Joe joua les Magiciens d'Oz, tirant les ficelles nécessaires pour faire nommer Jack dans l'armée d'active, dans le Pacifique. À lire les nombreuses lettres adressées à Jack avant et pendant la guerre, l'amour d'Inga saute aux yeux. « L'amour – savoir qu'il est là, ne rien pouvoir y faire, et cependant, ne rien ressentir d'autre qu'un bonheur total... » écrivit-elle. Ailleurs : « Tout mon amour pour toi. Prends-en autant que tu veux, il coule d'une source intarissable. » Et ailleurs encore : « Je te reverrai – ici ou là, quelque part dans le monde, et ce sera le meilleur moment, ou plutôt le second meilleur moment de ma vie. Le premier, c'est quand je t'ai rencontré. »

Chapitre 3

Jacqueline Bouvier n'avait que treize ans lorsque Jack Kennedy s'embarqua à bord d'une vedette militaire dans le Pacifique. Mais elle avait déjà connu un bouleversement majeur dans sa jeune existence, à savoir le déchirant divorce de ses parents. Beaucoup de gens estimaient à juste titre que le mariage de Janet Lee l'arriviste avec l'indigne Black Jack Bouvier était condamné d'avance. Le principal attrait de Black Jack, c'était que sa famille figurait dans le *Social Register*, un honneur inaccessible à la famille de Janet, en dépit d'une fortune plus importante. Mais les prétentions sociales des Bouvier reposaient essentiellement sur un arbre généalogique bidon, concocté par le père de Black Jack, John V. Bouvier junior.

« Le Major », comme il préférait qu'on l'appelle en souvenir de son grade durant la Première Guerre mondiale, rédigea une généalogie intitulée *Nos Ancêtres*, dans laquelle il affirmait que la famille comptait parmi ses aïeux un membre du Parlement français au XVIIe siècle et plusieurs aristocrates. Il inventa même des armoiries et un blason, qu'il exposa avec fierté à Lasata, sa propriété de East Hampton, à Long Island. En réalité, les Bouvier dont étaient issus Black Jack et Jacqueline n'avaient rien de royaux, c'est le moins qu'on puisse dire. N'ayant aucun lien avec les aristocratiques Bouvier de la province française du Dauphiné, les Bouvier de Savoie étaient tailleurs, fermiers et quincailliers.

On disait de Michel Bouvier (celui qui mène les bœufs), parti aux États-Unis en 1815, que c'était un riche importateur et un fabricant de vernis. Le Major omettait de dire que son grand-père était un pauvre homme à tout faire, un ébéniste inculte. Le Major se vantait souvent de l'amitié qui avait lié Michel à Joseph Bonaparte ; en réalité la relation entre Michel Bouvier et Bonaparte, forcé de fuir l'Europe après la défaite de son frère cadet à Waterloo, était restée sur le strict plan d'employeur à employé. Après avoir acheté des meubles dans la petite boutique étroite de Michel à Philadelphie, Bonaparte l'avait embauché pour faire quelques travaux de menuiserie, puis pour surveiller la reconstruction de sa maison.

Jackie, comme les autres Bouvier, fut élevée dans la certitude qu'elle avait du sang bleu dans les veines. Son pedigree ne fut sérieusement remis en cause que lorsque les historiens se penchèrent sur les origines de la première dame des États-Unis. L'imagination fertile du Major s'arrangeait très bien du fait que les Bouvier, comme les Kennedy, avaient commencé pauvres immigrants sans éducation pour amasser ensuite beaucoup d'argent.

Michel, l'ébéniste, fabriqua d'abord des plateaux de table en marbre et en placage, puis investit les bénéfices de cette industrie dans l'immobilier, où il fit un malheur. Sa fille épousa un Drexel ; un des riches Drexel de Philadelphie, et leurs fils s'installèrent à la Bourse de New York. Vers 1890, les Bouvier comptaient parmi leurs associés des Vanderbilt, des Morgan et des Harriman.

Quand il n'était pas occupé à lustrer l'image de la famille – une opération qui exigeait de devenir membre de presque tous les clubs prestigieux de New York – le Major exerçait ses talents d'avocat dans le cabinet Bouvier & Warren, dont il était un des associés. Son fils, Jack, après un parcours scolaire sans éclat, obtint son diplôme de Yale en 1914. Au lieu de suivre les traces de son père dans la profession juridique, il entra dans le cabinet de courtage de Wall

Street, Henry Hentz & Company. Trois ans plus tard, Black Jack, comme on l'appelait déjà, se mit à son compte et amassa une fortune personnelle de plus d'un million de dollars.

Et il ne s'arrêta pas là. Il embaucha un chauffeur à plein temps pour le conduire dans un de ses quatre véhicules, dont une Stutz bordeaux. Il fit venir toute sa garde-robe de Londres. Il passait ses vacances sur la Côte d'Azur, en compagnie d'autres gens de la « génération perdue ». Les réceptions qu'il donnait dans son appartement de Park Avenue étaient légendaires. Un de ses amis résumait ainsi l'homme : « Il jouait, il buvait, il se bourrait la gueule avec des femmes. » Et pas qu'avec des femmes, selon certains. On parla beaucoup d'une histoire entre le père de Jackie et Cole Porter, mais Black Jack insista plus tard pour dire que leur amitié n'était qu'une amitié.

En dépit d'un confortable revenu annuel de cent mille dollars, Black Jack était lourdement endetté. Cependant, ce n'était pas lui la brebis galeuse de la famille ; cet honneur revenait à son jeune frère, William Sergeant Bouvier, connu sous le nom de Bud. Les deux frères étaient grands buveurs, mais l'alcoolisme de Bud finit par lui être fatal.

Ce fut Bud, avec sa sensibilité et ses tendances suicidaires, qui attira d'abord l'attention de Janet Lee. Comme les Bouvier, les Lee appartenaient au Maidstone Club d'East Hampton, et ce fut là que la fille du banquier millionnaire James Thomas Lee rencontra pour la première fois les fringants frères Bouvier.

Socialement, les Lee n'appartenaient pas à la même classe que les Bouvier. Mais il n'était pas question pour eux de laisser Janet épouser un divorcé alcoolique. Fils d'immigrants irlandais pauvres, James T. Lee avait réussi à sortir diplômé de la faculté de droit de l'université de Columbia et à devenir rapidement président de la New York Central Savings Bank – un poste qu'il occupa pendant quarante ans.

La mère de Janet, dont les parents avaient également émigré d'Irlande, se consacrait à son mari et ses enfants.

Beaucoup plus riches que les Bouvier, les Lee possédaient plusieurs immeubles à Manhattan, où Janet suivit les cours de l'École de miss Spence – avant de s'inscrire au Sweet Briar Collège, puis d'être envoyée à Barnard. C'était une cavalière accomplie – et elle transmit cette passion à ses filles.

Une éducation aussi parfaite masquait en vérité un dysfonctionnement familial chronique, qu'on retrouve tout au long de la saga de Jackie et Jack. Janet était encore adolescente quand ses parents cessèrent de vivre ensemble ; après avoir appris que sa femme avait depuis belle lurette une liaison avec un avocat célèbre, James T. resta dans le même immeuble (qui lui appartenait), mais s'installa à un autre étage. Les intéressés étant tous catholiques pratiquants, le divorce était hors de question. Les parents de Janet s'ignoraient donc purement et simplement, obligeant Janet à jouer le rôle de messager. Ce qui laissa sur son psychisme des cicatrices profondes et durables, et, bien plus tard, eut des conséquences sur le mariage d'un président des États-Unis.

Leurs parents, nouveaux riches, n'avaient pas réussi à s'introduire dans la société d'East Hampton, mais Janet et ses sœurs, Marion et Winifred, y furent immédiatement acceptées. Et bien que le maussade Bud Bouvier eût été celui que Janet avait d'abord choisi, le fait est qu'il était divorcé – une chose que les Lee ne pouvaient pas admettre.

Lorsque l'éternel « beau parti » Black Jack, alors âgé de trente-huit ans, annonça qu'il avait l'intention d'épouser Janet, qui en avait vingt-deux, les membres du Maidstone Club en furent ébahis. Minuscule, avec un visage étroit et anguleux, elle faisait penser à un petit oiseau – elle était loin de ressembler aux beautés sculpturales que Jack avait toujours paru apprécier. Et n'était-il pas un peu dévergondé aux yeux de James T. Lee ? Curieusement, les beuveries sauvages de Jack et ses prouesses sexuelles tout aussi débridées, sans compter un certain nombre de fiançailles rompues, ne furent pas suffisantes pour que James T. mît son veto au mariage. Après tout, il faisait partie des Bouvier inscrits dans le *Social Register.*

Le matin du samedi 7 juillet 1928, Janet Lee et Black Jack (que ses escouades d'admiratrices surnommaient aussi le Cheik) se marièrent à l'église St. Philomena d'East Hampton. Le frère de Jack, Bud, qui sortait tout juste d'un établissement de cure dans le Connecticut, réussit à tenir suffisamment longtemps debout pour accomplir son devoir de témoin. Les demoiselles d'honneur étaient vêtues de robes en mousseline de soie jaune et de chapeaux de paille verte, et l'église était décorée de gueules-de-loup jaunes. La mariée portait une robe de satin et de dentelle, rehaussée d'argent.

Après la cérémonie, il y eut une réception en plein air où on accueillit cinq cents personnes. Tandis que les invités dansaient sur la musique du même Meyer Davis qui allait jouer au mariage de Jackie, un quart de siècle plus tard, Black Jack et James T. se disputèrent violemment – à l'image de ce qui allait suivre.

Black Jack et son épouse passèrent leur nuit de noces au Savoy Plaza de New York, le même hôtel où Joe Kennedy avait rencontré Gloria Swanson. Le lendemain, les jeunes mariés s'embarquèrent pour l'Europe à bord de l'*Aquitania.* En mer, Jack reprit rapidement ses vieilles habitudes, flirtant avec une des passagères, l'héritière Doris Duke, qui n'avait alors que seize ans. Quand Janet s'en aperçut, elle devint folle de rage. Hormis quelques interruptions, cette situation dura tout le temps de leur mariage.

Quant à leur caractère, il aurait été difficile de trouver deux personnes aussi mal assorties. Black Jack était volage, jouisseur et tendre, il aimait s'amuser, mais il était incapable de faire face à l'adversité. Ce qui l'intéressait, c'était le style, l'image, l'art de vivre. Il se débrouillait en général pour éviter tout ce qui était désagréable, et en cas de crise s'effondrait comme un château de cartes.

Janet, quant à elle, était une « dure-à-cuire ». Perfectionniste, autoritaire au point d'être tyrannique, la mère de Jackie était une réaliste qui ne perdait jamais de vue les objectifs financiers. Enfant, elle avait vu son père passer de la pauvreté à la richesse, du coup, elle vécut tout le temps dans la crainte de tout perdre. De plus, dévorée par son ambition sociale, elle n'était pas prête à se satisfaire d'une vie à la périphérie de la haute société new-yorkaise.

Un an après leur mariage, le 28 juillet 1929, Jacqueline Lee Bouvier naquit au Southampton Hospital – avec six semaines de retard. Elle pesait près de quatre kilos, et avec ses cheveux noirs et ses yeux sombres bien écartés, elle ressemblait déjà d'une façon frappante à son père.

Jackie avait trois mois quand son petit univers fut secoué par l'effondrement de la Bourse, le 29 octobre 1929. Black Jack, qui se retrouva pratiquement à sec, fut obligé de s'adresser à son beau-père détesté pour trouver un appui financier. James T. Lee lui prêta une somme substantielle et l'autorisa à vivre dans un de ses immeubles sans payer de loyer – à condition que Bouvier cessât de courtiser les femmes et ralentît son train de vie ostentatoire. Dès qu'il eut emménagé dans l'énorme duplex de onze pièces au 740 Park Avenue, Black Jack répondit à la générosité de son beau-père en se lançant dans de folles dépenses.

Jackie n'avait que deux ans quand elle apparut pour la première fois dans les colonnes de la presse, grâce aux bons offices de sa mère. « La petite Jackie Bouvier, la fille de Jack Bouvier et de Madame, née Janet Lee, ne fera pas son entrée dans la société avant seize années, rapporta l'*Easthampton Star*. Mais elle s'est comportée comme une charmante hôtesse à la réception donnée en l'honneur de ses deux ans au domicile de ses parents. »

Dorénavant, elle apparaîtra régulièrement dans les chroniques mondaines – présentant son scotch-terrier à l'exposition canine, invitant à goûter les enfants des autres familles nanties, participant à un concours hippique. Jackie commença tôt sa vie de cavalière ; dès qu'elle eut un an, Janet la mit en selle et lui fit faire le tour du manège. À l'époque du jardin d'enfants, elle participait régulièrement à des concours, où elle arrivait avec sa nourrice dans la Duesenberg de son grand-père. « Je vois toujours Jackie avec ses couettes et sa tenue d'équitation – chapeau haut de forme, cravate Ascot, grandes bottes en cuir, a raconté Samuel Lester, qui entraînait les chevaux au club d'équitation d'East Hampton. Il ne lui fallut pas longtemps pour rapporter chez elle des rubans bleus à la pelle. » Selon une amie d'enfance, Jackie avait un tel sens de la compétition qu'elle se mettait à bouder si elle ne battait pas ses adversaires à plate couture : « Rien qu'à voir l'expression du visage de Jackie, on devinait si elle n'avait pas gagné. Elle avait les lèvres et les mâchoires hermétiquement serrées. Tant qu'elle n'était pas victorieuse, tant qu'elle n'avait pas écrasé tous les autres enfants, elle n'était pas heureuse. »

Elle fut rapidement obligée de partager les feux de la rampe. Sa sœur, Caroline Lee, naquit quand elle avait trois ans et demi. Quelques mois plus tard, alors que Jackie, Lee et leur nourrice anglaise se promenaient dans Central Park, Jackie disparut. Un agent de police la retrouva des heures après, marchant dans une allée. « On dirait que ma nourrice et ma petite sœur se sont perdues », expliqua-t-elle avec sévérité au policier.

Même bébés, les filles Bouvier ne se ressemblaient pas du tout. Plus jolie, plus menue, plus agréable et diplomate que sa sœur, Lee était considérée comme la poupée de porcelaine de la famille. Jackie, quant à elle, était hardie, obstinée et assez mûre. Pendant l'été, aux Hamptons, elle grimpait aux arbres et se bagarrait avec les garçons. Et pourtant, elle n'avait rien d'un garçon manqué. Quand elles jouaient avec d'autres enfants, Jackie prenait toujours le rôle de la reine ou de la princesse, alors que Lee n'était que dame d'honneur. Jackie possédait même une couronne, qui faisait partie d'une panoplie de cirque offerte par son père. Selon son cousin

Edie Beale, « Jackie fut toujours un étrange mélange de garçon manqué et de princesse. Mais jamais elle ne renonça à ce rôle de princesse ».

Et Lee, qui préférait sa bicyclette aux chevaux, n'abandonna jamais son rôle de dame d'honneur. « Jackie lui donnait un complexe, parce qu'elle gagnait tous ces prix aux concours hippiques. Même lorsqu'elle était adolescente, elle dominait Lee. Les gens lui accordaient plus d'attention... Leur père adorait Jackie. »

Cependant, ce n'était pas le cas de tout le monde. À la Chapin School de l'East Side de Manhattan, elle était tellement insupportable qu'elle passait une bonne partie de la semaine à se faire gronder par miss Stringfellow, la directrice. Lorsque miss Stringfellow, à bout de ressource, eut enfin l'idée de comparer l'élève indisciplinée à un pur-sang qu'il fallait dresser, Jackie comprit le message et se mit au boulot.

Black Jack, c'était une autre paire de manches. Les efforts de Janet pour le mettre au pas échouèrent lamentablement.

Priscilla McMillan grandit sur la côte nord de Long Island, la Gold Coast, et rencontra Jackie pour la première fois alors qu'elles étaient adolescentes. « Ma mère avait souvent l'occasion de rencontrer le père de Jackie, raconta Priscilla. Il était plein d'allant, et aussi brun qu'on peut l'être. Jackie a hérité de lui son aspect physique. Le *modus operandi* de Black Jack, c'était de fixer les femmes dans les yeux jusqu'à ce qu'elles succombent. Pas terriblement subtil. Il était vaniteux comme un paon et persuadé qu'aucune femme ne pouvait résister à ses charmes – une personnalité très harmonieuse, du moins c'est ce qu'il croyait. Ma mère faisait partie de ces femmes qui le trouvaient détestable. Elle *redoutait* purement et simplement de danser avec lui. »

Manifestement, cette opinion n'était pas partagée par la plupart des femmes qui croisaient Black Jack. Il continuait à avoir des liaisons – souvent avec les jeunes épouses de ses amis. Pendant l'été 1934, les époux Bouvier invitèrent

Virginia Kernochan, qui jouait parfois au golf avec Black Jack, à assister à un concours hippique auquel participait Janet. Après l'épreuve, les deux femmes se firent prendre ensemble en photo, assises sur une clôture, Jack debout derrière elles. En découvrant la photo dans le *Daily News* de New York, le lendemain matin, Janet s'aperçut que, tandis qu'elle souriait à l'appareil, son mari et sa « partenaire de golf » se tenaient la main derrière son dos. « Jackie trouvait cette photo terriblement drôle, dit plus tard George Smathers. À la Maison-Blanche, elle la sortait pour la contempler, et riait à gorge déployée. Elle-même ne crachait pas sur les hommes, et considérait l'appétit de conquêtes de son père comme du plus haut comique. »

Contrairement à Rose Kennedy, Janet n'était pas prête à accepter tranquillement les infidélités de son mari. Elle l'affrontait constamment, en le menaçant de divorcer. Leurs disputes, violentes, duraient tard dans la nuit, réveillant souvent leurs enfants en sursaut. Alors que sa timide sœur se contentait de se cacher sous les couvertures, Jackie sortait de son lit et allait dans le vestibule à pas de loup. Là, assise en tailleur dans sa chemise de nuit, elle écoutait ses parents s'envoyer des torrents d'injures.

« Toutes ces bagarres avaient une influence sur les filles, évidemment, dit Truman Capote, qui connut les deux sœurs, mais qui fut surtout proche de Lee. Cela les rendit toutes les deux terriblement prudentes ; elles avaient un peu peur des gens et des relations humaines en général. Mais Lee était probablement trop jeune pour comprendre vraiment ce qui se passait. Jackie, quant à elle, en saisissait davantage. Même à son âge, je pense qu'elle se rendait compte que sa mère était une espèce de monstre froid dévoré par l'ambition sociale, et son père un vilain, très vilain garçon qui ne cessait de se faire prendre en flagrant délit de vol de biscuits. Évidemment, les deux filles le préféraient. Quoi d'étonnant, vu leur choix ! » Black Jack appelait Jackie « Jacks » et Lee « Pekes ». Janet ne donnait aucun surnom à ses enfants, mais insistait pour qu'elles l'appellent maman.

Tandis que le couple continuait à se désagréger, Jackie commença à montrer les signes de ce que, plus tard, à l'âge adulte, ses amis décriraient comme une « personnalité éclatée ». Pendant un moment, elle se montrait exubérante, ouverte, donnant l'apparence d'un enfant fondamentalement heureux. L'instant d'après, son humeur s'assombrissait, et une Jackie maussade se retirait dans sa chambre, avec ses livres, fuyant tout contact avec les autres. « On ne savait jamais ce qui allait se passer, raconta un des professeurs de Jackie à Chapin. Elle s'allumait et s'éteignait comme une ampoule électrique. Mais quand la lumière était branchée, c'était une clarté aveuglante. »

Après une séparation de corps et un essai raté de réconciliation, les Bouvier se séparèrent définitivement en 1937. Dans la lutte qui l'opposait à sa femme pour conquérir l'affection de leurs filles, Black Jack remua ciel et terre. Durant les visites qu'il fit toutes les fins de semaine pendant trois ans, il emmena Jackie et Lee au cinéma, chez Rumpelmeyer manger des glaces et faire des tours en calèche dans Central Park. Ils visitèrent le Muséum d'histoire naturelle, le Metropolitan Museum et le Zoo du Bronx ; ils se promenèrent à Coney Island et à Belmont Park qui était leur endroit préféré.

Et elles se livrèrent avec lui à des orgies d'achats dans les grands magasins de la Cinquième Avenue, comme Saks, Bergdorf Goodman, Bonwit Teller, et Lord & Taylor. Black Jack commença aussi à leur inculquer sa vision du « style » et son sens de la mise en scène. S'appuyant sur son expérience, au fil des années, il leur apprit non seulement à se tenir, à marcher et à s'exprimer, mais aussi à ne jamais perdre de vue qu'il faut entretenir le mystère. La clé de la réussite d'une femme, expliqua-t-il à Jackie, c'est de ne pas trop donner d'elle-même, de garder quelque chose par-devers elle. « L'œil écarquillé, la petite voix essoufflée – c'est de son père qu'elle tient cela », dit l'ami intime de Jack Kennedy, Chuck Spalding, qui connut Black Jack. « La mère de Jackie était très différente. Je n'ai jamais ressenti la moindre chaleur entre Jackie et elle. Aucune. » Truman Capote dit les choses carrément : « Jackie détestait sa mère, ce qui ne signifie pas que, en grandissant, elle ne lui ressemblât pas, par bien des côtés. »

Janet savait, depuis le début, qu'elle ne serait pas de taille à se battre avec son futur ex-mari sur son terrain. Elle se rabattit donc sur la sévérité, dans sa guerre pour conquérir l'âme des enfants. Elle fit en sorte que, sous sa surveillance, leur existence fût strictement réglementée. Autant par frustration et jalousie que par un sens pervers de la perfection, elle passait son temps à gronder les filles pour des bêtises infimes. Elle les frappait toutes deux, mais Jackie, la têtue, récoltait le plus gros des coups. Au fur et à mesure que Jackie grandissait, Janet remplaça les fessées par des claques sur la figure. Janet se montrait « beaucoup plus brutale avec Jackie » qu'avec Lee, d'après Capote. Aujourd'hui, on considérerait probablement Jackie comme une enfant battue.

Dans les témoignages rassemblés pour le divorce, la question de la cruelle indifférence de Janet à l'égard de ses enfants fut évoquée. Berthe Kimmerle, la gouvernante des filles en 1937 et 1938, affirma que Mrs. Bouvier était une mère absente, qui passait presque tout son temps à voyager avec un nombre imposant de relations de sexe masculin. Une des servantes de Janet, Bennice Anderson, jura également sous serment que, lorsqu'elle était chez elle, la mère de Jackie prenait des somnifères, buvait comme un trou et était dans un état psychologique épouvantable, avec des sautes d'humeur imprévisibles.

Selon Kimmerle, Janet frappait Jacqueline quand « elle faisait trop de bruit en jouant » ou « pour aucune raison valable ». En revanche, elle affirma que Black Jack passait beaucoup de temps avec ses filles. « Son amour pour les enfants, et celui, extrêmement joyeux qu'elles lui portaient, je le voyais facilement. Elles étaient folles de lui toutes les deux... »

Les préférences de Jackie ne font aucun doute. Un jour, alors que Janet et James T. étaient en train de critiquer Black Jack, Jackie courut rejoindre Kimmerle à l'étage et s'exclama, en larmes : « Regarde ce qu'ils font à mon papa ! » Dès que leur mère avait le dos tourné, Jackie et Lee imploraient Kimmerle de les laisser téléphoner à leur père. Mais, selon le témoignage de Kimmerle, Maman laissait des ordres formels : il fallait donner une fessée à Jackie et Lee même si elles ne faisaient que mentionner le nom de leur père.

En juin 1940, Janet embarqua Jackie et Lee pour Reno. Après six semaines passées à monter à cheval au Lazy-A-Ranch, Mrs. Bouvier put divorcer car le délai de résidence exigé avait expiré. Il ne fallut que vingt minutes au juge pour rendre le jugement définitif.

Jackie, qui était devenue de plus en plus morose et renfermée au fur et à mesure que la fin du mariage de ses parents approchait, compensa en se concentrant sur ses projets. Elle prit des leçons de danse classique, écrivit des poèmes qu'elle illustra de ses propres dessins.

Elle continua également à se faire connaître dans le monde hippique. À douze ans, elle termina les championnats nationaux à Madison Square Garden avec deux coupes dans la division des minimes.

Pas plus Black Jack que Janet ne se perdirent en regrets ; ils laissèrent cela à leurs filles traumatisées. Au Maidstone Club, Black Jack rencontra la femme d'un officier de l'armée britannique en garnison à Washington. « Elle fit rapidement partie de la famille, raconta John Davis, le cousin de Jackie. Ils marchaient bras dessus, bras dessous, ils se tenaient par la main, ils s'enlaçaient et s'embrassaient sans retenue, ils faisaient l'amour partout où ils se trouvaient : dans la cabine des Bouvier, chez Jack ou derrière les dunes. »

La femme de l'officier rentra chez elle en emportant un

souvenir de son voyage : six mois après son retour en Angleterre, deux jumeaux naquirent, un garçon et une fille. Elle dit à son mari que Black Jack était leur père, mais le jeune major accepta bravement de les élever comme les siens.

En 1949, Jackie rendit visite à ses demi-frère et sœur en Angleterre et, selon Davis, elle raconta à Black Jack que la ressemblance familiale était frappante. Les deux petits avaient les yeux écartés, les pommettes larges et cette belle allure sombre que partageaient Black Jack et Jackie. Dans un premier temps, Jackie fut heureuse de compter deux membres supplémentaires dans sa famille, mais après avoir épousé Jack Kennedy, elle craignit qu'un tel scandale ne ruinât sa carrière. Elle ne souffla jamais mot de l'existence des deux autres enfants de Black Jack à quiconque. Dans les années 1980, ça n'avait plus d'importance : ils étaient tous les deux morts, la fille mystérieusement assassinée et le garçon tué dans un accident de voiture.

Après le divorce, Janet vécut dans la terreur de se retrouver fauchée. Black Jack ne lui versait que mille dollars par mois de pension alimentaire, et les accès de générosité de son père étaient pour le moins sporadiques. Elle voulait – elle avait *besoin* – de faire un beau mariage et, durant l'été 1942, elle y réussit au-delà de ses espérances. Au mois de juin, Janet devint la troisième femme de Hugh Dudley Auchincloss junior.

À la vérité, les ancêtres américano-écossais de Hugh D. (Hughdie) Auchincloss avaient agi de façon identique pour augmenter leur fortune. À travers des mariages successifs, ils avaient forgé des alliances avec les DuPont, les Vanderbilt, les Rockefeller, les Tiffany, les Burden, les Winthrop et les Saltonstall pour n'en nommer que quelques-uns. Presque toute la fortune de Hughdie lui venait, non de son père, mais de sa mère, Emma Brewster Jennings. Elle était la fille d'Oliver B. Jennings, le fondateur, avec les Rockefeller, de la Standard Oil Company. Sorti de Groton, de Yale et de la faculté de droit de Columbia, Hughdie démarra en bas de l'échelle dans l'administration Herbert Hoover avant de créer sa propre société d'investissements à Washington, en 1931.

Quand leur mère se remaria, Jackie et Lee durent brusquement s'adapter à une flopée de frères et sœurs par alliance. Il y avait Hugh Dudley III, le fils d'Auchincloss né de son premier mariage avec Maria Chrapovitsky, la fille d'un officier de marine russe. Son surnom, « Yusha », était la traduction russe de Hugh. Hughie avait également eu deux enfants avec Nina Gore, dont le père était ce sénateur aveugle de l'Oklahoma, Thomas Gore : Nina (Nini, pour la distinguer de sa mère) et Thomas. Leur demi-frère, le fils de Nina d'un précédent mariage, Eugène Vidal junior, idolâtrait tellement son grand-père le sénateur qu'il adopta le nom de Gore Vidal. Et après le mariage de Janet et d'Hughdie, fait sur l'impulsion du moment (« Mon père n'avait absolument pas l'intention d'épouser quiconque jusqu'à la veille de la cérémonie », affirma Yusha), Jackie parut heureuse de sa nouvelle famille.

Assez ours, le visage rougeaud, facile à vivre, Hughdie était l'antithèse de Black Jack Bouvier, avec son allure exotique, son expression doucereuse et son attitude « je-m'en-foutiste ». Malheureusement, ce qu'Auchincloss partageait avec le père de Jackie, c'était une forte tendance aux préjugés. « Hugh Auchincloss était un républicain antisémite à l'ancienne mode, dit son beau-fils Gore Vidal. La première question qu'il posait toujours en rencontrant quelqu'un, c'était : “Savez-vous quel est le vrai nom de Kirk Douglas ?” Mais Hughdie était un antisémite du type réflexe. Il racontait des anecdotes sur les juifs de la même façon que sur les Noirs, et ainsi de suite. »

Ce n'était pas son seul défaut. « L'oncle Hughdie » de Jackie était un grand amateur de pornographie. Bien que sa deuxième femme, Nina, l'eût obligé à balancer une bonne partie de ses trésors dans le Potomac, il en avait conservé quelques pièces pour la postérité. Tant qu'il réservait les livres qui lui restaient et les cartes postales françaises pour son usage personnel, Janet ne voyait aucun inconvénient à faire comme si elle ne s'apercevait de rien.

Selon Vidal, c'est sa propre mère, Nina, qui manigança vraiment le mariage de Janet et d'Hugh. « Une arriviste dans une situation financière désespérée, avec deux petites filles à élever, elle mourait d'envie d'épouser quelqu'un... exactement comme ce pauvre Hughdie, ce que Nina lui suggéra de faire », dit Vidal.

Vidal affirma aussi que Hughdie était impuissant, ce qui avait contraint sa mère à s'inséminer artificiellement à l'aide d'une cuillère pour concevoir les demi-frère et sœur de Vidal. Probablement, Janet utilisa-t-elle la même technique pour concevoir la demi-sœur de Jackie, Janet, et son demi-frère, Jamie.

Il y avait des compensations, dont la moindre n'était pas Merrywood, la grandiose propriété familiale dans les environs de Washington, ou Hammersmith Farm, à Newport. Merrywood, où Vidal situa son roman, *Washington D.C.*, écrit en 1967, était une imposante demeure en brique construite sur 15 hectares de terrain dominant le Potomac, avec une salle à manger seigneuriale, un court de badminton couvert, une piscine aux dimensions olympiques et des écuries. Des pistes cavalières étaient tracées dans toute la propriété.

On donna à Jackie la chambre du troisième étage qui avait été occupée peu de temps auparavant par Vidal, qui l'avait désertée à l'âge de seize ans. Il la décrivit comme « guère plus vaste qu'un placard. À droite, des lits jumeaux. À gauche, la porte d'une petite salle de bains au sol carrelé. Juste en face, une grande baie vitrée donnant sur un paysage de prairie, de bois et la rivière... ». Dans le placard, Jackie trouva plusieurs chemises blanches avec le nom de Vidal cousu sur le col. Elle les portait pour monter à cheval.

On passait l'été à Hammersmith Farm, qui comptait vingt-huit chambres, quatorze cheminées, dix-sept salles de bains et seize domestiques à demeure. Au rez-de-chaussée, le sol était couvert de tapis cramoisis. Déjà attentive à ce genre de détails, Jackie décréta que les Auchincloss se devaient d'avoir uniquement des chiens noirs, afin de faire un beau contraste. Au fil des ans, la ménagerie compta un scotch-terrier, un caniche, un épagneul, et Caprice, le bouvier des Flandres de Jackie – tous noirs.

Le foyer de la maison, ce n'était pas le salon protocolaire, mais la véranda vitrée, grande comme un hall d'hôtel, avec sa cheminée grandiose carrelée de vert, sa vue panoramique sur le fleuve, et sa décoration marine – dont un pélican empaillé suspendu au plafond, et les photos encadrées des différents yachts qui avaient appartenu à la famille.

La célèbre décoratrice d'intérieur Elisabeth Draper, embauchée par l'itinérante Janet pour redécorer Merrywood et Hammersmith Farm, transforma la chambre de Jackie qui donnait sur la Narragansett Bay en un nid d'aigle plein de lumière. Les murs étaient jaune pâle, et une frise classique, choisie par Jackie, courait le long du plafond étrangement en pente. Les meubles – deux lits jumeaux, une coiffeuse et un bureau – étaient blancs.

Au début, Jackie écrivit à son père qu'elle se sentait seule et que New York lui manquait. C'était ce que Black Jack souhaitait entendre. Pour lui, le mariage d'Hughdie et de Janet avait été particulièrement douloureux : il continuait à payer leurs frais de scolarité – Jackie était à présent inscrite à Holton-Arms, un externat à Washington, D.C. – mais il voyait peu ses filles bien-aimées.

Bien décidée à ne pas avoir honte de son échalas de fille, Janet, conformément aux mœurs des meilleures familles de Washington, inscrivit Jackie au cours de danse de miss Shippen. (« J'étais un garçon manqué, se souvint plus tard Jackie. Je décidai d'apprendre à danser et je devins féminine. ») À la fête de Noël de l'école, en 1942, Jackie portait une robe bleue avec des manches bouffantes – sa première robe du soir d'adulte. Elle se rendit très bien compte que ses escarpins dorés, en chevreau, lui allongeaient encore les pieds. Une fois rentrée, elle dessina une caricature d'elle-même avec cette légende : « La première robe du soir de Jacqueline. Un très joli taffetas bleu, avec une paire de chaussures de course dorées et une coupe dégradée vraiment chic. »

Comme les enfants de milieu plus modeste, Jackie, Lee et leurs frères et sœurs avaient des corvées à accomplir à Hammersmith Farm. « Pendant la guerre, nous fournissions en œufs et en lait la base navale, raconta Yusha. Jackie s'occupait des poulets et je trayais les vaches. Elle se levait toujours un peu plus tôt que moi, alors je lui demandais de me réveiller. Ce qui la mettait légèrement en colère. Un matin, j'ai senti qu'on me versait quelque chose sur la tête et en ouvrant les yeux, je me suis aperçu que c'était de l'eau oxygénée. Elle avait vu une photo de moi bébé, où j'étais blond et bouclé, et elle avait décidé qu'il fallait que je redevienne blond. Elle se disait que j'allais ressembler à Alan Ladd ! Je pense qu'elle estimait surtout que je n'avais qu'à me réveiller tout seul. »

De tous les enfants Auchincloss, c'était Yusha, son aîné de deux ans, dont elle était la plus proche. « Nous nous sommes bien entendus d'emblée. Nous étions amis autant que frère et sœur. En fait, nous étions amis avant d'être de la même famille. Nous étions probablement plus proches l'un de l'autre que des vrais frère et sœur. Elle adorait se promener seule, peindre, lire. Même si je marchais à côté d'elle, nous pouvions rester une heure sans dire un mot – toujours parfaitement à l'aise, sans la moindre contrainte. »

« Même quand elle était adolescente, Jackie avait beaucoup d'empire sur elle-même, elle était très concentrée et extrêmement intelligente, raconta Yusha. Nous jouions aux portraits, ce jeu où l'un donne des indices et l'autre doit deviner de qui il s'agit. Elle choisissait toujours des personnages comme Périclès ou Blake. »

Au milieu du chaos provoqué par les chamailleries incessantes de ses parents, Jackie conservait « un sens de l'ordre extrêmement développé. Durant toute son adolescence, elle demeura parfaitement organisée et rigoureuse – des traits de caractère hérités de sa mère, sans aucun doute. Mais elle savait aussi se montrer très spontanée. Alors qu'on marchait tranquillement, elle se mettait soudain à courir en me mettant au défi de la rattraper – une fois qu'elle avait pris une confortable avance, évidemment. Jackie était comme un cheval de course. Elle n'a jamais perdu cet aspect de sa personnalité... »

Une autre qualité de Jackie – qu'elle partageait d'ailleurs avec Jack Kennedy – c'était un stoïcisme inébranlable. « À quatorze ans, elle insista pour se faire arracher toutes les dents de sagesse le même jour. Elle voulait en être débarrassée, et elle n'était pas du genre à gémir. Je ne l'ai jamais entendue se plaindre. »

En grandissant, ils jouèrent réciproquement les marieurs. « Je lui présentais mes amis, et vice versa, raconta Yusha. Bien que nous n'ayons jamais été frère et sœur, nous étions de si bons copains que ça ne faisait aucune différence. Nous nous aidions mutuellement, et nous espionnions pour le compte de l'autre, pour découvrir qui nous aimait et qui ne nous aimait pas. Nous formions une très bonne équipe. »

À en croire son « frère », Jackie savait aussi « se montrer critique et sévère, sans pour autant se désolidariser. Si elle estimait que je me trompais, elle me le disait ». Lorsque Yusha voulut quitter l'école à seize ans pour s'enrôler dans les Marines, elle s'y opposa. « Jackie était furieuse contre moi. D'après elle, il fallait que je termine l'école, parce que les Marines n'avaient pas besoin d'imbéciles ni de lâches, et abandonner mes études au milieu, c'était un acte de lâcheté. "Termine tes études, me dit-elle, et après, va dans les Marines." »

Jackie s'intéressait aussi au bien-être des gens qu'elle n'avait jamais rencontrés. « Après la mort de Franklin Roosevelt, raconta Yusha, Jackie m'écrivit une lettre en classe préparatoire. Elle se faisait du souci pour Eleanor Roosevelt. Comment allait-elle se débrouiller ? Qu'allait-elle faire ? Elle disait que "c'était la fin d'une époque". Nous ne pouvions pas savoir que des gens se poseraient la même question à son sujet seulement dix-neuf ans plus tard. »

À quinze ans, Jackie fut envoyée à l'école de miss Porter, à Farmington dans le Connecticut, une des meilleures institutions pour jeunes filles de Nouvelle-Angleterre. Là, le gouffre financier qui séparait Jackie de ses camarades bien nanties devint flagrant. Alors que les autres filles ne se refusaient jamais rien, Jackie devait se débrouiller avec les cinquante dollars que Black Jack lui allouait tous les mois. Elle dut supplier son grand-père le Major de lui donner les vingt-cinq dollars nécessaires pour prendre Danseuse, le cheval que sa mère lui avait offert, en pension dans les écuries de Farmington.

Jackie passait beaucoup de temps seule, à lire dans le dortoir ou à faire des promenades autour du campus. Considérée comme snob et distante même par ses camarades plus nanties, Jackie appréciait surtout la compagnie de Nancy Tuckerman, qui, comme elle, venait de Chapin. « Tucky » devint sa meilleure amie, celle en qui elle avait le plus confiance.

« Une fois qu'on avait fait sa connaissance, même à l'époque de son adolescence, on ne pouvait plus l'oublier », raconta Letitia « Tish » Baldrige, qui était dans la classe supérieure chez miss Porter, puis qui la précéda à Vassar. Tish devint par la suite le porte-parole de Jackie à la Maison-Blanche. « C'était une beauté nature, et elle ne portait jamais aucun de ces produits de maquillage à la mode chez les adolescentes. Pas de rouge à lèvres violet fluorescent, pas de gros sourcils noircis à coups de crayon, pas de couche épaisse de fond de teint. Mais ce qui me frappa surtout d'emblée quand je rencontrai cette jeune personne, ce fut sa voix – une voix douce et voilée, inoubliable. On était obligé de s'approcher et de prêter l'oreille. »

Farmington n'était qu'à quelques heures de route de Manhattan, et Black Jack Bouvier en profita pour resserrer les liens avec sa fille préférée. Pendant ses fréquentes visites de fin de semaine, il assistait aux concours hippiques auxquels participait Jackie, ou aux représentations théâtrales dans lesquelles elle jouait, puis il l'emmenait déjeuner, avec ses amies, à l'Elm Tree Inn. « Tout le monde adorait papa, raconta-t-elle plus tard en parlant de ses camarades subjuguées. Nous avons dû le mettre complètement à sec. »

Les visites de son père – une fois, il fit équipe avec elle dans un tournoi de tennis fille-père – faisaient oublier à Jackie qu'elle n'avait pas de petit ami. Il faut dire que les occasions manquaient. L'école était tenue de protéger la vertu de toutes les filles, et de s'assurer que les garçons du collège qui venaient prendre le thé à deux heures le samedi repartaient bien dès quatre heures. « Je pense que les garçons de Yale ou d'Harvard qui venaient nous voir étaient terriblement intimidés par elle, dit Baldrige. Elle était tellement saisissante et elle avait un port de reine. Il y avait de quoi se sentir dépassé. »

D'après Priscilla McMillan, Jackie était souvent invitée aux fêtes en plein air données sur la côte nord de Long Island, où tout le monde joue au polo, dans des communautés aussi dorées que Locust Valley et Brookville. « La première fois que j'ai aperçu Jackie, elle sortait des toilettes pour dames, lors d'une de ces réceptions, dit McMillan. Elle n'avait que seize ans – un peu jeune par rapport aux autres filles qui avaient toutes deux ans de plus. Une beauté saisissante, mais on sentait d'emblée qu'elle était ambitieuse, qu'elle souhaitait monter dans l'échelle sociale. Elle était un tout petit peu trop bien habillée, un tout petit peu trop fascinante. Elle était entourée de grappes de garçons en permanence. Elle attirait d'ores et déjà l'attention et, évidemment, cela rendait les autres filles jalouses. »

À entendre Jackie répéter à satiété qu'elle craignait de rester vieille fille, on pouvait avoir quelques doutes sur sa sincérité. « Je suis persuadée, se plaignit-elle à une amie, que personne ne m'épousera et que je finirai comme surveillante à Farmington. » Mais quand elle obtint son diplôme en juin 1947, Jackie semblait déjà moins préoccupée de trouver le bonheur domestique que de tracer sa propre route. Dans son agenda, en face de la rubrique « Ambition dans la vie », elle nota : « *Ne pas devenir femme au foyer.* »

À Vassar, Jackie continua à stupéfier ceux qu'elle rencontrait. Selwa « Lucky » Roosevelt, qui devint plus tard chef du protocole dans le gouvernement Reagan, était sa voisine de dortoir. Ce qui la surprenait le plus chez Jackie, « c'était sa personnalité à deux facettes. D'un côté, elle avait tout d'une star – quand elle entrait dans une pièce, impossible de ne pas la remarquer tant elle était exquise. En même temps, elle paraissait tellement fermée ».

Journaliste mondain de l'agence nationale Hearst, Igor Cassini (le frère du couturier Oleg Cassini), qui écrivait sous le pseudonyme de Cholly Knickerbocker, remarqua ce côté star quand il vit Jackie vêtue d'une « robe de sirène », fourreau moulant en satin rose, qu'elle avait empruntée à sa sœur Lee, véritable gravure de mode. Proclamant Jackie « Reine des Débutantes de l'année 1947 », Cassini ne recula pas devant l'hyperbole : « L'Amérique est un pays de traditions. Tous les quatre ans, nous élisons un président, tous les deux ans, nos membres du Congrès. Et tous les ans, une nouvelle Reine des Débutantes est couronnée. Cette année, la reine est Jacqueline Bouvier, une brune royale, avec des traits classiques et la délicatesse d'une porcelaine de Dresde. Elle a du chien, elle s'exprime avec douceur et intelligence, elle possède tout ce qu'il faut pour être Reine des Débutantes... »

La presse ne parlait plus que d'elle. « La classe de Jacqueline Bouvier ! Quelle fille ! » écrivit Walter Winchell.

« Aussi belle qu'une princesse de contes de fées, Jacqueline ignore le sens du mot snob ! » Toute cette publicité provoqua un changement radical dans la vie sociale de Jackie. Elle était maintenant invitée presque tous les week-ends, se rendant souvent à Newhaven ou à Cambridge pour sortir avec des étudiants de Yale ou d'Harvard. « Je suppose, lui écrivit son père, que dans peu de temps, je te perdrai au profit d'un de ces drôles de types que tu trouveras merveilleux parce qu'il aura l'air tellement romantique, le soir, et parce qu'il portera les perles de sa mère en boutons de manchette, pour lui montrer son amour. Cependant, tu te serviras peut-être de ta cervelle et tu attendras d'avoir au moins vingt et un ans. » Quand elle se mit à passer plus de temps en compagnie de jeunes gens qu'avec son père, il lui écrivit des lettres de plus en plus maussades, lui enjoignant de ne pas compromettre sa « réputation ». Jackie ne vit rien de drôle dans ce conseil, même en sachant de qui il venait.

À dix-sept ans, Jackie n'avait rien perdu de son espièglerie. « Jackie essayait parfois de me faire rougir, raconta Yusha qui emmenait sa sœur danser au Solgrave Club de Washington. Elle me trouvait trop réservé, trop raide, alors elle dansait délibérément avec moi d'une façon très provocante, très sexuelle. »

Jackie ignorait encore ce qu'elle voulait faire de sa vie, mais elle savait qu'aucun des jeunes gens qu'elle avait rencontrés au cours des innombrables fêtes à Newport et Washington ne l'intéressait. « Je ne voulais épouser aucun des jeunes gens avec lesquels j'avais grandi, raconta-t-elle, pas à cause d'eux, mais à cause de leur vie. J'ignorais ce que je voulais. J'étais encore en train de patauger. »

L'été qui suivit sa première année d'université, Jackie s'embarqua avec trois amies à bord du *Queen Mary* pour faire un voyage en Europe, sept semaines étroitement planifiées. Quand elle revint à Washington, elle courut de fête en fête, débordante d'histoires à propos de ses aventures sur le Vieux Continent.

L'un des jeunes gens les plus prompts à plonger son regard dans les immenses yeux écartés de Jackie, pendant qu'elle racontait ses anecdotes, était Charles Bartlett, le correspondant à Washington du *Chattanooga Times*. « Je la voyais souvent à East Hampton, quand elle rendait visite à son père, et puis aussi à Washington, raconta Bartlett. Elle était toujours entourée de ces espèces de beaux à l'anglaise, et je dois dire qu'aucun d'eux n'était digne d'elle. »

Bartlett connaissait quelqu'un dont il était sûr qu'il serait « digne d'elle » et, en 1949, il les invita tous deux au mariage de son frère David à East Hampton. « J'ai passé toute la soirée, raconta-t-il, à essayer d'amener Jackie Bouvier à traverser la foule pour faire la connaissance de John Kennedy. »

Depuis qu'il avait quitté Inga Arvad, six ans auparavant, pour accomplir son devoir dans le Pacifique, Jack Kennedy avait beaucoup changé. Il avait eu le temps de devenir un authentique héros de la guerre, de perdre un frère et une sœur, d'être lui-même à plusieurs reprises au seuil de la mort, et de se faire élire deux fois de suite au Congrès.

L'héroïsme de Jack, alors qu'il était capitaine d'une vedette PT-109 dans les îles Salomon, est devenu légendaire. À deux heures et demie du matin, le 2 août 1943, le capitaine Kennedy était donc à la barre du PT-109 qui faisait route à travers le Blackett Strait quand celui-ci entra en collision avec le destroyer japonais *Amagiri*. « Voilà ce que c'est que d'être tué », pensa Kennedy au moment où le navire japonais coupait leur bâtiment en deux. Deux membres de l'équipage furent tués, et trois grièvement brûlés par l'essence qui s'enflamma à la surface des flots. Quand le navire se mit à couler, les survivants nagèrent vers une île déserte, à 3 milles de là, « Shafty » – comme les officiers surnommaient Kennedy – traînant derrière lui un marin blessé, dont il tenait entre les dents les bretelles du gilet de sauvetage.

Ils parvinrent à atteindre la plage ; à la nuit tombée, Jack se déshabilla et retourna tout nu dans le Blackett Strait, dans l'espoir de signaler leur présence à un bâtiment américain. (Il raconta plus tard à ses petites amies qu'il avait nagé sur le dos pour empêcher les requins de l'attraper par les testicules.) Obligé de nager à contre-courant, il finit par renoncer et fut miraculeusement rejeté sur le rivage. Il essaya encore le lendemain, mais en vain.

Finalement, deux hommes d'une île voisine vinrent à passer en canoë ; Kennedy grava un message sur une noix de coco et leur demanda de bien vouloir l'apporter au poste d'observation australien situé à quelques milles de là. Cinq jours après la collision avec l'*Amagiri*, Kennedy et les membres survivants de son équipage furent sauvés.

Kennedy n'apprécia guère que les navires PT des environs ne fussent pas venus à la rescousse, et qu'on les eût si rapidement donnés pour morts, son équipage et lui. De plus, il était rongé par la culpabilité. Jack était bien connu pour être laxiste au niveau du service ; l'enquête menée plus tard montra que la moitié de l'équipage était en train de dormir ou de se reposer sur le pont au moment de la collision, ce qui signifiait que le capitaine Kennedy avait violé un certain nombre de règlements de la Marine. S'il avait été plus vigilant ou s'il avait réagi plus rapidement, aurait-il pu éviter la catastrophe ?

De retour à la vie civile, ce genre de questions passa aux oubliettes. L'histoire du PT-109 s'étala à la une du *New York Times.* Joe senior n'aurait pas pu rêver mieux, et il commença aussitôt à intriguer pour que son fils obtienne une décoration. Il accepta, à contrecœur, une Purple Heart, cette médaille qu'on accorde aux blessés de guerre.

Il y eut d'autres conséquences, imprévisibles. Joe junior, décidé à prouver à son père qu'il était aussi courageux que son cadet, se porta volontaire pour une véritable mission suicide : il s'agissait de survoler la zone occupée par les

Allemands, en France. Le 12 août 1944, son avion explosa en plein ciel et il fut tué. Il avait vingt-neuf ans.

Trois semaines plus tard, la sœur de Jack, Kick, qui avait été excommuniée pour avoir épousé Billy Hartington, un protestant et le fils aîné du duc du Devonshire, devint veuve. Son mari avait été abattu par un tireur allemand. (Quatre ans plus tard, en mai 1948, Kick mourut à son tour lorsque l'avion dans lequel elle se trouvait avec son amant, Peter Fitzwilliam, s'écrasa en France.)

La mort du jeune Joe provoqua des changements dramatiques dans la dynamique familiale. C'était maintenant à Jack de reprendre le flambeau abandonné par son frère disparu. Il revenait au héros de la guerre, mal en point et meurtri, d'accomplir les rêves de puissance et de gloire de leur père. Les Kennedy survivants, menés comme toujours par Joe, étaient galvanisés derrière Jack – ce qui lui faisait peur. « Grand Dieu ! Voilà le Vieux ! dit-il à Red Fay, un de ses copains de la Marine, lors d'une réunion de famille, quelques semaines à peine après la mort de Joe junior. Le voilà, en train de prévoir la suite des opérations. C'est de moi qu'il s'agit, maintenant. C'est mon tour. Il va falloir que je réussisse. »

Après la démobilisation, Jack avait joué avec l'idée de devenir journaliste politique. Son père l'aida à décrocher une mission dans la presse Hearst, pour couvrir la création des Nations unies à San Francisco. Mais ce fut le plus court des détours sur la route de la carrière politique. « Je sens le regard de Pappy rivé sur ma nuque, raconta-t-il à Fay, qui était originaire de San Francisco. Alors que la guerre est finie et que tu es là-bas, au soleil de la Californie... moi, je suis revenu ici avec papa qui essaie de transformer un bateau coulé et un dos en compote en fructueux avantages politiques. Je t'assure que lui, il est fin prêt et qu'il ne comprend pas pourquoi Johnny Boy n'a pas déjà mis toute la gomme. »

Quand le légendaire homme politique James Curley, qui

s'était fait élire alors qu'il purgeait une peine de prison pour corruption, renonça à son siège dans la onzième circonscription du Congrès pour partir une fois de plus à la conquête de la mairie de Boston, Joe fourra son fils dans l'arène. *Fourrer* était bien le mot de la situation : « Je suis arrivé un jour, raconta un membre de l'état-major du candidat, et je l'ai trouvé en train de sauter une fille sur une table. J'ai dit "Pardon" et je suis parti ! » Quand il apprit que la secrétaire était enceinte, Jack se contenta de deux mots : « Oh, merde ! » On ignore si la fille a gardé son bébé ou si elle s'est fait avorter en douce, mais en tout cas, cette histoire n'est jamais remontée à la surface pendant la campagne.

Inévitablement, on l'accusa d'être un candidat parachuté – pour être résident de la circonscription, il prit une suite à l'Hôtel Bellevue de Boston – mais ces reproches fondirent devant les articles de John Hersey, vantant l'héroïsme de Kennedy à bord de son PT-109, qui s'étalèrent dans le *New Yorker* et le *Reader's Digest.*

Candidat maladroit et orateur terne, Jack compensa son manque de charisme en se démenant deux fois plus que son adversaire. Les choses lui furent encore facilitées par l'influence conjuguée des Kennedy et des Fitzgerald – sans parler des coulisses d'une machine politique bien rodée, qui assurait régulièrement les élections des candidats démocrates depuis le XIXe siècle.

Patrick « Patsy » Mulkern, un membre futé de la « Mafia irlandaise » de Boston, fut appelé à la rescousse. « La première fois que je l'ai vu, il portait des tennis, raconta Mulkern. J'ai dit : "Pour l'amour du Ciel, enlevez-moi ces tennis, Jack. Vous croyez que vous allez jouer au golf ?" »

L'épuisante campagne ébranlait les forces de Jack. Souffrant plus que jamais après une seconde opération ratée du dos, Jack allait souvent clopin-clopant d'un meeting à un autre. Il était émacié, et ses yeux étaient profondément cernés. Un hâle soigneusement entretenu dissimulait un teint jaunâtre que les médecins de Boston et de la Clinique Mayo étaient bien en peine d'expliquer.

Mais Jack était tenace. « Nous nous donnions un mal de chien, raconta Mulkern. Nous l'emmenions dans des tavernes ; dans des halls d'hôtels ; nous l'emmenions dans le South End ; nous lui faisions rencontrer les gens au coin des rues ; dans les clubs. Nous l'emmenions partout. Il attirait les filles. Toutes celles qu'il rencontrait étaient persuadées qu'elles allaient devenir Mrs. Kennedy. »

Après avoir marché pendant 8 km lors de la Bunker Hill Day Parade, à Boston, Jack attendit d'être hors de vue des spectateurs pour s'évanouir. « Il est devenu jaune et bleu, dit Robert Lee, qui s'occupait de cette campagne. On aurait dit qu'il venait d'avoir une attaque. » Lee et George Thomas, le domestique noir de Jack qui ne le quittait jamais, le portèrent dans un appartement du deuxième étage, le débarrassèrent de ses vêtements et l'essuyèrent avec une éponge. « Son père m'a demandé s'il avait ses pilules. C'était le cas, et il les prit. » Puis le médecin arriva et demanda à Lee de sortir.

Dans les journaux de Boston, on parla de « l'accès de malaria » de Jack, et on le montra passant d'un avion à une ambulance sur une civière. Mais le cœur des électrices s'émut en voyant ce séduisant jeune homme ainsi terrassé.

En définitive, ce fut grâce à la fortune et à l'influence de Joe Kennedy (en 1950, *Forbes* estima qu'il possédait 400 millions de dollars) que son fils fut élu. Pour neutraliser un conseiller municipal très populaire à Boston, Joseph Russo, Joe se contenta de payer un homonyme pour qu'il inscrive son nom sur les bulletins de vote – ce qui provoqua la confusion et divisa les partisans de Russo. Pour se débarrasser du candidat Mike Neville, donné comme vainqueur, William Randolph Hearst, l'ami de toujours de Joe, ordonna à son journal, le *Boston American*, de ne pas mentionner le nom de Neville et de n'accepter aucune de ses publicités. Pour Jack, le résultat final ne fit jamais aucun doute.

Élu à une majorité écrasante, John Fitzgerald Kennedy, âgé de vingt-neuf ans, bronzé par trois semaines au soleil de la Floride, arriva au Capitole en 1947, et se lia d'amitié avec un autre député fraîchement élu et prometteur : Richard Milhous Nixon, de Californie. En compagnie d'un autre jeune Turc, George Smathers, qui venait de Floride, ils se lancèrent dans une amicale compétition pour savoir lequel d'entre eux passerait en premier de la Chambre au Sénat.

Kennedy et Smathers partageaient également une passion pour la chasse aux femmes – un sport auquel ils tentèrent d'intéresser Nixon. Quand le député californien alla pour la première fois en Europe comme membre d'une commission d'enquête, Jack lui glissa une feuille avec les noms et les numéros de téléphone d'un certain nombre de dames à Paris. Nixon, qui était déjà marié avec Pat, fut, à en croire son secrétaire, « trop gêné » pour prendre les adresses avec lui.

Jack lui-même se rendit en Europe, dans une commission d'enquête du Congrès, en septembre 1947. Mais, en arrivant à Londres, il perdit connaissance ; on l'emmena dans une clinique, où les médecins établirent enfin le diagnostic des symptômes qui l'envoyaient si régulièrement à l'hôpital depuis tant d'années : la maladie d'Addison, une dégénérescence des glandes surrénales qui – comme le sida – détruit le système immunitaire et laisse l'individu sans défense face à l'infection. Se surmener, s'érafler le genou, se faire arracher une dent, attraper la grippe – tous ces problèmes de santé mineurs peuvent se révéler fatals pour celui qui est atteint de la maladie d'Addison.

Si, depuis l'adolescence, Jack avait le teint jaune comme s'il était atteint de jaunisse, c'était à cause de cette maladie. À l'époque, on la traitait par des injections quotidiennes d'une hormone de synthèse, l'acétate de désoxycorticosterone (DOCA). Plus tard, pour le délivrer des piqûres, on lui fit une opération pour implanter dans ses cuisses des pastilles de DOCA, qui libéraient leur substance petit à petit. (Deux ans plus tard, le DOCA fut remplacé par un autre produit qu'on venait de découvrir, la cortisone.)

L'amie de Jack, Pamela Churchill, qui épousa plus tard Averill Harriman et qui devint ambassadrice en France pendant le gouvernement Clinton, emmena le jeune Kennedy faire un bilan de santé à Londres. « Votre jeune ami américain, lui déclara le médecin, il ne lui reste pas un an à vivre. »

Bien décidée à ce que personne n'apprenne ce sinistre diagnostic, l'équipe de Jack informa la presse qu'il se remettait d'une bonne crise de malaria, maladie qu'il avait attrapée dans le Pacifique. Cette pseudo-malaria servit aussi à expliquer le teint jaune-orangé, si particulier, de Jack.

Jack revint en Amérique à bord du *Queen Mary*. Il ne quitta pas l'infirmerie et arriva moribond. Quand le navire entra dans le port de New York, « on lui administra l'extrême-onction et il descendit du bateau sur une civière, raconta Frank Waldrop dans le *Times-Herald*. Il était entre la vie et la mort ». Une ambulance l'emmena jusqu'à un avion affrété à La Guardia, et de là, il s'envola pour Boston où une autre ambulance le conduisit à la Clinique Lahey.

Après y être resté plusieurs semaines, Jack repartit travailler à Washington. (À la fin de sa vie, il n'avait pratiquement plus de glandes surrénales. Jusqu'au dernier moment, ses proches et lui nièrent carrément qu'il eût jamais été atteint de la maladie d'Addison.)

Même parmi ceux qui travaillaient en étroite collaboration avec lui, nombreux furent ceux qui crurent à l'histoire soigneusement concoctée des crises de malaria. Patsy Mulkern, avec qui il avait fait la campagne électorale, raconta un de leurs trajets entre Boston et Hyannis Port, au cours duquel ils se firent arrêter pour excès de vitesse. « Dave Powers conduisait, dit Mulkern, et Jack était allongé sur la banquette arrière. Évidemment, quand il avait un accès de malaria, il avait froid. Il fallait lui mettre une couverture. Oh, il en avait des méchantes crises ! »

Tout en guettant une occasion de se faire élire au Sénat, Jack observait avec circonspection ses vieux amis succomber l'un après l'autre au mariage. Dans une lettre adressée à Red Fay, il passa en revue la liste de leurs copains de régiment en se demandant si Red serait apprécié de leurs nouvelles épouses.

En apprenant qu'une autre de ses connaissances venait de se marier, Jack commenta : « Mon expérience limitée m'a appris qu'une épouse peut semer la pagaille plus vite que n'importe qui d'autre. » D'après lui, le mariage n'était pas plus intéressant pour les hommes que pour les femmes, du moins si elles étaient jeunes, belles et intelligentes. Quand Priscilla McMillan, qui s'occupait à l'époque de politique extérieure, lui annonça ses fiançailles, la réponse de Kennedy la laissa sans voix. « Pourquoi diable voulez-vous vous marier ? demanda-t-il. Il y a tant de mariages malheureux. »

« Tout cela était très lié à ses parents, expliqua P. McMillan. À la façon dont Rose s'était ratatinée en quelque chose qu'il appelait "un rien". Jack plaisantait toujours sur les femmes que son père gardait à portée de main – c'était finalement comique – mais il n'en était pas moins sensible à la profonde souffrance de sa mère. Il l'aimait à sa manière, et il lui en voulait en même temps de jouer les autruches et de ne pas réagir. Il se savait incapable de rester fidèle à une femme, mais il ne voulait pas faire souffrir quelqu'un ainsi. »

La rumeur courut que Jack s'était marié en secret ; quand il parlait « d'expérience limitée », il ne s'agissait pas de ses parents, mais de leur voisine à Palm Beach, Durie Malcolm. En 1962, on racontait que Jack avait épousé Durie Malcolm en 1939, pour en divorcer neuf ans plus tard. Reposant sur une information erronée extraite du livre *The Blauvelt Genealogy* (Durie Malcolm descendait des Blauvelt), la rumeur prit suffisamment d'ampleur pour que la Maison-Blanche fût obligée de publier un démenti officiel.

En réalité, Durie Malcolm était sortie avec Joe junior à la fin des années 1930. Peu de temps après avoir été élu au Congrès, Jack emmena Durie, qui à l'époque avait déjà traversé deux mariages ratés, à l'Orange Bowl de 1947. Six mois plus tard, elle épousa l'héritier de l'industrie du bois Thomas Shevlin junior.

S'obstinant pour de bon dans le célibat, Jack passa ses deux mandats au Congrès à coucher avec une kyrielle de femmes, d'une côte à l'autre. Il se rendit à Hollywood, où Inga « Binga » Arvad était devenue chroniqueuse à scandales et essaya de ranimer leur vieille flamme, mais sans succès.

Il n'y avait pas pénurie de candidates pour prendre la place d'Inga. À la fin des années 1940, Jack sortit avec Lana Turner, Joan Crawford, Hedy Lamarr, Susan Hayward et l'entreprenante patineuse sur glace, Sonja Henie. Joan Fontaine lui donna du fil à retordre, ainsi que sa sœur (et grande rivale) Olivia de Havilland. « Il la trouvait extraordinaire, et il était prêt à se rendre complètement ridicule, si c'était la condition nécessaire pour la conquérir, dit Chuck Spalding. Nous sommes allés goûter chez elle ; Jack ne la quittait pas des yeux. Quand nous nous sommes levés pour partir, il a ouvert la porte du placard dans le vestibule, et il est entré droit dedans. Tout le monceau de choses entassées là-dedans – des balles de tennis, des raquettes, des cartons – lui est tombé dessus. C'était à mourir de rire. »

Olivia de Havilland ne voulait pas sortir avec Kennedy. Mais quand il la vit dans un restaurant en train de dîner avec l'auteur-illustrateur Ludwig Bemelmans, que sa série de livres pour enfants, *Madeline*, avait rendu célèbre, Jack fut ébahi. « Mais regarde-moi ce type ! dit-il à Spalding. Je sais qu'il est doué, mais quand même ! Tu crois que c'est parce que je suis entré droit dans ce placard ? Tu crois que c'est vraiment à cause de ça ? »

La finesse n'était pas le point fort de Jack, ce qu'on comprend aisément de la part d'un homme dont l'expression préférée était « wham, bam, merci, madame ». Son *modus operandi*, à en croire son amie Gloria Emerson, était strictement limité à : « Un petit coup contre le mur, Signora, si vous avez cinq minutes. » Ce genre de choses.

Jack suivait simplement le conseil de son père : « Baiser aussi souvent que possible. » Mais la disparition brutale de son frère et de sa sœur, ses maladies chroniques et les expériences pénibles qu'il avait vécues pendant la guerre, l'avaient rendu extrêmement fataliste. « Il était obsédé par l'idée qu'il n'avait pas longtemps à vivre sur cette planète », dit Spalding. Ce que George Smathers confirma : « Il était très fataliste. Quand on s'est rencontrés, on avait l'impression qu'il n'avait que deux sujets de conversation, la mort et les femmes. » Après une longue discussion sur la meilleure façon de mourir (il préférait finir empoisonné plutôt que noyé, tué d'une balle, gelé ou brûlé), Jack dit : « L'important, c'est de vivre chaque jour comme si c'était le dernier. C'est d'ailleurs ce que je fais. »

La fascinante Gene Tierney, qui atteignit les sommets de la gloire au début des années 1940 avec le film *Laura*, fut la liaison hollywoodienne de Jack la plus marquante. Elle était en plein divorce d'avec Oleg Cassini. Celui-ci connaissait déjà Jack de l'époque Palm Beach, et il allait devenir le couturier officiel de Jackie quand elle s'installerait à la Maison-Blanche.

Gene Tierney était particulièrement vulnérable lorsque l'officier de marine John Kennedy vint visiter le décor du *Château du Dragon* en 1946, et pas uniquement à cause de sa rupture avec Cassini. Embrassée avec fougue durant sa grossesse par un admirateur atteint de rubéole, Gene avait accouché d'un enfant débile. Cassini et elle devaient affronter l'épreuve de placer la petite Daria dans une institution.

« Je me suis tournée et j'ai plongé mon regard dans les

plus beaux yeux bleus que j'aie jamais vus chez un homme. » Voilà comment elle raconta cette première rencontre sur le lieu de tournage. « J'ai réagi exactement comme une héroïne de roman rose. Littéralement, mon cœur a bondi. »

Leur relation se noua d'autant plus facilement que Jack savait par quelles affres elle passait à propos de Daria. « Jack me comprenait, raconta Gene Tierney. Il me parla de sa sœur Rosemary, qui était attardée mentale, et de la façon dont la famille l'avait aimée et entourée. » (En réalité, Joe senior avait pris unilatéralement la décision de faire lobotomiser Rosemary à l'automne 1941, parce que la famille ne parvenait plus à la mater.)

Jack n'avait pas encore achevé son premier mandat au Congrès, mais il raconta à Gene Tierney ses plans pour s'installer à la Maison-Blanche. « C'était son but. Il en parlait avec beaucoup de naturel, comme un autre envisagerait de travailler dans le magasin de son père. »

Cassini, de son côté, la mit en garde : « J'ai averti Gene que Jack ne l'épouserait jamais. Aucun catholique n'est prêt à épouser une femme divorcée. Sa famille ne pourrait pas l'accepter. »

Gene Tierney se rendait à Cape Cod, où elle trouvait que Jack « ressemblait à Tom Sawyer » avec son blue-jean raccommodé. Leur liaison se poursuivait là, à Hollywood et à New York. Au cours d'un déjeuner à Manhattan, sans préambule et alors qu'un groupe d'amis s'apprêtait à s'installer à leur table, Jack se tourna vers Gene pour lui dire : « Tu sais, Gene, je ne pourrai jamais t'épouser. » Au fil des années, Gene Tierney souffrit de plusieurs dépressions nerveuses et finit par se faire hospitaliser – « le résultat, d'après elle, d'une succession de coups de marteau sur la tête ». À coup sûr, sa liaison avec Jack en faisait partie.

Mais, tout le monde ne se laissait pas séduire par Jack. Mary Lasker, une philanthrope sympathisante du Parti démocrate, rencontra pour la première fois le député par l'intermédiaire de leur amie commune Florence Mahoney, dont le mari publiait le *Miami Journal.* « Florence lui était toute dévouée et affirmait qu'il deviendrait sûrement président un jour, dit Mary Lasker. Eh bien, il était très, très maigre et, pour un député, il avait l'air très jeune. J'ai pensé, Florence est une fille formidable et je l'aime beaucoup, mais voilà un homme qui ne me paraît guère un bon candidat à la présidence... Son manteau avait les manches trop courtes, son pantalon n'était pas à sa taille – ou les revers étaient retournés. Ce n'était pas du tout le genre d'homme qu'on remarque. »

Cependant, Mary Lasker le trouvait distrayant. « Florence se passionne pour le contrôle des naissances et considère qu'il s'agit d'un problème de santé publique, ce avec quoi je suis d'accord. Et il lui disait toujours : "Alors, vous avez découvert de nouvelles méthodes ?" ou bien "Où en est la situation ?" et on se mettait à plaisanter sur ce sujet. Même quand il me rencontrait toute seule dans les couloirs du Congrès, il m'apostrophait : "Comment va Florence, et comment avance le contrôle des naissances ?" Il ne vint jamais à l'idée de Mary Lasker que, même si Jack, bien évidemment, plaisantait, il pouvait très bien en même temps être à l'affût de nouvelles informations sur le sujet.

Pendant l'été 1949, Jackie retourna en France – cette fois, pour passer l'année à la Sorbonne. En compagnie de cinq autres étudiantes, elles s'installèrent chez la comtesse de Renty, un ancien membre de la Résistance française, dont le mari avait péri dans un camp de concentration nazi. L'appartement du 78, avenue Mozart n'avait ni chauffage ni eau chaude, et ne possédait qu'une seule salle de bains équipée d'un tub en métal.

Jackie ne racontait pas à ses parents ces sinistres détails, bien qu'elle écrivît régulièrement à Janet. « Si je n'écris pas toute une tartine à maman chaque semaine, racontait-elle à

Yusha, elle est folle d'angoisse et elle croit que je suis morte ou que j'ai épousé un Italien. »

Si Janet avait été au courant des sorties de Jackie, elle aurait pu effectivement se faire du souci. Tout en réussissant dans ses études, Jackie n'en menait pas moins une vie sociale trépidante – traînant aux *Deux Magots*, fréquentant assidûment les boîtes de la rive gauche. « En principe, Jackie était là pour suivre les cours de la Sorbonne, mais en réalité, elle prenait du bon temps », dit Gore Vidal.

Jackie rencontra beaucoup d'écrivains américains qui travaillaient alors à Paris. Elle ne se lança dans une aventure qu'avec un seul membre de ce groupe, John Philipps Marquand junior.

Quand Jackie rencontra Marquand junior, il habitait sur la rive gauche et écrivait son premier roman, *The Second Happiest Day.* Après une nuit passée dans les boîtes, ils revinrent à sa pension et Jackie perdit sa virginité dans l'ascenseur, quand celui-ci « tomba en panne » entre deux étages, une manœuvre que Marquand avait déjà expérimentée. Voici le commentaire que Jackie est censée avoir fait : « Oh ! Ce n'est donc que ça ! »

Marquand nia cette histoire, mais Vidal, qui était également un vieil ami de l'écrivain, insiste sur son authenticité. « Ce qu'il a dit en public, c'est une chose, dit Vidal. Mais Jackie a bien perdu sa virginité avec lui dans un ascenseur, et ils ont eu une liaison très passionnée. »

Pendant l'été 1950, Jackie fit un voyage éclair en classe touriste, à travers l'Allemagne et l'Autriche. Elle rejoignit ensuite Yusha pour une balade de trois semaines en Écosse et en Irlande. « Nous avons tout fait – nous sommes allés dans les pubs, nous avons embrassé la Blarney Stone, raconta Yusha. Jackie était fascinée par l'histoire, par les châteaux et le folklore. Elle voulait en apprendre le plus possible. Mais elle se comportait ainsi en toute circonstance. Si elle allait dans un musée, elle ne se contentait pas de regarder un tableau. Elle voulait tout savoir sur le sujet traité, l'histoire de l'artiste, tout ce qu'elle pouvait absorber. En Irlande, elle abordait les inconnus dans la rue pour leur poser des questions. C'était un trait de caractère qu'elle avait en commun avec Jack. Ils savaient tous les deux écouter comme personne. »

De retour aux États-Unis, Jackie quitta Vassar pour l'université George Washington, à Washington, D.C. Tout en travaillant pour obtenir son diplôme de littérature française, elle concourut pour le prestigieux Prix de Paris, organisé par le magazine *Vogue.* L'épreuve principale consistait en un essai de cinq cents mots sur le sujet suivant : « Les gens que j'aurais aimé connaître. » Elle choisit le maître de ballet Serge Diaghilev, le poète Charles Baudelaire et Oscar Wilde.

Le texte de Jackie révéla non seulement qu'elle savait écrire, mais aussi qu'elle possédait une bonne dose d'humour et qu'elle était dénuée de prétention. Voici comment elle se décrivait : « Je suis grande, 1,70 m, brune, avec un visage carré et des yeux tellement écartés qu'il m'a fallu attendre trois semaines pour me faire faire une paire de lunettes sur mesure. Ma silhouette n'est pas sensationnelle, mais je peux avoir l'air élancé si je choisis des vêtements adaptés. Je me flatte d'être du genre à sortir de chez moi habillée comme un clochard parisien, mais ma mère me court souvent après pour me prévenir que la couture de mon bas gauche n'est pas droite ou que le premier bouton de mon manteau ne va pas tarder à tomber. Je me rends bien compte que c'est un péché impardonnable. »

Quant au choix de Diaghilev, de Baudelaire et de Wilde : « Si je pouvais être une espèce de directeur artistique général du XXe siècle, surveillant tout du haut d'un fauteuil suspendu dans l'espace, ce serait leurs théories artistiques que je souhaiterais appliquer à mon époque, leurs poèmes à partir desquels je souhaiterais créer de la musique, des tableaux et des ballets. Ces trois personnes sont des tremplins parfaits, si toutefois nous sommes capables de les dépasser. »

Plus de 1 200 filles, venues de 225 facultés, participèrent à ce concours, et le 15 mai 1951, Jackie apprit qu'elle avait remporté le Grand Prix : un poste d'une durée d'un an au magazine *Vogue*, partagé entre Paris et New York.

Jackie, qui était sur le point d'obtenir son diplôme à l'université George Washington, refusa le prix. Hughdie estimait qu'elle avait déjà passé trop de temps à l'étranger et craignait qu'elle n'en revînt plus. Pour la consoler, il lui offrit encore des vacances en Europe – seulement cette fois, elle partirait avec Lee.

Avant de s'embarquer à bord du *Queen Elizabeth*, Jackie accepta en mai 1951 d'aller dîner chez Charlie Bartlett et sa femme Marcha, dans l'étroite maison de grès brun de Georgetown. Ayant échoué deux ans auparavant, cette fois les Bartlett parvinrent à présenter Kennedy, le séduisant membre du Congrès à l'allure encore adolescente, à l'époustouflante Jacqueline Bouvier.

Jack, qui avait alors trente-quatre ans, fut intrigué par cette jeune diplômée de vingt et un ans. Martha Bartlett, décidée à coller Jackie entre les bras d'un beau parti pour qu'elle ne fût plus une tentation pour son propre époux, les plaça l'un en face de l'autre à table et s'arrangea pour que leurs verres soient toujours remplis. (Après leur mariage, Jack raconta à un journaliste que, lors de cette soirée historique, il « s'était penché par-dessus les asperges pour lui demander un rendez-vous ». Sans se départir de son calme – et avec un grand sens de la précision – Jackie fit remarquer qu'il n'y avait pas d'asperges au menu ce soir-là.)

Le dîner terminé, les Bartlett s'installèrent avec leurs hôtes au jardin pour jouer aux charades. Utilisant ses talents de mime pour démolir ses camarades de collège et d'université, Jackie battit rapidement à plate couture l'équipe adverse.

Jack n'avait jamais rencontré quelqu'un comme Jackie

– ce qui paraît tout à fait incroyable étant donné son appétit pour le sexe opposé. Elle était extraordinairement belle, à coup sûr, et terriblement intelligente. Elle paraissait avoir plus d'étoffe que les autres filles qu'il avait connues. Et pourtant, il en avait déjà beaucoup rencontré, des filles !

Qu'est-ce qui les poussa l'un vers l'autre ? « C'étaient deux individus solitaires, dit Spalding, et chacun reconnut l'autre d'emblée. » Elle, dont toute l'enfance avait été déchirée par la guerre entre ses parents, acharnés à se détruire, ne paraissait vraiment heureuse que lorsqu'elle se livrait à des activités solitaires, comme la lecture ou l'équitation. « Quand il le fallait, elle pouvait devenir la reine du bal, remarqua un autre de leurs amis. Mais ce n'était qu'un rôle. Jack était exactement pareil. Avant de pénétrer dans une pièce, il disait : "C'est le moment de brancher la B.P." – la Big Personality – mais il détestait les effusions. Quelle ironie de penser que ces deux personnes, qui symbolisaient le charme et la grâce pour des millions de gens, étaient en réalité deux loups solitaires. »

Jackie raconta plus tard qu'elle reconnaissait chez Jack, sous l'armure rutilante de la confiance en soi, « ce petit garçon malade et solitaire... qui avait passé tant de temps au fond de son lit à lire des histoires, à dévorer les Chevaliers de la Table ronde ».

Ce soir-là, Bartlett et Jack raccompagnèrent Jackie à sa voiture, et Jack lui proposa d'aller prendre un verre. Avant qu'elle n'ait eu le temps de répondre, Josie, le fox-terrier des Bartlett, sauta dans sa Mercury noire, et atterrit sur les genoux d'un homme assis sur la banquette arrière. L'inconnu s'avéra être un ancien petit ami qui avait reconnu la voiture de Jackie et qui voulait lui faire une surprise. Troublé par la brutale apparition d'un autre homme, Jack retourna vers chez les Bartlett et Jackie s'en alla seule.

Tandis que Jack se plongeait dans sa campagne électorale pour ravir son siège au sénateur du Massachusetts, Henry Cabot Lodge, Jackie se baladait en Europe avec Lee. Les sœurs rédigèrent ensemble *One Special Summer (Un été particulier)*, un album narrant leurs aventures à l'étranger. À lire les commentaires de Lee, agrémentés des poèmes et des illustrations de Jackie, on comprend aisément ce qu'elles avaient en tête au cours de ce voyage. « Jackie m'avait bien prévenue de l'excentricité de la vie sexuelle au Proche-Orient ! » écrivit Lee après avoir rencontré un homme originaire de Beyrouth à bord du *Queen Elizabeth.* Le reste de leur album, que Delacorte publia vingt-trois ans plus tard, racontait avec précision leurs démêlés avec, entre autres, deux officiers de l'armée française, un journaliste espagnol et un artiste italien.

De retour à Merrywood, Jackie se trouva confrontée à un dilemme. Elle avait le choix entre épouser quelqu'un qui lui permettrait de continuer à vivre sur un grand pied, comme elle y avait été habituée ; ou bien commencer à travailler. Elle choisit la seconde solution.

Oncle Hughdie suggéra que, étant donné ses talents, elle se lançât dans la carrière de journaliste. Il demanda à son ami Arthur Krock (qui était également lié à Joe Kennedy), du *New York Times*, de voir s'il pouvait trouver un poste convenable pour sa belle-fille.

Krock décrocha son téléphone et appela Frank Waldrop, le rédacteur en chef du *Times Herald* de Washington. (Waldrop avait embauché Kick Kennedy et Inga Arvad avant la guerre.)

« Embauchez-vous toujours les petites filles ? demanda Krock.

– Pourquoi ?

– Eh bien, Franck, j'ai une merveille pour vous. Elle a les yeux ronds, elle est intelligente et elle veut devenir journaliste. Acceptez-vous de la rencontrer ? »

Évidemment, cela ne gênait en rien qu'elle fût la belle-fille du riche et influent Hugh Auchincloss. Waldrop reçut Jackie la première semaine de décembre 1951, et lui demanda carrément si elle envisageait sérieusement de devenir journaliste ou si elle voulait juste passer le temps en attendant de trouver un mari. Elle lui affirma qu'elle n'avait pas l'intention de se fiancer pour l'instant ; Waldrop lui dit qu'après Noël il lui proposerait un poste.

Quand elle revint en janvier, Jackie avait un aveu à faire. Elle s'était fiancée avec un homme qu'elle venait de rencontrer, dit-elle ; elle comprendrait que cela remît en cause son travail au journal. Impressionné par la franchise de Jackie – et persuadé qu'elle n'irait pas jusqu'au mariage, puisqu'elle venait à peine de rencontrer cet homme –, Waldrop lui offrit quand même un emploi de coursière.

Les fiançailles de Jackie avec John Husted avaient bouleversé tous ceux qui la connaissaient. Banquier sorti de Yale, Husted était grand et séduisant et venait d'une bonne famille de New York. Son père avait été un ami d'Hughdie, sa mère connaissait Janet, et ses deux sœurs avaient suivi les cours de miss Porter en même temps que Jackie. « J'avais connu son père, Black Jack, raconta Husted, et des années auparavant, j'avais vu Jackie jouer au tennis avec lui lors d'un tournoi père-fille à Farmington. Mais je n'ai vraiment fait la connaissance de Jackie que lorsque ma tante, Helen Husted, m'a invité à une réception au Solgrave Club de Washington. »

Pour Husted, ce fut le coup de foudre. « Je la trouvais somptueusement belle. Elle n'était pas du tout distante. Elle était aussi brillante que rieuse. Elle avait un esprit mordant et une distinction innée qui sautait déjà aux yeux. » Elle n'avait qu'un défaut : « Sa voix n'était pas agréable. Très voilée, affectée – bizarrement mal assortie à sa personnalité et à son intelligence. Mais je suis tombé complètement, totalement amoureux d'elle. »

Au bout de quelques semaines, dit Husted, « nous nous étions en quelque sorte déclaré notre amour. Je lui ai téléphoné à Merrywood pour lui demander de m'épouser. J'étais venu plusieurs fois à Washington pour la voir et j'en avais un peu assez de faire le trajet, alors, avant qu'elle ne me réponde, j'ai dit : "Si vous m'aimez, prouvez-le. Venez à New York me donner votre réponse." Je lui ai fixé rendez-vous au Polo Bar du Westbury Hotel, à midi, le samedi. » Il arriva au bar avec quelques minutes d'avance. « Il neigeait, et je restai assis là à l'attendre pendant trois heures. J'avais déjà réglé l'addition et je m'apprêtais à partir quand Jackie est arrivée. Tout n'était que douceur et légèreté. Elle a dit oui. »

Les fiançailles furent célébrées à Merrywood, et une annonce de bonne taille parut dans le *New York Times* du 20 janvier 1952, avec une photo de Jackie. Le mariage était prévu pour le mois de juin.

Assez rapidement, cependant, on put comprendre que Jackie n'était pas complètement convaincue. Lorsque la mère d'Husted lui offrit une photo de son fiancé bébé, elle refusa. « Si je veux une photo de John, dit-elle, je la prendrai moi-même. »

« Nous étions tous très étonnés, se souvint Yusha Auchincloss. John Husted était un charmant garçon, issu d'une charmante famille. Mais il ne s'intéressait pas aux mêmes choses que Jackie. C'était un courtier, il appartenait à tous les clubs comme il faut, mais c'est tout. J'avais du mal à comprendre ce qui pouvait bien les rapprocher. »

Charlie et Martha Bartlett étaient d'accord. Surtout Martha qui « n'avait pas trop bonne opinion du gars avec qui Jackie était fiancée », selon Bartlett. « Il était gentil, mais assez terne. Il ne méritait sûrement pas d'épouser quelqu'un comme Jackie. » Alors les Bartlett s'efforcèrent de nouveau d'apparier Jackie avec l'homme auquel elle était destinée.

Jackie continua sa relation à distance avec Husted, faisant la navette entre Washington et New York. Elle décrocha également un travail plus intéressant au *Time Herald*, comme « enquêtrice-minute » attitrée du journal. Quand Waldrop lui demanda si elle connaissait le fonctionnement d'un encombrant appareil photo Speed Graflex, elle hocha la tête – puis se précipita pour suivre un cours en accéléré sur la photographie de presse.

Sa tâche d'enquêtrice-minute (avec un salaire hebdomadaire de 56,75 dollars), consistait à aller au-devant des personnalités de Washington ou des gens dans la rue, à leur poser une question inédite et à les prendre en photo pendant qu'ils répondaient. « Elle arrêtait les gens qui sortaient du supermarché, raconta Husted, et leur demandait : "Les hommes doivent-ils porter une alliance ?" ou "Les hommes se montrent-ils plus courageux que les femmes dans le fauteuil du dentiste ?" » Certaines questions de Jackie étaient saugrenues : « Noël Coward a dit qu'on devait régulièrement frapper certaines femmes, comme un gong. Êtes-vous d'accord ? » « Que ressentez-vous quand vous vous faites siffler ? » D'autres questions étaient révélatrices de son état d'esprit : « Pensez-vous qu'une épouse doit laisser son mari penser qu'il est plus intelligent qu'elle ? » « Les riches apprécient-ils davantage la vie que les pauvres ? » « Chaucer a dit que ce que les femmes désirent le plus, c'est dominer les hommes. Que croyez-vous que les femmes désirent le plus ? »

D'autres encore paraîtront prophétiques : « La femme d'un candidat doit-elle faire campagne avec son mari ? » « Aimeriez-vous que votre fils devienne un jour président ? » « Parmi les premières dames de notre pays, laquelle auriez-vous souhaité être ? » « Si vous aviez un rendez-vous avec Marilyn Monroe, de quoi parleriez-vous ? » « Par la mort de quelle personnalité avez-vous été le plus touché ? »

Jackie aimait particulièrement interroger les enfants « parce que ce sont eux qui racontent les meilleures anecdotes ». En 1952, peu de temps après que Richard Nixon fut élu vice-président, elle demanda à sa fille Tricia, alors âgée de six ans, ce qu'elle pensait de son père. « Il est toujours absent, répondit la petite fille. Même s'il est célèbre, pourquoi ne peut-il pas rester à la maison ? » Quelques années plus tard, Jackie comprendrait exactement ce que voulait dire la petite Tricia Nixon.

Les fiançailles de Jackie et de John Husted n'avaient pas un mois que Janet Auchincloss donna de quoi réfléchir à sa fille. Après avoir mené sa petite enquête, Janet avait appris que John Husted gagnait 17 000 dollars par an – un revenu décent pour un couple de la classe moyenne à l'époque, mais dix fois inférieur à ce qu'elle estimait convenir à sa fille.

Jackie, qui affirmait que tout ce qu'elle exigeait d'un prétendant, c'était « qu'il pèse plus lourd qu'[elle] et qu'il ait des pieds plus grands que les [siens] », sortit avec d'autres hommes dès le mois de mars. Les plus remarquables furent les journalistes John White, qui devint par la suite membre du gouvernement, et William Walton, qui devait finalement faire une carrière artistique. Walton se joignit rapidement au petit cercle d'amis qui comprenait Lem Billings, Chuck Spalding et Charlie Bartlett.

Assez vite, White comprit qu'il n'était pas en mesure d'offrir à Jackie ce qu'elle recherchait chez un homme. « Jackie voulait être la confidente d'un homme important, dit White. Dans l'opinion qu'elle avait des gens, elle mettait la puissance et le charisme au-dessus des autres qualités. »

Jack Kennedy, évidemment, possédait tout ce qu'elle recherchait. Mais il était occupé à en faire profiter beaucoup d'autres femmes. Selon les dossiers du FBI, qui continuait à s'intéresser à sa vie amoureuse depuis sa rupture avec celle qu'on soupçonnait d'être une espionne nazie, Inga Arvad, Jack se fiança secrètement en 1951 avec Alicja Darr, qui devint plus tard l'épouse de l'acteur Edmund Purdom.

Toujours d'après le rapport du FBI, Joe Kennedy obligea son fils à rompre ses fiançailles à cause des origines judéo-polonaises d'Alicja. Mais il semblerait qu'elle eût attendu un enfant de Jack. Quelques années plus tard, Bobby lui donna 500 000 dollars pour se débarrasser de la menace d'un procès pour violation de promesse de mariage. En

1960, elle décida de divorcer, et Edmund Purdom contre-attaqua en citant John F. Kennedy comme codéfendeur de l'adultère. Une fois de plus, Bobby intervint et convainquit Alicja de s'arranger à l'amiable avec Purdom. Bien que Purdom eût affirmé que sa femme « aimait lui agiter sous le nez un chèque portant la signature de Kennedy », elle nia toujours avoir reçu la moindre somme de la famille. Au fil des années, elle se contenta de répéter qu'elle n'avait jamais eu de rapports intimes avec Kennedy. « Il me disait souvent "Je t'aime", reconnut-elle, et je lui répondais "Je t'aime moi aussi", mais qu'est-ce que ça prouve ? »

Jackie était dans la bienheureuse ignorance des prétendues fiançailles de Jack, ainsi que de ses relations avec le mannequin Pamela Farrington et la journaliste de télévision Nancy Dickerson. « Les femmes adoraient papillonner autour de Jack, et moi aussi, j'adorais ça », dit Dickerson, qui « envoya Jack sur les roses » quand celui-ci la klaxonna au lieu de sonner à sa porte, lors de leur premier rendez-vous. « Il était tellement attirant, il dégageait une telle sensualité animale que c'était difficile à croire. Et évidemment, il n'y a pas de meilleur aphrodisiaque que le pouvoir... et le tout combiné le rendait irrésistible. Mais pour Jack, faire l'amour c'était comme prendre un café – ni plus ni moins important. »

Avec un manque de pudeur phénoménal, Jack expliqua un jour à des journalistes supposés discrets ses techniques d'approche sexuelle : « Je n'en ai pas fini avec une fille, dit-il avec un clin d'œil, tant que je ne l'ai pas prise de trois façons différentes. »

Grâces soient rendues à l'obstinée Martha Bartlett, Jackie eut une troisième fois l'occasion de rencontrer l'homme qui lui était destiné. Ironie du sort, ce fut elle qui l'invita pour leur premier rendez-vous officiel. « Nous donnions un autre de nos petits dîners, et le fiancé de Jackie ne pouvait pas venir, alors Martha la poussa à inviter Jack, dit Charlie

Bartlett. Martha insista beaucoup, et je suis sûr que tout le monde lui en est reconnaissant. Jack était en plein milieu de sa campagne électorale pour le Sénat, mais apparemment, il a sauté sur l'invitation de Jackie. Ils se plurent d'emblée, comme la première fois, seulement là, il put repartir avec elle à la fin de la soirée. » Plus tard, Jackie remercia les Bartlett d'être « des marieurs aussi effrontés... ». Généralement, ça ne donnait rien, mais cette fois, cela avait marché, et elle leur en était très reconnaissante.

Leur histoire démarra lentement – surtout à cause de la campagne électorale de Jack. « À ce moment-là, Jack n'entretenait pas avec Jackie une relation très intense. Il avait surtout envie de se faire élire au Sénat, dit Bartlett. C'était sa principale préoccupation. Pas Jackie. »

Comme toujours, Jack était poussé par le désir de faire plaisir à son père. « Une fois que tu auras battu Lodge, avait dit Joe, tu auras battu le meilleur. Pourquoi ne pas mettre la barre aussi haut ? » Le nom d'Henry Cabot Lodge symbolisait tout ce que Joe admirait et détestait à la fois chez les Brahmanes de Beacon Hill. Après tout, c'était l'endroit où « le haricot côtoie l'ortolan », où les Lowell parlent aux Cabot, mais où les Cabot ne parlent qu'à Dieu. Être vainqueur, ce n'était pas seulement franchir un grand pas sur la route de la Maison-Blanche, c'était aussi une façon de se venger radicalement de ces WASP de la Nouvelle-Angleterre qui l'avaient dédaigné.

Personne ne fut plus impressionné par le cran de Jack pendant sa campagne électorale que l'« Ambassadeur ». En le regardant échanger des poignées de main avec des centaines de dockers dans East Boston, Joe avoua : « J'aurais parié à cinq mille contre un que ceci n'arriverait jamais. Je n'aurais jamais pensé que Jack en était capable. »

Le bras droit de Kennedy, Patsy Mulkern, affirma qu'il n'avait jamais vu un candidat aussi décidé à gagner. « Kennedy était un gars susceptible – il ne voulait pas qu'on dise du mal de lui. Quand on se promenait avec lui, avant de saluer un type, il demandait “Il nous soutient ?” Il surveillait tout le monde. Ce sont les mœurs de la famille. Ils refusent de perdre. Ils détestent perdre. Oh, comme ils détestent perdre ! » Tant et si bien, dit Mulkern, que « s'il avait perdu cette élection au Sénat, il se serait mis à écrire des livres. Parce que je connais Jack. Il ne se serait plus jamais représenté. Jack était incapable d'accepter une défaite et de recommencer. Il fallait qu'il soit le premier partout. “Les seconds ne comptent pas”, me disait-il souvent. »

Absorbé par la course à la présidence de Dwight D. Eisenhower, Lodge commença sa propre campagne électorale trop tard ; quand il se décida à revenir dans le Massachusetts, Jack était bel et bien en train de conquérir les électeurs. Au cours des trente-trois réceptions données dans les meilleurs hôtels du Massachusetts, Jack et le reste de sa famille rencontrèrent plusieurs dizaines de milliers de gens. Les événements, selon le magazine *Life*, « transformaient les Kennedy en rois ».

Après sa victoire écrasante, Jack fut en mesure d'accorder plus d'attention à Jackie. Au début, ils évitèrent de s'afficher, préférant aller au cinéma avec le frère de Jack, Bobby, et sa femme Ethel, ou dîner chez quelques amis intimes. Dont par exemple le sénateur du Kentucky, John Sherman Cooper et sa future épouse, Lorraine, et bien évidemment, les Bartlett. « Nous jouions aux dames, au Monopoly, au bridge, raconta Bartlett. Quelqu'un a dit que Jack jouait au Monopoly comme s'il s'agissait de vraies propriétés, et c'était vrai. Il adorait gagner et, surtout, il détestait perdre. Jackie était pareille – toujours prête à se lancer dans la compétition, une joueuse née. On riait beaucoup, et tout le monde s'amusait énormément. »

Plus la relation s'approfondit, plus ils restèrent en tête à tête ; ils se promenaient dans Washington à bord de la décapotable de Kennedy, et s'arrêtaient pour, selon l'expression d'un de leurs amis, « se peloter comme un couple d'adolescents ». Jack raconta plus tard à Lem Billings que, alors qu'ils étaient garés dans un quartier résidentiel d'Arlington, un agent en patrouille était arrivé et avait examiné la banquette arrière à la lueur de sa torche. Apercevant le sénateur à moitié nu et sa petite amie dépoitraillée, l'agent s'était excusé et était reparti. « Mais Jack imagina les gros titres possibles, raconta Billings à l'écrivain C. David Heymann : UN SÉNATEUR AMÉRICAIN BRUTALISE UNE PHOTOGRAPHE AUX SEINS NUS – UNE JOURNALISTE SURPRISE TORSE NU ! »

Après ces étreintes fougueuses, souvent à l'ombre des monuments de Washington, Jack raccompagnait Jackie à Merrywood. Celle-ci raconta plus tard comment la voiture de Jack était tombée en panne au moment de repartir. Elle lui prêta les clés de la Bentley bleue d'Oncle Hughdie. Quand Auchincloss se réveilla le lendemain matin, il fut persuadé qu'on lui avait volé sa Bentley – jusqu'à ce qu'il reconnaisse la voiture cabossée du sénateur garée dans l'allée.

Jackie, qui était encore en principe fiancée avec John Husted, jouait les saintes nitouches sur le sujet du sénateur. Lorsque son cousin John H. Davis eut vent de la rumeur, peu de temps après les élections de 1952, Jackie s'en tira par une pirouette : « Tu sais, il va chez le coiffeur presque tous les jours, dit-elle avec une feinte stupéfaction, pour avoir une coiffure gonflante et des cheveux épais. Et si nous allons dans une réception où personne ne le reconnaît, où aucun photographe ne le prend en photo, après il boude pendant des heures... Il est tellement vaniteux, c'est incroyable. »

Davis suggéra que Jack était peut-être simplement ambitieux. « Oh, il est sûrement ambitieux, répondit-elle. Il m'a même dit qu'il avait l'intention de devenir président. » Puis elle éclata de rire. Davis n'insista pas, persuadé qu'elle ne prenait pas au sérieux ce jeune homme du Massachusetts.

Jackie ajouta qu'elle se demandait comment Jack réagirait devant leur excentrique Tante Edie et ses quarante chats :

« Tu sais, je me demande s'il pourrait y survivre. Les Kennedy sont terriblement *bourgeois.* » Et à propos de ses allergies : « Tu me vois avec quelqu'un qui est allergique aux chevaux ! »

Jack se montrait tout aussi mystérieux. Jackie raconta plus tard que, pendant la campagne, il lui arrivait de lui téléphoner d'un quelconque bar à huîtres, au Cape ; elle entendait les pièces de monnaie dégringoler et il l'invitait à aller au cinéma le mercredi suivant. Powers, qui ne quittait guère Kennedy, étant donné ses fonctions, avait l'impression que Jack ne cessait de passer de mystérieux coups de fil : « Aucun de nous ne savait qu'il était amoureux. »

Même l'équipe de Washington, en qui Jack avait toute confiance, n'était au courant de rien. Sa secrétaire particulière, Evelyn Lincoln, avait l'habitude de téléphoner à des demoiselles pour arranger les rendez-vous de son patron. « On peut dire que c'était un play-boy, dit Evelyn Lincoln. Je n'ai jamais rencontré son pareil. Des femmes l'appelaient tout le temps, nuit et jour. Je m'occupais plus ou moins de celles qu'il souhaitait voir. Je leur téléphonais, je leur disais où elles devaient le retrouver pour dîner, ce genre de choses. » À une seule exception près. Jack téléphonait personnellement à Jackie. « Puisqu'il ne me demandait pas de l'appeler, dit Evelyn Lincoln, j'ai compris que ce n'était pas n'importe qui. »

Peut-être, mais la première fois que la fidèle secrétaire vit Kennedy et Jackie ensemble, elle n'eut pas l'impression d'être en face de deux tourtereaux. Il arrivait souvent à Jack de faire attendre les gens pendant des heures, et même de leur poser des lapins, mais il ne supportait pas chez les autres le manque de ponctualité. Un soir, Jack et Jackie devaient se retrouver à l'aéroport pour prendre un avion à destination de New York. « Il a téléphoné et il a dit : "Où est Jackie ?" J'ai répondu : "Je l'ignore, elle n'est pas passée." Elle était en train de faire du cheval au Hunt Club [à

Middleburg, en Virginie]. "Elle n'est pas passée ? a-t-il hurlé. Retrouvez-la. Téléphonez... téléphonez partout où elle pourrait être." »

Evelyn Lincoln réussit enfin à joindre Jackie et lui dit que Jack l'attendait à l'aéroport. « Elle n'était pas plus tôt arrivée qu'il s'est mis à l'engueuler. La pauvre petite. Elle ne le connaissait pas. Elle ne savait pas que dès qu'il claquait des doigts, on avait tout intérêt à répondre présent. »

Durant la période que Jackie qualifia de « cour intermittente », elle était parfaitement au courant que Jack, en compagnie de George Smathers, continuait à courir le guilledou. Elle choisit de faire l'autruche, du moins pour un certain temps. « Un an après le début de leur liaison, dit un ami, Jackie errait comme une âme en peine ; on aurait dit la survivante d'une catastrophe aérienne. »

Par ailleurs, elle-même avait ses propres secrets ; après tout, elle n'avait encore pas rompu ses fiançailles avec John Husted. « Elle m'avait demandé de ne tenir aucun compte de tous les ragots qui couraient sur elle et John Kennedy, raconta Husted. Puis, au début de mars, je reçus une lettre d'elle où elle me disait que nous ne nous marierions pas en juin et qu'il fallait remettre la cérémonie. Notre histoire commençait à sentir le roussi. »

Quelques semaines plus tard, Jackie invita Husted chez les Auchincloss en Virginie. « Je suis d'abord passé à Naples, en Floride, pour voir ma famille, puis j'ai pris l'avion pour Washington, dit Husted. Si mon rival était bien John Kennedy – et j'en étais à peu près sûr – alors, la bagarre s'annonçait rude. Je suis arrivé à Merrywood avant Jackie, et j'ai fait le pied de grue pendant plus d'une heure, en compagnie de la jeune "sœur" de Jackie, Nina Auchincloss. Elle était vêtue de son petit uniforme d'écolière et elle faisait de son mieux pour me distraire pendant que nous attendions. Je savais à ce moment-là que c'était fini. » Bizarrement, quand Jackie arriva enfin, raconta Husted, « elle était d'humeur badine. Rien ne permettait de savoir qu'il y avait un problème entre nous. J'ai dîné avec le reste de la famille, je suis resté dormir, comme je le faisais toujours. Je commençais à me dire que je m'étais fait du souci pour rien ».

Jackie raccompagna Husted à l'aéroport et, juste avant qu'il ne montât dans l'avion, ôta tranquillement sa bague de fiançailles. « Elle l'a glissée dans la poche de ma veste et elle m'a fait un geste d'adieu. »

Cependant, Husted n'était pas prêt à abandonner la partie sans combattre. « J'étais désespéré. Je l'ai implorée. Nous avons échangé des lettres. Mais c'était trop tard. Je savais que c'était un play-boy, elle le savait également – mais ça faisait probablement partie de son charme. Jack devait lui rappeler son propre père... » Janet Auchincloss, infiniment soulagée, s'occupa de faire paraître un entrefilet annonçant que les fiançailles étaient rompues « par consentement mutuel ».

Hugh Auchincloss, qui était favorable à cette union, écrivit à Husted pour l'assurer de toute sa sympathie. Il termina sa lettre sur un vers de Lord Tennyson « Mieux vaut aimer et perdre que n'aimer jamais. » En bas de la page, il y avait un post-scriptum : « Et je devrais le savoir ! »

Jackie était très ambitieuse, dit Husted. Socialement parlant, je faisais l'affaire, mais au niveau financier, je n'étais pas à la hauteur. » En 1958, il fut réveillé en sursaut par un coup de téléphone tardif : c'était Jackie qui lui demandait de venir au Westbury Hotel où ils avaient annoncé leurs fiançailles. Ce fut là que Husted rencontra Jack pour la première fois.

« Jack, je vous présente John Husted », dit Jackie et les deux hommes échangèrent une poignée de main.

« Oh, j'ai beaucoup entendu parler de vous », répondit Jack. « Tout le monde s'est mis à rire, raconta John Husted. C'était un type tout à fait séduisant, mais pas du tout prétentieux. Il m'a posé des questions sur Wall Street et sur mon cabinet. Il était extrêmement... magnétique. On ne pouvait pas s'empêcher de l'apprécier. »

Le 18 avril 1953, Lee, la sœur de Jackie, épousa Michael Canfield, à la Holy Trinity Cathedral de Georgetown. Une réception fut donnée à Merrywood et Lee lança son bouquet directement à Jackie. Puis l'enquêtrice-minute se mit au travail, photographiant les invités pour sa chronique.

Dynamisée par le mariage de Lee, Jackie interviewa le sénateur Kennedy le lendemain. Elle lui demanda ce qu'il pensait des jeunes huissiers du Sénat et le prit en photo. Ensuite, elle fit la même chose avec le collègue de Jack de l'autre côté du hall, le vice-président Richard Nixon (JFK et Nixon partageaient les mêmes opinions conservatrices en matière de politique étrangère, et ils étaient devenus si amis que Kennedy avait même apporté une contribution de mille dollars à la campagne sénatoriale de Nixon en 1950, où il s'était opposé à la démocrate Helen Gahagan Douglas).

Alors que le vice-président estimait que les jeunes huissiers étaient tous des « jeunes gens très vifs » promis à un brillant avenir, Jack répondit : « J'ai souvent pensé que le pays se porterait mieux si les sénateurs et les huissiers échangeaient leurs rôles. » Puis son propre huissier, Jerry Hoobler, fit observer que Kennedy paraissait si jeune qu'on l'avait empêché un jour d'utiliser un des téléphones privés du Capitole. « Désolé, monsieur, avait dit le garde à Jack, mais ils sont réservés aux sénateurs. »

« Je pense qu'il serait l'homme parfait pour m'aider à résoudre mes problèmes avec les flics, dit Kennedy de son huissier, à sa façon sèche et dénuée de prétention. J'ai souvent pris Jerry pour un sénateur, parce qu'il a l'air tellement vieux. »

À la parution de l'article le 23 avril, le couple était à deux doigts de devenir officiel. Histoire de faire avancer les choses, Jackie se servit même du journal pour badiner avec Jack. En feuilletant le *Times Herald*, il éclata de rire en découvrant la question du jour de l'enquêtrice-minute : « Pouvez-vous me donner une raison qui pousserait un célibataire satisfait de son sort à se marier ? »

En mai 1953, Jack décida de mettre son bras droit Dave Powers au courant de son secret. « Je n'ai jamais rencontré quelqu'un comme elle – elle est différente de toutes les autres filles, dit-il à Powers. Voulez-vous voir à quoi elle ressemble ? »

« Jack sortit quatre clichés, de ceux qu'on obtient dans les Photomaton, dit Powers. On y voyait Jack en costume et Jackie avec une robe noire et un collier de perles. Ils se regardaient avec amour ; il y avait une photo où ils fixent l'appareil. Jack, un bras passé autour de sa bien-aimée, était rayonnant. Sur ces photos, insista Powers, on voyait vraiment deux personnes qui s'aimaient. »

Pour leur premier rendez-vous, très attendu après l'interview du *Times Herald*, Jack emmena Jackie danser au Blue Room, au Shoreham Hotel. Malheureusement, il emmena également Powers pour la lui présenter – et pour parler politique.

En dehors des moments d'intimité qu'ils réussissaient à voler, les amours de Jack et Jackie échappèrent aux fioritures habituelles : pas de fleurs, pas de cadeaux, pas de Saint-Valentin, pas de lettres d'amour – et pas de contact physique en public. « C'était intéressant de voir la réaction de Jack, raconta Red Fay. S'il avait envie de l'enlacer et de l'embrasser, eh bien, il se refusait à le faire devant moi. Il était amoureux fou de cette fille, mais il ne voulait pas le montrer. »

« Jack était un vrai phallocrate, et en matière d'attentions, il n'était pas très doué. Il ne vous apportait pas de roses et il ne pensait pas toujours à vous ouvrir les portes, dit Nancy Dickerson. Ce qu'il donnait, c'était son temps, son attention, ses forces. Il était sans arrêt en train de poser des questions, il voulait savoir ce que je pensais, comment je me sentais. Il donnait l'impression d'accorder de l'importance à ce que j'avais à dire. Il savait magnifiquement écouter, ce qui le rendait infiniment séduisant. »

Jackie n'était pas la seule femme avec qui Jack entretenait une liaison secrète à cette époque. L'autre avait le même âge que Jackie – une grande brune mince, d'une beauté à couper le souffle, à la sophistication et à l'allure dignes d'une femme plus mûre. Contrairement à Jackie, elle était déjà une des jeunes personnes les plus célèbres et les plus adulées du monde, comptant à son actif un Academy Award et des douzaines de couvertures de magazines. Elle s'appelait Audrey Hepburn.

CHAPITRE 4

Elle avait les mêmes blocages affectifs
et les mêmes peurs paniques que lui.
Ils s'aimaient, en dépit de leurs âmes muselées.

BETTY SPALDING,
UNE AMIE DE LONGUE DATE

« Je me souviens d'Audrey Hepburn, dit Mary Gallagher, qui était alors secrétaire dans l'équipe du sénateur Kennedy, et je me souviens que le bureau tout entier était impressionné quand elle entrait. Aussi gracieuse qu'un cygne, elle portait toujours un long et fin parapluie rouge. »

Audrey Hepburn venait juste de remporter un Oscar pour *Vacances romaines* et elle était sur le point de tourner *Sabrina*, avec Humphrey Bogart et William Holden. « À ce moment-là, la rumeur ne parlait que de Jacqueline Bouvier, l'enquêtrice-minute, dit un journaliste de Washington. On avait bien vu une ou deux fois Audrey Hepburn sortir de chez lui à Georgetown, très tard le soir, mais à l'époque, il était inconcevable qu'un sénateur des États-Unis ait une liaison avec une vedette de cinéma – leurs univers étaient trop différents – alors personne ne prenait ça au sérieux. En plus, ceux d'entre nous qui croyaient savoir ce qui se passait *vraiment* étaient persuadés que Jackie Bouvier était la femme de sa vie. »

On comprend facilement la fascination de Jack pour Audrey Hepburn. « Elle dépassait Jackie sur son propre terrain, déclara une de leurs relations. Comme tous ceux qui l'ont connue, Jack trouvait Audrey purement délicieuse. Elle était également d'une très grande intelligence, elle avait beaucoup lu et elle était drôle. Audrey avait un rire ensorcelant... Elle ressemblait beaucoup à ce qu'on voyait à l'écran. Mais elle avait aussi un côté sensuel et coquin que le public n'a jamais connu. Ils se débrouillèrent pour que la presse ignore tout de leur liaison, et ce côté clandestin ne la rendait que plus intense. »

Mais en tant qu'étrangère, non catholique, et appartenant au monde du spectacle, Audrey ne représentait pas un parti acceptable. Et puisque Joe Kennedy avait bien l'intention de voir son fils prendre le chemin de la Maison-Blanche en 1960, il fallait que Jack se mît en quête d'une femme idéale pour un homme politique.

Jackie avait peut-être toutes les qualités requises pour faire une épouse politiquement idéale ; en revanche, même ceux qui l'aimaient se rendaient compte que Jack ne serait jamais un mari modèle. Lors du bal inaugural de Dwight D. Eisenhower, auquel elle assistait avec Jack, Lem Billings l'avait prise à part, pour lui expliquer « les problèmes de la vie ». Il lui décrivit les différentes maladies de Jack – y compris la maladie d'Addison dont l'issue pouvait être fatale –, les femmes qu'il avait eues, et le fait qu'à trente-cinq ans, il n'y avait aucune chance pour qu'il changeât ses habitudes de vie. Mais il lui affirma également qu'elle l'emportait haut la main sur toutes les autres, et que sa sophistication, son intelligence et sa beauté ne pouvaient qu'augmenter les chances de Jack de devenir président.

« Je veux vous dire quelque chose, l'avertit le rédacteur en chef du *Times Herald* quand il apprit qu'elle sortait avec Kennedy. Il est plus vieux et plus malin que vous, il a beaucoup roulé sa bosse, une demi-douzaine de femmes ont voulu lui mettre le grappin dessus, alors prenez garde à vous. »

Chuck Spalding avait l'impression que toutes ces mises en garde « ne faisaient que le rendre plus intéressant à ses yeux. Jackie tenait ça de Black Jack. Les hommes dangereux l'excitaient. Chez Jack Kennedy, il y avait un côté dangereux, sans aucun doute ».

Jackie elle-même n'était pas de tout repos. D'après Spalding, Jack l'avait déjà vue deux ans avant leur première rencontre ratée, et tant de fois racontée, chez les Bartlett, à Georgetown. « Jack et moi nous étions chez un de mes amis qui jouait beaucoup au polo, raconta Spalding, et ce type était là avec Jackie, à taper sur la balle d'un bout à l'autre du terrain. Déjà à l'époque, c'était une cavalière accomplie. En revanche, ni moi ni Jack, nous ne savions monter à cheval. Mais manifestement, cette fille lui avait tapé dans l'œil et il était prêt à tout ; alors il a dit : "D'accord, pourquoi pas ?" et il a sauté en selle. On s'est mis à galoper autour du terrain de polo, en essayant d'être à la hauteur tout en sauvant notre peau ! Jack a cru mourir de rire. »

Les frissons mis à part, certains s'accordent à dire que l'intérêt de Jackie pour Jack reposait sur un facteur essentiel : l'argent. « Logiquement, selon l'amie de Kennedy, Priscilla McMillan, ils étaient mal assortis. » En 1953, Kennedy s'apprêtait à faire son discours inaugural de politique étrangère au Sénat sur le Sud-Est asiatique, et il avait embauché P. McMillan pour faire des recherches sur l'Indonésie. « Jackie était beaucoup plus cosmopolite que lui, raconta-t-elle, ses goûts et ses manières étaient très influencés par l'Europe. Je l'aurais bien vue épouser un séducteur de type international, pour dire la vérité. Jack Kennedy n'était pas du tout son genre. Certes, il était bel homme et plein d'esprit, mais il n'avait guère de temps à lui consacrer. Elle, elle avait besoin d'être entourée d'attentions, et leur couple était bien mal assorti.

« Socialement, Jackie se mariait en dessous de son rang, ajouta P. McMillan. Financièrement, elle faisait un mariage conforme à son éducation. Elle avait été élevée par un père qui avait perdu sa fortune et une mère qui avait été obligée de rechercher la sécurité dans le mariage, et on lui avait fourré dans le crâne l'idée de trouver un homme riche à épouser. Des années plus tard, on a dit qu'elle dépensait de façon démesurée, mais de toute façon, aucune fortune n'aurait pu lui suffire. »

« Ce qui la poussa d'emblée à épouser Jack, ce fut l'argent, renchérit Nancy Dickerson. La sexualité brute de Jack faisait de lui un homme excitant. Mais il ne faut pas oublier qu'à l'époque, personne ne pensait qu'il deviendrait un jour président. Il avait beau être plein de charme et de séduction, Washington regorgeait d'une foule d'hommes puissants et attirants. Simplement, ils n'avaient pas autant d'argent que Jack. »

« C'était une femme pleine de grâce, merveilleuse, dit Spalding. Mais si Jack n'avait pas été riche, elle ne se serait pas intéressée à lui. Jack savait depuis toujours que sa fortune faisait partie de sa séduction vis-à-vis des femmes. Ça ne le dérangeait absolument pas. Il *adorait* être riche. »

Gore Vidal n'y va pas par quatre chemins : « Jackie a épousé Jack pour son argent. Purement et simplement. Elle n'avait pas tellement d'autres possibilités. En réalité, si elle n'avait pas épousé Jack, elle aurait épousé un autre homme riche, même s'il y avait peu de chances qu'elle tombât sur quelqu'un d'aussi excitant. Sommés de choisir entre la gloire ou l'argent, la plupart des gens choisissent la gloire. Mais pas Jackie. En définitive, elle eut aussi beaucoup de gloire, bien sûr, mais elle n'en avait pas autant besoin que d'être riche. »

Dans un sens, Jackie avait été programmée par sa mère pour trouver un partenaire qui lui assurât une vie plus qu'aisée. Vidal aimait à rappeler que Jack, alors qu'il était président, compara une fois les Auchincloss aux conspirateurs fratricides et obsédés par l'argent de la pièce de Lillian Hellman, *La Vipère*. Un soir, à Hyannis Port, d'après Vidal, Jack accusa tous les enfants et beaux-enfants de Hughdie Auchincloss d'être intéressés, sans les nommer, bien sûr :

« Eh bien, dit Jackie d'un air mécontent, continue.

– Allons, tu sais ce que je veux dire », répondit Jack d'un air penaud.

Vidal essaya de venir à son secours.

« Si nous sommes tous aussi catastrophiques que tu le dis, alors, ce que nous avons en commun, c'est que nos mères ont épousé Hughdie pour son argent, et nous le savons tous parfaitement, ce qui assombrit peut-être notre vision du monde.

– Tu veux dire par besoin de sécurité ? répliqua Jack, étonné de l'aveu de Vidal.

– Non, pour son argent, répondit Vidal en haussant les épaules. Pour sa grosse fortune. »

Jackie a hoché la tête, raconta Vidal, et a dit avec un sourire rayonnant : « Oui. Une *grosse* fortune. »

Contrairement à elle, Jack n'avait qu'une vague idée de ce qu'il pesait (au moins dix millions de dollars en 1953), de l'ampleur de la fortune familiale (quatre cents millions de dollars, selon Forbes) ou de la façon dont ses finances personnelles fonctionnaient. « Je connaissais mieux les revenus de Jack que lui », dit Smathers.

Pour Jackie, comme pour les autres femmes qu'il connut, sortir avec Jack signifiait souvent régler l'addition. Si c'était lui qui payait, il faisait toujours mettre le repas sur son compte – et dans des restaurants où Joe avait des intérêts. « Mais s'ils prenaient un taxi, ou s'ils allaient au cinéma, raconta un ami, il disait : “Tu peux t'en charger ?” et il laissait Jackie fouiller dans son sac pour trouver son portefeuille. Il ne lui offrait même pas le pop corn ! » À l'église, c'était Jackie qui se faisait délester de quelques dollars pour la quête.

« Jack n'avait jamais de liquide sur lui, vraiment jamais, dit Smathers. Il n'avait même pas de quoi passer un coup de fil. Un jour, j'ai dit à Joe que les gens commençaient à en avoir marre de régler les notes de restaurant et les taxis, alors il m'a seulement répondu de lui envoyer les factures et qu'il s'en occuperait. »

Sur le tard, Kennedy senior se rendit compte qu'en s'efforçant d'épargner à son fils les menus problèmes de la vie il en avait fait un ignorant total en matière d'argent. Pour compenser son incompétence à gérer ses finances personnelles, Jack se montrait ouvertement ladre. Il n'avait pas eu à chercher bien loin son modèle. Même s'ils dépensaient sans compter pour leurs garde-robes, leurs voyages et leurs loisirs, Rose et Joe préféraient entasser les pull-overs et les couvertures que de monter le chauffage. (Sur le sujet, ils ne pouvaient certes pas rivaliser avec Hugh Auchincloss, qui obligeait ses domestiques à stocker la nourriture sur la véranda pendant l'hiver, plutôt que de payer pour qu'elle soit réfrigérée.)

N'empêche, même Joe était impressionné par l'ingénuité de son fils. Après avoir écouté Jack expliquer à un de ses employés, père de quatre enfants, qu'il avait bien de la chance de toucher un salaire de cinq mille dollars, Joe expliqua avec colère à son fils que lui-même dépensait cinquante mille dollars par an en « faux frais ».

La remontrance tomba dans l'oreille d'un sourd. « Jack haussa simplement les épaules, dit Smathers. Même une fois à la Maison-Blanche, c'était encore le Vieux qui réglait toutes ses factures. »

Ce fut en fin de compte le Vieux qui obligea Jack à prendre une épouse et à se donner au moins l'apparence d'un homme prêt à fonder une famille. « Ce qui compte, aimait dire Joe à ses enfants, ce n'est pas ce que vous êtes, mais ce que les gens *croient* que vous êtes. » Le patriarche du clan Kennedy craignait aussi que, en dépit de la réputation d'hétérosexuel enragé de son fils, d'autres hypothèses ne finissent par surgir. « Le vieux Joe lui expliqua qu'il valait mieux qu'il se marie, dit Evelyn Lincoln, avant que les gens ne pensent qu'il était pédéraste. »

Même si Jack n'était guère enthousiaste à l'idée de renoncer au célibat, à la fin de mai 1953, l'identité de la mariée ne faisait plus aucun doute. « Je crois qu'il avait compris qu'ils se ressemblaient, tous les deux, dit Lem Billings. Leur enfance s'était déroulée dans des conditions difficiles, et ils avaient grandi en ne comptant que sur eux-mêmes. Même leurs noms – Jack et Jackie : deux moitiés d'un seul tout. Ils étaient deux acteurs qui appréciaient le spectacle de l'autre. »

Joe avait beau être incontournable, Jack n'avait pas l'intention de prononcer le nom de son père devant Black Jack Bouvier. Le père de Jackie, en effet, haïssait Joe depuis les années 1930. À cette époque, celui-ci était à la tête de la commission Échanges et Sécurité et il avait imposé des règlements et des restrictions qui avaient eu des conséquences catastrophiques pour les professionnels de la Bourse, comme Bouvier. « Si on lui avait dit, en 1934, que sa fille épouserait un jour le fils de Joe Kennedy, écrivit le chroniqueur mondain Stephen Birmingham, il aurait jeté l'insolent à terre en le bourrant de coups de pied. »

Heureusement, il s'avéra que les deux Jack avaient beaucoup de choses en commun. « Ils se ressemblaient tellement, dira plus tard Jackie. Ils discutaient de sport, de politique et de femmes – ce dont tous les hommes dignes de ce nom aiment à discuter. » Non seulement ils partageaient les mêmes goûts et un sens de l'humour assez libidineux, mais ils passaient des heures à discuter de la façon dont ils pouvaient soulager leurs maux de dos. Un soir, ils se soûlèrent ensemble durant la retransmission d'un match de boxe à la télévision.

La mère de Jackie, ce fut une autre paire de manches. Oublieuse de ses propres origines, Janet se considérait comme une Auchincloss et de ce fait, bien au-dessus des Kennedy. « Maman et papa avaient toujours parlé de "ces Kennedy", si bien que, même à six ans, je savais que je devais me méfier d'eux, raconta Jamie, le demi-frère de Jackie. La première fois que Jack Kennedy est venu chez nous, je me souviens qu'il est arrivé au moment où je descendais le grand escalier, avec son tapis rouge. Je me suis redressé et j'ai dit : "Salut, Kennedy." Il m'a rendu mon regard avec le plus grand sérieux et il a répondu : "Salut, Auchincloss." Ce qui m'a conquis. Puis on a fait six parties de dames et c'est lui qui a gagné les six fois. »

Jamie remarqua également que Jack était très bronzé (tant à cause de la maladie d'Addison que de ses bains de soleil) et qu'il avait « une bizarre couleur de cheveux. Ou plutôt, des couleurs au pluriel. Un jour, j'ai compté quinze nuances différentes dans ses cheveux, depuis l'argent jusqu'à l'orange. Ce n'est que plus tard que j'ai su que c'était un autre symptôme de la maladie d'Addison. »

Hughdie Auchincloss ne posa aucun problème à Jack. Aimable et sans détours, il acceptait avec bonne grâce que Jack devînt son beau-fils. Un soir, Jack entra dans le salon, à Hammersmith Farm, pendant que Hughdie faisait sa partie d'échecs solitaire du soir. C'était un des rares jeux que Jack ignorait, et après avoir observé Auchincloss pendant quelques minutes, il lui demanda de lui apprendre à jouer. À la stupéfaction d'Auchincloss, Jack comprit presque aussitôt les règles. « C'était absolument extraordinaire, dit Janet qui était présente, de voir quelqu'un maîtriser suffisamment les échecs au bout d'une demi-heure pour faire une partie. Hugh D. en fut très impressionné... »

Une fois qu'il eut conquis Hughdie et Jamie, Jack concentra ses efforts sur Janet. « Il l'appelait "maman", mais sa propre mère, il l'appelait "mère", dit Jamie. Dès le début, il a paru extraordinairement à l'aise au milieu de nous tous. Il se sentait chez lui à Merrywood et à Hammersmith Farm. »

Janet, qui avait déjà rencontré Jack à un dîner avant qu'il n'entamât une relation sérieuse avec Jackie, restait mitigée. « Il m'appelait "Mrs. Auchincloss", mais de temps en temps, il disait "maman", entre guillemets, vous savez. J'ignore pourquoi, mais ça lui paraissait extrêmement drôle d'appeler quelqu'un "maman". »

Jackie s'amusait de voir que Jack, contrairement à Black

Jack et à Hughdie, savait comment prendre sa mère. « J'ai beaucoup de chance dans la vie, disait-elle. Maman a peur de Jack parce qu'elle ne peut pas lui donner d'ordre. »

La semaine où on annonça les fiançailles, Jack écrivit un mot à son ami Red Fay pour lui demander de faire partie du cortège le jour du mariage, le 12 septembre. « J'ai besoin que tu sois là pour me mener à l'autel, griffonna Jack. Tu es plus particulièrement destiné à la mère de la mariée – une femme charmante – qui a tendance, lorsqu'elle est énervée, à penser que je ne suis pas assez bien pour sa fille – et à parler trop. Je suis à la fois trop jeune et trop vieux pour cela... »

La question de l'âge – surtout leurs douze ans de différence – était un constant sujet d'inquiétude pour Jack. Dave Powers se dit qu'il s'intéressait sérieusement à Jackie quand il lui demanda : « Croyez-vous que ce soit embêtant d'épouser une fille qui a douze ans de moins que moi ? » Lorsque Dave lui fit remarquer que sa propre femme, Jo, avait exactement douze ans de moins que lui, Kennedy sourit. « Vous vous entendez bien tous les deux, n'est-ce pas ? » s'enquit-il.

Gore Vidal, un des frères par alliance de Jackie, qui à l'époque, était proche du couple, insiste pour dire que la différence d'âge fut déterminante dans la nature de leurs rapports. « Jackie estimait que Jack était plutôt âgé, dit Vidal. Aujourd'hui, tout le monde pense que c'était un couple merveilleux, parfaitement assorti. Mais ce n'était pas vrai. Pour une fille ayant à peine plus de vingt ans, quelqu'un qui frise la quarantaine est *vieux*. Ceci, plus le fait qu'elle détestait la politique, la fit beaucoup hésiter. Mais il y avait aussi l'argent, et la perspective d'une vie excitante. »

Oleg Cassini, qui connaissait Jack avant qu'il ne rencontrât Jackie, estimait en revanche qu'ils étaient bien assortis, surtout parce que la jeune femme était très mûre pour son âge. Il vit la promise de Jack pour la première fois à El

Morocco, quelques semaines avant leur mariage. « C'était quelqu'un de cultivé. Elle avait l'esprit vif. Elle parlait plusieurs langues, ce qui n'était pas le cas de Jack. Ils avaient tant de choses à partager. En plus, toutes ces histoires autour de l'âge sont tellement américaines. En Europe, l'âge idéal d'une épouse, c'est la moitié de celui de l'époux plus sept ans. »

Cassini vit en Jackie une autre qualité fondamentale, qui faisait d'elle une femme parfaite pour Jack. « On avait l'impression qu'elle attirait tous les regards », dit le couturier, après une soirée dans une célèbre boîte de nuit de New York, en compagnie de Jackie et d'un ami, Stanley Mortimer.

« Quel dommage que vous ayez trouvé un mari alors que vous auriez pu connaître l'amour avec des types comme Mortimer ou moi, lui lança Cassini.

– Et quel genre de types êtes-vous donc ? » répliqua Jackie sans se laisser démonter.

La conquête des Kennedy se révéla décourageante. Les sœurs de Jack, qui idolâtraient le frère aîné qui leur restait, considérèrent Jackie comme une intruse. Pour empirer encore la situation, « Jackie était vraiment à l'opposé des Kennedy, dit Spalding. Ils étaient bruyants et mal dégrossis – même les filles. Ils la prenaient pour une fleur de serre. Ils se moquaient de sa petite voix enfantine. Ils la surnommèrent la Débutante ».

Ayant parfaitement compris qu'en dehors de l'équitation, Jackie n'avait rien d'une athlète, Eunice, Pat et la femme de Bobby, Ethel (que Lem Billings décrit comme « plus Kennedy que les Kennedy »), l'entraînèrent dans tous les sports possibles et imaginables. Par amour pour Jack, elle s'essaya au football, mais la famille se mit à hurler de rire quand elle demanda dans quel sens elle devait courir si elle attrapait le ballon.

Ils firent aussi équipe pour disputer de furieuses parties de tennis (« j'ai envie de m'amuser, je n'ai pas besoin d'être la meilleure », leur dit-elle), ils se lancèrent dans la course à pied et les épreuves de natation, ils organisèrent des régates ; et s'ils ne trouvaient rien d'autre à faire, ils sautaient sur un trampoline dans le jardin. « Rien que de les regarder, disait Jackie, je me sens fatiguée. »

Ethel était particulièrement douée pour piquer Jackie au vif. Quand celle-ci raconta, au cours de la conversation, qu'elle avait jadis eu envie d'être danseuse, Ethel éclata de rire. « Avec les panards que tu te payes ? s'esclaffa-t-elle. Tu ferais mieux de te lancer dans le foot, ma petite. » Jackie en avait autant à leur servir. Elle surnommait les sœurs « les Rah-Rah Girls », et racontait à Lee comment « elles s'entassaient les unes sur les autres comme une bande de gorilles ». Il ne fallut pas longtemps pour que Jackie se cassât une cheville au cours d'une de leurs mêlées. « Elles vont me tuer avant même que je ne sois mariée, dit-elle à Lee. Je t'assure que c'est vrai. »

Cependant, quand on passait aux jeux de société, il en allait tout autrement. Grâce à ses dons pour la pantomime, cultivés chez miss Porter et à Vassar, Jackie était sûre de remporter toutes les parties de charades, et, lors des tournois de Scrabble, sa victoire était courue d'avance, car les Kennedy étaient beaucoup moins érudits qu'elle. Et elle était tellement bonne à un jeu qui s'appelait « Catégories », une sorte de *Trivial Pursuit* haut de gamme, que Jack finit par lui demander d'arrêter de gagner toutes les parties, parce que cela le gênait. « Jackie s'est contentée de le regarder, raconta un des joueurs, le père John Cavanaugh de l'université de Notre-Dame, et de dire : "Comment, Jack ! Je croyais que tous les Kennedy aimaient la compétition." »

Pendant l'été 1952, pour son premier dîner en famille à Hyannis Port, Jackie descendit vêtue d'une robe du soir. « J'étais plus habillée que ses sœurs, raconta Jackie, et Jack s'est un peu moqué de moi, de façon affectueuse, mais il a dit quelque chose comme ça : "Où crois-tu donc aller ?" Mrs. Kennedy [Rose] est intervenue : "Oh, ne sois pas méchant avec elle, mon chéri. Elle est ravissante." De toute façon, je l'aimais beaucoup. Je voyais que cette femme faisait tout ce qu'elle pouvait pour mettre tout le monde à l'aise. »

Mais les sœurs de Jack se montrèrent aussi désagréables à table que sur les terrains de sport. Après avoir appris que le prénom de leur invitée se prononçait « Jock-leen », Eunice murmura, à mi-voix : « Ça rime avec queen. »

« Au cours du dîner, Jackie fut mise à l'épreuve, rapporta l'amie de la famille, Dinah Bridge, et elle résista parfaitement bien au tir de barrage des Kennedy. » Elle fut frappée par le fait que, même pendant les repas, ils paraissaient se battre pour savoir « qui parlerait le plus longtemps et le plus fort ».

Un incident des plus révélateurs eut lieu un peu plus tard, la même année. C'était le premier Noël de Jackie en tant que Mrs. John F. Kennedy, et il se passa en famille, à Palm Beach. Jackie offrit à Jack un luxueux coffret de peinture à l'huile, que les autres s'approprièrent immédiatement. Ils se jetèrent sur les pinceaux et les tubes et attaquèrent leurs toiles avec une ardeur féroce pour voir qui aurait fini son tableau en premier. Quand elle vit la peinture écrasée sur les tapis et les tentures, Rose les envoya dans les salles de bains où la « course » se poursuivit encore plusieurs heures. Jackie, raconta Lem Billings, contemplait ce qu'ils avaient fait du cadeau qu'elle avait offert à son mari « bouche bée, prête à exploser ».

« Comment puis-je définir ces gens ? se demanda plus tard Jackie. Si les autres familles sont plates, eux, on pourrait les comparer à de l'eau pétillante. Ils discutaient de tellement de choses avec tant d'enthousiasme. Ou ils jouaient. À table ou au salon, partout, tout le monde parlait tout le temps de n'importe quoi. La vie les passionnait tellement – c'était très stimulant. Ils étaient si gais, si ouverts, si communicatifs. »

Tout le monde n'a pas gardé d'eux ce genre de souvenir. « Seigneur, ils étaient pénibles, dit Betty Spalding, toujours en train de cavaler, d'entrer dans la pièce sans crier gare, de vous interrompre, de débarquer à l'improviste, de rire de leurs propres plaisanteries, de faire bloc pour se moquer de quelqu'un... » Smathers renchérit : « Ils pouvaient se montrer vraiment odieux. Pour quelqu'un comme Jackie, c'était terriblement difficile à supporter. On ne peut pas lui en vouloir de leur avoir battu froid. »

Même Rose, qui avait défendu Jackie quand elle était descendue dîner dans ses plus beaux atours la première fois, à Hyannis Port, l'abandonna quand elle comprit que la fiancée de son fils n'avait pas l'intention d'être à la remorque des Kennedy. Elle se raillait de l'habitude de Jackie d'ouvrir toujours le robinet du lavabo pour que personne ne l'entende utiliser les toilettes, et la grondait parce qu'elle ne prenait pas suffisamment d'exercice. « Il est grand temps que quelqu'un ici commence à faire marcher son cerveau plutôt que ses muscles », rétorqua Jackie. Il ne lui fallut pas longtemps pour considérer Rose, qu'elle appelait « Belle-Mère » rien que pour l'agacer, (comme Jack disait « maman » à Janet) comme quelqu'un d'arrogant et d'égocentrique.

La rupture intervint dans la propriété de Palm Beach dans les mois qui suivirent l'élection de Jack à la présidence. Un matin, assez tard, Rose s'approcha de Mary Gallagher qui, à l'époque, était la secrétaire particulière de Jackie, et lui demanda si « Jackie avait l'intention de sortir de son lit aujourd'hui ». Gallagher répondit qu'elle n'en savait rien et Rose devint furibarde. « Eh bien, vous lui rappellerez que nous avons des invités importants à déjeuner. Ce serait très aimable de sa part de se joindre à nous. » Une fois le message transmis, Jackie se lança dans une imitation peu flatteuse mais fidèle du caquetage caractéristique de Rose : « *Vous lui rappellerez que nous avons des invités importants à déjeuner*. » Comme on pouvait s'y attendre, Jackie, qui avait la tête dure, ne quitta pas sa chambre de la journée. « Il me semble qu'à partir de ce moment leurs relations devinrent tendues », dit Gallagher.

En fin de compte, Jackie, avec beaucoup de réticence, finit par concevoir de l'estime pour sa belle-mère. « C'est son éducation, dit-elle à propos de l'incapacité manifeste de Rose à s'impliquer dans une relation affective. Regardez les photos de sa mère avec son corset à baleines et ses cols montants – quand on est élevée dans cette ambiance, on ne s'épanouit pas. S'épanouir, c'est presque dangereux pour ce genre de gens. Je dirais que Jack lui-même refusait de s'épanouir. » Et puis, il y a eu Joe, « dont la vie ressemblait à des montagnes russes, montant en flèche, accélérant, redescendant... elle en a eu presque le souffle coupé ».

À vrai dire, il n'y avait qu'un seul Kennedy auprès de qui Jackie se sentît vraiment à l'aise – Joe. « En dehors de mon mari, et de mon père, devait-elle affirmer quelques années plus tard, j'aime Joe Kennedy plus que n'importe qui au monde. »

Pour partir à la conquête de Joe, la personne qui comptait le plus, Jackie mit en avant tous les atouts qui agaçaient tellement les « Rah-Rah Girls » – ses prétendues origines françaises aristocratiques, ses études chez miss Porter, à Vassar, à la Sorbonne, ses succès comme Débutante de l'Année et comme lauréate du Prix de Paris, et ses liens familiaux avec les nobles Auchincloss. (Elle n'insista pas sur son emploi moins que prestigieux au *Times Herald*, et bien sûr, ne souffla jamais mot du fait que, contrairement à ses demi-frère et sœur, Janet et Jamie, elle ne possédait pas un sou vaillant.)

La campagne de Jackie pour conquérir les bonnes grâces de Joe commença mal. Lassée de l'ambiance de débat social qui dominait le dîner, Jackie interrompit une discussion entre Bobby et son père qui tournait autour de la lutte contre la pollution. « J'ai une solution, dit-elle. Demandez à l'Air Force de vaporiser du Chanel n° 5 sur les zones urbaines encombrées. » Cela n'amusa personne.

Alors qu'elle séjournait avec Jack dans la propriété de Palm Beach, Jackie commit l'erreur gravissime d'arriver avec un quart d'heure de retard à table. « Ce genre de retard pouvait être fatal avec l'Ambassadeur, s'il était dans une de ses périodes "empereur Auguste", raconta un voisin de Palm Beach qui était présent. Quand Jackie arriva, il commença à l'asticoter – mais elle ne se laissa pas faire. »

« Le vieux Joe avait dans son répertoire beaucoup d'expressions d'argot désuet, alors Jackie lui dit : "Vous devriez écrire une série d'histoires vieillottes pour enfants, comme *Le Canard Y'a Bon Banania* et *L'Âne qui ne pouvait plus sortir de la cabine téléphonique.*" Il y eut un moment de silence sidéré avant que Joe n'éclatât de rire. "Bon Dieu, cette fille est balèze, déclara l'Ambassadeur. C'est une maligne." Sous le vernis de l'éducation acquise dans les institutions de jeunes filles, il y avait une indépendance farouche qui prit Joe par surprise – héritée peut-être du côté irlandais de sa famille, celui qu'elle dissimulait à Joe. Dès lors, Joe parut attendre avec impatience les escarmouches avec Jackie.

« C'était la première fois que quelqu'un lui répondait, dit Spalding. Ça lui a fait énormément d'effet. » Quand Joe se vanta, comme il en avait coutume, d'avoir donné un million de dollars à chacun de ses enfants pour leur vingt et unième anniversaire « afin qu'ils puissent [l]'envoyer au diable s'ils en avaient envie », Jackie resta un moment pensive.

« Vous savez ce que je vous aurais dit si vous m'aviez donné un million de dollars ?

– Non.

– Je vous en aurais demandé un second. »

Durant un autre dîner de famille, Jack dit à Jackie :

« À quoi penses-tu ?

– Mais je ne peux pas te le dire, Jack, répondit-elle, sinon mes pensées ne m'appartiendraient plus.

– Voilà une fille indépendante, dit Joe en riant, tout comme nous. »

Pendant que le reste de la famille, Jack compris, jouait au football ou faisait de la voile, Jackie et Joe s'asseyaient dans la véranda parlant de tout, depuis la musique classique jusqu'au cinéma... « Je lui disais souvent qu'il manquait de nuances, dit Jackie, qu'avec lui, tout était toujours noir ou blanc, alors que la vie est bien plus compliquée que cela. Mais il ne s'est jamais mis en colère contre moi parce que je lui parlais avec trop de franchise ; au contraire, ça avait l'air de lui faire plaisir. »

Jackie offrit un jour à Joe un cadeau d'anniversaire – une aquarelle qui représentait une bande de jeunes Kennedy, les yeux tournés vers la mer. « *Ce n'est pas pour vous*, disait la légende, *papa a déjà tout pris.* »

À la longue, ils devinrent deux complices au sein de la famille, inventant ensemble des farces pour mystifier les autres. Un soir, à Palm Beach, Evelyn Jones, depuis longtemps gouvernante chez les Kennedy, traversa la salle à manger ; Joe et Jackie firent des paris sur celui qui réussirait à l'atteindre avec sa côtelette d'agneau avant qu'elle n'entrât dans l'office.

Joe ne se contenta pas de donner son consentement au mariage de Jack et de Jackie, il exigea qu'il eût lieu – et sans délai. « Jackie était très intelligente, maligne, brillante, dit P. McMillan, et elle savait se servir de ses atouts. Elle avait l'air très distingué, et les Kennedy estimaient qu'elle avait l'étoffe pour faire une bonne épouse de président. »

À la mi-mai 1953, Jack ne s'était toujours pas déclaré. « J'avais du mal à l'imaginer en train de dire "je t'aime" à une dame et de lui demander sa main, raconta Lem Billings aux biographes de la famille Kennedy, Peter Collier et David Horowitz. C'était le genre de choses qu'il aurait souhaité voir se produire sans avoir besoin d'en parler. »

Le problème fut résolu quand Aileen Bowdoin, une amie de Jackie, annonça qu'elle partait à Londres assister au couronnement de la reine Elisabeth. Janet Auchincloss suggéra à Jackie de demander à Waldrop de faire partie des journalistes chargés de couvrir l'événement. « Au début, elle n'était pas d'accord, raconta Janet. Elle ne voulait pas abandonner Jack Kennedy. Alors, je lui ai dit : "Si tu es tellement amoureuse de lui, au point de refuser de le quitter, tu l'aideras plus à discerner la nature de ses sentiments si tu décides de voir des gens intéressants et de faire des choses passionnantes plutôt que de rester assise là à attendre que le téléphone sonne." »

Les articles de Jackie – qui allaient de l'opinion de l'homme de la rue sur la nouvelle reine à la description d'un bal bourré de gens célèbres donné par « l'Hôtesse des Hôtesses » Perle Mesta – parurent à la une du *Times Herald*, illustrés de ses propres dessins à la plume et au crayon, charmants. Jack Kennedy ne rata pas un numéro.

Durant son absence, Jack fêta son trente-sixième anniversaire en famille et assista au mariage de sa sœur Eunice avec Sargent Shriver à la cathédrale St. Patrick de New York. Jackie était partie depuis une semaine quand elle reçut un télégramme de Jack : « *Articles excellents, mais tu me manques.* » Ils se téléphonèrent brièvement, et au cours de cet appel transatlantique, John Fitzgerald Kennedy se décida enfin à demander Jacqueline Lee Bouvier en mariage.

À présent que le moment était enfin arrivé, Jackie se mit à hésiter. « Comment peut-on vivre avec un mari qui ne peut être qu'infidèle, mais qu'on aime ? » demanda-t-elle à une amie, lors d'un de ses rares accès de sincérité. Elle s'inquiétait aussi de l'épuisante famille de Jack et de la perspective décourageante de devenir la femme d'un homme politique. Pas de n'importe quel homme politique, mais d'un homme dont les aspirations à la présidence paraissaient de moins en moins ridicules.

Laissant Jack dans l'expectative, elle fit un rapide séjour à Paris, où elle vit son ancien amant, John Marquand. D'après Gore Vidal, leur liaison reprit – c'est du moins ce qu'a affirmé Marquand – mais cette fois, il lui proposa de l'épouser. Elle refusa et lui dit qu'elle allait épouser Jack Kennedy.

Marquand en fut consterné. « Tu ne vas pas épouser ce... cet enfoiré d'Irlandais », bafouilla-t-il.

Elle mit d'emblée les points sur les *i*.

« Il a de l'argent, et pas toi. »

Selon Vidal, Marquand savait que Jackie, qui avait grandi dans les environs de Washington, « n'avait aucune illusion sur cette "race" ». « Mais qu'est-ce que tu vas devenir dans cet univers abominable ? » lui demanda Marquand.

Elle sourit. « Lis les journaux. »

Dans l'avion qui la ramenait à New York, Jackie interrogea sa voisine Zsa Zsa Gabor sur les onguents et les crèmes qu'elle utilisait pour avoir une aussi belle peau. Zsa Zsa se dit que la jeune femme, qui ne se présenta pas, avait toutes les raisons de poser ces questions. « Elle n'avait rien de particulièrement séduisant et elle n'était pas très belle. Elle avait les cheveux frisés et une vilaine peau. » Presque par hasard, Jackie raconta qu'un homme l'avait demandée en mariage et qu'il l'attendrait peut-être à l'aéroport. Une fois que l'avion eut atterri, Zsa Zsa se précipita directement dans les bras d'un séduisant monsieur appuyé contre un comptoir – Jack Kennedy. Gabor avait été une des « compagnes » de Jack à Hollywood, à l'époque où il était un jeune et lubrique membre du Congrès.

« Alors Jack Kennedy m'a dit : "Je te présente miss Bouvier." Il n'a pas dit "ma future femme". Et j'ai répondu : "Oh, mon Dieu ! Quelle fille charmante. J'espère que tu n'auras pas le toupet de la dépraver, Jack." »

Jackie dévisagea carrément Gabor et répondit, avec une tristesse rêveuse : « Mais c'est déjà fait. »

Étaient-ils amoureux à l'époque de leurs fiançailles ? Selon Evelyn Lincoln, Jack Kennedy ne se résolut au mariage que poussé par son père. « Un homme politique, dont l'ambition était de devenir président, avait besoin d'une femme. Je suis absolument persuadée qu'ils ne s'aimaient pas. Du moins pas à ce moment-là. »

Cependant, même alors, impossible d'affirmer qu'il

n'existait pas une mystérieuse alchimie entre Jack et Jackie. « Il passait toujours une sorte de courant électrique, intense, entre eux, dit Jamie Auchincloss. Je pense qu'ils ont fini par s'attacher l'un à l'autre. »

« Elle n'avait rien de naïf, dit une amie. Elle savait tout de ses conquêtes, et elle avait pu constater par elle-même ce que l'infidélité conjugale avait fait de Rose. Mais Jackie n'avait que vingt-trois ans, et elle était convaincue de pouvoir le changer. »

Jackie téléphona à la sœur de son père, Maud Davis, pour lui communiquer les nouvelles. « Auntie Maudie, je voulais te dire que je suis fiancée avec John Kennedy. Mais pour l'instant, tu ne dois en parler à personne, parce que ce serait déloyal vis-à-vis du *Saturday Evening Post.* » Maud voulut savoir en quoi le magazine était concerné. « Le *Post* paraît demain avec un article sur Jack, et le titre est en couverture. C'est : JACK KENNEDY – LE JEUNE ET JOYEUX CÉLIBATAIRE DU SÉNAT. »

Même si, évidemment, il connaissait la couverture du magazine bien avant sa mise en vente, Jack n'apprécia pas de voir cette formule imprimée. Ce n'était pas exactement conforme à l'image d'homme d'État qu'il souhaitait renvoyer. « Seigneur, dit-il en repoussant le journal, j'ai l'air d'un parfait couillon ! »

Les amis et les conseillers politiques de Jack n'étaient pas exactement optimistes sur les chances de succès du mariage. « J'ai fait l'erreur de dire à Jack : “Je crois qu'elle est trop jeune pour toi”, raconta George Smathers. Ce n'était pas qu'il fût vieux, mais pour l'objectif Washington, je ne la trouvais pas suffisamment sophistiquée. Alors, évidemment, il s'est précipité vers Jackie pour lui dire : “Certains de mes amis pensent que je ne devrais pas t'épouser. George Smathers estime que tu n'es pas suffisamment sophistiquée pour devenir ma femme !”

« Évidemment, jusqu'à sa mort, Jackie ne m'a jamais laissé oublier ça. Si nous dansions ensemble à la Maison-

Blanche, elle me disait : “*Je me souviens* de ce que vous avez raconté à Jack, que je n’étais pas assez bien pour lui.” Et je répondais : “Oh, Jackie, pour l’amour du ciel ! C’était une façon de le mettre à l’épreuve. Je voulais seulement voir s’il vous aimait vraiment !” Elle n’en croyait pas un mot, mais elle a eu l’élégance d’en faire un sujet de plaisanterie. À l’époque, je ne suis pas du tout sûr qu’elle trouvait cela drôle. »

Le sentiment de Smathers était partagé par plusieurs collègues et amis de Jack. « Je n’imaginais pas qu’il puisse un jour se marier, dit Larry Newman, qui vit toujours à Hyannis Port, en face de chez les Kennedy. Nous avions l’habitude de boire un verre ensemble au Monkey Bar à New York, et il faisait la cour à toutes les jolies femmes. C’était un réflexe. Je pense qu’il aimait Jackie, mais la monogamie n’avait jamais été son fort. Cela dit, il fallait qu’il se marie puisqu’il voulait devenir président, il n’avait pas le choix, et il n’aurait pas pu trouver mieux que Jackie. »

Pour Spalding, « Jackie était belle, vive, drôle et cultivée, mais personne ne se faisait d’illusions sur les capacités de Jack à respecter son serment. Jack n’avait rien d’un boy-scout, mais un boy-scout l’aurait ennuyée au-delà de toute expression. »

« J’avais le sentiment que Jack n’était pas prêt à se marier, dit Smathers. Mais j’ignore si, plus tard, il aurait été mieux disposé. Vous voyez, ce n’était pas le genre... Il avait un tempérament à aimer une multitude de filles. Il avait hérité cela de son père. Je lui ai simplement demandé s’il était bien sûr d’être prêt à abandonner ses mœurs dissolues pour devenir un bon mari – alors que, manifestement, il n’était pas sur le bon chemin. Sa réaction ? Il s’est contenté de rire.

« Pour moi, c’était quelqu’un de grand dans bien des domaines. Un grand homme politique, un grand écrivain, un grand ami, un grand penseur. Mais impossible de le considérer comme un bon mari et un bon père. »

Quand on l’informa des projets matrimoniaux de John,

Langdon « Don » Marvin, conseiller et ami de longue date de Kennedy, déclara : « Je pense que ça *pourrait* marcher. »

On annonça les fiançailles le 23 juin 1953, et dès le lendemain, la nouvelle s'étala à la une de la presse d'un bout à l'autre du pays. L'article du *Daily News* de New York, illustré d'une photo de Jackie tenant son appareil à la main et titré : UN SÉNATEUR RENONCE AU CÉLIBAT POUR UNE JOURNALISTE-PHOTOGRAPHE, était caractéristique.

Dès septembre, il n'y aura plus de jeune et joyeux célibataire au Sénat, commençait l'article. *Les débutantes pleines d'espoir, de Washington à Boston, de Palm Beach à Hollywood, peuvent remballer leurs ambitions. Ces milliers d'adolescentes de Boston, qui hurlaient comme des fans de Sinatra chaque fois que le jeune millionnaire John Kennedy venait faire campagne dans leurs écoles, apprendront la mauvaise nouvelle dès vendredi...*

Le jour même où la presse fut au courant, Jack griffonna une invitation à Red Fay, à San Francisco. Cette lettre était bien révélatrice de l'ambivalence de son état d'esprit. Elle fait explicitement référence à « Alice Odds & Ends » – un surnom pour sa vieille passion Alicja Purdom. « Après la rupture avec une charmante fille, belle et vilaine – Alice Odds & Ends – j'ai réfléchi à toutes ces choses [*sic*] – et je me marie à l'automne. Ce qui signifie la fin d'une carrière politique prometteuse, puisqu'elle reposait presque entièrement sur la séduction du sexe faible. »

Puis, sur le mode de la plaisanterie, Jack demandait à Fay, qui s'était marié quelques mois auparavant, quelques conseils conjugaux : « J'espère que ta femme et toi pourrez venir... Je voudrais discuter avec toi de la façon dont je vais devoir me tenir durant les premiers six mois, et que tu me fasses partager tes expériences actuelles. » Toujours soucieux des répercussions publiques éventuelles, il concluait en demandant à Fay si l'annonce de ses fiançailles avait modifié l'opinion qu'on avait de lui à San Francisco : « Fais-moi connaître la réaction générale à cette nouvelle, autour de la Baie. Ton bien dévoué, Jack. »

N'étant pas du genre à dédaigner la moindre occasion de se mettre en avant, Jack accepta que le mariage fît la couverture de *Life.* Quand Jackie arriva pour passer son premier week-end à Hyannis Port en tant que future Mrs. Kennedy, elle fut surprise de voir le photographe de *Life*, Hy Peskin, prêt à mitrailler l'heureux couple – sautant au milieu des galets par-dessus les vagues, jouant au football et au base-ball avec les autres Kennedy, se promenant sur la plage. Sur un cliché, on voit Jackie assise aux pieds du sénateur ; sur un autre, vêtue d'un short, elle prend une pose de pin-up, toute en jambes, qui évoque Marilyn Monroe. Pour la couverture – il devait y avoir par la suite quarante-huit couvertures de *Life* consacrées aux Kennedy – la rédaction sélectionna une photo où on les voit en bateau.

Si le mariage se faisait – une de ses amies fit le pari qu'elle n'y arriverait jamais –, Jackie savait qu'elle devrait serrer les rangs avec la famille. « Du jour où l'on se fiance avec l'un d'eux, dit-elle à la presse, ils déclarent que vous êtes extraordinaire ; ils se montrent aussi loyaux vis-à-vis des pièces rapportées que vis-à-vis d'eux-mêmes. Ils paraissent fiers de tous les livres que j'ai lus, et de tout ce que je fais autrement. Ce qui, précisément, devrait les éloigner, ne fait que les rapprocher. »

Les Auchincloss donnèrent une réception à Newport pour célébrer les fiançailles ; on en organisa une autre, chez des amis de la famille Kennedy, à Hyannis Port. La deuxième fois, Jack enchanta les invités en glissant au doigt de Jackie la bague avec une émeraude et un diamant carrés de chez Van Cleef & Arpels. Sur l'insistance de Jack, les invités se lancèrent dans un jeu de piste – une chasse au trésor que les Kennedy, toujours aussi acharnés à gagner, prirent très au sérieux. Une des sœurs de Jack finit par s'enfuir en autobus et Teddy revint avec une coiffure qu'il avait arrachée de la tête d'un policier.

En juillet, Janet invita Rose à Hammersmith Farm pour mettre au point les détails de la cérémonie du 12 septembre.

Ce fut là que Jackie eut la révélation du ressentiment latent de Jack à l'égard de sa mère. Pour rompre la tension des négociations entre Rose et Janet, ils décidèrent d'aller faire un tour à Bailey Beach, à Newport. « Les deux mères étaient devant, dans la voiture, raconta Jackie, et nous étions sur la banquette arrière, un peu comme des vilains garnements. En tout cas, nous sommes allés nager, Jack et moi. Je suis sortie de l'eau la première ; c'était l'heure de déjeuner, mais Jack lambinait. Et je me souviens de Rose, sur la promenade, en train d'appeler son fils : "Jack !... Ja-a-a-ack !" et c'était exactement comme ces petits enfants qui font semblant de ne pas entendre leur mère parce qu'ils ne veulent pas sortir de l'eau, mais il ne voulait pas obéir. Je ne me souviens pas si c'est elle qui a fait mine d'aller le chercher ou si c'est moi qui suis allée à sa rencontre, mais en remontant, il a dit : "Oui, Mère." ».

Sur le plan vestimentaire, en tout cas, Jack se refusait à rentrer dans le rang. Contrairement à son méthodique frère aîné, il était indécrottablement négligé. Si John F. Kennedy devint plus tard un arbitre des élégances, avant d'épouser Jackie, il faisait fort peu attention à ce qu'il portait. Ses chemises étaient souvent froissées et usées au col, ses costumes chiffonnés tombaient mal ; ses chaussettes, et même souvent ses chaussures, ne formaient pas la paire. « Jack ne se sentait à l'aise qu'en T-shirt, short et tennis, dit Spalding, ou sans rien du tout. On était en train de lui parler, et brusquement, il se mettait en slip. »

L'appartement de Georgetown, qu'il partagea un temps avec sa sœur Eunice, reflétait leur mépris commun pour la propreté. Il y avait des papiers empilés partout. Les vêtements et les serviettes jonchaient le sol. La vaisselle s'entassait dans l'évier, quand ce n'était pas pire ; il arrivait fréquemment qu'un invité, en prenant un livre dans la bibliothèque, ramenât par la même occasion un sandwich à moitié mangé qu'on avait posé là trois semaines auparavant.

Jackie ne se laissa pas démonter par ce défi. « Ce que je veux le plus au monde, dit-elle à une amie, c'est l'épouser. »

Les négociations entre Janet et Rose aboutirent à une impasse, alors Joe vint à la rescousse pour convaincre la mère de Jackie que, puisque le mariage se déroulait chez les Auchincloss, c'était à lui de prendre le reste en main. À la minute où elle vit Joe descendre d'avion à Newport, Jackie se dit : « Maman, tu n'as aucune chance. »

Jack s'envola vers l'Europe avec son vieil ami de l'université, Torby McDonald, pour une ultime virée en célibataire. Janet en fut très mécontente : « Quel genre d'homme se permet une chose pareille ? s'écria-t-elle. Un homme sur le point de se marier souhaite rester en compagnie de la femme qu'il aime. »

Sachant qu'elle ne pouvait retenir Jack, Jackie se dit que, peut-être, « il allait enterrer sa vie de garçon » une fois pour toutes. Jack fit effectivement « une tournée d'adieux » sur le continent. Il était parvenu à la moitié de la liste de ses anciennes conquêtes quand, par hasard, chez Maxim's à Paris, il tomba sur Gene Tierney, qu'il avait jadis aimée.

« N'est-ce pas le moment de recommencer à nous voir ? demanda-t-il.

– Non, très peu pour moi », répondit Gene Tierney, qui n'était pas au courant de ses fiançailles. Par la suite, elle expliqua qu'elle était « beaucoup trop folle de lui pour se lancer de nouveau dans une histoire qui ne pouvait se terminer qu'en les faisant souffrir tous les deux ». Quelques mois plus tard, elle prit avec philosophie l'annonce de leur mariage. Jacqueline Bouvier, reconnaît-elle, était « une femme qui devait plaire à ses parents ».

Les festivités préludant au mariage commencèrent plusieurs jours auparavant avec la célébration bruyante des soixante-cinq ans de Joe à Hyannis Port, suivie par un dîner de célibataires au Clambake Club de Newport. Après avoir bu à la santé de sa future épouse, Jack poussa les dix-huit hommes présents – qui se trouvaient être les héritiers de la famille Auchincloss – à jeter leurs verres dans la cheminée. À deux reprises, dira plus tard Red Fay, Hughdie « parut sacrément bouleversé ».

Ce fut aussi au Clambake Club que se déroula le repas de noces, la veille du mariage. Durant ce dîner, les membres du cortège nuptial reçurent leur présent – un cadre d'argent à leurs initiales pour les demoiselles d'honneur et des parapluies de chez Brooks Brothers pour les garçons. Pendant que tout le monde mangeait, Jack offrit discrètement à Jackie une boîte étroite. C'était son cadeau de mariage – un bracelet en diamants, d'une valeur de dix mille dollars, qu'elle mit pour partir en voyage de noces.

« Jack se leva et dit en plaisantant qu'il n'épousait Jackie que pour la soustraire au milieu des journalistes », raconta Yusha Auchincloss. Puis ce fut au tour de Jackie de prononcer quelques mots à propos de son fiancé. « Elle fit observer qu'il n'avait rien du Grand Romantique, que depuis qu'ils se connaissaient, Jack ne lui avait jamais écrit de lettres d'amour, mais qu'il lui avait une fois envoyé une carte postale des Bermudes. » Avec un grand geste, Jackie montra la carte, prit une profonde inspiration et la lut à toute l'assemblée : « Je regrette que tu ne sois pas là, Jack. »

Au cours des dix années qui suivirent, Jack et Jackie devinrent le couple le plus célèbre de la planète. Côte à côte, ils se retrouvèrent portés aux nues dans leur vie publique, et écrasés de chagrin dans leur vie privée. « Ils avaient beau avoir tous deux l'expérience du monde au moment de leur mariage, dit leur ami Chuck Spalding, ils n'avaient évidemment pas la moindre idée de ce qui les attendait. Mais à l'époque, qui aurait pu imaginer une chose pareille ? »

Chapitre 5

Comparer leurs problèmes à ceux d'un autre couple, c'est comme comparer une Duesenberg à une Chevrolet.

Paul « Red » Fay

« Cette lune de miel fut tellement brève, dit plus tard Jackie de leurs deux semaines à Acapulco. Tout s'est passé si vite. » Après l'agitation de leur mariage à Newport et l'atmosphère de drame qui avait entouré la disparition de Black Jack, Jackie avait des envies d'idylle romantique, loin des univers sous pression de la politique et de la haute société.

Mais ce qu'elle eut, ce fut une dose standard d'hyperactivité Kennedy. Les nouveaux mariés disputèrent des matchs serrés de double mixte au club de tennis, firent du ski nautique, et louèrent un bateau pour pêcher au large. Sans égard pour son dos douloureux, Jack se débattit pendant trois heures avec un poisson de près de 3 m de long avant de réussir à le remonter. Jackie, qui expliqua que sa mission à bord consistait « à l'arroser – Jack, pas le poisson », fit empailler la superbe prise pour l'accrocher au mur.

Au milieu de toutes ces activités, Jack trouvait encore le temps de télégraphier tous les jours à sa secrétaire et de transmettre ses instructions par téléphone. « C'était comme s'il n'était jamais parti », dit en plaisantant Evelyn Lincoln.

Les soirées à Acapulco se passaient en dîners où, invariablement, Jack se retrouvait entouré de jeunes *señoritas*, les femmes et les filles des plus importantes familles du Mexique. Pendant ce temps, Jackie bavardait en espagnol avec leurs maris et leurs pères. « Les gens parlent toujours de Jack qui faisait la cour aux femmes, dit un ami, mais ils oublient que Jackie n'avait rien d'une timide violette. Elle riait à gorge déployée des plaisanteries d'un homme, dansait collée contre lui – n'importe quoi pour attirer l'attention de Jack. Et parfois, ça marchait. »

Ce que Jackie ne pouvait pas supporter, c'était qu'on l'ignorât. Du Mexique, ils s'envolèrent pour Los Angeles où ils passèrent quelques jours dans la demeure de l'ancienne actrice Marion Davies, à Beverly Hills. Maîtresse officielle de William Randolph Hearst, Marion Davies avait souvent reçu Jack à San Simeon, le célèbre château de Hearst au nord de Santa Barbara.

Ensuite, Jack et Jackie remontèrent en voiture vers San Francisco, où ils rendirent visite à Red Fay, le boute-en-train de la vedette PT-109. Ils étaient mariés depuis moins de deux semaines – au cours desquelles ils ne restèrent jamais seuls plus de quelques heures d'affilée – et déjà, Jack mourait d'envie de passer du temps loin de sa femme.

Pour leur dernier jour en Californie, au lieu d'aller déjeuner en haut du Mark Hopkins, sur Nob Hill, ou se promener sur le Fisherman's Wharf, il se rendit avec Fay à un match de football. Anita emmena Jackie de l'autre côté du Golden Gate Bridge, dans le Marin County, mais celle-ci fulminait. « Je suis persuadé que pour Jack, tout cela paraissait normal, dit Fay qui comprenait le ressentiment de Jackie. La vie sociale – sans parler de la présence d'un vieux copain de régiment et de sa femme – a fini par dénaturer la lune de miel que toute jeune mariée est en droit d'attendre. »

Chuck Spalding estima, quant à lui, que la notion même de lune de miel n'était qu'anathème pour Jack. « Ne s'intéresser qu'à une seule femme – celle avec laquelle on s'apprête à passer le reste de son existence –, n'importe qui connaissant Jack savait que ce n'était pas son genre. » Pas plus qu'il ne crut devoir afficher, officiellement du moins, qu'il se retirait de la circulation. Avant même d'avoir quitté l'église où leur union venait d'être bénie, Jack avait ôté son alliance.

La séparation continua, une fois la lune de miel terminée. Durant le premier mois de leur mariage, Jack resta à Washington pour veiller sur ses intérêts électoraux, tandis que Jackie passait la semaine à Hyannis Port, dans sa belle-famille. Il la rejoignait pour les week-ends. On ne peut pas dire, reconnut Fay, que ce fût « ce qu'il y avait de mieux pour une épouse ».

Jackie profita de ses loisirs pour écrire un poème – une ode à Jack, à la manière de Stephen Vincent Benét, dans « John Brown's Body ».

Pendant ce temps, dans le Massachusetts, Jack Kennedy rêvait
En arpentant le rivage, à Cape Cod,
À tout ce qu'il allait devenir.
Marchant dans l'air piquant de l'Automne de la Nouvelle-
{Angleterre
Et il laissait libre cours à son esprit pour parcourir
La campagne dorée de Nouvelle-Angleterre
Ces noms que le patriote prononce avec fierté
Concord et Lexington, Bunker Hill
Plymouth, Falmouth et Marston's Mill
Winthrop, Salem, Lowell et Revere,
Quincy, Cambridge et Louisburg Square
C'était son héritage – sa part de rêves,
Celle qu'un jeune homme capte dans l'air.
Le passé maintenant l'a rattrapé
Et il a l'intention d'en tenir compte ; mais il ignore comment.
Car il est né pour servir, diriger un parti
Voilà sa vocation, voilà ses besoins.
Issu des lignées de Nouvelle-Angleterre

Tenace et abrité comme le Rocher de Plymouth
Il réfléchit, les deux pieds plantés dans la terre
Mais son cœur et ses rêves, eux, volent dans l'air
La Nouvelle-Angleterre sera tout entière sienne
Mais une partie de lui venait de l'étranger
Une race qui avait ri sur les collines d'Irlande
En entendant les voix des rus d'Irlande.
Le rythme de cette verte terre dansait dans son sang
Tara, Killarney, une marée magique
Qui sourdait des profondeurs de son cœur trop fier
Et transperçait avec âpreté la force de la Nouvelle-Angleterre
Que les hommes le pensaient attentif et sincère
Se laissant duper jusqu'au Dernier Cavalier.
Sur la plage, il se retourna pour regarder sa maison
Sur une verte pelouse sa demeure se dresse
Et le vent souffle sur la mer verte jusqu'au sable
Là, ses frères et sœurs ont ri et ont joué
Et se sont allongés pour se reposer à l'ombre.
À l'intérieur, les lumières scintillent, bientôt le dîner sera prêt
Et il rentrera chez lui où son père est Roi
Mais à présent, le voilà, face à la mer, au vent
Et à tout ce qui l'attend.
Il bâtira des empires
Il aura des fils
D'autres succomberont
Où passe le courant
Il trouvera l'amour
Mais la paix lui échappera
Car il doit partir en quête
De la Toison d'Or
De tout ce qui l'attend
De tout ce qui l'attend dans le vent et la mer.

Rose fut conquise, en tout cas temporairement, par « ce merveilleux poème » et tout ce qu'il contenait de flagorneur. Pas du tout gêné par l'exubérance des vers, Jack poussa

Jackie à le faire publier. Le considérant comme trop intime pour être livré au public, Jackie refusa.

Un mois après leur mariage, les nouveaux époux participèrent à l'émission de télévision *Person to Person*, animée par le populaire Edward R. Murrow. Assise toute droite à côté de son mari, qui avait l'air relativement décontracté, Jackie bafouilla avec nervosité tout au long de l'entretien, tandis que Jack achevait ses phrases à sa place et que Murrow tirait sur sa cigarette.

« Dites-moi ce qui requiert le plus de diplomatie, s'enquit Murrow, interroger un sénateur ou bien en être l'épouse ? »

Jackie eut l'air abasourdie. « Eh bien, euh, je...

– En être l'épouse, je pense », l'interrompit Jack.

En attendant de trouver une maison, ils partageaient leur temps entre Hyannis Port et Merrywood. Peu de temps avant de se marier, Jackie avait décrit la demeure de ses rêves au *Boston Globe* : « Je meurs d'envie que nous ayons notre foyer, pour que je puisse l'arranger à mon goût et sortir enfin nos cadeaux de mariage de leur emballage. Ce que j'espère trouver, c'est une petite maison à Georgetown. J'adorerais un petit nid douillet, qu'on peut tenir soi-même. Pour le mobilier, je voudrais mélanger des meubles fonctionnels avec quelques très belles pièces anciennes. »

Pendant qu'ils cherchaient « leur petite maison de Georgetown », Jackie écrivit et illustra un livre pour sa jeune sœur, alors âgée de huit ans, et qu'elle présentait ainsi : « *Pour Janet : si jamais tu avais l'intention de te marier, voilà une histoire pour te raconter à quoi ça ressemble.* » Le livre, en fait, décrivait leur vie commune. Une des illustrations représentait le dôme du Capitole de nuit, complètement plongé dans l'obscurité, à l'exception d'une lumière. « *S'il n'est pas rentré et que cette lumière brille*, disait la légende, *au moins on sait que la patrie est protégée.* » Janet Auchincloss senior considéra que *Pour Janet* était un livre « profondément touchant, et splendide ».

À Thanksgiving, ils avaient découvert une coquette et

étroite maison du XIXe siècle, à louer au 3221 Dent Place, à Georgetown. Ayant vingt ans de moins que la plupart des épouses de sénateurs, Jackie s'aperçut rapidement que leur société ne lui convenait pas. « Elles parlent de leurs enfants et de leurs petits-enfants, dit-elle, et moi, je leur parle de mon jeune demi-frère. »

Jackie s'inquiéta aussi à l'idée de ne pas se maintenir intellectuellement à la hauteur de son mari. Quand on lui répliqua que pour lui, seule comptait la vie sociale, elle répondit : « Faux. Jack n'a presque plus de temps à consacrer aux bateaux à voile et à toutes ces bêtises. Il est doté d'un esprit curieux et inquisiteur et il est toujours sur la brèche. Si je devais le dessiner, je lui ferais un corps minuscule et une énorme tête. »

Jackie se sentait particulièrement incompétente quand la conversation touchait aux questions de politique intérieure, aussi s'inscrivit-elle à un cours d'histoire de l'Amérique à l'université de Georgetown. « Plus j'entends Jack discuter de problèmes vastes et compliqués, se plaignit-elle, plus je me sens idiote. Si seulement il voulait s'intéresser à l'histoire de l'Europe, ça irait mieux pour moi. »

Bizarrement, Jackie, qui avait grandi dans les faubourgs de Washington, qui avait travaillé dans la presse et qui fréquentait John Kennedy depuis deux ans, n'était pas prête à assumer la tâche de femme de sénateur. « Elle détestait la politique et les politiciens. Elle était habituée à ces gens, fit observer Gore Vidal. Après tout, elle avait été élevée là-dedans. Mais elle ne voyait rien de bien séduisant dans cet univers. Pour elle, c'était simplement sordide. Et ennuyeux. »

Passant outre la promesse qu'elle s'était faite à elle-même « de ne pas devenir une femme au foyer », Jackie décida que là où elle pouvait se rendre le plus utile, c'était sur le front domestique. « J'ai apporté pas mal d'ordre dans sa vie, dit-elle à propos de leurs premiers mois de vie commune. On mangeait bien chez nous – plus uniquement les produits de base que Jack avait l'habitude de consommer. Il ne sortait plus de chez lui le matin avec une chaussure marron et l'autre noire. Ses vêtements allaient chez le teinturier et il partait à l'aéroport sans courir comme un fou parce que je lui préparais ses valises. Je peux être efficace pour faire des valises, ranger des vêtements, récupérer des bagages et des manteaux égarés. Ce sont ces petites choses qui fatiguent à la longue. » Cependant, ses tentatives de réforme ne furent pas toutes des réussites : Jack Kennedy n'avait toujours aucun scrupule à aller ouvrir la porte, vêtu simplement d'un caleçon blanc.

Ne pouvant se référer à aucun modèle parental, Jackie plongea tête la première dans le rôle de l'épouse fidèle et dévouée. Quand on le lui demandait, elle venait contempler avec amour son mari pendant qu'il parlait au Capitole. Elle roula des pansements pour la Croix-Rouge avec les femmes de sénateurs et s'inscrivit à un club de bridge pour se perfectionner (on dit d'elle, comme de Jack, qu'elle apprenait à une vitesse surprenante). Et elle serrait la main de diplomates, de membres de groupes de pression et de représentants du gouvernement, quand c'était nécessaire.

Jackie prit aussi des leçons de golf, dans l'espoir de passer plus de temps en compagnie de son mari. Mais, après l'avoir observée se débattre sur le terrain pendant tout un après-midi, Jack lui suggéra poliment de s'en tenir à l'équitation.

« L'essentiel pour moi, c'était de faire ce que souhaitait mon mari, expliqua Jackie plus tard. Il n'aurait pas pu – ni voulu – être marié avec une femme qui aurait essayé de partager avec lui les feux de la rampe. Je pensais que ce que j'avais de mieux à faire, c'était de le distraire. Jack ne vivait que par et pour la politique à longueur de journée. Si, en revenant chez lui, il avait dû encore se battre, comment aurait-il pu jamais se reposer ? » Elle ne s'en tint pas là. « Je suis une épouse à l'ancienne mode... Tenir mon foyer, c'est un plaisir pour moi, dit-elle à un journaliste. Quand tout marche comme sur des roulettes, quand la cuisine est bonne et les fleurs fraîches, j'éprouve une grande satisfaction. J'aime préparer à manger, mais je ne suis pas très douée. La nourriture compte beaucoup pour moi, mais je ne suis pas un cordon-bleu. »

Pour y remédier, elle suivit des cours de cuisine et décida de mettre en pratique ses connaissances toutes fraîches. Après avoir demandé à Evelyn Lincoln de la prévenir de l'heure à laquelle Jack allait rentrer, elle se mit à l'œuvre. « J'avais déjà entendu ces histoires idiotes où l'épouse fait tout brûler, mais je savais que je tenais la situation en main, quand brusquement, je ne sais pas pourquoi, la maison s'est retrouvée complètement enfumée. » Au moment où elle sortait les côtes de mouton du four, la cuisinière s'effondra. « Le plat glissa et la graisse se mit à couler. Une des côtes tomba par terre, mais je la remis sur l'assiette. La crème au chocolat brûlait et giclait partout. Quelle odeur ! Impossible d'arracher la cuillère de la casserole. On aurait dit de la pierre. Le café avait complètement débordé et je me suis brûlé le bras, qui est devenu violacé. C'était affreux à voir. Alors Jack est arrivé et il m'a emmenée dîner dehors. »

Sans importance. À peine installés dans leur petite maison en ville, Jack et Jackie s'étaient assuré les services d'une cuisinière et d'une bonne à plein temps – en plus du fidèle domestique de Jack, George Thomas. Les efforts culinaires de Jackie se limitèrent à remplacer la cuisinière lors de son jour de sortie. Quant à l'entretien de la maison, d'après Evelyn Lincoln, « Jackie n'a jamais effectué de travail manuel. Elle n'avait pas la moindre idée de la façon dont on fait le ménage. » Dès que les Auchincloss avaient le dos tourné, ils se précipitaient vers les vastes splendeurs de Merrywood.

Même avec trois personnes à son service, Jackie n'eut pas le courage de donner plus de deux dîners durant les six premiers mois de leur mariage. Le premier, qui fut aussi le plus angoissant, rassembla dix personnes, dont le sénateur John Sherman Cooper et sa femme Lorraine, Bobby et Ethel,

Hugh et Janet Auchincloss. « Je crois que je recevrais un roi ou une reine avec moins d'appréhension que ma propre mère », affirma-t-elle. La soirée se déroula impeccablement.

C'est-à-dire – jusqu'à ce que Janet, brusquement, intervînt à voix haute pour accuser sa fille d'une impardonnable bévue. « Jackie, dit-elle d'un ton hautain, le tourne-disques n'est-il pas cassé ?

– Oh, non, maman, répondit celle-ci. C'est seulement Fred Astaire qui fait des claquettes. »

Lorraine Cooper, qui devint une des meilleures amies de Jackie à Washington, lui reparla souvent de cet incident. « Elle trouvait cela très drôle, dit Jackie qui n'en comprenait pas moins les inquiétudes maternelles. Ma mère se faisait du souci pour moi... je ne suis pas sûre qu'à l'époque, j'avais vraiment la situation en main. »

Mais tout de même suffisamment pour réagir quand, à onze heures du matin, Jack lui téléphona du bureau pour s'enquérir du menu prévu pour le déjeuner de leurs quarante invités. « Personne ne m'avait rien dit, raconta-t-elle plus tard. J'étais affolée. Dès que j'ai réussi à me reprendre, j'ai littéralement dévalisé un petit traiteur grec qui faisait des ragoûts merveilleux. » Lorsque les invités arrivèrent à une heure, on leur servit de la salade, le ragoût et des framboises en dessert. « Je me suis juré, dit-elle sans la moindre sincérité, de ne plus me laisser troubler si Jack ramenait des invités surprise à la maison. »

En réalité, les efforts de Jackie pour créer un foyer, au sens traditionnel du terme, ne servaient à rien. La vie d'un jeune sénateur briguant la Maison-Blanche n'était qu'un tourbillon de déjeuners d'affaires, de réunions tardives et de voyages. « Mon Dieu, dit-elle à Lorraine Cooper. Tu m'avais prévenue de ce qui m'attendait, mais tu ne m'avais pas tout dit. Tu en avais laissé la moitié de côté. »

Pour empirer encore la situation, des conseillers jovials, issus de l'Ivy League, et des membres de base de la « Mafia irlandaise » des Kennedy – que Jackie surnommait avec acidité la « Murphia » – entraient et sortaient de la maison à leur guise, salissant les tapis, se comportant comme si Jack était toujours leur célibataire débraillé préféré. « Ils se vautraient sur tous les meubles, se souvint Tish Baldrige, ils cassaient ses cendriers de Sèvres, ils jetaient leurs mégots dans les vases et, surtout, dévoraient le temps de son mari. »

En public, Jackie entretenait son image de fidèle épouse de sénateur. « Ce qu'il y a de plus important pour une femme, c'est d'aimer vraiment son mari, répétait-elle à satiété. Ensuite, tous les sacrifices et les compromis qu'il faut consentir sont une joie. » En privé, elle se répandait en injures contre Jack. « J'avais l'impression que nous tenions une pension de famille, et il ne comprenait pas. » Comme chez beaucoup de jeunes couples, ce fut une période extrêmement troublée, où chacun avait bien du mal à s'adapter aux exigences de l'autre. Ils prenaient garde à ne pas se disputer devant leurs amis, mais les voisins entendaient leurs cris et les portes claquaient souvent au 3221 Dent Place.

Jackie ne mit pas longtemps à mettre au point ce qui allait devenir l'arme secrète de son arsenal conjugal : la bouderie. « Jack avait horreur de voir les gens bouder, dit Spalding. Lui, il avait un caractère de cochon, ça c'est sûr, mais une fois qu'il avait explosé, c'était terminé. Il n'était pas du tout rancunier, et il ne supportait pas que quelqu'un lui fasse la gueule. » Jackie était bien plus lunatique que lui. Elle pouvait bouder pendant des jours, minant la résistance de Jack jusqu'à ce qu'il fût prêt à faire n'importe quoi pour la rendre heureuse, simplement pour qu'elle arrête.

Évidemment, ce stratagème ne pouvait fonctionner que si Jack se trouvait sur place. « Pendant notre première année de mariage, avoua-t-elle par la suite, nous avons vécu comme des vrais bohémiens, toujours en train de faire et défaire nos valises. C'était très agité. Jack faisait des discours d'un bout à l'autre du pays et il ne restait jamais plus de deux nuits de suite à la maison. »

En juin, leur bail expiré, ils passèrent de Merrywood à Hyannis Port, sans compter toute une série d'hôtels. Plus tard, alors qu'elle était bien installée à la Maison-Blanche, Jackie déclara que cette période de son mariage avait été « trépidante, mais qu'elle s'était bien amusée. Tant qu'on n'a pas d'enfants, on n'a pas vraiment envie d'avoir son propre foyer ».

Quand elle parlait avec plus de franchise, elle reconnaissait que ce n'était pas du tout vrai. « La première année, je mourais d'envie d'avoir une maison, dit-elle. J'espérais que cela donnerait à notre vie des racines, une stabilité. À cette époque, mon idéal, c'était de mener une vie normale, avec un mari qui revient tous les jours du travail à cinq heures. Je voulais qu'il passe tous les week-ends avec moi et les enfants que j'espérais que nous allions avoir. » Au lieu de cela, Jackie se retrouvait seule presque tous les week-ends. « Tout allait de travers. La politique était mon ennemie jurée, et nous n'avions aucune vie de couple. »

Les conséquences de toutes ces inquiétudes ne se firent pas attendre. Appréciant de moins en moins ses chevauchées solitaires à Merrywood pendant que Jack était à Washington, Jackie se laissa aller sans retenue à son goût pour le tabac qui datait de l'époque de l'école de miss Porter. Elle fumait deux paquets par jour, une cigarette après l'autre – une habitude que Jack, qui s'offrait à l'occasion un cigare Upman de La Havane, lui ordonna de dissimuler à la curiosité publique.

Si Jackie détestait l'encombrante « Murphia », tenue par les principaux conseillers de Jack, Dave Powers et Kenneth O'Donnell, elle soupçonnait par ailleurs son époux de se livrer, lors de ses déplacements, à bien autre chose que des discussions d'affaires. Priscilla McMillan écrivit à Jack au printemps 1954, à propos des recherches qu'elle avait effectuées pour lui sur l'Indochine. « Je lui dis que j'avais pris grand plaisir à travailler pour lui, mais qu'il avait oublié de me payer. Il ne répondit jamais à ma lettre. Mais après avoir fait son discours, à l'été 1954, il m'appela pour me dire que Joe allait me régler. Il avait beaucoup apprécié mon travail et me créditait du succès de son discours. “Merci, dit-il. C'est à vous que je le dois entièrement.” J'ai pris ça avec des pincettes – vous savez, avec les hommes politiques... »

Le coup de fil de Jack n'avait pas pour seul but de remercier P. McMillan de son travail de recherche. « Il me dit qu'il venait à New York et qu'il serait content de prendre un verre avec moi. J'ai mis mon plus beau tailleur noir et je l'ai attendu, mais il n'est jamais venu, il n'a pas téléphoné. Il m'a posé un lapin. »

Le lendemain, P. McMillan déjeuna en compagnie d'un jeune homme, au célèbre restaurant de Manhattan, Le Pavillon, dans lequel Joe Kennedy avait des intérêts. « Et qui se glissa à côté de nous sur la banquette rouge ?... le sénateur et Mrs. Kennedy, vêtue d'un tailleur bleu marine ! Jack ne broncha pas, il nous présenta l'une à l'autre mais ne dit pas un mot sur le lapin de la veille. Quand Jackie se leva pour aller aux toilettes, il se pencha pour me prendre la main et me saluer. Puis il se leva et partit sans payer. Il ne payait jamais. Quel que fût l'endroit où il dînait, il considérait tous les restaurants comme sa cantine personnelle. »

« Jackie ne se faisait pas d'illusions à propos de Jack, dit Smathers. De temps à autre, elle lui emboîtait le pas au moment où il s'y attendait le moins. Elle connaissait le topo. Elle savait qu'il appréciait les jolies filles, et qu'il n'était pas prêt à cesser de draguer. »

Un dimanche, quelques semaines plus tard, P. McMillan vint à Washington assister à un dîner au F Street Club, donné en l'honneur de l'anniversaire de l'ami intime de Kennedy, Don Marvin. « Jack est arrivé le premier, avec des béquilles. Puis Jackie a fait son entrée, seule, vêtue d'une robe noire décolletée en V, qui ressemblait beaucoup à la mienne ; elle avait une bouteille de champagne pour Don Marvin. Elle a remis les béquilles à George Thomas, le domestique de Jack, d'une façon charmante, presque théâtrale. Puis Jack s'est assis à côté de moi et Jackie en face. Je n'étais pas très subtile, mais après évidemment, j'ai compris que Jack avait tout combiné.

« Il ne buvait rien et il ne faisait que pignocher dans son assiette. Mais il a passé toute la soirée à me parler. À un moment, il a regardé Jackie de l'autre côté de la table et a dit : "Vous savez, je ne me suis marié que parce que j'avais trente-six ans et que les gens m'auraient pris pour une tante, si je ne l'avais pas fait." Tout en me disant cela, il ne quittait pas Jackie du regard. Il la buvait littéralement des yeux, il *l'absorbait.* Elle était charmante, évidemment – assise là, plongée dans une conversation avec son voisin. Mais les paroles de Jack étaient tellement décalées par rapport à la façon dont il la fixait que j'en fus sidérée. Manifestement, il était orgueilleux. Son *ego* s'était encore développé du fait qu'il l'avait en quelque sorte assimilée. »

Priscilla McMillan fut également surprise que Jack ne baissât même pas la voix : « Il savait exactement sur quel ton parler pour qu'elle ne l'entende pas. N'empêche, elle savait garder ses distances. Elle était arrivée seule. On sentait bien que c'était un individu à part entière, pas une épouse docile marchant dans son sillage. Ce n'étaient pas des individus en guerre, mais deux personnes distinctes, complètement indépendantes. Mais déjà à cette époque, c'était elle le point de mire de la soirée, pas Jack. » P. McMillan raconta qu'en se levant pour prendre son manteau, elle se retourna au moment où Jackie descendait l'escalier de marbre. « "On peut vous raccompagner à l'aéroport, Priscilla ?" me demanda-t-elle. Je la remerciai, mais déclinai l'offre. J'étais déjà suffisamment perturbée comme ça.

« Je n'avais pas la moindre idée de ce qu'elle pensait de moi. Jack me faisait la cour de façon assez visible, et j'ignorais si elle avait ou non entendu quand il avait affirmé s'être marié parce qu'il ne voulait pas qu'on le prenne pour “une tante”. Mais elle se montra très attentive. Je ne m’attendais pas à la trouver aussi... gentille. »

Si Jackie paraissait si sûre d’elle en public, c’était pour mieux dissimuler le profond sentiment d’insécurité qu’elle éprouvait par rapport à sa place d’épouse. Quand un journaliste lui demanda les secrets de son bonheur conjugal, elle répondit en soupirant : « Je crains pour l’instant de n’en avoir aucun. »

Cependant, délibérément, elle décida de changer de tactique. Plutôt que de se cantonner dans le rôle de l’épouse modèle, elle chercha le moyen de se glisser dans la vie professionnelle de son mari. Elle commença à venir à son bureau pour aider à répondre au courrier. Elle puisa, dans les œuvres de Voltaire et de Talleyrand, des citations qu’elle traduisait directement, pour que Jack s’en servît dans ses discours.

Elle sut aussi transformer cet orateur mal inspiré, parfois même agaçant, en un tribun ensorcelant – ce dont l’Emerson School of Oratory de Boston n’avait pas été capable. Elle lui apprit à remplacer son accent nasillard de Nouvelle-Angleterre (« Parfois, on dirait Bugs Bunny », dit-elle une fois) par un ton plus grave et plus sonore. Elle lui fit également ralentir son débit – il parlait comme une mitraillette et beaucoup de ses collègues du Sud des États-Unis avaient du mal à le comprendre – et ponctuer les points qu’il entendait souligner de gestes du tranchant de la main (jusque-là, il gardait les mains au fond de ses poches en faisant tinter sa monnaie). Mais surtout, elle apprit à Jack à se calmer, à avoir l’air moins excité et plus maître de lui. Jack était affligé de nombreux tics nerveux – par exemple, il tapotait de l’index ses dents de devant tandis que sa jambe tressautait à un rythme effréné. Jackie eut beaucoup de mal à lui apprendre à les contrôler.

Il était doué d’une énergie phénoménale et la lenteur du Sénat le rendait très nerveux. « La vie législative n’était pas le paradis pour lui », dit Charlie Bartlett. Smathers entendait souvent Jack se plaindre parce qu'il ne se passait pas grand-chose au Sénat. « Jack n'aimait pas faire partie du Congrès et il n'aimait pas plus être sénateur, dit Smathers. Ça l'ennuyait à mourir. En un sens, il n'avait rien d'un homme assoiffé de politique. »

Mais l'ennui allait bientôt devenir le cadet de ses soucis. Au cours de leur première année de mariage, les terribles douleurs de son dos empirèrent. Il portait toujours un corset bleu ciel sous sa chemise ; en mai, il se mit à boiter, et il ne pouvait plus se déplacer qu'avec des béquilles. « Jackie se retrouva brutalement confrontée au fait que son mari était presque invalide, dit Vidal. Jack était *réellement* décati. Il passait son temps à l'hôpital, pour une raison ou une autre. Il était en permanence à l'article de la mort. Il souffrait sans arrêt, il se sentait toujours mal. Personne ne savait pourquoi... »

Au Sénat, Jack essaya de dissimuler la gravité de son état, sauf à quelques amis proches. George Smathers étaient de ceux-là. « Il était tellement mal en point que, si on sonnait la cloche pour savoir si le quorum était atteint, il fallait que j'aille dans son bureau pour lui dire "Venez" et le soulever de sa chaise. Il s'appuyait sur moi et je le portais presque jusqu'au train souterrain qui menait à la Chambre. Ce n'était pas très difficile. Il mesurait plus de 1,80 m et il pesait moins de 60 kg. » Une fois qu'ils étaient arrivés, « Jack rassemblait toutes ses forces et marchait seul dans le Sénat. Après, il s'esquivait dans un couloir ou un escalier et s'appuyait contre le mur. Il ne disait jamais rien, mais la souffrance était gravée sur son visage. »

En octobre 1954, la douleur était devenue intolérable. Sa dernière opération du dos datait de dix ans, et les médecins étaient toujours indécis quant à la nature précise de son mal. Pour décider s'il lui fallait repasser sur le billard, il alla faire des examens dans un établissement spécialisé.

La veille, Jack et Jackie assistèrent à un rassemblement pour le candidat au Congrès, Anthony Akers, un autre commandant de vedette PT avec qui il avait servi durant la Seconde Guerre mondiale. « Jack se déplaçait avec des béquilles, et Jackie portait une robe noire, ras du cou devant, mais très décolletée dans le dos, dit Priscilla McMillan, qui travaillait pour Akers à ce moment-là. Lorsqu'elle s'est retournée, les gens en ont eu le souffle coupé. »

Par l'intermédiaire de son beau-frère, qui était médecin à l'hôpital, P. McMillan apprit ce que peu de gens savaient – Jack était atteint de la maladie d'Addison et n'importe quelle opération chirurgicale d'envergure risquait de lui être fatale. « Il était là, à souffrir le martyre et elle, elle attendait de savoir si elle devait perdre son mari, mais à les voir debout sur l'estrade, on les aurait crus rayonnants de jeunesse et de santé. Vraiment, ils auraient mérité un Academy Award. »

P. McMillan alla voir Jack à l'hôpital quelques jours plus tard. « J'ai téléphoné dans sa chambre et il m'a dit de monter, mais en affirmant à tout le monde que j'étais sa sœur. Ensuite, une des infirmières m'a expliqué que toutes les visites lui étaient interdites, excepté celles de sa famille proche, mais qu'il recevait tant de coups de fil que l'hôpital avait dû lui faire installer un standard particulier. « Et, s'exclama l'infirmière, le sénateur Kennedy a tellement de sœurs ! »

« La première fois que je suis entrée dans la chambre d'hôpital de Jack, j'ai eu du mal à en croire mes yeux, raconta-t-elle. Il y avait une affiche de Marilyn Monroe grandeur nature, vêtue d'un short bleu marine et d'un polo blanc, placardée sur la porte – la tête en bas. Autrement dit, les jambes en l'air. Au pied du lit, un aquarium rempli de poissons tropicaux. Lui, il était couché et, sous les draps, à côté de lui, il y avait une poupée Howdy Doody presque aussi grande que lui. »

En 1954, l'affiche de Marilyn était pour Jack une façon de prendre ses désirs pour la réalité. Ils avaient eu l'occasion de se croiser dans les années 1940, alors qu'il partageait une chambre avec Robert Stack et qu'elle courait après les contrats. Mais il n'y eut aucun signe d'une quelconque liaison avant une réception à laquelle assistèrent Jack et Jackie au début de l'année 1954, dans la demeure de l'agent d'Hollywood, Charles Feldman, à Beverly Hills. Parmi les invités, il y avait Marilyn et son mari, l'ancien boxeur yankee, Joe DiMaggio. Jack ne fit rien pour dissimuler l'intérêt qu'il portait à la pulpeuse star. « Il ne pouvait détacher les yeux de moi », dit Marilyn qui glissa son numéro de téléphone au sénateur.

Quant à Jackie : « Ça ne l'ennuyait pas du tout, affirma Peter Lawford. Tous les hommes présents bavaient d'admiration devant Marilyn. Jackie aurait trouvé anormal que Jack ne la dévore pas des yeux. » Le lendemain, il appela chez Marilyn, mais raccrocha en entendant la voix de DiMaggio. Marilyn, qui tourna cette année-là un film qui remporta beaucoup de succès, *Sept Ans de réflexion*, n'avait pas revu Jack depuis cette date. Quant à l'affiche : « Ce n'était pas comme si Jack lui cachait quelque chose – l'affiche trônait dans la chambre, au vu et au su de tout le monde. »

À rêver de Marilyn sur son lit d'hôpital, Jack se sentit rapidement devenir dingue. « Il était couché sur le ventre pendant que les médecins lui tripotaient le dos, et en même temps, il téléphonait pour qu'on lui raconte la dernière anecdote politique qui circulait dans le New Hampshire, raconta P. McMillan, qui venait le voir tous les jours. Il m'a demandé de lui apporter des livres, alors je lui ai donné ceux qui m'avaient plu. Il m'a téléphoné à trois heures du matin pour me dire : "Je n'ai jamais entendu parler de Nietzsche ni de Hegel et vous me les faites lire !" »

Jack avait du mal à dormir. Il lisait toute la nuit, puis il arpentait les couloirs. Au bout de peu de temps, il sortit rôder la nuit en ville. « On n'avait jamais vu un malade aussi insupportable. Dès que les infirmières étaient passées lui prendre sa température et lui souhaiter bonne nuit, il se relevait, se faufilait dans l'escalier et allait retrouver des filles au Stork Club ou au "21". »

Un samedi après-midi, Priscilla McMillan tenait compagnie à Jack dans sa chambre d'hôpital quand Jackie, vêtue d'un tailleur noir, entra avec son « frère » Yusha. « Jackie se montra très enjouée et mutine – gambadant autour du lit de Jack, s'installant dessus à genoux. Elle engloutit son dîner alors qu'elle était attendue à une réception en ville. Toute cette mise en scène nous était manifestement destinée. Je fus frappée alors par le fait que Jackie était une merveilleuse actrice. Elle était extrêmement douée pour la comédie. Ce n'est que beaucoup plus tard que j'ai compris que son objectif, c'était de maintenir en éveil l'intérêt de Jack – et elle y parvenait, même s'il lui était infidèle. »

Un autre jour, Priscilla McMillan trouva Jack absorbé dans une conversation avec deux adolescentes du New Jersey. « Il me les présenta comme ses cousines ! J'imagine qu'il était à court de "sœurs", raconta Priscilla. Il leur demanda de rester, mais elles s'en allèrent, et je ne les retins pas. Quelques instants plus tard, Jackie arriva en compagnie d'un jeune homme. "Priscilla, dit-elle, connaissez-vous Teddy ? C'est vraiment lui, le grand homme politique de la famille." »

Priscilla McMillan tomba sur Jackie peu de temps après, dans une librairie pour enfants de Madison Avenue, à New York. Elle portait un épais manteau d'hiver en laine vert vif et achetait des livres pour Jamie. « Jackie se montra très amicale, tant et si bien que je commençai à me méfier. C'était comme si elle m'encourageait à fréquenter son mari. Pour Jackie, je ne représentais pas une menace. Je pense qu'elle se rendait compte que je n'étais pas du genre à coucher avec un type que je connaissais à peine – surtout un homme marié – et cela me donnait de la valeur à ses yeux. J'occupais le temps qu'il aurait pu consacrer à l'une de ses quelconques maîtresses – et elles étaient légion. Quoique, à l'époque, je n'avais pas idée de l'étendue de ses entourloupettes. »

Si Jack ne fit pas succomber Priscilla McMillan, ce ne fut pas faute d'essayer, et à plusieurs reprises. « Dès qu'il eut retrouvé sa mobilité, Jack se montra assez frénétique. Il vous fonçait dessus et, pour être tout à fait franche, il était tellement insupportable qu'il fallait laisser passer quelques mois entre chaque visite. C'était trop, trop vite. On pouvait être sûre qu'il allait se jeter sur vous, et la soirée se transformait alors en corps à corps ! Il me fallait rassembler toutes mes forces pour le repousser. »

Après avoir analysé les résultats de toute la batterie d'examens que Jack avait subis, les médecins de Cornell rendirent leur verdict : le seul espoir de soulager cette douleur, dirent-ils, c'était de pratiquer une double soudure de la colonne vertébrale. Il fallait enlever le disque métallique posé par les chirurgiens de la Marine en 1944 et souder les vertèbres séparées.

Les médecins de Jack à la Clinique Lahey, de Boston, étaient carrément opposés à une opération aussi délicate. Ils firent remarquer qu'une telle intervention, déjà risquée pour un malade en bonne santé par ailleurs, était impensable pour quelqu'un atteint de la maladie d'Addison. Il n'avait que cinquante chances sur cent d'y survivre ; en cas d'infection, il était à peu près sûr d'y passer, affirmèrent-ils. « Nous n'étions pas convaincus de la nécessité de l'opération, dit le Dr Ehner C. Bartels, de la Clinique Lahey. Nous étions bien décidés à ce qu'elle ne se fasse pas à Boston. »

Jack, qui n'avait pas le choix, multiplia les arguments en faveur de l'intervention. Il avait déjà regardé la mort en face à plusieurs reprises et l'idée de recommencer ne l'effrayait pas. Joe Kennedy supplia son fils tant et plus de ne pas se faire opérer. Selon Rose, Joe « tenta de convaincre Jack que, même coincé dans un fauteuil roulant, il pourrait mener une vie pleine et riche. Après tout, il n'y avait qu'à regarder la vie extraordinaire que Franklin Delano Roosevelt avait réussi à avoir, en dépit de son handicap ».

Jack se montra inflexible. Ne pouvant faire céder son fils, l'Ambassadeur demanda à Jackie d'intervenir. Mais elle avait beau partager l'inquiétude de son beau-père, elle estimait que c'était à Jack de prendre une décision ; elle refusa d'essayer de le convaincre. « Je préfère mourir, leur dit-il à tous deux, plutôt que de passer le reste de ma vie avec des béquilles. » Se tournant vers Joe, il ajouta : « Ne t'inquiète pas, papa. Je vais m'en sortir. » Il se montra plus sincère avec Dave Powers. « Cette opération, ça passe ou ça casse », dit-il.

Le Dr Philip D. Wilson était à la tête de l'équipe de quatre chirurgiens qui opérèrent Jack le 21 octobre 1954. La nuit précédente, Joe ne put fermer l'œil. Il se retrouva dans la bibliothèque de Hyannis Port à une heure du matin et resta assis pendant des heures à contempler la dernière lettre que Joe junior lui avait écrite avant d'être tué. « Ce souvenir était si douloureux, raconta Rose, que Joe se mit à pleurer dans le noir, en faisant un tel bruit que cela me réveilla. »

Comme prévu, une infection à staphylocoque se déclara dans l'appareil urinaire, et trois jours après l'opération, Jack fut considéré comme perdu. Il sombra dans le coma et on lui administra l'extrême-onction. Les médecins informèrent Evelyn Lincoln que son patron ne passerait probablement pas la nuit.

Pendant près d'un mois, Jack oscilla entre la vie et la mort. Joe ne se laissait pas abattre et rassurait les collègues du Sénat qui venaient aux nouvelles, comme Stuart Symington et Lyndon Johnson, en leur affirmant que Jack était en bonne voie de guérison. Mais à l'idée qu'il risquait de perdre Jack, il était désespéré. Ses nerfs lâchèrent un jour qu'il était venu rendre visite à Arthur Krock, au *New York Times*. « Il me raconta qu'il pensait que Jack était mourant et il se mit à pleurer, assis en face de moi, dans le bureau. » Rose raconta plus tard que, pour Joe, c'était « inconcevable » qu'il puisse « de nouveau perdre son fils aîné, et tout son corps tremblait de colère et de chagrin... il avait le cœur brisé ».

Menacée de se retrouver veuve à vingt-cinq ans, Jackie surprit tout le monde par son énergie. Tant qu'il fut plongé dans le coma, elle lui lut de la poésie en lui tenant la main. Dès qu'il eut repris conscience, elle le nourrit à la petite cuillère, regonfla ses oreillers, harcela les infirmières quand il avait besoin d'antalgiques, lui apporta en douce les sucreries dont il ne pouvait se passer, fit des parties de leurs jeux de société préférés et lui amena des amis en visite.

« C'était évidemment une période très déprimante pour Jack, dit Charlie Bartlett. Jackie cherchait toujours le moyen de lui remonter le moral. » C'était particulièrement difficile la nuit, quand les jeunes infirmières, qui papillonnaient autour de lui dans la journée, étaient remplacées par des gardes plus âgées. Lors d'une petite soirée dans Park Avenue, Jackie demanda à une des invitées de venir avec elle à l'hôpital faire une visite surprise à Jack.

La jeune femme frappa doucement à la porte de la chambre de Jack, avant de passer la tête par l'entrebâillement. « Je suis la nouvelle infirmière de nuit ! » annonça Grace Kelly, que Jackie avait même persuadée d'enfiler un uniforme d'infirmière. « Quand Jack ouvrit les yeux, raconta Jackie, il crut vraiment être en plein rêve. Il eut à peine la force de lui serrer la main. Il ne parvint même pas à parler. » La mollesse de la réaction de Jack déconcerta Grace. « J'ai dû perdre le truc », dit-elle en quittant la chambre.

« Pendant que Jack était à l'hôpital, Jackie se montra aussi solide que le rocher de Gibraltar, dit Chuck Spalding. Elle fonçait droit devant elle en faisant tout ce qui était humainement possible pour l'aider à s'en sortir. Les gens qui la considéraient comme une fille superficielle et volage comprirent qu'ils s'étaient lourdement trompés. Jackie avait vraiment de la ressource. » Comme toujours, Joe la soutint, mais elle découvrit avec plaisir que Rose et les sœurs commençaient à la respecter. « Sans aucun doute, Jackie s'est dévouée corps et âme pour Jack, reconnut Vidal. Quand il l'a fallu, elle n'a pas hésité à lui prodiguer tous les soins indispensables. Elle a respecté à la lettre les termes du contrat de mariage. »

Jackie contribua beaucoup à la guérison de Jack en lui rapportant les ragots qu'elle réussissait à glaner par le réseau de ses relations, à Washington et à New York. Malheureusement, presque tous ces bavardages tournaient autour de lui. Et on ne se contentait pas de faire les pires pronostics sur son état de santé – on disait aussi qu'il était atteint de la maladie de Parkinson, et que s'il était maigre comme un clou, c'était parce qu'il était rongé par un cancer.

Il fallut aussi compter avec les conséquences politiques. Le Sénat était sur le point de voter une motion de censure à l'encontre de Joseph McCarthy, et des deux côtés, on fit pression sur Jack pour qu'il prenne position. Mais Joe McCarthy était un allié de longue date des Kennedy (Joe Kennedy avait largement contribué à ses campagnes) et les sœurs de Jack, Pat et Eunice, étaient même sorties avec le sénateur viscéralement anticommuniste du Wisconsin. On pouvait imaginer sans peine que les fidèles catholiques du Massachusetts, qui soutenaient McCarthy, n'apprécieraient pas qu'un Irlandais catholique votât au Sénat pour abattre un des leurs.

Au début de décembre 1954, quand le Sénat vota la motion de censure contre McCarthy, Jackie était assise sur le bord du lit de Jack. Il avait préparé deux discours, l'un expliquant pourquoi il votait la censure, l'autre pourquoi il ne la votait pas. En définitive, il n'en prononça aucun. John F. Kennedy fut le seul sénateur à esquiver complètement le problème, refusant de voter par correspondance. « Il va y avoir environ quatre-vingt-quinze visages penchés sur moi avec beaucoup d'inquiétude, dit-il à Spalding, et tout le monde va dire : "Alors, sénateur, et McCarthy, qu'en pensez-vous ?" Vous savez ce que je vais faire ? Je vais m'occuper de mon dos et je vais me contenter de crier "Ouh !" en me cachant la tête sous les draps. »

Jack savait que Richard Nixon, lui, ne viendrait pas le harceler. Même s'ils finirent par devenir des ennemis mortels, à l'époque ils paraissaient avoir l'un pour l'autre un respect sincère, et même de l'affection. Quelques jours après l'opération, l'agent des Services secrets Rex Scouten entendit le vice-président s'inquiéter pour Kennedy : « Ce brave vieux Jack est mourant. Oh ! Seigneur, continua-t-il, la voix brisée par l'émotion, faites qu'il ne meure pas. »

Pendant les huit mois durant lesquels Jack fut absent du Sénat, Nixon prit fréquemment de ses nouvelles. Avant les élections de novembre 1954, il alla même jusqu'à lui envoyer un message par l'intermédiaire de Ted Sorensen, le collaborateur de Jack. Il s'engageait à ne pas utiliser ses pouvoirs de vice-président, qui faisaient de lui le président du Sénat, pour faire pencher la balance des votes, tant que Jack ne serait pas revenu. Qu'il ait eu ou non l'intention de tenir sa promesse, Nixon, en tout cas, manifesta ainsi son désir d'aider son ami.

Dans une lettre adressée à Nixon, le 5 décembre 1954, Jackie écrivait :

Je ne pourrai jamais vous décrire combien Jack a été touché et reconnaissant du message que vous lui avez fait parvenir.

Si vous saviez le poids que vous lui avez ôté des épaules. Depuis, il s'est senti tellement mieux – et je ne pourrai jamais assez vous remercier de vous être montré si bon, si généreux, si attentif. Il traversait une période difficile, et je sais combien il se sentait insatisfait et désespéré – cloîtré à l'hôpital à se demander quelles en seraient les conséquences à Washington.

Je ne crois pas qu'il existe quelqu'un au monde qu'il tienne en aussi haute estime – et ce n'est que la preuve supplémentaire que vous êtes un être d'exception.

Nixon ne fut pas le seul officiel haut placé que Mrs. Kennedy contacta en lieu et place de son mari souffrant. Tandis qu'il luttait au fond de son lit, elle écrivit à un certain nombre de sommités en les remerciant de leur sollicitude. « Vous avez fait davantage pour lui, écrivit-elle au président Eisenhower qui avait envoyé un petit mot lui souhaitant une prompte guérison, que n'importe quel médecin. » À Bernard Baruch qu'on avait empêché d'entrer parce qu'il ne faisait pas partie de la famille, elle envoya également un mot plein de gratitude. Et elle affirma à Adlai Stevenson, le porte-étendard du parti pour les dernières élections présidentielles, que son coup de fil avait « transformé » son mari.

Deux mois après l'opération, Jack était toujours mal en point. Pensant qu'un climat chaud et un environnement familial ne pourraient que hâter sa guérison, les médecins lui proposèrent d'aller s'installer à Palm Beach. On le porta sur une civière dans une ambulance qui l'emmena à l'aéroport de La Guardia, où un avion privé l'attendait pour le conduire à l'aéroport de West Palm Beach. Jackie ne le quitta pas d'une semelle.

Une aile de la propriété de Palm Beach fut transformée en hôpital, avec des infirmières de garde vingt-quatre heures sur vingt-quatre. Mais à rester couché là, jour après jour, Jack commença à douter de pouvoir jamais remarcher, même avec des béquilles. À bout de forces, souffrant le martyre, Jack se sentait changer de personnalité. Il n'avait plus rien de celui qui survivait à tout, plein d'enthousiasme et d'optimisme, il était devenu un homme aigri. « Nous avons bien failli le perdre, dit Lem Billings. Je ne veux pas dire qu'il allait perdre la vie. Je veux dire que nous allions le perdre, lui, en tant qu'*individu.* »

« Je crois que la convalescence est encore plus dure à supporter que la douleur extrême », fit remarquer Jackie en voyant le moral de son mari flancher. Cette fois, ce fut Joe qui insista pour qu'il se fasse réopérer, car il se rendait compte que son fils était désespérément malheureux. Jack repartit pour New York et repassa sur le billard, le 15 février 1955. Il fut si près de mourir qu'un prêtre vint encore une fois lui administrer l'extrême-onction, mais de nouveau, il survécut.

Une semaine plus tard, il revint à Palm Beach, et cette fois, la guérison parut en bonne voie. Jackie se montra irremplaçable, lui faisant sans arrêt la lecture, lui transmettant les messages de ses collègues et de ses admirateurs inconnus, le tenant au courant des derniers potins. « Elle quittait rarement son chevet », dit Dave Powers, qui séjourna cinq semaines chez les Kennedy, pendant la convalescence de son patron. Elle apprit aussi à changer les pansements qui protégeaient l'horrible plaie de plus de 20 cm de long qu'il avait dans le dos.

« Il souffrait sans arrêt, dit Powers, pendant tout le temps où j'étais présent, il était incapable de dormir plus d'une ou deux heures d'affilée, mais il ne se plaignait jamais, il n'en parlait jamais. »

Le 1er mars 1955, Jack sortit de son lit et, avec l'aide de Jackie, marcha sans béquilles pour la première fois depuis six mois. Le lendemain, vêtu d'un short et d'une casquette de base-ball, il alla jusqu'à la plage, avec Jackie et Powers qui se relayaient pour le soutenir. « Il resta là, raconta Powers, à sentir l'eau tiède et salée passer sur ses pieds nus, et son visage se fendit d'un grand sourire. »

Joe avait observé la promenade de Jack d'une fenêtre de la maison. « Maintenant, je sais que rien ne peut lui arriver, confia Kennedy senior à Powers, parce qu'à trois reprises, je me suis tenu à côté de son lit de mort ; chaque fois, je lui ai dit adieu et chaque fois, il en est revenu plus fort. »

Quelques jours plus tard, George Smathers vint lui rendre visite, en compagnie de son frère aîné, Frank. « Nous étions debout dans l'entrée et Jack a dit : "Frank, je voudrais que vous me changiez mon pansement." Alors Jack a tendu à mon frère des pinces, des compresses, de l'iode et une pommade antibiotique, il s'est étendu sur le banc et il a dit : “Écoutez, Frank, il faut changer ces compresses toutes les quatre heures, alors...”

« Frank a soulevé les pansements avec les pinces, et c’était épouvantable. C’était une grande entaille – un vrai trou – tellement profonde qu’on aurait pu y glisser le poing. C’était complètement infecté et rempli de pus verdâtre. Ça dégageait une odeur immonde... Toute la chair était à vif, jusqu’à la colonne vertébrale ! Alors Frank a ôté les compresses sanglantes et les a laissées tomber par terre, puis il a appliqué de la pommade antibiotique. Pendant tout le temps qu’il faisait cela, Jack nous parlait de ce qui se passait à Washington, en faisant des blagues. Quand ça a été fini, il s’est relevé en disant : “Parfait, Frank, vous mériteriez qu’on vous décerne un diplôme de médecin. Vous vous êtes bien débrouillé.”

« Quand on pense que Jackie faisait ça et encore bien d’autres choses plusieurs fois par jour, eh bien, j’avais plutôt honte de moi en me souvenant que j’avais conseillé à Jack de ne pas l’épouser. Elle était tout aussi coriace que lui. Ils menaient ce combat contre la maladie ensemble, et ils avaient une vaillance peu commune. Même si leur mariage s’est heurté à bien des obstacles, ils n’en formaient pas moins une sacrée équipe. »

En ce mois d’avril 1955, cependant, Joe craignit qu’un homme en particulier ne vînt compromettre sérieusement cette alliance, ou du moins la perception qu’on en avait à l’extérieur. Oleg Cassini, qui connaissait Jack et Jackie depuis des lustres, s’était proposé pour escorter Jackie dans sa vie mondaine tant que Jack était souffrant. Joe, à juste titre, pouvait soupçonner Cassini de chercher à séduire Jackie. Non seulement Jack avait porté le coup fatal à l’union de Cassini et de Gene Tierney, mais le vieux Joe avait eu l’audace de faire des avances à sa fiancée Grace Kelly, avant de la convaincre de ne pas épouser ce couturier.

Un soir, tandis qu’ils contemplaient le coucher de soleil depuis la véranda de Palm Beach, Joe encouragea vivement

Cassini à se montrer discret. « Écoutez, Oleg, je ne serais pas surpris que vous ayez quelques idées à propos de Jackie. Si la situation était différente, moi-même, je pourrais m'intéresser à elle. Mais la question est celle-ci : la réalité d'un côté, les apparences de l'autre. Ce que vous faites m'est égal, mais personne ne doit être au courant. Le pire, à mon avis, ce serait d'avoir les apparences, mais sans la réalité – ce serait bête, une véritable ânerie. Vous comprenez ? »

« Jackie était une femme fascinante et nous étions de grands amis, dit Cassini, mais j'aimais beaucoup Jack. De plus, sentimentalement, je n'avais pas du tout l'air de l'intéresser. »

À l'époque où Jack était à l'hôpital à peser le pour et le contre à propos du vote McCarthy, pour finalement décider de s'abstenir, décision d'ailleurs jugée opportune par beaucoup de ses collègues, il avait commencé à rassembler la matière d'un article sur la vie des grandes personnalités politiques de l'histoire des États-Unis qui avaient adopté des positions impopulaires, mais moralement justifiées. Une fois installé à Palm Beach, il passa ses heures d'insomnie à transformer cet article en livre.

Profiles in Courage[1] devint un best-seller et remporta le prix Pulitzer de la biographie. Une fois de plus, Jack fut assisté dans ses efforts par une petite armée de chercheurs et de rédacteurs – surtout d'ailleurs par son jeune collaborateur Ted Sorensen, qui, à l'évidence, a rédigé pratiquement presque toute la version définitive.

Pour être juste, Jack a écrit de grands pans du premier jet, après s'être installé à Merrywood, pour continuer sa convalescence. « Je me souviens de lui allongé dans cette pièce, sur sa planche, en train d'écrire presque la tête en

1. Traduit en français sous le titre *Le Courage dans la politique. Quelques grandes figures de l'histoire politique américaine*, par Jean Rosenthal (rééd. Paris, 1961).

bas, dit Bartlett. Ça m'a mis tellement en colère quand les gens ont affirmé que ce n'était pas lui qui avait écrit ce livre. » Jack commença même à dire à ses amis qu'il se sentait écrivain dans l'âme, et qu'il « préférait remporter le Pulitzer » plutôt que de devenir président.

En plus de Sorensen, Jack s'appuya lourdement sur Jackie pour mener ce livre à terme. Elle l'aida à rassembler les documents du corpus, lui fit la lecture de certains passages et prit en note des fragments de chapitres, sous la dictée.

Jackie s'attela même à la lourde tâche de trouver un éditeur. Tout naturellement, elle porta le manuscrit chez Harper & Brothers, à Cass Canfield, le beau-père de sa sœur Lee.

Le 24 mai 1955, Jack fut chaleureusement accueilli par les leaders des deux partis quand il revint siéger au Sénat, sans béquilles. Même s'il pouvait marcher sans aide, il continuait à souffrir de graves élancements dans le bas du dos et la jambe gauche.

Deux jours après son triomphant retour au Capitole, Jack se rendit chez le Dr Janet Travell à New York. « Il pouvait marcher sur le plat, mais il ne pouvait ni monter ni descendre une marche, dit celle-ci. Nous avons eu du mal à le faire entrer dans mon cabinet, parce qu'il n'était pas de plain-pied. » Selon elle, « il supportait difficilement d'avoir subi trois opérations du dos – qui manifestement n'avaient fait qu'empirer la situation ». Elle lui prescrivit des bains chauds, des massages et des exercices de rééducation pour renforcer les muscles du bas de son dos – ce que, bizarrement, aucun autre médecin n'avait fait. Elle lui fournit également un matelas de crin plus ferme sur lequel dormir, un nouveau corset dernier cri (encore bleu ciel), et une semelle à mettre dans sa chaussure gauche pour compenser le fait que ce côté avait plus d'un demi-centimètre de différence avec l'autre.

En dehors de ses évidents problèmes de dos, de sa maladie d'Addison, de ses infections vénériennes, de ses graves allergies aux chevaux, aux chiens et à la poussière, les examens du Dr Travell mirent en lumière de nouveaux troubles médicaux. Il s'avéra que Jack ne tolérait pas le lactose, possédait une thyroïde hypo-active et atteignait un taux de cholestérol hallucinant, 350.

Jack se posait aussi des questions sur sa fertilité, quoiqu'il pensât avoir engrossé au moins deux femmes par le passé. Discrètement, il s'enquit auprès du Dr Travell si la maladie d'Addison ou les effets chroniques des maladies vénériennes attrapées à l'université avaient pu le rendre stérile. Elle l'assura qu'il était tout à fait capable de devenir père.

La seule chose dont Jack refusait de parler, c'était ce qui le tourmentait en permanence : la douleur. « Il était tout le contraire d'un hypocondriaque, dit le Dr Travell. On avait du mal à l'amener à se plaindre. »

Jackie entra alors en scène, demandant d'emblée au Dr Travell de tout faire pour alléger ses souffrances. Le docteur répondit qu'elle pouvait lui injecter un produit qui éliminait la douleur, mais que, du coup, son corps s'engourdirait à partir de la taille. « Eh bien, Jackie, dit Jack en riant, on ne va pas faire une chose pareille, hein ? »

Il existait une alternative moins drastique. Le Dr Travell commença à lui injecter de la novocaïne dans le dos, ce qui le soulageait, mais pour peu de temps. Cette piqûre venait s'ajouter à celles de cortisone, que Jack s'administrait lui-même deux fois par jour, pour lutter contre la maladie d'Addison. En regardant Jack enfoncer l'aiguille dans le haut de sa cuisse sans broncher, Red Fay dit : « Jack, à voir la façon dont tu plantes cette seringue, on dirait que ça ne te fait même pas mal. »

Sans crier gare, Jack piqua brutalement la jambe de son ami. Fay poussa un cri de douleur. « Eh bien, dit Jack avec nonchalance, voilà ce que ça me fait. »

Les histoires sur le stoïcisme de Jack au cours de cette période sont légion. « Nous étions en train de discuter pendant une réception, raconta Kay Halle, une de ses amies.

Il était appuyé contre une chaise à haut dossier. Brusquement, la fille qui était assise dessus s'est levée, Jack a glissé et s'est retrouvé brutalement par terre, tombant droit sur l'extrémité de sa colonne. Il est devenu blanc comme un linge, et je me souviens de lui avoir dit : "Écoutez, Jack, prenez-moi les deux mains." Il s'est relevé, il s'est redressé et il a repris la conversation. Je savais qu'il avait dû souffrir le martyre, mais il s'est remis à parler – une remarquable démonstration de son courage de fer et de sa capacité de vaincre ses problèmes physiques par la force de sa volonté. »

Il donnait l'impression de traiter ses problèmes de santé avec désinvolture. Après l'avoir vu apprécier un rocking-chair dans le cabinet du Dr Travell, Jackie lui en offrit deux : un pour la maison et l'autre pour le Sénat. Un jour, pour convaincre un de ses collègues qu'il était en excellente santé, il s'assit dans son nouveau fauteuil et s'y balança avec tant d'énergie qu'il finit par être éjecté. De nouveau, on dit de lui qu'il était devenu « blanc comme un linge ». De nouveau, il se conduisit comme si rien ne s'était produit.

Soucieux de se réaffirmer sur le front intérieur, Jack invita tout le corps législatif de l'État du Massachusetts à Hyannis Port, pour une réunion à la bonne franquette. Jackie, sans qui Jack n'aurait peut-être jamais survécu à ses dangereuses opérations, détestait cela. « Elle n'avait que mépris pour la politique et les politiciens », dit leur voisin Larry Newman. À en croire Spalding, « dès que les politicards apparaissaient, on lui voyait ce regard désespéré de quelqu'un qui supplie qu'on le sorte de là ». En règle générale, dès qu'elle le pouvait, c'était d'ailleurs ce qu'elle faisait : elle disparaissait dans les étages supérieurs. Mais quand sa présence était indispensable pour accueillir les épouses des membres du gouvernement et des officiels du parti, elle savait sourire sans se plaindre.

En juillet, Jackie se retrouva dans son élément : elle partit pendant sept semaines avec Jack en Europe, pour des semi-vacances. Durant l'audience privée que leur accorda le pape

Pie XII, ainsi que durant leur entretien avec l'ancien président du Conseil, Georges Bidault, Jackie fit fonction d'interprète. Bidault fut époustouflé. Il écrivit plus tard qu'il n'avait « jamais rencontré tant de sagesse alliée à tant de charme ».

Le fardeau de la présidence et son cortège d'inquiétudes n'étaient pas pour tout de suite. Mais ce fut au cours de ce voyage que Jack entrevit pour la première fois les capacités potentielles de Jackie face aux grands de ce monde. « Elle avait tout l'esprit et le charme d'une courtisane du XVIIIe siècle, fit remarquer Clare Booth Luce. Elle faisait tout simplement *fondre* les hommes lorsqu'elle les regardait de ses yeux immenses. Les Européens n'y furent pas insensibles. En fait, je pense qu'ils furent beaucoup plus sensibles à sa classe que les Américains. »

Durant ce voyage, Jack fut aussi soumis à une dose salutaire des sarcasmes patentés de Jackie. Le grand armateur grec Aristote Onassis invita les Kennedy à une réception à bord de son yacht *Christina*, ancré au large de la Côte d'Azur. Winston Churchill était l'invité d'honneur. Plein de respect pour l'Homme du Siècle depuis son enfance, Jack, vêtu d'un smoking blanc, tourna autour de Churchill pendant presque toute la soirée. Mais le grand homme préféra discuter avec Jackie et leur hôte. Quand ils descendirent de la passerelle, à la fin de la soirée, le sénateur était déçu. « Peut-être t'a-t-il confondu avec le serveur, Jack », dit Jackie en montrant le smoking de son mari.

En réalité, la conduite de Churchill se voulait une rebuffade délibérée. Celui qui avait été Premier ministre pendant la guerre gardait toujours rancune aux Kennedy des positions isolationnistes de Joe. « Jack admirait énormément Churchill, mais qui ne le faisait pas ? dit Chuck Spalding. Je me souviens, on était assis côte à côte, il avait le dos bandé, il souffrait le martyre, et il était venu écouter le discours que Churchill avait fait devant le Parlement. Mais Churchill l'a évité. Même quand Jack fut président, ils ne devinrent jamais amis, en partie parce qu'il en voulait à Joe, mais aussi à cause des mœurs dissolues de Jack. Courir après les femmes comme il le faisait... Churchill savait tout de la vie intime de Jack et il ne l'approuvait pas. »

Jack mit l'accueil réfrigérant de Churchill sur le compte de l'âge et de la nature irascible de l'homme d'État. Il accepta avec moins de philosophie de se retrouver en Pologne avec le dos bloqué, « furieux » (selon l'expression de Powers) d'être obligé d'apparaître en public avec des béquilles. S'il craignait que les photos où on le voyait avec des béquilles ne l'handicapent politiquement, il fut carrément horrifié en apprenant que ses médecins, à Cornell, avaient publié un article à propos de son opération, dans le *Journal of the American Medical Association.* Même si l'anonymat du malade était respecté, il lui semblait qu'après toutes les rumeurs qui avaient circulé sur son état de santé et dont la presse s'était fait l'écho, n'importe qui était à même de l'identifier :

Un homme de trente-sept ans était atteint depuis sept ans de la maladie d'Addison. On l'avait traité avec un certain succès pendant plusieurs années avec des pilules de désoxy-corticosterone de 150 mg à avaler quotidiennement. À cause d'une grave lésion dorsale, le patient se mit à souffrir énormément et le traitement de base s'en trouva altéré. Des spécialistes orthopédiques estimèrent que les douleurs pourraient diminuer notablement en pratiquant une double soudure, sacro-lombaire et sacro-iliaque. Étant donné le trauma important occasionné par ces opérations, et étant donné l'insuffisance surrénale due à la maladie d'Addison, il paraissait dangereux de procéder à ces opérations. Cependant, comme cet homme jeune était menacé d'incapacité si on ne procédait pas à ces opérations chirurgicales, on décida, à contrecœur, de les faire en procédant, si cela s'avérait nécessaire, par étapes, en deux fois...

L'article précisait ensuite les dates de la première, puis de la seconde opération. Heureusement pour Jack, aucun journaliste ne fit le lien entre lui et cet article – jusqu'en 1961, date à laquelle il était alors bien installé à la Maison-Blanche.

Quand ils revinrent à Washington, Jackie était enceinte. Elle convainquit Jack que leur étroite maison de Dent Place était trop petite pour une famille qui allait s'agrandir. « Jack ne cessa jamais de faire la cour aux femmes, pas même au seuil de la mort, dit un ami. Mais après tout ce qu'ils avaient traversé avec ses opérations, après avoir travaillé ensemble sur le livre, après ce voyage en Europe et à présent, le bébé, elle se persuada qu'il pouvait lui rester fidèle. »

Elle avait tort. Jack était plus que jamais conscient de sa propre mortalité (« Je n'ai pas beaucoup de temps », disait-il souvent) et bien décidé à prouver qu'il était resté le même, toujours aussi leste et lubrique. Juste avant de se marier, Jack avait partagé une suite au Fairfax Hotel de Washington avec George Smathers. Cet appartement appartenait à un membre du groupe de pression des chemins de fer, Bill Thompson. C'était le nid d'amour des sénateurs, où ils rencontraient des starlettes, des hôtesses de l'air, des membres du personnel du Congrès, et même, à l'occasion, une prostituée. « Personne n'a jamais rien su à propos de Bill, dit Smathers, mais il s'entendait mieux que personne avec Jack. Bill était un ami intime des Kennedy, surtout à l'époque de la Maison-Blanche. »

Tandis que Jackie se mettait en quête d'une maison, Jack remplaça sa garçonnière du Fairfax par la suite 812 du Mayflower Hotel. Là, il recommença à donner de grandes fêtes, pour des gens comme Judy Garland ou Frank Sinatra, mais aussi de petites réunions intimes, sans compter les dîners pour deux servis dans la chambre. Audrey Hepburn fut invitée dans la suite 812, de même que l'actrice Lee Remick et la sculpturale strip-teaseuse Tempest Storm.

Le 15 octobre 1955, Jack et Jackie achetèrent pour une

véritable fortune (125 000 dollars) Hickory Hill, une demeure historique comprenant des écuries et une piscine, non loin de Merrywood, à McLean en Virginie. Ils n'étaient installés dans leur nouveau foyer que depuis quelques jours quand Jackie fit une fausse couche. Elle était enceinte de trois mois.

« Évidemment, ils en furent tous deux bouleversés, dit Yusha Auchincloss, mais ils n'ont partagé leurs sentiments avec personne. Ils avaient beaucoup trop de dignité pour cela. Ce n'était pas leur genre. » En vérité, on leur posa peu de questions ; dans leur discrétion, Jackie et Jack n'avaient informé que leur proche famille de l'heureux événement. En janvier 1956, Jackie fut de nouveau enceinte.

Ce mois-là, il y eut un autre genre de naissance, la publication de *Profiles of Courage.* Conformément à ses principes, Joe senior ne laissa rien au hasard. Il s'appuya sur ses puissants amis de la presse pour avoir de bons articles, et dépensa plus de cent mille dollars en publicité et en promotion pour être sûr de voir *Profiles* apparaître sur la liste des meilleures ventes. Joe poussa de nouveau Arthur Krock, qui avait donné un coup de main à Jack pour le manuscrit, à intriguer pour obtenir un Pulitzer. *Profiles in Courage* ne faisait même pas partie de la liste du jury Pulitzer, mais sous la pression de Krock, la décision du conseil consultatif prévalut contre celle du jury et Jack obtint le prix. Ironie du sort, l'historien James McGregor Burns, un autre copain de Kennedy qui l'avait aidé pour ce livre, était donné comme favori du prix pour son livre sur Roosevelt : *Le Lion et le Renard.*

Il est peu probable que *Profiles in Courage* fût devenu l'immense succès qu'il devint – et il est certain qu'il n'aurait jamais remporté le Pulitzer – si Joe ne s'en était pas mêlé. De même, on peut être sûr que Jack appréciait à leur juste valeur les compétences machiavéliques avec lesquelles son père savait tirer les ficelles. Avant même que le conseil consultatif n'eût rendu son verdict, Jack téléphonait déjà à ses amis pour leur apprendre qu'il venait d'être récompensé par le Pulitzer.

Les négociations en coulisses faisaient tellement partie de l'univers des Kennedy qu'ils paraissaient à peine conscients des questions éthiques que cela pouvait soulever. Rose Kennedy, qui travaillait sur ses mémoires avec Robert Coughlan, lui fit observer que le credo de Joe, c'était : « Les choses n'arrivent pas toutes seules, il faut les aider à arriver. » Puis, avec fierté, elle donna plusieurs exemples : « Par exemple, lorsque Jack a obtenu le prix Pulitzer pour son livre, ou quand lui ou Bob ont été choisis comme "le Jeune Homme le plus Remarquable de l'Année". Tout cela était le résultat de leurs propres compétences alliées à un minutieux travail de déblayage fait par leur père, pour savoir qui faisait partie du comité, et comment entrer en contact avec un tel et un tel par l'intermédiaire de tel ou tel ami. Cela dit, Joe avait de la chance, parce qu'avec ses fils, il avait de la bonne matière première. »

Profiles in Courage marqua un tournant dans la carrière de Jack. Ce livre permit au fringant jeune sénateur de se démarquer de la foule de ses collègues ; il savait à la fois mener une réflexion sur le véritable sens de la démocratie et délivrer directement, et d'une manière irrésistible, un message plein d'optimisme.

Jack était largement redevable à sa femme tant de son extraordinaire guérison que de ses succès littéraires. Jackie avait ainsi prouvé, à elle-même et à sa belle-famille, qu'elle avait autant de cran et de détermination que les Kennedy. Sous son apparence parfois fragile se cachait une volonté de fer – bien assortie à celle de son époux. Personne n'en était plus impressionné que Jack, et il tint à le lui faire savoir par écrit à la page des remerciements :

Ce livre n'aurait pas vu le jour, sans le soutien et les critiques de ma femme, Jacqueline, qui m'encouragea dès le début de cette entreprise et dont je ne pourrai jamais reconnaître à sa juste valeur l'aide qu'elle m'apporta durant ma convalescence.

Dans le sillage de ses démêlés avec la mort, les appétits sexuels insatiables de Jack avaient d'ores et déjà jeté une ombre sur leur mariage. Bientôt, il serait même question de rupture. Mais pour le moment, Jackie pouvait jouir du tout nouveau respect de son époux, et prier pour que 1956 lui apportât la seule chose capable d'arrêter la vie dissolue de Jack et de cimenter à jamais leur union : un enfant.

Chapitre 6

Jack Kennedy conservait ses histoires personnelles, ses différentes amitiés, ses activités politiques, et ses autres centres d'intérêt dans des compartiments étanches. Ce n'était guère facile de réussir à le connaître de façon intime. Il possédait de nombreuses facettes... qu'il ne révéla jamais à personne.

Kenneth O'Donnell,
bras droit et confident de JFK

On finit par s'habituer à la pression qui ne se relâche jamais, et on apprend à vivre avec, comme le poisson vit dans l'eau.

Jackie

Pour Jack, 1956 fut une année décisive au cours de laquelle il commença à se placer politiquement au niveau national. L'ambitieux sénateur lança aussi son entreprise de séduction de l'électorat américain en vue des prochaines présidentielles : il avait quatre ans devant lui.

Bien sûr, il n'avait alors aucun espoir de ravir la nomination du Parti démocrate au favori, Adlai Stevenson, qui s'était opposé sans succès à Dwight D. Eisenhower en 1952. Mais tout le monde croyait savoir qui Stevenson allait choisir comme candidat à la vice-présidence. Joe avait offert une contribution de 25 000 dollars lors de la première campagne présidentielle de Stevenson, et à l'évidence, il était prêt à considérablement augmenter la mise si son fils était dans la course.

Jack appuya officiellement Stevenson le 8 mars et en profita pour informer la presse qu'il ne souhaitait pas devenir candidat à la vice-présidence. En réalité, avec ses conseillers, il y travaillait fébrilement. Lors de deux rassemblements à Boston, le sénateur du Tennessee et père du futur vice-président, Albert Gore, soutint Jack devant quarante mille personnes, et de fait appuya sa candidature tant à la présidence qu'à la vice-présidence.

Parallèlement, on envoya des exemplaires dédicacés de *Profiles in Courage* aux dirigeants du parti dans tout le pays, accompagnés d'une lettre les invitant à regarder la reconstitution télévisée de la saga de la vedette PT-109. Jack accepta également de raconter *La Poursuite du bonheur*, du producteur d'Hollywood Dore Schary, un film de vingt minutes à la gloire des réalisations du Parti démocrate, qui devait être projeté lors de la Convention du mois d'août.

Puisque les électeurs avaient encore en mémoire la crise cardiaque d'Eisenhower de 1955, il eût été logique qu'on s'intéressât à la mauvaise santé de Jack. Mais, curieusement, personne n'aborda ce sujet en 1956. Les principales objections à sa candidature furent sa jeunesse (le vénérable porte-parole Sam Rayburn l'appelait toujours « ce morveux de Kennedy ») et sa religion. Pour contredire le lieu commun selon lequel le pays n'était pas prêt à avoir un président ou même un vice-président catholique, l'indispensable Ted Sorensen poussa l'écrivain et journaliste Fletcher Knebel à aborder la question deux mois avant la Convention, dans le magazine *Look.* Dans un article intitulé : « Un catholique peut-il devenir vice-président ? », Fletcher Knebel s'appuyait sur les recherches de Sorensen pour démontrer que non seulement un catholique pouvait jouer un rôle au niveau national, mais que ce serait même excellent pour l'ensemble de la nation.

Le 1er juillet, Jack déclara carrément dans l'émission *Face the Nation*, sur CBS, qu'il n'était pas candidat à la vice-présidence. Cependant, de nouveaux alliés, comme le gouverneur du Connecticut, Abraham Ribicoff, et le conseiller de Stevenson, Arthur Schlesinger junior, s'efforçaient en coulisses d'influencer les délégués. Une des missions de Schlesinger, c'était d'éliminer Eleanor Roosevelt, qui estimait que Jack manquait de caractère. Faisant allusion sans beaucoup de finesse à l'influence de Joe sur son fils, la veuve de FDR affirmait que le parti ne devait pas proposer à un poste d'envergure nationale « quelqu'un qui reconnaît et admire le courage, mais qui n'a pas suffisamment d'indépendance pour en faire preuve ».

Au cours des mois précédant la Convention de Chicago, tandis que Jack était plongé dans les grandes manœuvres, Jackie, qui devait accoucher en septembre, essayait de se maintenir au-dessus de la mêlée. « La plupart des jeunes époux s'absentent pour leur travail entre neuf heures et cinq heures, dit-elle à un journaliste, mais moi, j'ai épousé une tornade et je trouve cela assez dur à vivre. »

Incapable de calmer sa « tornade » et n'ayant guère envie de se laisser emporter, elle s'employa à redécorer Hickory Hill, décrochant les rideaux, repeignant les chambres, et remplaçant le mobilier datant de l'ère Eisenhower par des meubles anciens mieux adaptés à une majestueuse demeure de Virginie. Janet Auchincloss raconta que « Jackie fit particulièrement attention à la salle de bains et au dressing de Jack. Il fallait que ses chaussures soient rangées exactement à la bonne hauteur et qu'il n'ait pas besoin de se pencher pour ouvrir ses tiroirs – afin de ne pas se faire mal au dos. Je me souviens qu'elle s'est donné un mal de chien ».

Mais elle s'intéressa surtout à la chambre d'enfants. « Jackie était très heureuse à l'idée de l'arrivée du bébé, mais sa fausse couche précédente la préoccupait. Elle refusait d'en parler, mais apparemment, elle n'appréciait guère que Jack fût totalement pris par la Convention à venir. » D'être laissée en rade dans la campagne de Virginie ne fit que renforcer son sentiment d'être abandonnée par son mari.

Bien qu'enceinte de huit mois et inquiète à l'idée de faire encore une fausse couche, Jackie décida de rejoindre Jack à Chicago pour l'ouverture, le 13 août, de la Convention nationale démocrate. Jack lui proposa de s'installer chez sa sœur Eunice et son mari Sargent Shriver, tandis que lui prenait ses quartiers au Conrad Hilton. (Ethel, qui était également enceinte de huit mois, assista à la Convention, mais Pat Lawford, l'épouse de l'acteur Peter Lawford, prit sa grossesse avancée comme excuse pour ne pas venir de Californie.)

Une fois de plus, Jack, à la tête de la délégation de son État, répéta publiquement qu'il n'était pas candidat. Le premier jour de la Convention, ce ne furent pas seulement les délégués qui regardèrent *The Pursuit of Happiness*, mais les téléspectateurs de tout le pays, et dans la nuit, Jack fut reconnu comme un ténor du parti. Il demanda personnellement son soutien à Eleanor Roosevelt. Mais au lieu de l'appuyer, celle-ci, selon Ken O'Donnell, « le réprimanda en pleine réunion pour ne pas avoir plus fermement pris position contre Joe McCarthy ». Dans un ultime effort, Jack sollicita directement Stevenson, qui demanda au sénateur du Massachusetts de faire partie des candidats – certes un honneur, mais aussi une façon limpide de dire qu'il n'avait pas l'intention de le choisir comme second.

Comme prévu, Stevenson emporta les suffrages dès le premier tour. Mais plutôt que de choisir lui-même le vice-président, il choqua les délégués en laissant cette tâche à la Convention. Les candidats – le sénateur Estes Kefauver du Tennessee, Hubert Humphrey du Minnesota, le sénateur Albert Gore senior et Kennedy – se lancèrent dans la bataille.

Tous les Kennedy disponibles furent priés de se mettre au travail pour rassembler les voix, sur place et dans les couloirs d'hôtel. Jack avait demandé à Bobby de tenir leur père au courant, mais la réaction de Joe était prévisible. Tout à fait opposé à cette opération, il s'était retiré dans une villa sur la Côte d'Azur. Dans une cinglante tirade, il leur répéta une fois de plus que Stevenson avait toutes les chances de perdre, face au bien-aimé Ike, et que si Jack était dans la course, on ferait porter à son catholicisme le chapeau de la défaite. « Ça va te casser ! » affirma Joe. « Ouh là là ! s'exclama Bobby en raccrochant le téléphone. Il est furieux ! » Mais Jack s'était trop avancé pour faire machine arrière ; pour la première fois de sa vie, il avait désobéi aux ordres de son père.

Jackie, mal à l'aise en fin de grossesse, mais tenant par-dessus tout à satisfaire son mari, fit courageusement ce qu'on lui demandait. Elle assista à un petit déjeuner pour les délégués de Nouvelle-Angleterre, ainsi qu'à une réception destinée aux épouses donnée par Perle Mesta, et fut photographiée à la Convention en train d'agiter avec enthousiasme une pancarte pour Stevenson. Cependant, elle se refusa à donner des interviews et piqua littéralement un sprint dans un parking souterrain pour échapper à la journaliste du *Washington Post*, Maxine Cheshire. Grossesse ou pas, Maxine Cheshire raconta que, dès que Jackie l'avait repérée, « elle avait remonté ses jupes et pris ses jambes à son cou ».

Plus tard, Jackie confia à des amis qu'elle n'aurait jamais fait le voyage à Chicago si elle avait su que son mari passerait tout son temps à la Convention et dans des chambres d'hôtel enfumées. Elle affirma qu'ils n'avaient pas échangé un seul mot, et qu'elle ne l'avait vu qu'une fois, quand il était passé devant leur loge en mezzanine à la Convention, le soir de l'élection de Stevenson. Une fois de plus, Jackie eut le sentiment que son mari l'excluait d'une partie importante de son existence.

« Elle détestait la politique, remarqua Spalding, mais en même temps, elle voulait faire partie de l'univers de Jack. Elle souhaitait partager l'expérience de la Convention, mais

Jack était trop occupé à accomplir ce qu'il estimait son devoir, et rien n'aurait pu l'en détourner. »

Après un deuxième tour de scrutin qui lui fut favorable, Jack perdit le poste de vice-président au troisième tour. Dès qu'il fut évident qu'il ne gagnerait pas, il s'empara de la tribune pour appeler les délégués à nommer Kefauver par acclamations.

Lyndon Johnson avait rallié l'ensemble de sa délégation à la cause de JFK et appelait fièrement les Texans à voter « pour le courageux marin qui portait les cicatrices de la bataille ». Mais en réalité, Johnson était sidéré de la rapidité avec laquelle Jack s'imposait. « Je n'avais jamais rien vu de pareil, ce jeune freluquet, accablé par la malaria, et jaune comme un coing, malade comme une bête. Il n'avait jamais rien dit d'important au Sénat, il n'y avait jamais rien fait. Mais avec ses livres et son prix Pulitzer, il avait réussi à se faire passer pour un brillant intellectuel, un jeune chef qui saurait changer la face de la nation. Cela dit, je dois reconnaître qu'il avait un solide sens de l'humour et qu'il passait terriblement bien sur ces bon sang d'écrans de télévision... mais la façon dont il a mis peu à peu le peuple américain dans sa poche, c'est très mystérieux pour moi. »

Pour Jack, qui n'avait pas l'habitude d'être perdant, ce fut un vrai coup dur. « Il en resta très amer, et particulièrement fâché contre Stevenson, dit Smathers qui avait choisi Jack comme candidat à la vice-présidence. Il lui en a voulu jusqu'à la fin de ses jours. »

Le soir de la défaite, Jack, debout sur le lit, dans sa suite du Conrad Hilton Hotel, remercia son équipe de ses splendides efforts. « Il était ému, se souvint Smathers, ce qui m'a vraiment surpris. Tout s'était décidé au pied levé, mais lui, il avait pris cela terriblement à cœur. Pendant que Jack parlait, Jackie était debout à côté de lui, en larmes. Jamais, jusque-là, elle ne s'était ainsi trouvée au cœur de l'action, et je pense qu'elle était complètement épuisée, à bout de forces. C'était très dur pour elle, mais nous n'en avons compris la gravité que plus tard. »

Charles Bartlett, qui faisait partie de l'équipe Kennedy à Chicago, fut, lui aussi, étonné de la réaction de Jack. « J'étais surpris de le voir aussi manifestement déçu, dit-il. J'étais vraiment sidéré car je ne m'étais pas rendu compte qu'il en avait tellement envie. Je n'ai jamais clairement compris pourquoi il prenait ça aussi mal. C'est resté un mystère... »

Le 16 août 1956, la nation eut droit à un nouvel aperçu du jeune sénateur et de sa séduisante épouse, cette fois au cours de l'émission *Outlook*, sur NBC, animée par Chet Huntley. Jackie, avec son habituelle triple rangée de perles, était assise, l'air guindé, dans le salon à Hickory Hill et répondait aux questions du journaliste.

Ce que les téléspectateurs ne virent pas, ce fut un échange de phrases révélateur à la fin de l'enregistrement. Quand on lui demanda si elle souhaitait être avec son mari, elle répondit oui, comme on pouvait s'y attendre. Mais quand le journaliste continua en disant : « Vous êtes extrêmement amoureuse de lui, n'est-ce pas ? » la réponse de Jackie fut pour le moins surprenante.

« Oh *non* », dit-elle en rejetant la tête en arrière. Puis elle fixa la caméra, souriante, pendant un temps interminable. Finalement, comme si elle comprenait qu'elle venait de faire un lapsus freudien fatal, elle demanda : « J'ai bien dit non ? »

Lui donnant le temps de se remettre, le journaliste reprit : « J'espérais que vous ne diriez rien, parce que votre réaction était merveilleuse. »

Jackie, toujours souriante, ne répondit pas.

« Parfait... vous êtes *bien* extrêmement amoureuse de lui, n'est-ce pas ? »

Plutôt que de sauter sur l'occasion de se corriger, Jackie se tut de nouveau avant de répondre, non sans hésitation :

« Je crois... » Toute cette partie fut coupée au montage définitif.

Le lendemain de la Convention, Jack et Jackie repartirent à New York. Jack avait prévu de rejoindre ses parents sur la Côte d'Azur, avant d'aller faire une croisière en Méditerranée, avec son frère Teddy et George Smathers. Jackie, qui se sentait fatiguée et vulnérable, fut blessée qu'il envisageât de la quitter alors que sa grossesse était si avancée, d'autant qu'elle, elle ne l'avait pas laissé tomber à Chicago. Elle le supplia de rester, mais il n'était pas dans ses mœurs d'accepter qu'une femme lui dictât sa conduite. À peine étaient-ils arrivés à La Guardia qu'il s'envola pour la France.

Jackie, elle, partit toute seule à Newport pour se remettre de sa semaine épuisante à faire de la politique pour le compte de son époux. Quand elle arriva à Hammersmith Farm, sa mère lui demanda pourquoi elle laissait Jack l'abandonner dans un moment pareil. D'après Janet, une femme enceinte ne devait pas accepter que son mari se montrât aussi intraitable ; elle devrait peut-être envisager de le quitter. « Je suis persuadé que Jackie savait pertinemment qu'il allait avoir son lot de compagnie féminine pendant le voyage, dit Smathers. Elle ne voulait pas qu'il parte, et elle le lui avait dit, mais en définitive, elle ne pouvait rien y faire. Il n'était pas dans le tempérament de Jack d'être monogame. »

Jack avait envie – *besoin* – de prendre conseil auprès de son père le plus rapidement possible et cela passait avant même son dévorant appétit sexuel. En décidant à la dernière minute de se lancer dans cette course à la vice-présidence, pour la première fois, il n'avait pas tenu compte de l'avis de Joe. Par cet acte d'indépendance, Jack affirmait sa maturité politique, mais il respectait toujours autant son père. À l'avenir, comme par le passé, l'Ambassadeur demeurerait le guide de sa carrière.

Après s'être entretenu avec son père, Jack affréta un voilier de douze mètres et partit naviguer pendant une semaine. À bord, il y avait un équipage complet, ainsi que plusieurs dames. (« Jack téléphona pour me demander de venir, mais la nature du voyage était sans ambiguïté », raconta P. McMillan.) Parmi celles qui acceptèrent l'invitation, il y avait une époustouflante blonde du tout-Manhattan qui avait déjà eu l'occasion de tenir compagnie à Jack à New York. Elle parlait d'elle toujours à la troisième personne en s'appelant « Pooh ».

Jackie se réveilla le 23 août 1956 – une semaine après avoir dit à un journaliste de la télévision qu'elle n'aimait pas son mari et un mois avant l'arrivée prévue du bébé – en appelant à l'aide. Janet se précipita dans la chambre de sa fille et la trouva pliée en deux par terre. Atteinte d'hémorragie interne, Jackie fut emmenée en urgence à l'hôpital de Newport où les médecins lui firent une césarienne pour essayer, malgré tout, de sauver le bébé. L'enfant mort-né, une fille, ne reçut pas de nom.

La vie de Jackie était également en danger. Elle avait perdu énormément de sang et il fallut lui faire plusieurs transfusions. On estima qu'elle était dans un état critique ; on appela un prêtre, au cas où il deviendrait nécessaire de lui donner l'extrême-onction. Quand elle ouvrit les yeux quelques heures plus tard, ce fut Bobby, le frère de Jack, qu'elle trouva assis à ses côtés. Il lui apprit que son bébé était mort, mais ne lui dit pas qu'il avait pris toutes les dispositions nécessaires pour l'enterrement. Officiellement, on blâma « la fatigue et la tension nerveuse qui avaient suivi la Convention nationale démocrate ».

Jackie dut faire face à cette perte seule, tandis que les amis et la famille essayaient en vain de joindre le père de ce bébé mort-né. Naviguant en compagnie de son frère Teddy et de Pooh, il ne vit pas la première page du *Washington Post*, ni la légende LE SÉNATEUR KENNEDY, EN CROISIÈRE SUR LA MÉDITERRANÉE, IGNORE QUE SA FEMME A PERDU SON BÉBÉ. Pat Lawford mit au monde sa fille Sidney, quarante-huit heures exactement après la mort du bébé de

Jackie. Deux semaines plus tard, Ethel donna naissance à son cinquième enfant, Mary Courtney, ce qui ne fit qu'accentuer le sentiment de deuil de Jackie.

Trois jours après la mort de leur enfant, le bateau de Jack fit enfin escale à Gênes. Il téléphona chez lui et Jackie l'informa des tragiques événements. Qu'il fût en état de choc ou simplement d'une brutalité inimaginable – probablement un peu des deux – il lui répondit qu'il n'avait pas l'intention de raccourcir sa croisière. Jackie en fut blessée, et fâchée. Quand Jack rapporta cette conversation à Smathers, celui-ci rétorqua : « Je lui ai dit : "Vous feriez mieux de vous magner le cul pour rentrer si vous voulez rester marié – et si la Maison-Blanche vous intéresse toujours." Nous avons filé comme l'éclair jusqu'à l'aéroport, dit Smathers. Je ne peux pas dire qu'il était le meilleur et le plus attentionné des époux. Et c'est une honte qu'il n'ait pas montré plus de compassion à l'égard de Jackie. Mais il était inquiet. Il était inquiet. »

Lem Billings affirma que les hommes du clan Kennedy « s'intéressaient davantage à leurs enfants qu'à leur femme ». Et Joe écrivit à son ami Michael Morrissey que Jack avait été plus déprimé après la mort du bébé que pendant la période noire qui avait suivi ses opérations ratées. JFK se révéla par la suite un père aimant qui prenait grand plaisir à la compagnie de ses enfants, et un homme capable d'éprouver beaucoup de chagrin à la disparition d'un nouveau-né.

Mais alors, pourquoi se montra-t-il tellement dénué de compassion, ne pouvant ni ne voulant comprendre la profondeur du chagrin de Jackie ? Une fois de plus, il marchait sur les traces de son propre père, qui n'était jamais présent à la naissance de ses enfants. Il ne s'était jamais considéré comme un époux, et encore moins comme un père. Comme beaucoup d'hommes, il ne comprit ce que cela signifiait que face à ses propres enfants.

Le temps que Jack rejoignît Jackie à Newport, le mal

était fait : elle se sentait abandonnée et trahie ; elle accusait le mode de vie frénétique des Kennedy en général, et l'obsession politique de Jack en particulier, de l'échec de ses grossesses. Elle refusa de retourner à Hickory Hill, où l'attendait une chambre d'enfants vide. « Sans cet enfant tant attendu, dit une amie proche, c'était triste et solitaire pour Jacqueline. »

Bien qu'ils n'eussent jamais voulu l'admettre, la perte de ce second bébé les fit gravement douter de leurs capacités de faire des enfants. Une fois de plus, Jack interrogea discrètement la Faculté : il voulait être sûr que ni la maladie d'Addison ni les maladies vénériennes de sa jeunesse n'étaient responsables.

C'est à Jackie que les Kennedy firent porter le chapeau, en affirmant derrière son dos que la distinguée miss Bouvier avait une constitution trop délicate pour devenir mère. En revanche, Ethel eut onze enfants en dix-sept ans. Ethel, affirma Jackie « pond des enfants comme une lapine... Une vraie machine à concevoir – on la remonte et elle se retrouve enceinte ».

Quatre mois après leur retour de Chicago, Jack et Jackie vendirent Hickory Hill à Bobby et Ethel. Jackie offrit plus tard à Ethel une caricature de sa main où on voyait Hickory Hill grouiller littéralement de gamins.

Plutôt que d'essayer de compenser son manque d'égards en restant davantage dans son foyer, Jack se replongea dans le travail. Comme on pouvait s'y attendre, Jackie prit les choses de plus en plus mal. Les bouderies et les silences prolongés ne suffirent plus ; elle enclencha la vitesse supérieure en se retirant complètement de la scène. Alors que son mari était à Washington, répondant au pied levé aux questions des journalistes en tant que nouveau porte-parole de son parti, Jackie brillait par son absence. Elle passait presque tout son temps à Hammersmith Farm et à New York, où elle compatissait à la situation de Lee, qui avait ses propres difficultés conjugales. Randolph Churchill leur avait trouvé un surnom : « les sœurs Bla-Bla ».

Ce ne fut pas la première fois que Jackie envisagea de divorcer. À l'été 1955, pendant leur voyage en Europe, les entreprises de séduction tous azimuts de Jack l'avaient mise dans une telle colère qu'elle avait dit à des amis qu'elle le quittait. « Jackie quitta Jack Kennedy à ce moment-là, raconta Peter Ward, un ami anglais qui les avait rejoints à Antibes. Ils étaient séparés. Elle a dit devant moi, à plusieurs reprises : "Je ne reviendrai pas". » Cependant, quelques jours plus tard, les Kennedy dînèrent en compagnie des Canfield à Monaco. « C'était parce que Jack l'avait persuadée de revenir », affirma Ward.

De façon sidérante, Jack a peut-être choisi ce moment pour tromper Jackie avec sa propre sœur. D'après Vidal, Michael Canfield affirma « qu'il lui arrivait parfois de penser qu'elle [Lee] allait peut-être trop loin, vous savez ? Comme de coucher avec Jack dans la chambre voisine de la mienne, dans le sud de la France, puis de s'en vanter ».

Cette fois, les rumeurs de divorce qui traînaient dans l'air se retrouvèrent dans les journaux. Drew Pearson, le premier, en parla dans sa chronique. Puis le *Time* suivit, racontant que Joe avait rencontré Jackie à Manhattan pour lui offrir un million de dollars si elle acceptait de ne pas divorcer.

Le clan Kennedy écarta ces rumeurs d'une chiquenaude. En lisant l'article du *Time*, Jackie serait censée avoir téléphoné à Joe en le traitant de « Vieux radin ! Seulement un million ? Pourquoi pas dix ? » Blague à part, Joe, persuadé qu'un divorce compromettrait définitivement les chances de Jack d'accéder à la Maison-Blanche, négocia bien un traité de paix entre son fils et sa bien-aimée bru. Il prit un avion pour Hyannis et plaida la cause de Jack auprès de Jackie.

Même si elle refusa toujours de l'admettre, Jackie partageait les doutes de ses belles-sœurs sur ses capacités d'avoir un enfant. Mais elle savait qu'elle n'avait pas la moindre chance de mener une grossesse à son terme tant qu'elle serait soumise à la pression constante du rythme de vie trépidant des Kennedy. Elle accepta de ne pas quitter Jack, mais seulement à la condition de garder ses distances vis-à-vis de ce clan tapageur. Ce qui signifiait dîner en leur compagnie une fois par semaine tout au plus, et ne jamais être contrainte de participer à leurs activités éprouvantes.

Elle voulut également négocier une nouvelle voiture – une Thunderbird, très précisément. « Après tout, qu'y a-t-il de plus *américain ?* » demanda-t-elle. Mais Joe ne voulut pas en entendre parler. « Les Kennedy, répondit-il, conduisent des Buick. »

« Alors, raconta Jackie en soupirant, je conduisis une Buick. »

« Joe nous a dit qu'il avait bien offert à Jackie un million de dollars pour qu'elle ne divorce pas, c'est vrai, dit Clare Booth Luce. Le *Time* n'aurait jamais imprimé cette histoire, autrement. » Elle et son époux étaient des amis de Joe.

Jackie en parla sans réticence à Gore Vidal. « Oui, dit celui-ci, Joe a bien offert de l'argent à Jackie pour qu'elle reste avec Jack, et elle l'a pris. Avec plaisir. »

Il paraît douteux qu'en dépit de toutes ses rodomontades Jackie ait réellement eu l'intention de demander le divorce à ce moment-là. Il existait peu d'hommes aussi riches que Jack, et aucun d'aussi intéressant. Elle avait déjà trop investi dans la relation pour reconnaître sa défaite, d'autant qu'il était sur le point de se lancer dans la course à la présidence. Et elle avait besoin de prouver aux Kennedy et à elle-même qu'elle était capable d'avoir des enfants.

Si cette crise fut résolue, c'est parce que Jack chargea Joe de négocier ses affaires conjugales. Là où toute femme humiliée aurait rançonné son mari pour compenser sa tristesse, Jackie négocia un compromis avec son beau-père. Et quand il chercha à calmer le jeu grâce à l'argent – le sien – « elle aurait été bien bête », selon les termes d'une amie, de repousser sa proposition.

Donc, dans le cadre de ce marché, Joe accepta aussi de

louer pour le couple une maison au 2808 P Street, à Georgetown, le temps qu'ils trouvent une résidence définitive. Cependant, Jackie resta presque tout l'automne de 1956 à New York, déjeunant régulièrement au Plaza Hotel en compagnie de Vidal.

Un après-midi, Vidal emmena Jackie, qu'il décrivait comme « fascinée par Hollywood et les vedettes de cinéma », assister à une répétition de sa pièce télévisée *Honor*. Elle fut « très impressionnée » par Dick York (qui devint plus tard la star de la série comique *Ma sorcière bien-aimée*) et essaya de ne pas se mettre dans les jambes de l'assistant metteur en scène Dominick Dunne, qui passait son temps à cavaler sur le plateau.

Vidal se souvient qu'ils étaient en train de boire un café tout en regardant la répétition et brusquement, Jackie laissa échapper : « J'adorerais être actrice. » Quand Vidal lui demanda si la célébrité politique de Jack n'était pas plus intéressante, elle répliqua : « Pour Jack, sûrement. Pas pour moi. Je ne le vois jamais. »

Quand Jackie revint sur cette question, Vidal lui dit qu'il était sûr qu'un studio l'embaucherait, rien que par goût de la nouveauté. Comme elle insistait, il l'emmena chez Downey's, un des repaires préférés des acteurs new-yorkais. Quand les habitués voulurent savoir qui était la séduisante personne qui l'accompagnait, Vidal répondit : « C'est la dernière recrue de la Warner. » « Ce qui parut les satisfaire », commenta-t-il.

Jackie retourna à Georgetown et, cette fois, ne fit aucun effort de participation quand son mari se démena pour Adlai Stevenson et Estes Kefauver. Vidal raconta que, alors qu'il leur rendait visite dans leur demeure de P Street, Jack apparut brusquement vêtu d'un peignoir mal fermé qui s'entrouvrit, révélant qu'il ne portait rien en dessous. Il avait le visage enflé à cause d'une dent de sagesse enclavée.

« Comment puis-je aller faire un discours à Baltimore, se plaignit-il, avec une tête pareille ? »

Jackie avait presque l'air de s'amuser de la situation difficile dans laquelle il se trouvait. « N'est-il pas vaniteux ? » demanda-t-elle tout en versant un verre à Vidal.

En novembre, Jackie alla rendre visite à Lee, à Londres ; son mari, Michael Canfield, travaillait à l'ambassade. Lee avait invité Jackie, déprimée par la mort de son bébé et le désastre de son mariage, pour lui remonter le moral. Mais Jackie dut affronter le plaidoyer désespéré de Canfield, qui comptait sur elle pour l'aider à sauver son propre couple. Il lui raconta qu'il avait tout tenté pour faire plaisir à Lee, mais Jackie ne se laissa pas émouvoir. Le seul conseil qu'elle lui donna reflétait la solution qu'elle avait trouvée pour son compte lors de ses négociations avec Joe. « Gagne davantage d'argent, Michael », dit-elle à son beau-frère. Quand Canfield lui rappela qu'en plus du revenu de ses actions, il touchait un double salaire, l'un de la société de son père, Harper & Brothers, et l'autre de l'ambassade, Jackie sourit. « Non, Michael, je parle vraiment d'Argent. »

Pour le week-end de Thanksgiving, tous les Kennedy, leurs familles et quelques amis proches se réunirent à Hyannis Port. Tandis que Jackie prenait pour la première fois ses nouvelles nièces dans les bras, en faisant de son mieux pour cacher son chagrin, Jack se réfugia avec son père dans un petit bureau donnant sur le salon. Là, ils discutèrent des avantages et des inconvénients qu'il y avait pour Jack à briguer la présidence en 1960. À la fin de leur entretien, Jack rayonnait. « Bon, papa, je crois qu'il ne reste plus qu'une question à régler. Quand commence-t-on ? » Puis ils s'embrassèrent.

Jack sortit de la pièce et annonça à Dave Powers qu'il avait décidé de se mettre sur les rangs. Le sénateur souligna qu'il ne lui avait manqué que trente-trois voix et demie pour remporter la candidature à la vice-présidence, alors qu'il s'y était pris à la dernière minute. « Si je travaille avec acharnement pendant quatre ans, dit-il à Powers, je devrais pouvoir ramasser toutes les billes. »

Jack ne consulta pas sa femme avant d'annoncer sa décision à la famille. S'il l'avait fait, elle n'aurait probablement pas donné son avis. « Je n'oserais jamais imaginer avoir le droit de lui dire ce qu'il a à faire. » Mais en dépit de toutes ses récriminations à propos de la fumée des cigares, des coulisses de « Murphia » et des dîners ennuyeux où tout ce qu'on mangeait avait un goût de carton, Jackie nourrissait ses propres ambitions. « Fondamentalement, elle vivait pour l'argent et pour la position sociale, dit Vidal. En aucune façon, elle n'avait l'intention d'essayer de détourner Jack de ses projets présidentiels. »

Jack et Jackie retrouvèrent Lee et Michael Canfield pour une semaine au soleil de la Jamaïque. Puis ils revinrent tous passer Noël à Merrywood. Lentement, Jack retrouvait la confiance et l'affection de Jackie. Mais celle-ci était toujours aussi décidée à garder ses distances avec le clan Kennedy.

En mars, Jackie retrouva sa gaieté en apprenant qu'elle était de nouveau enceinte. Cette fois, elle annonça son intention de se dorloter. Fuyant les contraintes et les angoisses de la vie politique, elle allait se consacrer à la décoration de la nouvelle maison en brique rouge qu'ils avaient achetée à la fin du printemps, 3307 N Street NW, à Georgetown.

Jackie se servit de l'argent de Joe pour embaucher la décoratrice d'intérieur Sister Parish, mais tout le monde savait sur qui reposait la responsabilité du travail. Avec une précision militaire identique à celle de sa mère, à l'époque où elle s'était occupée de Merrywood et Hammersmith Farm, Jackie prit les mesures, fit des croquis et examina tous les échantillons de moquettes et de tissus.

Les lattes des planchers furent recouvertes d'un motif vert pâle et blanc, en forme de losange, et ces couleurs se retrouvèrent dans toute la maison. Les pièces étaient meublées en style XVIIIe français appliques murales dorées, fauteuils Louis XV dans le salon de réception haut de plafond, chaises cannées Louis XVI dans la salle à manger, avec un tapis à motif de roses, tables en marqueterie de bois clair, lampes au pied doré ou argenté avec des abat-jour genre chinois, guéridons italiens en bois fruitier, tables basses en acajou, aquarelles dans des cadres dorés, tapisseries et pots de cuivre débordant de fleurs fraîches. Sans se laisser abattre par sa triste expérience à Hickory Hill, elle fit particulièrement attention à une pièce : la chambre d'enfants au troisième étage.

Elle n'avait pas à craindre d'avoir son mari dans les jambes. Cette année-là, Jack reçut plus de 2 500 invitations à venir parler, et en accepta 144. En lui consacrant sa couverture (la première), le *Time* en rajouta sur le jeune sénateur qui avait laissé dans son sillage « des hommes politiques bouche bée et des femmes en pâmoison ».

Jack n'était pas le seul Kennedy à obtenir la une des médias. En tant que principal avocat de la commission parlementaire sur le racket du sénateur John L. McClellan, ce printemps-là, Bobby s'attaqua au patron du syndicat des routiers, Jimmy Hoffa, devant des millions de téléspectateurs. Moins raffiné et plus gamin que son frère si courtois, Bobby l'échevelé n'en commença pas moins à recevoir des lettres d'admiratrices. Le magazine *Look* consacra seize pages à « l'ascension des frères Kennedy », suivi par un article du *Saturday Evening Post*, sur toute la famille, intitulé : SURPRENANTS KENNEDY.

La « Kennedymania » ne faisait que commencer en ce mois de juin 1957, quand la « sœur » par alliance de Jackie, Nini Auchincloss, âgée de dix-neuf ans (la demi-sœur de Gore Vidal), épousa Newton Steers dans la St. John's Church, à Washington. Jackie, qui avait aidé Nini à acheter ses premiers sous-vêtements, se retrouva dans le cortège à la tête des demoiselles d'honneur.

Durant la réception à Merrywood, Jackie, une fois de plus, donna à Nini quelques conseils entre femmes que Janet ne pouvait pas ou ne voulait pas donner. Tandis que les invités se promenaient dans la propriété méticuleusement entretenue, Jackie se rendit dans une des salles de bains avec la mariée, pour lui montrer comment faire sa toilette intime. Avant de partir, elle se permit une remarque légèrement ambiguë : « Ce qu'il y a de bien dans le mariage, c'est qu'on peut déjeuner avec des hommes. »

Moins d'un mois plus tard, Jackie reçut un coup de fil de son « frère » Yusha. Il était tombé sur Black Jack à New York et ne l'avait pas trouvé en forme. Black Jack avait lentement descendu la pente depuis qu'il avait vendu sa charge à la Bourse de New York en 1950, pour 90 000 malheureux dollars – en 1929, elle en valait sept fois plus et aujourd'hui, elle en coûterait douze fois plus. Solitaire et reclus, il vivait des revenus d'un capital de 200 000 dollars, et paraissait se satisfaire de passer son temps à se soûler à mort en pestant contre la vénalité de son ex-femme. Il avait rarement sous la main quelqu'un auprès de qui se plaindre. Lee vivait à Londres, et l'emploi du temps draconien de Jackie ne lui laissait guère le loisir de venir le voir. Ce qui n'expliquait pas pourquoi elle n'avait envoyé ni carte ni lettre depuis plus d'un an. Quand il apprit par le *New York Times* qu'elle était de nouveau enceinte, il en fut profondément blessé ; elle ne s'était même pas donné la peine de l'en informer personnellement.

Cette fois, Yusha avait remarqué que Black Jack était blafard et décharné. Jackie, qui passait l'été à Hyannis Port, prit immédiatement l'avion pour New York ; mais quand elle débarqua chez son père, il se lança aussitôt dans une diatribe contre les enfants ingrats. Comment ses filles pouvaient-elles ainsi l'abandonner ? Pourquoi ne lui avaient-elles pas écrit ou téléphoné depuis plus d'un an ? Il avait payé leur éducation, il leur avait même appris à attirer et retenir l'attention des hommes. Manifestement, elles estimaient ne plus avoir besoin de lui, puisqu'elles s'étaient trouvé de riches pères de remplacement, comme Hughdie Auchincloss, Joe Kennedy et le grand éditeur Cass Canfield pour veiller sur leurs intérêts.

À le voir bouillonnant de colère, Jackie ne lui trouva pas

l'air malade. Bien au contraire, il paraissait en pleine possession de ses moyens – surtout quand il exposa les sentiments moins que charitables qu'il nourrissait à l'encontre de son ex-femme. Puisque son père restait sourd à ses excuses pleines de sincérité, Jackie repartit pour Hyannis Port.

L'alcool ne réussissant plus à masquer la douleur qui irradiait de son abdomen, Black Jack se fit admettre au Lenox Hill Hospital de New York, pour passer une série d'examens, le 27 juillet, la veille du vingt-huitième anniversaire de Jackie. Persuadée que son père était en de bonnes mains et que sa présence n'était pas indispensable, Jackie célébra son anniversaire avec Janet à Hammersmith Farm. Cinq jours plus tard, Black Jack tomba dans le coma. Ce fut la première fois que Jackie entendit dire qu'il était atteint d'un cancer du foie. Elle se précipita à l'hôpital à la vitesse de l'éclair, avec Jack, mais ils ne réussirent pas à arriver à temps. Son père était mort moins d'une heure auparavant. Il avait soixante-six ans.

La colère la prit à l'idée que personne ne l'avait prévenue de l'état affreux dans lequel il se trouvait. Mais surtout, elle s'en voulut terriblement d'avoir été trop occupée à chercher des papiers peints pour la maison de N Street pour prendre le temps de décrocher le téléphone. Au moment où il avait tellement besoin d'elle, elle n'avait pas su répondre présente. Ses regrets et sa culpabilité étaient d'autant plus pesants que lui, il avait toujours été là pour sa sœur et elle. En dépit de ses excès et de ses provocations, Black Jack leur avait donné l'amour inconditionnel que Janet était congénitalement incapable de leur offrir.

Jack, qui devait toujours se forcer pour manifester publiquement sa tendresse, prit sa femme par les épaules, pour la réconforter dans le couloir de l'hôpital. Alors qu'ils allaient partir, une infirmière, qui avait assisté à la mort de Black Jack, leur décrivit ses derniers moments, et rapporta son ultime parole : « Jackie. »

Chapitre 7

Jackie était une femme partagée entre la souffrance et l'amour. Ils étaient deux individus fermés, deux cocons liés par le mariage, tentant de s'atteindre. Je pense qu'elle estimait que, puisqu'il était beaucoup plus âgé qu'elle, c'était à lui de faire des efforts. Mais il en était incapable.

Lindy Boggs

Effondrée après la mort brutale de son père, Jackie décida d'organiser des funérailles dignes de lui. Il convenait de faire à Black Jack des adieux chaleureux, car il avait droit à mieux que la simple annonce qu'on lui aurait autrement offerte dans la rubrique nécrologique du *New York Times*.

Peut-être pour rendre justice à la conviction de son père d'avoir été abandonné par sa famille, Jackie ne put trouver auprès de ses proches une bonne photo de lui – elle dut se la procurer chez une de ses innombrables maîtresses. Elle rédigea elle-même la notice nécrologique, rendant surtout hommage au sens des affaires de son père, pourtant contestable, et envoya Jack au *Times*, avec mission pour l'estimé sénateur des États-Unis de remettre le tout en mains propres au rédacteur en chef.

Au funérarium, elle ôta le bracelet d'or que son père lui avait offert lorsqu'elle avait obtenu son diplôme à Vassar et le déposa dans le cercueil. Le matin du 6 août, vingt-cinq personnes environ – des membres de la famille et des amis, dont quelques anciennes maîtresses – assistèrent à l'enterrement dans la chapelle de la cathédrale St. Patrick. Évitant les traditionnels muguets, œillets rouges et autres couronnes mortuaires en forme de fer à cheval, Jackie voulut que l'autel fût vraiment à l'image de la débordante *joie de vivre* de son père. Le cercueil était entouré de paniers en osier blanc remplis de marguerites et de tulipes jaune vif. En hommage à son statut de célibataire endurci, il était recouvert d'un parterre de boutons d'or.

Lee faisait partie des quelques membres de la famille qui accompagnèrent Jack et Jackie jusqu'au cimetière St. Philomena, à East Hampton. Le son plaintif d'un train qui sifflait dans le lointain fit remonter leurs souvenirs d'enfance. « Nous étions toute sa vie », avoua Lee et, une fois que ses filles « eurent grandi et furent parties chacune de leur côté, il s'est enfoncé dans la solitude. Mon père a toujours eu l'impression d'être plus ou moins un raté. À la fin, il faisait peine à voir. »

Jackie embrassa le cercueil avant qu'on le mît en terre, mais ne versa pas une larme. « Il y avait en elle une dignité tranquille qui surgissait en période de crise, dit Yusha. Elle pensait qu'il n'était pas convenable d'exposer ses sentiments en public. Je sais qu'elle a beaucoup pleuré au moment de la mort de son père. Cet événement l'a prise complètement au dépourvu, et elle en a énormément souffert. »

Black Jack laissait 160 000 dollars à partager équitablement entre ses deux filles – un héritage confortable en 1957 – ainsi que des antiquités et des objets d'art entreposés dans son appartement. Connaissant l'amour de Jackie pour les chevaux, il lui légua un tableau représentant des étalons arabes, qui ornait jadis les murs de Lasata. Malheureusement, Jackie estima qu'il ne correspondait pas à la décoration de la maison de N Street et le vendit deux mois plus tard.

Avec son efficacité habituelle, elle exhuma toutes les lettres que son père lui avait écrites chez miss Porter, à Vassar et à la Sorbonne, les fit dactylographier et en envoya un double à Lee, à Londres. Jack et tous les Kennedy s'inquiétaient des conséquences que tout cela risquait d'avoir sur la grossesse de Jackie, alors enceinte de cinq mois. Ils craignaient que l'angoisse liée à la mort de son père, comme celle qu'elle avait ressentie lors de la Convention, ne déclenchât une nouvelle fausse couche.

L'inquiétude fut à son comble quand, brusquement, Jack se retrouva avec une fièvre violente et une douleur dans le dos qui refusa de céder à ses habituelles piqûres de novocaïne. Les médecins s'aperçurent qu'un abcès à staphylocoque virulent s'était développé le long d'une de ses cicatrices et on l'admit aussitôt au New York Hospital. Il en ressortit deux jours plus tard, mais continua à prendre des antibiotiques à haute dose, jusqu'à ce que les accès de fièvre et les frissons se décident à disparaître.

Une fois de plus, la convalescence à Cape Cod plongea Jack dans une profonde dépression. « Ce furent les seuls moments où je le vis vraiment découragé, raconta le Dr Janet Travell. Je ne savais plus à quel saint me vouer. Je lui ai dit : "Vous savez, vous devriez prendre un bon bain chaud.

« – Vous savez que je n'ai pas mis les pieds dans une baignoire depuis que je suis allé au New York Hospital, à cause de ma plaie dans le dos, répondit-il avec colère. Je ne peux pas continuer à me balader avec un autre trou béant." »

Ce fut alors que le Dr Travell lui apprit que les pansements de son dos ne protégeaient qu'une petite cicatrice, et non pas une plaie ouverte, comme auparavant. « Il m'a dévisagée comme s'il ne me croyait pas », dit-elle. Elle téléphona au Dr Preston Wade, le médecin qui s'était occupé de lui, pour qu'il confirmât à son malade que celui-ci pouvait prendre un bain. « Ses yeux brillaient et il a dit : "Demandez-lui si je peux aussi me savonner ?" Alors je lui ai passé le Dr Wade qui lui a affirmé qu'il pouvait prendre un bain et se savonner autant qu'il le souhaitait. »

Cette petite alerte médicale, qui venait rappeler l'état de

santé précaire de Jack, effraya Jackie. « Elle venait à peine d'enterrer son père, dit un ami. Elle était évidemment dans un état d'angoisse intense. Tout le monde, y compris Jack, était inquiet pour le bébé. »

Ces inquiétudes se révélèrent sans fondement quand à huit heures et demie du matin, le 27 novembre 1957 – la veille de Thanksgiving – Jackie mit au monde par césarienne une petite fille pesant 3,8 kilos, au Lying in Hospital de New York, dans le Cornell University Medical Center. « Je n'oublierai jamais la tête de Jack, raconta la mère de Jackie, quand le médecin entra dans la salle d'attente pour annoncer que le bébé était là, que c'était une fille et que la mère et l'enfant se portaient bien. Je me souviendrai toujours de la douceur de son expression et de son sourire. Et le médecin a ajouté : "Elle est très jolie." Avant l'arrivée du médecin, je lui avais demandé s'il préférait un garçon ou une fille et... il avait dit que les deux lui convenaient. »

Quand Jackie sortit du brouillard de l'anesthésie, ce fut Jack qui lui apporta le bébé. Pour la première fois, Jackie vit Caroline Bouvier Kennedy (du nom de la sœur de Jackie, Caroline Lee). « Il paraissait parfaitement à l'aise avec les bébés, remarqua Janet. Je ne me souviens même pas s'il avait cette maladresse ou cette crainte de les prendre dont Hugh D. avait toujours été affligé. »

Lem Billings, le vieil ami de Jack, fut un des premiers à venir à l'hôpital. Jack l'emmena à la pouponnière pour lui montrer sa fille. « Maintenant, Lem, dis-moi quel est le plus joli bébé parmi tous ceux-ci. » Billings prit une profonde inspiration et en désigna un – celui de quelqu'un d'autre. Jack ne voulut plus lui adresser la parole pendant deux jours. « Rien n'avait jamais autant ému Jack que la naissance de Caroline », dira Billings plus tard.

Jackie dira, elle, que le 27 novembre 1957 avait été « le plus beau jour de sa vie ». Elle avait prouvé, tant à elle-même qu'aux sceptiques Kennedy, qu'elle n'était pas trop fragile pour faire des enfants – qu'elle n'était pas seulement là pour jouer les utilités. Elle était aussi une mère.

Étant donné la sécheresse avec laquelle il avait réagi à la mort de leur bébé l'année précédente, à peine quatorze mois auparavant, Jackie fut, elle aussi, surprise du naturel avec lequel Jack assuma sa paternité. Même Janet Auchincloss fut impressionnée par « le plaisir absolu, sans mélange que Caroline lui offrit dès le premier jour. Son visage était littéralement radieux et je ne l'avais jamais vu ainsi ».

Trois semaines après la naissance de Caroline, les Kennedy emménagèrent dans la maison de N Street, avec Maud Shaw, la nourrice anglaise qu'ils avaient embauchée pour s'occuper du bébé. Caroline n'avait que onze jours et était encore à l'hôpital avec Jackie quand Maud commença à s'en occuper. Son père, d'après Maud Shaw, voulut lui donner son biberon et il la pria de rester à côté de lui, au cas où il la laisserait tomber. Au bout de quelques instants, JFK, l'éternel agité, la lui rendait en se demandant comment on pouvait avoir la patience de donner un biberon en entier.

« Mais il l'aimait vraiment, dit Maud Shaw, et quand il arrivait à la maison, il montait directement à la chambre d'enfants. Cette petite lui souriait toujours, alors qu'elle ne le faisait pour personne d'autre. Dès le début, il l'a aimée et elle l'a adoré. Personne ne comptait pour elle autant que son père. »

Betty Spalding a raconté aux journalistes Joan et Clay Blair que Caroline fut la première personne à l'égard de qui Jack se laissa aller à exprimer ses sentiments. « C'était une relation merveilleuse. En sa compagnie, il laissait libre cours à ses émotions, ce qui le rassurait et lui permettait ensuite de communiquer plus facilement avec Jackie, et donc elle avec lui. Avant d'avoir Caroline, il n'avait jamais vraiment su comment gérer ses relations avec les autres. C'était fascinant de le voir apprendre. »

L'arrivée d'un enfant redonna un nouvel élan à leur mariage et fit remonter en flèche la confiance de Jackie en elle-même, ce qui n'était pas superflu. Pour la première fois, elle eut le sentiment d'avoir enfin trouvé un foyer, une maison dont elle était responsable, et non pas Rose Kennedy ou Janet Auchincloss. À l'instar de sa mère et de sa belle-mère, Jackie ne levait jamais le petit doigt pour accomplir la moindre corvée domestique. Elle se reposait entièrement sur sa femme de chambre personnelle, Providencia Paradès, « Provi », qui était secondée par d'autres domestiques, sans compter une blanchisseuse, une cuisinière, le valet de Jack, un chauffeur à plein temps, et même quelqu'un (en l'occurrence Evelyn Lincoln) dont la tâche consistait à tenir quotidiennement son agenda.

Évidemment, le membre le plus important de cette équipe, c'était la nourrice. Si Caroline se réveillait en pleurant à deux heures du matin, Maud Shaw dévalait l'escalier étroit jusqu'à la cuisine, préparait un biberon de lait et le rapportait dans la chambre d'enfants. Pas plus Rose que Janet (sans parler, évidemment, de Joe et de Black Jack) ne s'étaient jamais donné la peine de s'occuper de ces détails pratiques, et Jack et Jackie ne voyaient aucune raison de rompre les traditions.

Dans un souci d'honnêteté, Maud Shaw raconta que, tout de même, Jackie « faisait beaucoup de choses pour Caroline : elle l'habillait, elle la sortait, elle jouait avec elle dans le jardin ». L'été venu, ils installèrent une piscine gonflable dans la cour. « Nous avons passé beaucoup de temps à jouer dans l'eau et à prendre de petits goûters ensemble... »

Mais la plupart du temps, les visiteurs remarquaient que le 3307 N Street était bizarrement exempt du raffut joyeux qu'on peut s'attendre à trouver dans une maison occupée par un jeune couple. C'était peut-être pour exprimer sa rébellion vis-à-vis des bruyants Kennedy, mais Jackie interdisait qu'on fît fonctionner tourne-disques, radio ou télévision pendant la journée. « Je n'ai même jamais entendu Jackie se permettre de chantonner en accomplissant ses tâches quotidiennes, ni s'autoriser un éclat de rire », témoigna sa secrétaire, Mary Gallagher.

Caroline restait invisible jusqu'à l'arrivée de son papa, qui mourait d'impatience de la faire sauter sur ses genoux. Ce n'était pas que Jackie préférât la compagnie des adultes. Elle téléphonait rarement à ses amis et recevait peu de visites, consacrant plutôt des heures à trier le courrier avec Mary Gallagher, dans le bureau attenant à la chambre à coucher, au deuxième étage. Elle prenait toujours le temps de faire une sieste d'une heure l'après-midi, probablement pour être prête à recevoir les amis politiques de son mari le soir. « En dehors des réceptions, dit Mary Gallagher, elle passait des journées étrangement solitaires. »

Bizarrement, même quand Jack était là, elle ne modifiait pas ses habitudes pour rester en sa compagnie. D'après Mary Gallagher, JFK prenait son petit déjeuner seul, dans la bibliothèque au rez-de-chaussée, tout en parcourant les journaux. En partant, il criait : « Salut, Jackie ! » et attendait, généralement en vain, sa réponse. « J'aurais bien voulu que Jackie descende prendre son petit déjeuner avec le sénateur, dit Mary Gallagher, qui regardait Jack partir de la fenêtre de son bureau tous les matins ou, au moins, qu'elle vienne lui dire au revoir à la porte. »

Dès qu'elle avait des loisirs, Jackie se consacrait aux deux choses qui l'obsédaient : fumer et s'occuper de décoration. S'il lui était facile de pousser Jack à fumer le cigare pour masquer l'odeur de ses propres cigarettes, elle ne pouvait guère dissimuler qu'elle dépensait les dollars de Joe Kennedy par dizaines de milliers pour refaire la maison de façon compulsive.

Durant les quatre premiers mois, Jackie refit le salon « au moins trois fois », d'après sa mère. « On venait un jour et on voyait deux magnifiques tapisseries, une dans le petit salon de devant et l'autre dans celui qui donnait sur le jardin. La semaine suivante, elles avaient disparu toutes les deux. Les rideaux pouvaient être en chintz rouge une semaine, et d'une autre couleur la semaine suivante. » On changea au moins trois fois le papier peint du bureau dans le même laps de temps, dont une fois pour un modèle extrêmement cher importé de Londres.

Les Auchincloss, qui avaient été invités à dîner, s'aperçurent en arrivant qu'une fois de plus, tout avait été changé. « Ce jour-là, la pièce était entièrement beige. Les murs avaient été repeints la semaine précédente, tous les meubles étaient dans des tons de beige, et le canapé était recouvert d'une couverture en vigogne... les tapis, les rideaux, le tissu des fauteuils, tout était à présent dans une délicieuse gamme de beiges. Je savais que cela coûtait une fortune de faire peindre des meubles, recouvrir des sièges et coudre des rideaux, mais je me souviens de Jack me demandant : "Mrs. Auchincloss, vous ne trouvez pas que nous sommes prisonniers du beige ?" »

Plus souvent qu'à son tour, Jack se sentit agacé par le côté instable de son foyer. Une fois, alors qu'il était à la recherche d'un endroit confortable pour lire, il se plaignit : « Nom d'un chien, Jackie, pourquoi les pièces de cette maison ne sont-elles jamais complètement vivables en même temps ? »

Jackie ne comprenait pas de quoi il se plaignait. « J'ai rempli la maison de meubles du XVIIIe que j'adore, et de mes tableaux – je fais collection de dessins », avoua-t-elle. Mais elle avait le sentiment d'avoir fait un certain nombre de concessions. « Cette maison n'est pas complètement à mon goût, parce que je ne veux pas d'un foyer où on est obligé de dire aux enfants : "Ne touche à rien" et où mon mari ne se sentirait pas à l'aise... »

Non seulement Jackie dépensa une petite fortune – l'argent du père de Jack – pour satisfaire sa manie de la décoration, mais en plus, elle commença à se passionner pour les vêtements, avec un enthousiasme au moins égal à celui de Rose Kennedy. Ses amies de la bonne société, comme Bunny Mellon et Letizia Mowinckel, partirent en éclaireur à la recherche des derniers modèles pouvant faire son affaire à New York, Paris et Rome. Longtemps avant que le montant exorbitant de ses factures chez les grands couturiers ne fît la une de la presse, à l'époque de la Maison-Blanche, Jackie dépensait tout de même déjà plus de 20 000 dollars par an en vêtements – l'équivalent aujourd'hui de 250 000 dollars, soit au bas mot 1 250 000 francs.

« Jack devenait blême quand on parlait de l'argent qu'elle dépensait, dit George Smathers. Il agitait les factures au-dessus de sa tête en criant : "Bon Dieu de Bon Dieu, elle me fait chier !" Ça le mettait vraiment en rogne, il en devenait violet de rage. Mais évidemment, il n'avait pas la moindre idée de ce que représentait l'argent. Il se laissait simplement aller à sa colère. Soyons réalistes, quelle que fût l'ampleur des sommes dépensées en meubles et en vêtements, ce n'était qu'une goutte d'eau dans l'océan de la fortune des Kennedy. »

« "Il faut que je m'habille bien, Jack, afin de ne pas te faire honte, disait-elle pour se justifier. En tant qu'homme public, tu serais humilié de me voir photographiée dans une vieille robe informe. Tout le monde dirait que ta femme est une plouc et on refuserait de voter pour toi." »

Mais Jackie savait aussi faire des économies de bouts de chandelles. Régulièrement, elle examinait ses placards et les débarrassait de tous les vêtements dont elle ne voulait plus. On en portait la plupart à Encore, une boutique de New York spécialisée dans la revente, et, pour tromper la presse, les vêtements étaient enregistrés au nom de Mary Gallagher. À d'autres moments, elle autorisait les membres de son personnel à choisir ce qui leur plaisait parmi ses collections de chemisiers, de jupes, de chaussures et de robes. Une fois, elle prit dans son placard une robe rouge et déclara à Mary Gallagher : « Vous n'en avez peut-être aucun besoin, Mary, mais cette couleur vous va à merveille. » Mary Gallagher remercia sa patronne, et fut d'accord pour dire que c'était une couleur magnifique. Mais elle se demanda bien pourquoi Jackie lui offrait une robe de grossesse.

En décembre de cette année-là, Jackie et Lee présentèrent ensemble une collection de mode pour le *Ladies' Home Journal.* « Je n'aime pas acheter beaucoup de vêtements, déclara-t-elle au magazine, et avoir des placards pleins. » Cette déclaration faite, « les sœurs Bla-Bla » exigèrent qu'on leur donnât les modèles pour lesquels elles avaient posé – sinon pas d'article.

À Noël, Jackie puisa dans l'héritage de Black Jack pour offrir à Jack une Jaguar blanche. Estimant bien trop extravagante cette luxueuse voiture de sport, Jack suivit le conseil de son père et échangea la Jaguar pour une de ces voitures « à la mode Kennedy » – une nouvelle Buick.

Jack était assez perturbé par le comportement obsessionnel de sa femme, ainsi que par ses brusques sautes d'humeur. « Jackie pouvait se montrer absolument charmante et étourdissante, dit Jamie Auchincloss, et on avait à peine le temps de se retourner que, sans raison apparente, tout changeait comme si on avait appuyé sur un interrupteur. » Jacques Lowe, le photographe et ami des Kennedy, renchérit : « Elle était très lunatique, et il y avait des moments où tout le monde – y compris Jack – marchait sur des œufs. »

Pour représenter les affinités de leurs deux personnalités, Jack dessina une ligne droite horizontale pour lui-même. Puis il traça une ligne sinueuse qui ondulait le long de l'autre, pour Jackie. Quand on lui demanda de la décrire, il réfléchit un moment avant de prononcer ce seul mot : *fantasque.* Dans « fantasque », on trouve aussi bien « fantastique » que « toqué », « instable ».

À la fin de 1957, John F. Kennedy ralliait tous les espoirs démocrates pour les élections présidentielles de 1960. Cependant, pour Lem Billings, c'était toujours le même vieux Jack lubrique. Du moins jusqu'à ce qu'il vînt dans la propriété des Kennedy, à Palm Beach, à l'automne

1957. Les anciens co-turnes de Choate étaient en train d'évoquer quelque scène torride de la vie sexuelle passée de Jack et riaient à gorge déployée, quand brusquement Joe se fâcha. « Tu ne dois plus dire des choses pareilles, cria-t-il à Billings. Il y a des histoires intimes qu'il n'est plus question d'évoquer. Il faut que tu fasses une croix dessus. Oublie le Jack que tu as connu. » Il continua à expliquer, en termes limpides, qu'« à partir de maintenant, il fallait faire attention à tout ce qu'il dirait ». Bientôt, dit Jack sans le moindre humour, même lui appellerait son plus vieux copain, non plus Jack, mais « Monsieur le Président ».

En dépit du commentaire de Shirley MacLaine – il vaut mieux « un président qui baise les femmes plutôt qu'un président qui baise le pays » – Joe savait que le passé débauché de Jack risquait de ruiner ses projets politiques. « Ça paraissait bizarre, après avoir encouragé ses fils à vivre tous leurs fantasmes sexuels sans retenue, brusquement Joe avait peur que les gens ne l'apprennent, observa Clare Boothe Luce. Il était saisi de panique à l'idée qu'un ami raconte les exploits de Jack à un journaliste et qu'on retrouve l'histoire dans la chronique de Drew Pearson. Évidemment, à l'époque, la presse ne mettait pas autant d'acharnement qu'aujourd'hui à déterrer des saloperies sur les hommes publics. Mais il lui fallait quand même faire oublier qu'il était catholique, et la moindre trace de scandale, ajoutée à ce handicap, se serait avérée *catastrophique.* »

Une fois de plus, Joe ne pensait qu'aux apparences, pas à la réalité. Il n'exigea pas que Jack abandonnât son nid d'amour au Mayflower, ou simplement restât fidèle à Jackie – du moins jusqu'à ce qu'il fût élu président. « Étant donné le genre de mari que lui-même était, dit Spalding, Joe était mal placé pour dire à Jack de se tenir correctement, et il le savait. »

« Personne ne va me présenter cette candidature sur un plateau, dit Jack. Quand le moment sera venu, il va falloir que je travaille pour l'obtenir. Si j'étais gouverneur d'un plus grand État, si j'étais protestant et si j'avais cinquante-cinq ans, je pourrais rester assis en attendant qu'on vienne me faire des propositions. » La réélection de Jack au Sénat, en 1958, ne faisait aucun doute. Même les républicains les plus optimistes du Massachusetts en étaient persuadés. Mais le sénateur sortant devait l'emporter haut la main pour gagner du terrain. On s'accorda à dire que, si Jack parvenait à obtenir une marge d'un demi-million de voix, son parti aurait du mal à lui refuser l'investiture pour les élections présidentielles.

Pour les élections sénatoriales, Jack se retrouva en face du candidat républicain qu'il avait déjà battu en 1950 : Vincent J. Celeste. C'était un battant, âgé de trente-quatre ans et issu d'un quartier ouvrier italien de Boston ; il s'attaqua résolument aux Kennedy et à Joe en particulier. Commentant le vote de Jack, qui, malgré l'opinion publique, s'était prononcé en faveur de la construction de la voie rapide St. Lawrence le long de la mer, Celeste fit cette remarque : « Cela part pile de la porte du Merchandise Mart, à Chicago, qui appartient justement à ce vieux Joe Kennedy. »

Comme Bobby travaillait à Washington, ce fut au tour de Teddy, âgé de vingt-six ans, de prendre les rênes de la campagne. On ne faisait aucun effort pour masquer les ambitions dynastiques de la famille. « De même que je me suis lancé dans la politique parce que mon frère Joe est mort, raconta Kennedy au journaliste Bob Considine, s'il m'arrivait quoi que ce soit demain, mon frère Bobby se battrait pour mon siège au Sénat. Et si Bobby mourait, Teddy prendrait sa place. » Cependant, puisque le vieux Joe, lui, était toujours en bonne santé, il continuait à jouer son rôle de magicien d'Oz, manipulant les événements en coulisses, mais s'aventurant rarement à l'avant de la scène.

Une fois les choses bien amorcées dans son fief, Jack parcourut le pays en tous sens, multipliant les rassemblements, afin de donner à son message une ampleur nationale. En l'occurrence, il put apprécier cette nouvelle arme de poids qu'il comptait à présent dans son arsenal électoral : Caroline. Certains amis proches de Jack eurent le sentiment que c'était la raison première qui l'avait poussé à avoir des enfants : « Le désir de Jack, comme le dit Charlie Bartlett, c'était d'obtenir cette image publique positive que seul un enfant vous offre. »

Dès avant la naissance de Caroline, les rédactions de *Life*, de *Look* et du *Saturday Evening Post*, ainsi que de plusieurs autres magazines nationaux, se battirent pour obtenir les premières photos du bébé. Quand Jack donna son feu vert à *Life*, Jackie « sauta au plafond, dit Spalding. “Pas de photos du bébé, Jack. Un point, c'est tout, dit-elle. Je ne vais pas laisser notre enfant servir de mascotte électorale. Je me fiche du nombre de voix que tu risques de perdre.” »

Finalement, Jackie accepta le reportage de *Life*, mais seulement après avoir arraché à Jack la promesse d'interrompre sa campagne pendant l'été pour partir avec elle à Paris. En avril, le photographe Ed Clark arriva dans la maison de Georgetown et prit une série de photos de famille. La plus mémorable, ce fut celle de Caroline passant la tête hors de son landau bordé de dentelle pour faire coucou à son papa.

Un autre photographe joua un grand rôle dans la construction de l'image Kennedy et devint également un ami proche : Jacques Lowe. Réfugié politique ayant fui l'Allemagne nazie, Lowe avait vingt-quatre ans quand il se lia avec Bobby Kennedy. Lowe prit en photo cette « perpétuelle maison de fous » qu'était l'ordinaire de la vie à Hyannis Port ; Bobby fut tellement impressionné par son travail qu'il offrit à son père un album contenant cent vingt-quatre clichés de Lowe comme cadeau d'anniversaire. Quand un Joe « légèrement éméché » téléphona à Lowe à minuit pour le remercier, Lowe répondit : « “Joe Kennedy ? C'est ça, et moi je suis le Père Noël.” Il ne faut pas oublier que, à l'époque, Joe Kennedy était une figure de légende. »

Kennedy senior demanda à Lowe de photographier son

« autre fils » mais, quand Lowe arriva à Hyannis Port en août 1958, Jack était « grognon, mal embouché et préoccupé. Il était très fatigué. Mais, ajouta Lowe, il s'anima quand je lui proposai de poser avec Caroline ».

Quelques semaines plus tard, Lowe fut convoqué peu après minuit au Margery, un immeuble de Park Avenue qui appartenait à Joe. « Jack ouvrit la porte, vêtu seulement d'une serviette nouée autour de la taille. Jackie me salua de la salle de bains, où je l'entendais barboter dans son bain. » Kennedy était « transporté » par les photos, qui étaient étalées sur une table basse. « Il s'assit sur le canapé, et je m'installai par terre, à côté de la table, pour que nous puissions regarder ensemble les planches contact. Il ne portait rien sous sa serviette, donc de l'endroit où je me trouvais j'avais une vue imprenable... J'étais obligé d'examiner les planches contact puis de lever les yeux pour le regarder, sans pouvoir éviter la serviette. J'étais gêné mais, lui, il s'en fichait complètement. C'était la personne la plus naturelle que j'aie jamais vue. Il choisit une photo d'eux trois pour sa carte de vœux de cette année-là, puis nous avons bu un verre. Avec cette serviette de bain, à une heure et demie du matin, il était parfaitement à l'aise et, tout le temps, il a réussi à avoir l'air extrêmement digne. »

Pour Lowe, la différence de regard que Jack et Jackie portaient sur les photos en disait long sur leur personnalité. « Pour Jack, c'étaient des documents. Pourquoi m'avait-il choisi, moi ? Parce qu'il aimait ma façon de travailler, le résultat lui plaisait. Il recherchait l'impact documentaire. Pour Jackie, une photographie, c'était de l'ombre et de la lumière, une conception, une composition. Elle avait un rapport à la création que Jack n'a jamais eu. »

À regarder les photos, dignes d'images de Norman Rockwell [1], prises par Ed Clark, Jacques Lowe et quelques

1. L'équivalent français des images d'Épinal (N. du T.).

autres, on a du mal à croire que Jack, en dépit d'un emploi du temps rigoureux (« Les week-ends, alors que la plupart des gens se reposent, c'est là que Jack travaille le plus dur », se plaignait Jackie), ait encore trouvé le loisir d'être infidèle. Depuis sa liaison avec celle qu'on avait soupçonnée d'être une espionne à la solde des nazis, Inga Arvad, le FBI avait continué à surveiller la vie privée de Jack, et les rapports que l'agence envoyait à J. Edgar Hoover étaient formels : les deux années qui précédèrent les élections présidentielles de 1960 comptèrent parmi les plus actives de la carrière sexuelle de JFK.

Même selon les critères de Joe, Jack, à cette période, courait après les femmes à un rythme trépidant. Il y avait peut-être bien une raison d'ordre médical à cela. Les doses de DOCA introduites dans ses cuisses étaient passées de 150 à 300 mg et la cortisone en cachet avait remplacé les piqûres biquotidiennes auxquelles on l'avait soumis. Il est bien connu que de telles quantités de cortisone dans le sang provoquent un sentiment d'euphorie, une énergie décuplée, donnent de la force musculaire, favorisent la concentration mentale – sans parler d'insatiables besoins sexuels.

Pour Jack, la cortisone eut un autre effet secondaire, extrêmement positif à cette époque de balbutiement des campagnes télévisuelles : les creux de ses joues se remplirent, son menton s'étoffa, il devint authentiquement séduisant. « En une nuit, dit un journaliste, il est devenu Clark Gable, Cary Grant et Erroll Flynn en un seul et même individu. »

En plus du cortège d'hôtesses, de mannequins et de groupies politiques qui défilaient dans son lit au gré de ses déplacements, Jack se lança à la conquête de quelques grandes stars d'Hollywood, en cet été 1958. Jean Simmons, cette beauté classique née en Angleterre, était en train de tourner *Retour avant la nuit* à Boston et elle affirma que Jack « avait pratiquement enfoncé » la porte de sa chambre d'hôtel pour arriver jusqu'à elle.

Une autre actrice ensorcelante, celle-là aux racines bien implantées dans le sol yankee, se montra plus complaisante. Fille du riche propriétaire d'un grand magasin du Massachusetts, Lee Remick, née à Quincy, rencontra Jack pour la première fois alors qu'elle était encore adolescente et qu'il était déjà un jeune sénateur célibataire. Elle avait été également invitée dans la suite du Mayflower. Rien d'autre qu'*Un visage dans la foule* après avoir joué le rôle d'une majorette dans ce film de 1957, l'époustouflante star blonde reprit sa liaison avec Jack à Los Angeles. Lee Remick, qui jouait à merveille les poules et les poivrotes dans des films comme *Autopsie d'un meurtre* ou *Le Jour du vin et des roses*, rayonnait d'intelligence et d'élégance en dehors de l'écran. « Lee, dit le producteur Joseph E. Levine, était la quintessence de la classe. » Elle avait tout juste vingt-deux ans – six de moins que Jackie – et « elle était belle à tomber raide ».

Pour reprendre du poil de la bête après l'épisode Jack, Lee Remick nouera plus tard des relations avec Peter Lawford. Jack se retrouvait ainsi inexorablement lié à ceux que Frank Sinatra surnommait le « Rat Pack », car Lawford avait épousé sa sœur Patricia en 1954. (Surnommé « Brother-in-Lawford » par Old Blue Eyes[1], Lawford deviendra le premier fournisseur de Jack en dames avides, durant les années à la Maison-Blanche.)

Jack tomba sur un bon filon plus près de chez lui. Alors que Jackie était partie pour une de ses tournées régulières des boutiques de New York, il se rendit, en compagnie de George Smathers, à une réception à l'ambassade d'Italie, à Washington. Parmi les invités, se trouvait la pulpeuse et

1. « Rat Pack » : Frank Sinatra surnommait ainsi le groupe qu'il formait avec trois autres comédiens, avec lesquels il se produisit à plusieurs reprises : Sammy Davis Jr, Dean Martin et Peter Lawford.

« Old Blue Eyes », surnom que Sinatra se donnait à lui-même. (N. du T).

magnifique Sophia Loren. À vingt-quatre ans, elle venait de refuser d'épouser Cary Grant, avec qui elle avait tourné *Houseboat*, pour accepter les propositions du producteur Carlo Ponti. Plutôt que d'aborder lui-même Sophia Loren, et de prendre le risque que cela se sache, Kennedy envoya Smathers, son ami célibataire, inviter l'actrice dans la maison de N Street à un souper au champagne. Sophia Loren déclina la proposition. Smathers eut beau insister, ce fut peine perdue.

Finalement, Jack coinça Sophia Loren et l'invita en son nom propre. D'après Smathers, Sophia Loren finit par se laisser convaincre. « Je n'ai jamais vu Jack échouer quand il voulait vraiment quelqu'un, dit-il. Il n'acceptait aucun refus, et il continuait à insister jusqu'à ce que l'autre cède. Miss Loren ne fit pas exception. Elle partit avec Jack et je crois qu'ils ont passé un excellent moment ensemble. »

Ce fut également à cette période que Jack commença dans l'enthousiasme une liaison qui devait durer deux ans et demi, avec Marilyn Monroe. Un an après son divorce avec Joe DiMaggio, Marilyn épousa l'auteur dramatique Arthur Miller. Le couple s'installa dans le bucolique Roxton, dans le Connecticut, mais très vite, il y eut de l'eau dans le gaz. Au bout de quelques mois, Marilyn, qui avait conservé son appartement de Manhattan, dans la East 57th Street, retrouvait Jack secrètement dans sa suite somptueuse du Carlyle Hotel. Jack, cependant, ne fut qu'une diversion à cette époque : elle se lança bientôt dans une liaison beaucoup plus sérieuse avec l'irrésistible Yves Montand, l'homme avec qui elle partageait la vedette d'un film au succès retentissant, *Le Milliardaire.*

Une des relations les plus durables de Jack durant cette période, ce ne fut pas avec une vedette, mais avec une réceptionniste de l'ambassade de Belgique. Diplômée du distingué Mt. Vernon Seminary, Pamela Turnure avait attiré l'attention de Kennedy lors du mariage de Nini Auchincloss. Brune et mince, avec des yeux verts, Turnure était sortie pendant une courte période avec le célèbre play-boy Ali Khan. Mis à part sa petite taille, elle ressemblait de façon frappante à la femme du sénateur, tant dans ses traits que dans son allure. « C'était une Jackie en miniature », dit un ami.

Jack offrit immédiatement à Pamela Turnure une place de réceptionniste dans son bureau, au Sénat. Au printemps 1958, il lui rendit souvent visite dans son appartement à Georgetown. Les propriétaires, Florence et Leonard Kater, furent informés de la présence d'un visiteur en entendant quelqu'un lancer des cailloux contre la fenêtre du premier étage vers une heure du matin. « Nous avons regardé dehors, raconta Florence Kater, et nous avons vu le sénateur Kennedy qui criait dans notre jardin : "Si vous ne descendez pas, je monte par le balcon." Alors, elle l'a fait entrer. »

Les Kater, qui étaient tous deux de fervents catholiques, placèrent des micros dans la maison « pour capter les bruits venant de la chambre » ; ils furent choqués de ce qu'ils surprirent. « Je peux vous assurer que ce n'était pas un amant très bavard », dit Kater. Avec la preuve de cet adultère, les Kater se lancèrent dans une campagne pour discréditer JFK. Au grand déplaisir de Jack, ils le photographièrent sortant de chez Pamela Turnure à une heure du matin, le 11 juillet 1958, et envoyèrent le cliché aux quotidiens, aux magazines et aux chaînes de télévision.

Même Jack fut sidéré quand seul le *Washington Star* publia un petit entrefilet. Il proposa à Pamela de s'installer chez une amie de Jackie, Mary Pinchot Meyer, à Georgetown. Héritière de la fortune des Pinchot, Mary Meyer, qui était artiste et qui connaissait Jack depuis l'époque Choate, était aussi la sœur de Tony Bradlee et la belle-sœur du journaliste Ben Bradlee. Quand Jack eut accédé à la présidence, les Bradlee devinrent des amis intimes des Kennedy – et Mary encore bien plus.

Pendant ce temps, les Kater continuaient leur croisade chevaleresque – agitant des pancartes pour dénoncer JFK lors des rassemblements, portant leur affaire devant le cardinal Cushing, et après l'investiture de JFK, défilant devant la Maison-Blanche avec une banderole : VOULEZ-VOUS D'UN HOMME ADULTÈRE À LA MAISON-BLANCHE ?

En revenant de son voyage à Paris, qui lui avait été promis en échange de sa collaboration avec les photographes de *Life*, Jackie était bien décidée à surveiller son mari de plus près. Elle consacra plus de temps qu'auparavant à dépouiller son courrier, travaillant sur un grand bureau, sous l'impressionnant poisson qu'il avait pêché lors de leur lune de miel et qui trônait à présent au Sénat. Pour la première fois, elle l'accompagna dans sa tournée électorale, acceptant aimablement de se faire photographier, souriant gentiment, contemplant avec amour le candidat quand il faisait un discours à un déjeuner du Rotary Club, ou sur l'estrade d'un amphi de faculté, répondant au téléphone avec les sœurs de Jack, lors de l'émission télévisée *Vos questions au sénateur Kennedy* – marchant même à ses côtés lors du défilé de la Fête de Christophe Colomb, à East Boston.

À plusieurs reprises, elle se montra d'une candeur confondante. Alors que Jack, avec quelques copains politiques, suggérait des noms de villes susceptibles d'accueillir la Convention démocrate, Jackie proposa Acapulco.

Attentive à ne pas avoir l'air « trop New York », elle se maquillait peu et ne forçait pas sur les bijoux. Mais, même avec des gants blancs et des robes chemisier classiques, Jackie tranchait encore parmi les épouses des hommes politiques, avec son allure impeccable. « Les femmes, comme toujours, venaient serrer la main de Jack, raconta un des membres de son équipe électorale. Mais elles avaient vu dans les magazines toutes ces photos de Jackie, où on disait que c'était une telle gravure de mode et, du coup, elles étaient aussi intéressées par sa tenue que par ce que le candidat avait à dire. » À chaque halte dans un État, Jack pouvait s'attendre à voir deux fois plus de monde si Jackie l'accompagnait.

« Il ne se montrait jamais grossier avec elle délibérément, dit Jacques Lowe. Mais Jack se concentrait sur ce qu'il était en train de faire et ne lui prêtait pas toujours beaucoup d'attention. Il pouvait très bien se frayer un chemin au milieu de la foule en la laissant cinq cents mètres derrière lui, à essayer de le rattraper. » Betty Spalding accusait les « très mauvaises manières » de Jack. « Il n'avait aucune éducation, il ne pensait jamais à laisser passer les femmes devant lui, à leur tenir la porte, ou à se lever quand des femmes plus âgées entraient dans une pièce. Il était gentil avec les gens, mais il ne se souciait pas d'eux... »

« On oublie que, avant que Jack ne soit considéré comme favori dans la course à la candidature en 1959, les gens ne prêtaient pas attention à Jackie, dit Lowe. Les hommes politiques qui grouillaient autour de Jack faisaient comme si elle n'existait pas. Pour elle qui avait toujours eu l'habitude d'être le centre du monde, c'était très difficile de passer plus ou moins inaperçue alors que son mari était l'objet d'une telle adulation. »

« Les gens voyaient en Jack ce qu'ils avaient envie de voir – un fils, un frère, un héros de la guerre, une idole du public féminin, déclara un journaliste qui suivit Kennedy durant toutes ses campagnes, sénatoriales d'abord, présidentielle ensuite. Pour beaucoup de gens, en particulier ceux qui étaient originaires du Massachusetts, il était d'un abord extrêmement facile. Des inconnus s'avançaient vers lui pour lui parler, quand ce n'était pas lui qui faisait les premiers pas.

« Mais avec Jackie, ça ne s'est jamais passé ainsi. Ils ne se liaient pas avec elle comme avec Jack. Je n'ai jamais vu un civil – j'entends quelqu'un qui n'était pas impliqué dans la campagne, qui ne faisait pas partie d'un comité d'accueil – s'avancer vers elle pour entamer une conversation. Je n'ai jamais entendu personne lui poser la moindre question. Pas une seule fois. Les gens la dévisageaient. On ne pouvait pas le leur reprocher. Elle avait construit comme un mur invisible autour d'elle. Mais cela ne devait pas être très amusant pour elle d'être traitée comme ça, je veux dire, comme si elle ne faisait pas partie du genre humain. »

Jackie se donnait du mal pour essayer de faire croire qu'elle n'était rien d'autre qu'une épouse moyenne. Elle fit même écrire dans la presse qu'elle préparait un repas chaud pour son mari tous les jours, afin qu'il ne se contentât pas « d'une barre de chocolat ou d'un biscuit salé ». Elle affirma que la nourriture pour bébé de Caroline figurait parmi les plats préférés de Jack, et qu'elle s'était rapidement trouvée obligée d'en préparer non seulement pour le sénateur, mais également pour plusieurs membres de son équipe. Jackie omit de mentionner, cependant, que ces déjeuners étaient en réalité préparés par sa cuisinière et livrés au Capitole par le chauffeur de Jack, Mugsy O'Leary.

Au moins en public, Jackie acceptait volontiers d'apparaître comme une ménagère sans défense, si cela devait donner plus d'envergure à Jack. « C'est un roc, disait-elle de son mari, et je m'appuie sur lui pour tout. Il est tellement gentil – demandez à tous ceux qui travaillent avec lui ! Et il n'est jamais colérique ou boudeur. Il est prêt à faire tout ce que je lui demande, à me donner tout ce que je désire. »

Au fil du temps, Jackie commença à être plus à l'aise dans son rôle électoral. Elle fit son premier discours au Cercle français de Worcester, en expliquant que s'adresser à un public en français « était moins effrayant qu'en anglais ». Elle se fit acclamer quand elle prononça quelques mots d'italien face aux foules du North End de Boston.

« Je suis si contente que Jack soit originaire du Massachusetts, parce que c'est l'État le plus chargé d'histoire, dit-elle. En allant d'un rassemblement à l'autre, nous sommes passés devant la demeure de John Quincy Adams, devant Harvard – ou encore Plymouth. Je crois que je connais chaque coin du Massachusetts. » Mais plus Jackie se détendait, plus son mari se crispait, inquiet à l'idée de ne pas parvenir à obtenir la marge d'un demi-million de voix indispensable à sa victoire.

Un jour qu'ils déjeunaient au fond d'un restaurant d'Haverhill, dans le Massachusetts, et alors que Kenny O'Donnell notait furieusement les instructions de Jack, Jackie dit à O'Donnell avec un sourire désabusé : « Vous écrivez toujours tout, mais je ne vous vois jamais consulter votre bloc une fois que vous avez quitté le restaurant. Est-ce qu'il vous arrive de vous occuper de tout ce dont il vous a chargé ?

– Jamais, répondit O'Donnell, j'attends qu'il se calme, puis j'arrache ces feuilles du bloc et je les déchire. »

Jackie se mit à rire, mais cette plaisanterie n'amusa guère le candidat. « Vous êtes un vrai fils de pute, dit Jack, les yeux fixés sur O'Donnell. Je parie que c'est exactement ce que vous faites. »

Mais il s'avéra que Jack n'avait aucune raison de se faire du souci. Il fut élu avec 73,6 % des voix – une marge victorieuse de 874 608 voix. C'était le plus grand nombre de voix jamais ramassées sur un seul candidat dans toute l'histoire du Massachusetts. C'était aussi la plus grosse majorité remportée par n'importe quel candidat au Sénat cette année-là. Personne, dans le camp des Kennedy, y compris Jack et Jackie, n'en fut particulièrement ému. « Nous pensions déjà à la prochaine partie à jouer », dit O'Donnell.

Le jour de cette élection, la sœur de Jack, Pat Lawford, mit au monde un troisième enfant, une fille, en Californie. Peter et elle l'appelèrent Victoria Francis – Victoria en l'honneur de la réélection de son oncle Jack, et Francis en hommage à Francis Albert Sinatra.

Le dimanche suivant, Jack apparut dans l'émission *Meet the Press*, sur NBC, et nia carrément avoir l'intention de devenir candidat à la présidence. Mais, au mariage de Ted Kennedy avec Joan Bennett, en novembre, on ne parla guère d'autre chose. Étrangère au clan, comme Jackie, Joan était modeste et douce, avec un tempérament assez mal assorti à celui de sa bruyante belle-famille. Jackie se prit tout de suite d'amitié pour elle, et celle-ci lui demanda des conseils sur la façon de se débrouiller avec la tribu de Hyannis Port.

« Au début, Joan était tellement heureuse avec Ted, raconta Jackie plus tard. Quand on se retrouvait tous à Hyannis Port, le visage de Ted resplendissait de fierté en la voyant marcher dans la pièce, avec sa somptueuse silhouette et son costume en peau de léopard. Si seulement elle avait compris où se trouvaient ses propres forces, au lieu de se mettre en rivalité avec les Kennedy. Pourquoi s'en faire parce qu'on joue moins bien au tennis qu'Eunice ou Ethel, alors que les hommes ne s'intéressent qu'à la féminité qui se dégage de votre jeu ? Pourquoi envier le tennis-elbow d'Ethel ? »

Lorsque Joan commença à s'inquiéter des regards baladeurs de Ted, Jackie lui expliqua : « Les hommes Kennedy sont comme ça. Ils courent après tout ce qui porte un jupon. Ça ne signifie rien. »

Ceux qui les connaissaient tous les deux s'accordaient à dire que Jackie n'avait aucune raison de prendre les liaisons de Jack au sérieux. « Personne ne peut se lancer dans une relation avec autant de filles à la fois, dit Spalding, si ce n'est d'une façon superficielle. »

À Noël 1958, durant un bal de charité donné au Plaza Hotel de New York, on vit clairement que Jackie adoptait une attitude assez laxiste vis-à-vis de l'infidélité. Gore Vidal faisait partie des invités. « Je t'ai mis à la table de Jack, dit-elle à Vidal. Il y a une importation directe d'Angleterre, merveilleusement idiote mais très belle, et elle sera assise entre Jack et toi, comme ça vous pourrez discuter à travers elle. »

« Dans leur monde, l'infidélité ne comptait pas. Pour la majorité des gens, le mariage représente le centre de l'univers, fit observer Vidal. L'hétérosexualité est le dieu à adorer et il n'y a rien de plus important que les enfants. À un certain niveau, cela peut être vrai. Mais pas pour Jack et Jackie. Les gens essaient de faire d'eux Jane et John Smith, de Dayton dans l'Ohio. Vous voyez le genre, "Chéri, tu as encore laissé traîner une serviette humide par terre". Mais eux, ils évoluaient dans un monde de pouvoir et d'argent, et pour les riches et les puissants, les valeurs vieillottes comme la fidélité et le bonheur familial n'existent simplement pas. Ils vivaient dans un monde où on pratique le sexe comme le tennis. Il peut y avoir de la compétition. À qui couchera avec le plus de stars d'Hollywood, par exemple. Mais on ne peut pas raconter ça à l'opinion publique américaine. Elle refuserait d'y croire. On l'a trop matraquée à coups de propagande.

« Tant qu'elle n'était pas tournée en ridicule aux yeux de l'opinion publique, Jackie acceptait les liaisons de Jack comme faisant partie de la vie. Cela ne signifie pas qu'ils ne tenaient pas l'un à l'autre. Je pense qu'elle avait beaucoup de tendresse pour Jack et que, lui, il était assez fier d'elle... »

Lors de ce même bal de charité, Jack se montra plus franc sur ses ambitions politiques que dans l'émission *Meet the Press.* Une des voisines des Kennedy à Hyannis Port, Nancy Tenney Coleman, était en train de danser avec Charlie Bartlett quand ils aperçurent le sénateur. « Nancy commença à le taquiner, raconta Bartlett. Elle dit : "Alors, Jack, vous voulez vraiment être président ?" Il l'a dévisagée d'un air froid et il a répondu : "Nancy, non seulement je veux l'être, mais je le serai." Et il était sérieux. »

Jackie n'en était pas moins convaincue. Lors d'un séjour à Hyannis Port pendant l'été 1959, Vidal lui demanda ce qu'elle avait l'intention de faire « quand, et non pas si » Jack deviendrait président. « J'ai tenu un cahier. Avec des noms, répondit-elle. Qui a dit : "La vengeance est plus douce que l'amour ?" »

Jack avait encore six autres candidats démocrates à battre lors des primaires pour être sûr d'être élu. La perspective de ces primaires et des campagnes électorales à venir s'étendait devant Jackie comme une peine de prison de deux ans. Du coup, elle fumait plus que jamais, se rongeait les ongles et achetait fébrilement des vêtements. Pour se préparer, elle demandait courageusement des conseils à celles qui étaient déjà des vétérans des campagnes électorales, comme la femme du sénateur John Sherman Cooper, Lorraine. « Je me souviens qu'elle m'a raconté qu'elle portait toujours sur elle de petites cartes, dit Jackie, et comme ça, dès qu'elle quittait une ville, elle écrivait un mot "Chers truc et machin, merci pour ci et ça". Parce que autrement, tout s'entasse et on ne se souvient plus de rien... mais j'étais trop fatiguée pour y arriver. »

Dès septembre 1959, Jackie accompagna gentiment son mari pendant qu'il arpentait sans discontinuer le pays. Une de ces excursions typiques fut un voyage en Oregon, où ils ne furent accueillis à leur descente d'avion, à Portland, que par trois partisans, dont la déléguée du Congrès, Edith Green. Ce soir-là, à Coos Bay, seule une poignée de dockers maussades vint écouter Jack dans la salle de réunion syndicale ; ensuite, Jackie, endimanchée dans un tailleur Chanel à carreaux, essaya en vain d'échanger quelques mots avec les hommes.

Le candidat et sa femme passèrent la nuit au Motel Let 'Er Buck, puis prirent leur petit déjeuner le lendemain matin dans un café graisseux de la ville. Personne ne les reconnut. « Dans certaines villes, c'était difficile de trouver quelqu'un avec qui échanger une poignée de main, reconnut Kenny O'Donnell, et la plupart de ceux qui parlaient aux Kennedy étaient des lycéens encore trop jeunes pour voter. »

Jack se montra tenace. Il parlait dans les lycées, il visitait les supermarchés et les usines, il se précipitait même vers les voitures arrêtées aux feux rouges pour échanger une poignée de main avec leurs conducteurs. Jackie l'accompagnait souvent, faisant de son mieux pour ressembler à la ménagère du coin de la rue. « Ce n'est pas facile, ce voyage, dit-elle, mais nous sommes ensemble et il m'explique combien je l'aide par ma simple présence. Et j'essaie de me montrer naturelle avec les gens. Je pense que si on ne l'est pas, ils s'en aperçoivent immédiatement. »

Jackie raconta comment, un matin de bonne heure, Jack la réveilla. Ils se trouvaient dans le Wisconsin. Au bout de quelques minutes, Steve Smith, le beau-frère de Jack, un des principaux stratèges de la campagne, frappa à la porte. « Pendant qu'ils discutaient des nouvelles du jour et de choses comme ça, j'ai fait mes valises et je me suis habillée. Aucun de nous n'était très bavard si tôt le matin, surtout moi. Mais je me souviens de ce qui s'est passé dans la voiture qui nous emmenait à l'aéroport d'Ashford. J'ai vu un corbeau et j'ai dit à Jack qu'il fallait en voir un second ; je lui ai récité la comptine que j'avais apprise quand j'étais enfant : "Un corbeau, c'est de la peine, deux corbeaux, de la veine, trois une fille et quatre un gars."

« Et vous auriez dû voir Jack chercher les corbeaux. Il aurait voulu en voir quatre. Je crois que tous les hommes souhaitent avoir un fils. Mais j'ai trouvé ça tellement touchant. »

Touchant n'était pas le terme adéquat pour décrire les sentiments de Jack à l'égard de ses rivaux démocrates, qu'il considérait tous comme des minables. « Jack m'a dit quelque chose que je n'oublierai jamais, déclara Charles Bartlett qui, en compagnie de sa femme Martha, vint fêter le réveillon du Nouvel An chez les Kennedy. Il m'a dit que, si les démocrates ne le nommaient pas candidat, alors il voterait pour Nixon. Il ne plaisantait pas du tout. »

Le 20 janvier 1960, Jack annonça officiellement à la presse qu'il était candidat.

Chapitre 8

Le 20 janvier 1960, Jack annonça à la presse, dans la salle du Comité électoral du Sénat, qu'il se mettait officiellement sur les rangs comme candidat démocrate à la présidence des États-Unis. Il avait d'ores et déjà parcouru des dizaines de milliers de kilomètres à bord de son avion le *Caroline.* Son père lui avait offert ce DC-3 pouvant contenir dix passagers et luxueusement équipé de canapés, de fauteuils inclinables, d'une alcôve dans laquelle on pouvait dormir, d'une salle à manger et d'une coquerie qui était toujours approvisionnée avec le plat préféré de Jack, une épaisse soupe de palourdes de la Nouvelle-Angleterre.

Le *Caroline* devint le centre nerveux volant de la campagne. Tandis que Jack y tenait des réunions stratégiques avec O'Donnell et Powers, ou travaillait sur un discours avec Sorensen, Jackie passait le temps en faisant de la tapisserie ou en lisant Jack Kerouac. « Elle représentait un îlot de sérénité dans un océan de chaos, dit Lowe. Mais on voyait qu'elle aurait préféré être ailleurs. »

La campagne s'intensifia, et il était fréquent que le *Caroline* se posât dans six ou sept villes différentes au cours d'une même journée. À chaque atterrissage, les journalistes et les hommes politiques de la région montaient à bord pour rencontrer le candidat et on les déposait à l'étape suivante, d'où ils rentraient chez eux en voiture.

« On commençait à six heures et demie à New York, puis on allait à Boston, Chicago et encore deux autres villes, pour finir en Californie à deux heures du matin, raconta Jacques Lowe. On avait assisté à trois déjeuners et à trois dîners, où Jack avait pris la parole, mais sans jamais trouver le temps de manger. Ensuite, on s'écroulait, complètement épuisés. Ce qu'il y a d'incroyable, c'est que, alors que j'essayais de m'extraire du sommeil, Jack était déjà levé, rasé et douché, en train de répondre aux questions des journalistes. Il avait une énergie étonnante. »

Ce rythme effréné ne paraissait pas perturber Jackie, qui partageait le stoïcisme de son mari en ce qui concernait les voyages en avion. « Nous volions par tous les temps, raconta Lowe, qui commença la campagne cramponné aux sièges. Blizzard, tempêtes, brouillard à couper au couteau. Si les pilotes hésitaient à partir, Jack leur promettait une prime supplémentaire. Quand l'avion tanguait, je devenais vert, mais je regardais Jack et Jackie et ils étaient assis là en train de lire, aussi tranquilles que possible. »

Lowe fut également impressionné par la confiance totale que Jack montra lors de la première des sept primaires présidentielles. « Jack n'éprouva jamais aucun sentiment mitigé, dit Lowe. Il ne concevait pas le moindre doute à propos de la présidence. Il n'avait qu'à tendre la main pour s'en emparer. »

Comme prévu, Jack (avec l'aide de Rose, qui anima autant de réunions électorales que son fils) remporta haut la main les primaires du New Hampshire. Mais la première grande bagarre politique eut lieu dans le Wisconsin, où il s'opposait à Hubert Humphrey, le populaire sénateur de l'État voisin, le Minnesota. « Jackie ne voulait pas y aller, et elle n'est venue que parce que Jack a insisté, raconta Chuck Spalding. Pour elle, c'était la torture à l'état pur. Elle détestait ça, vraiment, elle détestait ça. Elle n'avait aucune envie d'aller dans le Wisconsin, parce que l'hiver était froid et qu'il neigeait beaucoup... Dans notre hôtel de Green Bay, elle est restée dans sa chambre au troisième étage, pendant que Jack était au bar, à essayer de ramasser des voix. Il a commencé à s'impatienter, et il m'a envoyé la chercher. À l'époque, le magazine *Look* avait organisé un concours, “Baptisez un cheval”, et le premier prix, c'était une Buick nouveau modèle. Jackie était assise sur son lit, entourée de feuilles sur lesquelles elle avait griffonné des listes de noms de chevaux. Elle ne pensait qu'à une chose : gagner cette Buick. J'ai dit : “Venez, Jackie, il faut descendre. Il faut absolument y aller, Jackie. Jack vous attend.” Elle essaya de gagner du temps en disant : “Est-ce vraiment indispensable ?” Mais elle finissait toujours par y aller, de toute façon. »

Même si elle acceptait d'affronter la foule, Jackie choisissait souvent, selon les mots de Ben Bradlee, « de tirer un store invisible sur son visage, et de s'isoler mentalement. Elle était physiquement présente, mais intellectuellement, bien loin de là ».

Pierre Salinger, qui avait rallié la campagne de JFK en tant que porte-parole, estimait que « Jackie savait à merveille dissimuler aux électeurs son dégoût naturel de la politique ». Personne plus que Jack n'appréciait les efforts qu'elle fournissait. « Elle a beau respirer tous les gaz politiques qui flottent autour de nous, dit-il, on a l'impression qu'elle ne les aspire jamais. » Et quant au fait qu'il l'utilisait pour parvenir à ses fins politiques : « Puisque j'y suis plongé jusqu'au cou, et que nous sommes liés, elle y est aussi plongée jusqu'au cou. »

Dans les premiers temps de sa candidature officielle, Jack, en dépit des apparences, gardait la tête froide au milieu de tous ces bains de foule. Le journaliste Peter Lisagor l'interviewa alors qu'il se rendait dans un supermarché de la banlieue du Milwaukee, et la conversation tomba sur le sujet. J'étais assis à l'arrière avec Jackie, et il était devant, raconta Lisagor. En approchant du supermarché, je me suis penché pour lui dire : “Vous aimez la foule et tout cela ?” Il s'est retourné et il a répondu : “Je déteste ça.” Sur ce, nous nous sommes arrêtés, il est sorti et on aurait juré que cet homme adorait la foule. Son visage rayonnait. Il signait des autographes sur les sacs à provisions de ces dames, qui arrivaient en masse. Mais je me souviens de l'intensité avec laquelle il a affirmé détester ce genre de choses. »

Jackie continuait à se traîner, serrant des centaines de mains l'après-midi, et d'autres centaines encore le soir. « On finit par être tellement fatigués qu'on se surprend à rire et à pleurer en même temps, dit-elle. Mais on se reprend en main et on arrive au bout. Il faut considérer que c'est une chose à accomplir. On savait ce que ça représentait et on savait que ça valait le coup. »

« Au bout d'un certain temps, tous les lieux se mélangent, vraiment », dit Jackie, ajoutant qu'elle était surprise de découvrir que la plupart des gens étaient aussi timides qu'elle. « Parfois, on reste là à échanger des sourires, mais sans rien dire. »

Jackie surmontait sa timidité pour faire passer le message de son mari. Un jour, dans un supermarché de Kenosha, le directeur annonçait les produits en promotion quand Jackie demanda la permission d'emprunter le micro. « Continuez à faire vos courses pendant que je vous parle de mon mari, John F. Kennedy. » Après avoir expliqué qui il était et ce qu'il voulait, elle termina simplement par ces mots : « Je vous en prie, votez pour lui. » Mais lorsque Jack se rendit à l'improviste dans un couvent, le jour de la St. Patrick, Jackie secoua la tête, incrédule. « Les bonnes sœurs votent, elles aussi, tu sais », répliqua Jack.

Jackie ressentait déjà la tension croissante de la campagne. Après avoir posé à Jack des questions ardues dans l'émission *Face the Nation*, Lisagor retrouva Jackie dans le foyer du studio. « Elle se montra tellement froide, dit-il, que je lui demandai si elle était fâchée contre moi. »

« Oh oui, répondit Jackie. Parce que j'estimais que vous aviez posé des questions méchantes, tordues. Mais Jack affirme que vous faites votre travail et que vous êtes un type sympathique. Si j'ai l'air en colère, eh bien, excusez-moi. Je crois que je suis un peu tendue. Tout est en train de se jouer, à présent... »

De fait, Jackie ne vivait pas toujours en accord avec la célèbre devise de son mari : « Ne te fâche pas, règle tes comptes. » « Même si Jack avait un caractère de chien, il n'était pas rancunier, dit Smathers. Ce n'était pas son genre. Mais Jackie n'était pas du tout ainsi. » Quand Jack fit l'éloge d'un rival politique au Massachusetts, Jackie lâcha sèchement : « Pourquoi racontes-tu des choses gentilles sur ce rat ? Voilà trois semaines que je le déteste. »

Le Wisconsin, dont la population était essentiellement catholique, ne représentait pour Kennedy qu'une victoire mineure. Les primaires suivantes, en Virginie occidentale, où le protestantisme dominait, allaient être d'une importance capitale. Le jury s'interrogeait encore sur l'impact de Jackie dans le Wisconsin ; d'après Spalding, elle avait remporté « un grand succès » alors que d'autres affirmaient qu'une photo où on la voyait fumer en cachette entre deux étapes avait coûté des voix.

Lors d'une de leurs réunions stratégiques, à l'heure du petit déjeuner, au Kanawa Hotel de Charleston, l'organisateur de la campagne Charles Peters décida qu'il « fallait parler franchement » de Jackie. « J'avais le sentiment qu'elle allait nous faire perdre des voix. Je craignais qu'elle ne fût une catastrophe. Elle me paraissait beaucoup trop haut de gamme pour la Virginie occidentale, et les gens allaient être choqués de voir quelqu'un dans toutes ces tenues de grands couturiers. »

« Eh bien, je me trompais du tout au tout, reconnut Peters. En réalité, les électeurs l'ont adorée. On la prenait pour une princesse, et ils se sont laissé séduire par son charme et son élégance au lieu d'être choqués. »

Clarence Petry, qui habitait en Virginie occidentale, raconta une anecdote révélatrice, qui se produisit lors d'un rassemblement : il observa qu'une jeune femme, dans le public, ne portait pas de chaussures. « Il fallut un petit moment avant que quelqu'un ne remarquât que Jackie elle-même ne portait pas de chaussures. Elle s'en était débarrassée. Les gens de Virginie occidentale, ça leur a plu. Jacqueline Kennedy leur a plu. Sans aucun doute. »

Bien sûr, Jack n'avait pas de meilleur support publicitaire que lui-même. Grimpant sur les camions et les tracteurs pour s'adresser à de petits groupes de gens, se mêlant aux mineurs au moment des changements d'équipes, et faisant du porte-à-porte au milieu de leurs baraques en papier goudronné, Kennedy sut convaincre les habitants de cet État pauvre qu'il était un homme du peuple. De plus, il fut bien soutenu par Franklin D. Roosevelt junior, dont le père était encore vénéré comme un saint par la plupart des gens de cette région.

La victoire écrasante qu'il remporta dans cet État enterra définitivement le problème du catholicisme et constitua un argument décisif pour sa nomination. Cela prouva aussi que, avec Jackie, il possédait un bon atout politique. « Jusque-là, dit Spalding, je crois que personne ne savait de quel côté elle allait faire pencher la balance – ni comment la population allait réagir. » Jack continua sur sa lancée, remportant toutes les primaires.

Enceinte de cinq mois, Jackie voulait éviter à tout prix de répéter la tragédie de 1956. Elle décida donc de ne pas accompagner Jack à la Convention, à Los Angeles. Il l'approuva totalement, sans doute en partie parce que cela lui permettrait de gambader librement, mais surtout par souci du bébé. « Après la naissance de Caroline, il comprit ce que cela signifiait d'être père, dit un ami. Il considérait déjà ce bébé comme un être humain, pas comme une chose. Je pense qu'il se sentait coupable de la façon dont il s'était comporté en 1956 – quand il avait voulu rester en Europe, même après avoir appris la mort du bébé. Pour beaucoup d'entre nous, c'était impardonnable. Mais, en 1960, il avait changé. S'il s'était passé alors quelque chose d'analogue, il aurait été ravagé de chagrin. »

Caroline était déjà marquée du sceau politique de sa famille. Ses premiers mots furent : « Au revoir », « New Hampshire », « Wisconsin » et « Virginie occidentale ». Jackie racontait qu'elle regrettait beaucoup qu'il y eût des primaires dans si peu d'États car, autrement, leur fille aurait eu un vocabulaire plus vaste que les enfants de son âge.

Étant donné les circonstances particulières de sa petite enfance, Caroline fut, et demeura, remarquablement facile. Et elle adorait son père. Jack était en train de prendre un bain, pendant un de leurs rares week-ends en famille, quand Caroline entra en courant. « Papa ! » cria-t-elle en jetant dans la baignoire un exemplaire de *Newsweek*, avec la photo de son père en couverture.

En juillet, Jackie resta à Hyannis Port et regarda la Convention sur une petite télévision de location. Elle fut la seule Kennedy à ne pas faire le voyage jusqu'à Los Angeles. Quand on demanda à Jackie quel effet cela lui ferait si la Convention choisissait quelqu'un d'autre que Jack, ce qui paraissait alors inconcevable, elle répondit : « Ce serait exactement comme pour un coureur automobile en train de gagner une course à qui l'on dirait qu'il n'y a plus d'essence pour sa voiture. »

Jack, Bobby et toute l'équipe installèrent leur quartier général dans la chambre 8315 du Biltmore Hotel, tandis que Joe et Rose emménageaient dans le « pavillon » de Marion Davies à Beverly Hills. D'emblée, on accusa Joe d'avoir « acheté et payé » les membres du Congrès, faisant des manigances en coulisses avec les patrons, baratinant les démocrates de base à coups d'alcool, de femmes et d'argent. « Joe était plongé dans cette élection jusqu'au cou, dit Charlie Bartlett. Il a fait tout ce qui était en son pouvoir pour la nomination de Jack et, ensuite, son élection. Et son pouvoir était considérable. »

Ayant sagement choisi de rester dans l'ombre, Joe faisait marcher le téléphone et passait ses soirées en compagnie d'amis comme Henry et Clare Boothe Luce, tandis que Rose et les autres faisaient la cour aux délégués. « Jack et Bobby mènent la danse, disait-on partout à la Convention, pendant que Ted se charge de cacher Joe. »

Avant la Convention, Harry Truman avait préféré démissionner de son poste de délégué plutôt que de participer à « un scénario pré-arrangé ». Il s'en prenait à la jeunesse et à l'inexpérience de Jack, quoique, en l'appelant prétendument par inadvertance « Joe », l'ancien président exprimât clairement que son objection principale, c'était surtout l'influence de ce dernier. Accompagné par une Jackie rayonnante, Jack avait tenu une conférence de presse à Washington au cours de laquelle il réfuta adroitement les accusations de Truman.

Le lendemain, cependant, Lyndon Johnson – qui, en 1956, au nom du Texas, s'était prononcé pour la candidature de Kennedy au poste de vice-président – annonça qu'il se présentait. À cette époque, Johnson en était arrivé à détester cordialement tous les Kennedy, surtout Bobby. LBJ se fit l'écho de Truman, accusant Jack d'être jeune et incompétent et ajoutant que, lui aussi, il pensait que « Joe serait à la tête du pays » si jamais son fils était élu.

Les partisans de Johnson ne firent pas dans la dentelle. Le journaliste Théodore White raconta qu'il reçut un coup de fil de quelqu'un qui, plus tard, occupa un poste important dans le gouvernement Johnson. « J'estime que vous devez savoir que John et Bobby Kennedy sont des tantes, dit l'émissaire de Johnson. Nous avons des photos d'eux habillés en femmes, à une grande fête de tantes donnée ce printemps à Las Vegas. Il faut rendre cela public. » Son correspondant promit à White de lui remettre les photos « dans les vingt-quatre heures ». Mais personne ne les vit jamais.

Au même moment, le cabinet du Dr Janet Travell et celui d'un autre médecin de Jack, le Dr Eugene Cohen, furent fracturés et mis à sac. Quelques jours plus tard, le partisan de Johnson, John B. Connally, tint une conférence de presse pour annoncer que Jack était atteint de la maladie d'Addison. Connally, qui périt en même temps que le président à Dallas, affirma que Kennedy n'avait probablement plus qu'un trimestre à vivre. (L'autopsie de John F. Kennedy a bien montré que ses glandes surrénales avaient été détruites par la maladie d'Addison et que, de fait, la dose quotidienne de cortisone les remplaçait complètement.)

Johnson, qui avait lui-même réchappé d'une grave crise cardiaque en 1955, s'efforça en public de désavouer cette accusation. Mais, en privé, il tournait Jack en dérision, le traitant de « bossu estropié », de « rachitique décharné » et de « petite merde souffreteuse ».

Le 10 juillet, la veille de la Convention, deux mille huit cents personnes assistèrent au dîner organisé par le Parti démocrate, au Beverly Hilton Hotel, pour recueillir des fonds (cent dollars le plat). Au bout de la table, Judy Garland s'assit à la droite de JFK, à la place de Jackie, absente. Frank Sinatra eut également droit à une place d'honneur, ainsi qu'un certain nombre de présidentiables, comme Lyndon Johnson, Stuart Symington du Missouri, et le plus aimé de tous, Adlai Stevenson.

Le lendemain, Sinatra, Dean Martin, Sammy Davis junior, Peter Lawford, Tony Curtis et Janet Leigh – tous farouches partisans de Kennedy – ouvrirent la Convention en chantant l'hymne national. Puis ils se dispersèrent au milieu des délégués, usant de leur indéniable pouvoir de stars pour faire pencher la balance en faveur de leur candidat.

Au milieu du tohu-bohu de la Convention, Jack trouva encore le temps de se livrer à quelques activités hors programme. Le 11 juillet, il se réfugia dans la suite de Lawford, au Beverly Hilton, pour passer la nuit en compagnie d'une jeune femme divorcée de vingt-six ans, pourvue d'une silhouette élancée, d'un regard bleu et d'une chevelure d'un noir de jais. Présentée par Sinatra, Judy Campbell (qui épousa plus tard le joueur de golf Dan Exner) avait couché pour la première fois avec le sénateur au mois de mars, la nuit précédant les primaires du New Hampshire, au Plaza Hotel de New York.

Jack et Judy s'étaient déjà débrouillés pour se retrouver à plusieurs reprises, de Chicago à Las Vegas en passant par Palm Springs. Mais ce soir-là, veille de la Convention, il lui demanda quelque chose de particulier : un *ménage à trois* avec quelqu'un que Campbell décrivit plus tard comme « une grande femme mince, du genre secrétaire, près de la trentaine ». Elle avait déjà eu l'occasion de refuser la même chose à Sinatra, et elle persista dans son refus. « Je te connais, insista en vain Jack, je sais que ça va te plaire. »

Pendant les jours qui suivirent, Marilyn Monroe remplaça Campbell comme principale source de « distraction » pour Jack. Désespérée, parce que Yves Montand avait choisi de rester avec sa femme, Simone Signoret, Marilyn était à présent complètement disponible pour le candidat à la présidence. Ils réussirent à voler quelques moments dans une des cachettes de Jack, une maison appartenant à un ami de la famille Kennedy, Jack Haley, qu'on connaît surtout parce qu'il a incarné le Tin Man dans *Le Magicien d'Oz.*

Le 12 juillet, Marilyn dîna ouvertement avec Jack, Kenny O'Donnell et Peter Lawford dans un des repaires favoris de Sinatra, le Puccini's. Elle déclara au beau-frère du futur président qu'elle trouvait Jack « très pénétrant » lors de leurs entretiens privés. Elle raconta plus tard à sa femme de chambre que, alors que tout le monde discutait poliment autour de la table, Jack avait glissé la main sous sa robe et s'était aperçu qu'elle ne portait pas de culotte. Du coup, il avait retiré sa main en rougissant.

Le lendemain, Jackie s'installa dans son salon de Hyannis Port pour assister au reportage sur la Convention. Elle se mit à fumer avec nervosité quand les partisans d'Adlai Stevenson, dans une ultime tentative, menacèrent momentanément de faire dérailler le Kennedy Express. Elle poussa un soupir de soulagement quand le Wyoming mit son Jack en tête dès le premier tour de scrutin.

Le premier coup de fil de Jack fut pour son père, qui se cachait toujours à Beverly Hills. Le second fut pour Jackie. Elle le félicita, mais la conversation resta tendue. « Elle n'était pas idiote, dit Smathers. Jackie connaissait toute l'histoire avec Marilyn et savait très bien ce qu'ils manigançaient à la Convention. »

Une de ses principales sources d'information était sa sœur, Lee, qui avait assisté à la Convention avec son second époux, le prince polonais Stanislas Radziwill. Lee avait épousé « Stas » (prononcez « Stash ») l'année précédente, après l'annulation de son mariage avec Michael Canfield. Tous ceux qui avaient connu Black Jack s'émerveillaient de sa ressemblance avec le mondain Radziwill, toujours bronzé et moustachu. De vingt ans plus âgé que Lee, il avait également en commun avec Black Jack quelques mauvaises habitudes. De leur suite au Beverly Hilton, Lee téléphonait à Jackie tous les ragots de la Convention, y compris un rapport régulier sur les déplacements de Jack.

« Jackie ne se sentait pas menacée, dit Clare Boothe Luce. Même pas par Marilyn Monroe. Mais si c'était devenu de notoriété publique, elle aurait été dans une colère terrible. L'idée d'être humiliée au vu et au su de tous lui était insupportable. »

Bientôt, Jackie n'eut plus besoin de Lee pour tout savoir. Les journalistes traquèrent le chef des prétendants démocrates jusque dans sa retraite cachée. Quand Jack tenta de s'enfuir en descendant le long d'une échelle d'incendie, ils le pourchassèrent par-dessus la clôture d'un voisin et le rattrapèrent finalement au moment où il montait dans une voiture en stationnement. Jack prétendit qu'il partait voir Joe.

Rien de tout cela ne parut perturber Jackie, qui passait beaucoup de temps à préparer un cadeau pour le retour de son mari – un dessin représentant Jack, vêtu d'un uniforme napoléonien, et rentrant victorieusement au Cape à bord de son voilier *Victura*. Une foule l'attendait sur le quai, agitant une pancarte sur laquelle on lisait : « Bienvenue chez vous, monsieur Jack. »

En réalité, Jackie avait été bouleversée par ce qu'elle avait entendu raconter de la Convention. Elle confia à Walter Sohier, un célibataire de Georgetown de qui elle s'était beaucoup rapprochée, qu'elle avait le sentiment que cette candidature avait peut-être gâché à jamais son mariage. « Devant la presse, les caméras ou l'opinion publique, elle ne manifestait rien, dit Larry Newman, leur voisin de Hyannis Port. Mais je la voyais pratiquement tous les jours, et souvent, j'ai surpris cette expression dans son regard – à mi-chemin entre la tristesse et la panique. »

L'ami de Jackie, Walter Sohier, a dû effectivement recueillir ses plus intimes confidences. « Jackie passait des heures avec Walter dans sa maison de Georgetown, et elle se confiait à lui », dit un autre ami. À coup sûr, leur relation apporta de l'eau au moulin des ragots. « La presse n'en a jamais eu vent, ou du moins on n'en a jamais parlé, dit Priscilla McMillan, mais beaucoup de gens se posaient des questions... »

« Bien des rumeurs ont couru sur le mariage des Kennedy », reconnut Red Fay, l'ami de l'époque du PT-109. Fay profita d'un parcours de golf pour interroger Jack sur le sujet : « La sœur de la femme d'un de mes meilleurs amis, qui est censée appartenir au même cercle new-yorkais que Jacqueline et Lee, fait courir le bruit que Jacqueline restera avec toi jusqu'à ta nomination ou jusqu'à la fin des élections, mais que, ensuite, elle divorcera, dit Fay à Jack. Elle affirme tenir cette information d'une des meilleures amies de Jackie. Je veux entendre de ta bouche que ce n'est pas vrai, afin de tuer cette histoire dans l'œuf. »

À en croire Fay, Jack le regarda comme si son ami « venait juste de lui dire que son lacet était défait ». « Red, dit-il sans sourciller, l'histoire est fausse, mais si j'étais toi, je n'essaierais même pas de la tuer dans l'œuf. Les gens qui répandent ce genre de rumeurs refusent les démentis. Je crois que je sais de qui ça vient, à New York. Jackie et elle se retrouvent souvent dans les mêmes réceptions, et curieusement, Jackie dit qu'elle se montre toujours très amicale. On ne sait jamais qui s'apprête à vous tirer dans le dos. »

Plus tard, à bord du *Caroline*, alors que les Kennedy et les Fay bavardaient à bâtons rompus, Jack reparla de cette rumeur. « Jackie ! Aujourd'hui, au golf, Red m'a demandé s'il y avait quoi que ce soit de vrai dans la rumeur selon laquelle tu souhaites divorcer une fois la campagne achevée, dit Jack calmement. Ta bonne copine qui a épousé ce type avec un nom russe, à New York, raconte partout cette histoire.

– Cette petite salope, dit Jackie. Quand je pense qu'elle se comporte toujours si amicalement. »

Cette rumeur-là ne reposait probablement sur rien. Elle-même enfant du divorce, Jackie n'aurait jamais soumis Caroline à la souffrance déchirante qu'elle avait dû endurer. Mais il ne fait guère de doute que, mise au courant des escapades de Jack à Los Angeles, Jackie ait cherché du réconfort dans la compagnie du serviable Sohier.

Dès que la nomination de Jack fut confirmée, tout le monde se demanda qui il allait choisir pour le poste de vice-président. Le sénateur du Missouri, Stuart Symington, le sénateur Henry « Scoop » Jackson de Washington, et Lyndon Johnson partaient favoris pour le titre.

Tandis que Jack réfléchissait à la question dans sa chambre d'hôtel de Los Angeles, le lendemain matin, d'un bout à l'autre du pays, la presse s'était déjà jetée sur Jackie à Hyannis Port. « Je suis dans un tel état d'agitation », leur dit-elle. Comment ressentait-elle le fait que son mari lui eût « ordonné » de rester à la maison ? « Il est très strict, mais aussi très affectueux. » Elle sourit.

Jackie fit mine de regretter sa décision de rester chez elle pendant sa grossesse. « J'imagine que je n'aurai pas un grand rôle à jouer dans la campagne, dit-elle aux journalistes, mais je ferai ce que je peux. J'ai le sentiment qu'il faut que je sois aux côtés de Jack quand il est engagé dans une telle bataille, et si ce n'était pas pour le bébé, je mènerais campagne de façon encore plus énergique que Mrs. Nixon. Je ne veux pas me montrer présomptueuse au point de penser que je pourrais exercer une influence, mais ce serait tellement atroce si mon mari perdait pour quelques voix, simplement parce que je n'étais pas à ses côtés et parce que les gens avaient apprécié de rencontrer Mrs. Nixon. »

Un journaliste lui demanda si le bébé devait arriver avant ou après le jour de l'investiture. Elle lui jeta un regard interrogatif, avant de répliquer : « Quand est le jour de l'investiture ? »

D'une façon plus sérieuse, Jackie esquiva la question du candidat potentiel à la vice-présidence. « J'aime tout le monde », répondit-elle gaiement.

Le matin qui suivit sa nomination, Jack convoqua Lyndon Johnson au Biltmore. La seule autre personne présente dans la pièce quand Jack proposa la vice-présidence à LBJ, c'était Jacques Lowe. « Il était dix heures un quart, et Johnson s'enfilait ses verres de bourbon sec, raconta Lowe. Il était très nerveux. Il savait qu'il allait devoir renoncer à son pouvoir en tant que leader de la majorité au Sénat pour accepter un des boulots les plus pourris du gouvernement. Souvenez-vous, John Nance Garner, qui était vice-président sous Roosevelt, disait que "ça ne valait pas une cruche de salive tiède". »

Le choix de Johnson provoqua une levée de boucliers à l'intérieur du parti, et même la femme de LBJ, lady Bird, le supplia de ne pas accepter d'être le second sous les projecteurs. Alors, pourquoi, en définitive, Johnson accepta-t-il ? « J'ai bien examiné le problème, déclara-t-il à Clare Boothe Luce. Un président sur quatre est mort pendant son mandat. Je suis un joueur, chérie, et c'est la seule chance que j'aie. »

Marilyn se joignit au Rat Pack de Sinatra et à cent mille autres personnes qui se massèrent dans le Sports Arena le

15 juillet pour écouter le vibrant discours de Jack. Ils entendirent aussi Symington, Stevenson, Humphrey, Jackson, Johnson et même Eleanor Roosevelt (qui, quelques jours auparavant, avait réprimandé Jack parce qu'il montrait « trop sa tête et pas assez son courage ») se joindre au chœur des louanges destinées à leur jeune champion. Marilyn était satisfaite de sa contribution à ce succès. « Je pense, dit-elle à Lawford, que je lui ai fait du bien au dos. »

Plus tard, ce soir-là, Jack, Bobby et Marilyn assistèrent à une petite fête chez Pat et Peter Lawford. Plusieurs invités, dont Marilyn, allèrent se baigner à poil. Quand les voisins téléphonèrent à la police pour se plaindre du bruit, il fallut que Jack intervînt en personne pour empêcher les flics d'interrompre la fête et de mettre en taule plusieurs des célèbres invités.

Quand il revint à Hyannis, Jackie l'attendait patiemment sur la piste du Barnstable Airport. Elle ne voulait pas être là. Un peu plus tôt, Larry Newman avait dû monter la chercher dans sa chambre, après qu'elle eut répondu à l'émissaire de Kennedy, Frank Morrissey, d'aller « se faire foutre » !

« Assise au bord de son lit, elle secouait la tête avec une expression pleine de tristesse, dit Newman. Elle disait qu'elle ne voulait pas aller à l'aéroport parce qu'elle savait exactement ce qui allait se passer : elle monterait rejoindre Jack à bord du *Caroline* dès qu'il aurait atterri, puis, comme prévu, elle ressortirait avec lui sous les acclamations de la foule. On lui collerait ensuite un bouquet de roses dans les bras et lui, il l'abandonnerait pour aller prendre un bain de foule. "Alors je me retrouverai là, complètement seule, comme toujours, me dit-elle. Je déteste ça." »

Newman promit de rester à ses côtés si c'était le cas, alors elle accepta de venir. « Dans la voiture, elle ne prononça pas un mot, raconta Newman. Plus on s'approchait de l'aéroport, plus les gens se massaient pour accueillir Jack, et plus elle devenait tendue. On aurait dit une biche effrayée. Elle détestait la foule. »

Dès que Jack arriva à l'aéroport, les événements se déroulèrent exactement comme l'avait prévu Jackie. Au moment où ils quittaient l'avion, les photographes crièrent : « Embrassez-le, Jackie », mais avant qu'elle n'en ait eu le temps, il avait déjà filé vers ses partisans surexcités qui se massaient contre la barrière. Jackie se tourna vers Newman et dit en soupirant : « Qu'est-ce que je vous avais dit ? »

Pendant les deux semaines qui suivirent, avant que Jack ne s'immergeât dans la campagne contre son ancien ami Richard Nixon, Jackie et lui réussirent à voler quelques moments de détente à Hyannis Port. Il y avait la plongée, la voile et bien sûr, le football. Jack fonçait dans la propriété au volant d'un caddie de golf, tandis que Caroline et ses cousins se cramponnaient pour ne pas tomber. Que ce fût à Hyannis Port, à Georgetown ou à la Maison-Blanche, Jack n'avait qu'à claquer deux fois de suite dans ses mains, en appelant « Buttons », le surnom affectueux qu'il avait donné à Caroline. Dès qu'elle entendait son père, Caroline « démarrait comme une fusée », raconta Salinger.

Un après-midi, Lowe réussit à prendre sur le vif Jackie, vêtue d'un maillot une pièce et d'un bonnet de bain à fleurs, en train de gambader dans les vagues avec Jack. Dans un moment d'espièglerie, elle essaya de le faire tenir sur un bateau grand comme une baignoire, avant de faire tout basculer, envoyant le candidat démocrate à la présidence boire la tasse.

Mais tout n'était pas que joie et jeux. « Un matin, à Hyannis Port, dit Lowe, je vis Jackie descendre prendre son petit déjeuner, alors que la maison était pleine de gens qui venaient demander des faveurs à Jack. Elle entra dans le salon, et il s'y tenait une réunion d'immigrants qui criaient en polonais et en hongrois. Alors elle est sortie sur la véranda, et c'était bourré de politicards irlandais, des hommes costauds et rougeauds flanqués de grosses femmes. On aurait pu couper au couteau la fumée de cigare. Quand elle essaya la salle à manger, Jack, absorbé par une réunion importante, la renvoya d'un geste de la main. Elle poussa la porte de la cuisine, et y trouva Pierre Salinger entouré de journalistes, en train de donner une conférence de presse. Ne sachant où aller, Jackie fit demi-tour et remonta directement dans sa chambre. J'en fus navré pour elle. »

Ce fut pendant cette période de décalage que Lowe se retrouva au cœur d'une querelle entre Mr. et Mrs. Kennedy. Depuis les premières primaires, quand Jack avait modifié son emploi du temps pour éliminer ce que Jackie appelait ces « idiots d'allers et retours en zigzag », elle se sentait suffisamment sûre d'elle pour faire régulièrement des suggestions à l'équipe. Quand il s'agissait des photos de la famille et de la meilleure façon de les utiliser, Jack, en général, se pliait à ses désirs. « *Modern Screen* voulait réaliser une maquette de douze pages sur la famille, raconta Lowe, mais Jackie voulait que je donne les photos à *Vogue*. À l'époque, *Modern Screen* avait dix fois plus de lecteurs que *Vogue*, dont les lectrices étaient surtout de riches épouses de républicains en vison. Comme Jackie insistait, je suis allé en parler à Jack. »

Le sénateur fut d'emblée d'accord avec Lowe et lui ordonna de donner les photos à *Modern Screen.* Lowe lui demanda de bien vouloir expliquer sa décision à Jackie, mais son patron s'énerva. « Expliquez-lui donc qu'il n'y a pas une seule électrice dans ce tas de riches salopes. »

Le photographe personnel de Jack apprit plus tard, comme tous ceux qui travaillaient à la Maison-Blanche, que son employeur n'affrontait jamais Jackie lui-même sur de tels sujets. « Il nous disait de faire une chose que Jackie avait expressément demandé qu'on ne fasse pas, raconta Lowe, puis de jouer les idiots. Du genre "Comment ? Qui, moi ?" Il n'aimait pas les conflits avec Jackie. Jack aurait fait n'importe quoi pour éviter une dispute avec elle. Il se souciait vraiment de ses sentiments, et faisait de son mieux, même avec toutes les pressions incroyables qu'il subissait dans cette course à la présidence, pour la rendre heureuse. »

À la mi-août, de nouveau la campagne battait son plein et, durant les onze semaines à venir, celle-ci n'allait plus ralentir. Le virage décisif eut lieu le 26 septembre 1960. CBS proposa de passer à l'antenne, dans *The Andy Griffith Show*, le premier des quatre débats présidentiels historiques, opposant John Kennedy à Richard Nixon.

Ce fut à ce moment-là que Jack tomba sur une arme secrète – qui allait non seulement jouer un rôle décisif dans la lutte pour écraser l'adversaire, mais aussi lui permettre de mener la présidence à un rythme surhumain. « Je travaillais dans l'agence de publicité J. Walter Thompson, à New York, et j'étais en train de vivre un sale divorce qui me laissait sur les genoux, raconta Chuck Spalding. Un ami de la famille m'a conseillé de voir un médecin qui s'appelait Max Jacobson, alors j'y suis allé. Je suis arrivé dans son cabinet à New York, et la terre entière était assise dans sa salle d'attente – Eddie Fisher, Alan Jay Lerner, Zero Mostel, Johnny Mathis, ainsi que plusieurs actrices. C'étaient ses patients, sans compter la moitié d'Hollywood !

« Max était un homme étrange – bruyant, arrogant, le genre savant fou. Mais j'étais au bout du rouleau, et donc, je l'ai laissé me faire une piqûre. Eh bien, ça m'a donné un sacré coup de fouet ! Je me sentais merveilleusement bien, plein d'énergie – capable de faire n'importe quoi. Je ne savais pas exactement ce qu'il me donnait, mais pour moi, c'était une vraie potion magique. »

Jacobson, plus connu sous le célèbre nom du « Docteur Feelgood », injectait en réalité à Spalding et à ses autres patients – y compris le photographe et ami de Kennedy, Mark Shaw – des « cocktails » d'amphétamines, contenant essentiellement de la déxédrine. Après une telle piqûre, on se sent plein de bien-être et de puissance. Mais cette drogue, dont on devient très rapidement dépendant, mène aussi droit à la dépression et déclenche même des symptômes de schizophrénie paranoïaque.

Peu de temps après cette séance mémorable, Spalding fut obligé de se déplacer pour des raisons politiques et revint en ville « délirant d'envie d'y retourner ».

« Jack et moi, nous avions été à une fête la veille, et il était crevé. “Où trouves-tu donc une telle énergie ?” me demanda-t-il, et quand je lui expliquai, il me dit qu'il en voulait.

« Ce qui me rendit nerveux, continua Spalding. Je lui dis : “Si tu as l'intention de faire cela, je vais en parler à Bobby. Je ne veux pas prendre cette responsabilité.” Il a répondu : “Parfait”, et je suis allé voir Bobby. Donc, Bobby était parfaitement au courant. »

À partir de ce moment, dit Spalding, « évidemment, nous avons tous eu recours à ces piqûres. Jack, Jackie, Bobby, *tout le monde*. Au moins deux fois par semaine. Je pensais que c'était sans conséquence. C'est tellement simple. Ce ne fut que beaucoup plus tard que j'ai découvert qu'en définitive, ce n'était pas si simple. »

Spalding téléphona un après-midi, quelques jours avant la date prévue pour les débats, et Jacobson accepta de vider la salle d'attente de son cabinet de la 72e Rue Est. De son côté, Jack échappa à la surveillance des Services secrets et arriva chez le médecin en fin de journée.

« Sa campagne électorale était tellement éprouvante qu'il était éreinté, raconta Jacobson. Il n'avait plus de forces dans les muscles. Du coup, il avait du mal à se concentrer et ses discours s'en ressentaient. Je n'en fus pas du tout surpris. C'étaient les symptômes les plus courants du stress. » Après la première injection d'un mélange constitué de 15 % de vitamines et de 85 % d'amphétamines, Jack se sentit rajeuni. « Il m'expliqua que la faiblesse musculaire avait disparu, dit Jacobson. Il se sentait calme, décontracté et l'esprit vif. »

Jusqu'au dernier matin avant le débat, Nixon fit campagne à Chicago sans se ménager. Jack, bronzé et reposé après quelques jours au soleil de Palm Beach, passa la soirée précédente à écouter les disques de Peggy Lee, dans sa chambre de l'Ambassador East Hotel. Il se « détendit » même encore davantage puisque, une heure avant l'émission, il se rendit à un rendez-vous galant au Palmer House Hotel, où l'attendait une call-girl recrutée par son conseiller Don Marvin.

Nixon avait une blessure au genou qui s'était infectée depuis quelques jours. En descendant de voiture, devant le studio, il se cogna la jambe et devint blanc comme un linge. Il commit ensuite l'erreur de refuser qu'on le maquillât. Jack, quant à lui, n'en avait absolument pas besoin. « Il ressemblait à un jeune Adonis », déclara Don Hewitt, le producteur de ce débat.

Ceux qui écoutèrent le débat à la radio étaient persuadés, en éteignant leur poste, que Nixon avait marqué une victoire décisive. C'était bien l'avis de Lyndon Johnson. « J'étais avec LBJ le soir du premier débat, raconta Nancy Dickerson. Nous avons écouté l'émission dans une voiture. Johnson avait très peur que Kennedy n'ait tout fichu en l'air. "*The Boy* n'a pas gagné", répétait-il sans arrêt. Vous savez, c'est comme ça que LBJ appelait Kennedy, *The Boy.* »

Mais pour ceux qui avaient regardé ce débat à la télévision, l'assurance presque blasée de Kennedy ainsi que le calme de son attitude contrastaient fortement avec le regard fixe de Nixon et son menton mal rasé. Pour les trois débats suivants, Nixon accepta le fond de teint, mais c'était trop tard. Jackie avait regardé les débats chez elle, mais lors du dernier face à face, Lee et elle accompagnèrent Jack aux studios ABC, à New York. Les « sœurs Bla-Bla » assistèrent à l'émission dans une des deux salles de projection privée prévues spécialement pour les invités du candidat. Arborant le sourire entendu de Mona Lisa, qu'elle avait mis au point au cours de ses sept années de mariage, Jackie, enceinte jusqu'aux yeux, ne fit qu'un seul commentaire : « Je pense que mon mari a été parfait. »

Après les débats, les foules qui se déplaçaient pour écouter Kennedy passèrent de dix mille à cent mille personnes. Sur l'estrade, Jack électrisait le public, provoquant une sorte d'hystérie collective encore jamais vue dans la vie politique américaine. N. Dickerson raconta que « à chaque étape, les gens se précipitaient en hurlant. Jack était doué d'un incroyable magnétisme sexuel. On a du mal à imaginer et à expliquer l'emprise qu'il avait sur ces jeunes femmes. Mais il provoquait la même passion qu'une rock star. À cette époque, Elvis était le seul à faire mieux que Jack. Ils ont fini par être à égalité ».

Le sénateur démocrate de l'Illinois, Paul Douglas, inventa des catégories pour classer les femmes qui soutenaient Jack : « Celles qui sautent, celles qui crient, celles qui étreignent, celles qui courent, et celles qui touchent. » À celles-là, le magazine *Life* ajouta « celles qui suffoquent, celles qui roulent des yeux ronds, celles qui se pâment et celles qui défaillent carrément ». Stuart Symington entendit une femme qui criait à son amie : « Touche-le pour moi, Gladys ! »

« On pouvait pratiquement sentir l'excitation dans l'air... C'était orgasmique », dit Lowe.

L'organisation de la campagne telle que Bobby, O'Donnell, Powers et les autres responsables l'avaient conçue obligeait Jack à faire des discours et à serrer des mains pendant un minimum de dix-huit heures par jour. « Chaque fois que j'arrive à la mi-journée, se plaignit-il, je consulte l'emploi du temps et je vois qu'il y a cinq minutes prévues pour que le candidat mange et se repose. » Mais, en dépit de ses problèmes physiques chroniques, Jack continuait à se montrer aussi infatigable que pendant les primaires.

En public, Jackie s'excusait de ne pas faire campagne avec son époux, comme Pat Nixon avec le sien. « C'est le moment le plus important dans la vie de Jack, dit-elle, et je devrais être à ses côtés. »

Devant quelques amis proches, elle exprimait le fond de sa pensée. Tout en se répandant en récriminations contre « les poignées de main qui vous broient » et « les politiciens ennuyeux », elle poussait un soupir de soulagement. « Dieu merci, j'ai échappé à ces abominables dîners où on mange du carton, dit-elle. Rester assise sans pouvoir fumer une cigarette, être obligée de porter ces corsages idiots et écouter jacasser un vieux moulin à paroles, ça me mettait en boule ! Pauvre Jack ! » Mais elle craignait fort que cette campagne ne sapât les forces de Jack. « En une journée de campagne électorale, on peut prendre trente ans », déclara-t-elle.

Ce qui fit vieillir Jack de trente ans, ce fut la controverse qui se déchaîna à propos des habitudes dépensières de sa femme. « Un journaliste a affirmé dimanche, dit Jackie, que j'avais dépensé trente mille dollars en achetant des vêtements à Paris, et que les femmes me détestent à cause de ça. Je n'aurais pas pu dépenser une somme pareille, à moins de porter de la lingerie de zibeline. »

La réaction du candidat n'eut rien d'étonnant. « Seigneur ! tonna Jack quand on lui rapporta la chose. C'est la dernière fois qu'on laisse cette femme donner une interview avant les élections ! »

Une fois calmé, Jack voulut bien reconnaître les efforts que faisait sa femme pour contrer l'image de Pat Nixon, plus terre à terre, plus bobonne. À Hyannis Port, Lowe photographia une Jackie parfaitement coiffée et maquillée, en train de peindre une aquarelle, avec Caroline à ses côtés. Sur une double page de *Life*, on la voyait absorbée par le courrier, dans le bureau de la maison de N Street, puis bordant Caroline pour la sieste. L'article ne mentionnait pas la secrétaire de Jackie, qui s'occupait de l'ensemble du courrier.

Quant à l'indispensable nourrice de Caroline, Maud Shaw, on lui ordonna de rester à l'écart des photographes de presse ; *Life* racontait à ses lecteurs que Jackie élevait Caroline sans nourrice.

« Un des grands problèmes de ma vie, expliqua Jackie, c'est que, si j'avais mené la campagne avec Jack, j'aurais dû déserter la maison. S'il s'avérait que Jack devenait le plus grand président du siècle et que ses enfants tournaient mal, ce serait dramatique. »

Ils étaient peut-être le couple le plus photogénique de toute l'histoire politique de l'Amérique, mais l'un comme l'autre, ils détestaient être pris en photo. « Ils savaient comment se comporter face à l'objectif, pas simplement poser, dit le photographe Alfred Eisenstaedt. Pour ça, ils étaient de véritables magiciens. Mais je crois qu'ils n'étaient jamais tout à fait à l'aise quand on les photographiait, même en compagnie de leurs enfants. Sous leurs sourires, on devinait la tension. Pour eux, cela faisait partie du travail. »

Évitant l'image traditionnelle de l'homme politique toujours jovial, Jack refusait de se faire photographier avec un chapeau, une casquette ou n'importe quelle coiffure de cérémonie. À une seule exception. À Sioux Falls, dans le Dakota du Sud, JFK regarda sans bouger un cil des chefs de tribus indiennes effectuer une danse rituelle en lui tournant autour ; le clou du spectacle, c'était de poser une coiffe en plumes sur la tête de Jack. « Le chef s'approcha, raconta le photographe de *Look*, Stanley Tretick, et Seigneur ! Kennedy était tellement nerveux. Il savait ce qui allait se passer et vraiment, ça l'assommait. »

Dès que le chef eut posé la coiffe, Jack l'arracha – mais pas assez vite pour empêcher Tretick de le photographier. « Je la lui ai clouée sur la tête, et il a l'air assez benêt sur cette photo, mais elle a eu un succès fou. Il n'y avait qu'un seul chapeau avec lequel il acceptait de poser : le haut-de-forme, et encore, il ne fallait pas que ça dure trop longtemps. »

« JFK ne supportait pas non plus qu'on le photographie en train de manger, dit Tretick. Une fois, il avait deux hot dogs à la main. Il avait une drôle de façon d'essayer de cacher les choses – il les gardait tout contre lui, comme si elles n'étaient pas là. » Il monta ensuite dans sa voiture avec les hot dogs, mais Tretick et les autres photographes avaient des téléobjectifs pour le surprendre à l'intérieur. Kennedy attendit donc que le cortège s'ébranlât et « se glissa alors sous le tableau de bord pour manger ses hot dogs. Il détestait vraiment qu'on le prenne en train de manger. »

Jack n'aimait pas non plus « les photos où on le voyait en train de se peigner. Mais il passait son temps à se coiffer. Sournoisement, dès qu'on entrait dans un tunnel ou qu'on passait sous un pont, il se recoiffait ». Lorsque Tretick menaça d'illuminer un de ces tunnels avec des ampoules de flash, Jack se contenta de sourire. « J'espère bien, dit-il, qu'elles seront toutes grillées. »

Tretick raconta que JFK ne se laissait pas du tout intimider par les perturbateurs. Dans l'Oregon, un gros homme distribuait des insignes de Nixon « et ne cessait de crier que Kennedy avait baisé les routiers. Kennedy commençait à être très agacé. Et le gars se rapprochait, il n'était plus qu'à trois mètres. Nous étions tous paralysés. Nous ignorions ce qui allait se passer. Quand le gars est arrivé vraiment tout près, Kennedy a dit : "Va te faire foutre, gros lard." Le type ne savait plus quoi dire. Il a fini par s'en aller ».

La campagne s'échauffait, et la rhétorique suivait. En octobre, Nixon et Kennedy n'avaient plus que mépris l'un pour l'autre. Le candidat républicain accusa Jack d'être un « menteur effronté » et Kennedy rétorqua en le traitant de « salopard menteur et d'homme très dangereux ».

« Je trouve que c'est tellement malhonnête de la part des gens de ne pas vouloir de Jack parce qu'il est catholique, répliqua Jackie. Il est si peu catholique. Évidemment, s'il s'agissait de Bobby, je pourrais comprendre. » À coup sûr, la conduite libertine de Jack aurait fait lever plus d'un sourcil au Vatican. Un moment, pendant la campagne, Jack perdit sa voix ; il se mit à communiquer en écrivant ce qui lui venait en tête sur un bloc. À bord du *Caroline*, il griffonna un papier qu'il tendit à un de ses conseillers. « Je me suis fait la blonde », disait le mot. « Je suppose que si je gagne, écrivit-il une autre fois, la période *poon* sera révolue » (*poon* était un terme désobligeant pour désigner le sexe de la femme). Ces mots ainsi que d'autres furent sauvés pour la postérité par l'unique hôtesse du *Caroline*, Janet Des Rosiers, qui était également chargée de masser la nuque de Kennedy et de lui brosser les cheveux.

Jackie vit rarement son mari durant cet automne, aussi fut-elle enchantée qu'il pût voler quelques instants pour la rejoindre à Palm Beach. Mais au lieu de rester avec elle, il décida d'aller jouer au golf. « Elle voulait être avec lui et n'avait pas envie qu'il s'en aille, raconta Chuck Spalding, avec qui il devait jouer ce jour-là. Jack dit : "Chuck, retournez la voir à la maison." Alors, j'y suis allé et je l'ai trouvée folle de rage. Je ne l'avais jamais vue aussi en colère. Elle était hors de ses gonds, elle criait et elle m'enguirlandait. »

Spalding tenta de la calmer. « J'ai dit : "Hé, hé. On est amis depuis longtemps. Vous et moi, on est de la même famille. C'est juste une partie de golf. Pourquoi ne venez-vous pas avec nous ?" Elle m'a simplement regardé, hors d'elle, puis elle a tourné les talons et elle est partie. »

À une autre occasion, un ami vit Jack se diriger vers le terrain de golf avec Betsy Finkenstaedt, qui habitait près de la propriété de Hyannis Port avec son mari et ses enfants. « Jack aimait bien jouer au golf avec Betsy, dit Priscilla McMillan, et ils continuèrent à jouer ensemble après son élection à la Maison-Blanche. » Une amie aperçut Jackie ce jour-là ; c'était un mois environ avant la naissance de son second enfant, elle était sur la pelouse en train de regarder Jack et Betsy s'éloigner vers le golf. « Elle avait un regard plein de tristesse, dit-elle. On ne pouvait pas s'empêcher d'avoir du chagrin pour elle. »

Jackie dut aussi résister aux tentatives de ceux qui cherchaient à l'utiliser pour les dernières semaines de la campagne. « J'ai tellement peur de perdre ce bébé, dit-elle à des amis. Je ne veux pas prendre ce risque. Je ne le prendrai pas. »

Mais Jack la supplia de se joindre à lui pour un ultime effort électoral à New York City. Contre l'avis de son médecin, Jackie se laissa fléchir. Elle avait déjà enregistré des cassettes destinées aux immigrants, dans leur propre langue. Là, elle s'adressa en italien aux foules de Little Italy et en espagnol à celles de Spanish Harlem.

Le voyage à New York atteignit son paroxysme au cours d'un joyeux défilé dans le « Canyon des Héros » ; le candidat et sa femme enceinte de huit mois se perchèrent à l'arrière d'une voiture décapotable, tandis que des milliers de New-Yorkais frénétiques se bousculaient pour les toucher. À plusieurs reprises, ils manquèrent tomber tant leurs partisans les agrippaient avec énergie. À un moment, la foule déferla et secoua tellement la voiture qu'ils faillirent être éjectés et jetés par terre.

À la fin de la journée, on estima que trois millions de gens s'étaient déplacés pour les acclamer. « Ouais, soupira Jack par-dessus les hurlements de la foule, mais la moitié d'entre eux sont trop jeunes pour voter. »

Le 8 novembre 1960 – jour des élections –, Jack et Jackie allèrent voter à la bibliothèque West End de Boston (Jackie avait déjà voté par correspondance, mais elle posa devant les isoloirs, pour la photo). Jackie, à la consternation des autres démocrates en lice, qui se donnaient du mal pour faire élire son mari – en particulier leur vieil allié et futur porte-parole, Tip O'Neill – affirma qu'elle ne votait que pour un seul candidat, le candidat à la présidence, parce qu'elle ne voulait pas « édulcorer » l'expérience en y ajoutant d'autres noms[1].

1. Lors des présidentielles, les électeurs votent également pour le renouvellement d'une partie du Congrès. (N. du T.)

De là, ils partirent attendre les résultats à Hyannis Port. Des milliers de journalistes bloquaient l'arsenal de la Garde nationale de Hyannis, pendant que Bobby et Teddy tapaient dans un ballon de football sur la pelouse de la propriété. Le soir, ils regardèrent les résultats à la télévision. Mais comme ces reportages ne suffisaient pas, le camp Kennedy avait installé trente lignes de téléphone sur la véranda de Joe. Chaque ligne était reliée à une zone cruciale. Un téléscripteur transmettait tous les résultats dès qu'ils étaient classifiés dans chaque circonscription.

« Au début, il semblait que nous allions remporter une victoire écrasante, dit Salinger. Puis le courant s'est inversé et tout allait mal. On gagnait de justesse. » Durant la soirée, Jack vint régulièrement à l'arsenal bavarder avec Salinger et la presse, avant de retourner à la propriété.

Durant cette longue attente, Jack passa chez Larry Newman. Plus tôt au cours de la campagne, quand Lyndon et lady Bird Johnson étaient venus à la propriété, Jack avait présenté LBJ à son voisin. « Jack aimait bien venir ici, simplement pour se détendre et s'éloigner de tout le monde, dit Newman qui, comme un nombre étonnant d'amis de Jack, vota pour Nixon cette année-là. Jack était un homme merveilleux. Comprenez-moi bien, j'adorais cet homme, expliqua-t-il, mais je pensais vraiment que Nixon ferait un meilleur président. »

Le soir de l'élection, à en croire Newman, JFK se faufila par la porte de derrière, s'assit dans sa cuisine et lui demanda s'il avait de la bière. « Il ne buvait que de l'Heineken – à moins de se trouver au milieu d'électeurs potentiels, auquel cas il buvait une bière locale. Savez-vous de quoi il a parlé le jour de son élection à la présidence ? De filles. Il a bu de la bière en parlant des femmes. Je ne crois pas que c'était un manque d'égards pour Jackie, je ne crois vraiment pas. C'était seulement la façon dont il avait été élevé par Joe. Jack avait toujours été entouré de femmes. À Hyannis Port, personne ne croyait qu'il se marierait un jour. Inimaginable... Jack parlait des femmes à peu près la moitié du temps. C'était de loin son sujet de conversation préféré. »

« La plus longue nuit de l'histoire », voilà comment Jackie qualifia plus tard ce suspense, pendant que tout le monde attendait les résultats. À trois heures du matin, alors que l'issue était encore incertaine, un Nixon blafard apparut, flanqué d'une Pat éplorée. Il admit que le résultat paraissait pencher en faveur des démocrates, mais il ne reconnut rien officiellement. Ce qui fit ronchonner les partisans de Jack, mais JFK prit la défense de son ancien collègue. « Pourquoi devrait-il s'avouer vaincu maintenant ? Si j'étais lui, je ne le ferais pas. »

À quatre heures du matin, Jack partit rejoindre Jackie au lit. « Réveillez-moi, dit-il à Salinger, s'il se produit quoi que ce soit. » Dave Powers en fut ébahi. « Mais comment pourrez-vous dormir ? »

Il haussa les épaules. « Parce que c'est trop tard pour modifier le moindre vote. »

Pendant leur sommeil, LBJ fit des merveilles au Texas, et le maire de Chicago, Richard Daley, emporta l'Illinois, aidant Kennedy à écraser Nixon.

Jack se réveilla vers neuf heures et il était dans son bain quand Caroline arriva en courant pour lui annoncer qu'il avait gagné (Ted Sorensen lui avait déjà transmis cette information). « Ton père est en haut, avait dit Maud Shaw à Caroline. Tu peux l'appeler “Monsieur le Président”, maintenant. »

Jack mit un costume gris et une cravate bleue à pois rouges, puis rejoignit Jackie et Caroline pour le petit déjeuner. Cependant, ce matin-là, à dix heures et demie, le résultat était encore incertain. Le Minnesota et l'Illinois étaient toujours dans le flou et Jack ne l'emportait que d'un cheveu. Il resta collé devant la télévision pendant une heure, tripotant un stylo avec nervosité dans sa main droite. Salinger, Bobby, Ethel, Eunice, Teddy, Sargent Shriver, et un tas d'autres membres de la famille, ainsi que ses collaborateurs, entraient et sortaient de la pièce. Jackie était restée en haut.

Enfin, ils virent le porte-parole de Nixon, Herb Klein, apparaître sur l'écran pour féliciter le vainqueur au nom de son patron. Sur près de 69 millions de votants, Jack ne gagna que par 118 550 voix – moins de 1 %. Jack sortit et, sans se soucier de son mal de dos, fit le tour de la propriété avec Caroline à califourchon.

Voulant fixer ce moment historique, Lowe s'efforça de rassembler toute la famille Kennedy. « Jack était d'accord, si toutefois j'obtenais de chacun qu'il accepte de coopérer, raconta Lowe. Mais ils étaient dispersés sur toute la propriété, et trop excités par ce qui se passait pour s'intéresser à ce que je leur demandais. »

Lowe réussit quand même à faire venir tous les Kennedy dans le salon lambrissé. C'était la première réapparition publique de Joe aux côtés de Jack, puisqu'il s'était exilé volontairement dès le début de la campagne. Mais Jackie demeurait toujours introuvable. Sans que personne ne la vît, elle avait enfilé un manteau et s'était précipitée hors de la maison pour faire une promenade solitaire sur la plage. « Par une fenêtre, je l'ai aperçue qui courait vers la mer, dit Lowe. Ce mercredi matin, alors que tout le reste de la famille jubilait et s'embrassait à qui mieux mieux en riant, Jackie était profondément bouleversée. Manifestement, elle se trouvait en état de choc. J'en fus navré pour elle.

« Alors que pour Jack, c'était un moment de triomphe absolu – le moment pour lequel nous avions tous travaillé dur – Jackie paraissait brusquement envahie par le doute. À coup sûr, elle avait des sentiments ambivalents vis-à-vis de son avenir de première dame. Elle avait toujours vécu dans une atmosphère de conte de fées, à jouer le rôle de la princesse. Je ne suis pas persuadé qu'elle ait jamais envisagé de devenir reine. »

« Très bien, dit Jack au photographe, je vais aller la chercher. »

Il se précipita sur la plage, l'entoura de son bras et la ramena à la maison. Jackie monta se changer pour revêtir une robe rouge ras du cou et un collier à trois rangées de perles – presque identique à celui que portait Rose. Enfin, elle apparut à la porte. Jack s'avança vers elle et la prit doucement par le bras. Ce fut à ce moment que tous les Kennedy – y compris les sœurs qui l'avaient tellement asticotée et l'indomptable Rose – se levèrent pour l'acclamer.

CHAPITRE 9

À présent, ma femme et moi, nous nous préparons pour un nouveau gouvernement et un nouveau bébé.

DISCOURS DE VICTOIRE DE JFK,
LE 9 NOVEMBRE 1960

Je ne suis jamais là quand elle a besoin de moi.

JFK DANS L'AVION POUR PALM BEACH,
APPRENANT QUE JACKIE ÉTAIT HOSPITALISÉE,
VICTIME D'UNE HÉMORRAGIE

« Okay, les filles, dit Jack le lendemain de l'élection, en s'adressant à Jackie et à Tony Bradlee, qui était également enceinte. Vous pouvez enlever vos coussins, maintenant. On a gagné. » Il demanda aux Bradlee de bien vouloir s'adresser à lui en public en l'appelant « Monsieur le Président », une fois qu'il aurait prêté serment, quoique pour l'instant « Prez » ferait l'affaire. Jackie pria ses amis de ne pas parler d'elle en disant « First Lady » : « Ça me fait toujours penser à un cheval. »

Même avant que Nixon eût officiellement reconnu sa défaite par l'intermédiaire de son porte-parole, des hommes bizarres, avec des costumes sombres et des chapeaux de feutre, surgirent de partout. « C'était étonnant, raconta Salinger. Un des types des Services secrets, que je n'avais jamais vu auparavant, m'a arrêté de bonne heure ce matin-là, m'a jeté un œil, m'a dit : "Bonjour, monsieur Salinger" et m'a laissé passer. Manifestement, ils avaient repéré tout le monde, et ils savaient, pour chacun, si son travail exigeait qu'il s'approchât ou non du nouveau président. »

Les Services secrets furent rapidement mis à l'épreuve quand Jack se rendit en compagnie de Chuck Spalding à une représentation de la pièce à succès de Gore Vidal, *The Best Man*, sur Broadway. (La pièce, qui parle de trahison, de duplicité et de double jeu en coulisses pendant une Convention nationale fut également la première que vit Nixon après sa défaite.) Jack, assis au milieu du premier rang, à côté de Spalding, se leva sans arrêt pour échanger des poignées de main avec des amis avant le lever du rideau, puis disparut par un escalier dérobé pendant l'entracte pour réapparaître magiquement – au grand soulagement des agents des Services secrets.

Des coulisses, Vidal observa l'expression du visage de Jack quand, au cours de la pièce, fut évoquée la question du passé sexuel mouvementé d'un candidat à la présidence. « Jack cligna des yeux en se reconnaissant et jeta un coup d'œil à Spalding, raconta Vidal. Je suis sûr que cela le prit complètement au dépourvu. »

Jack et Jackie revinrent en novembre à Georgetown pour découvrir que les Services secrets avaient déjà bloqué tout le pâté de maisons autour de N Street. La presse et une foule de badauds stationnaient là en permanence. Déjà plongé dans la tâche ardue de composer son gouvernement, Jack avait à cœur de récompenser ses fidèles partisans et traversait régulièrement la rue devant chez lui, pour échanger des poignées de main.

Un matin, alors que Mary Gallagher et Jackie, assises chacune devant sa table, dans le bureau du deuxième étage, triaient le courrier, un cri s'éleva de la foule massée au-dehors. Mary Gallagher s'approcha de la fenêtre et aperçut le président désigné en train de serrer la main de ceux qui s'étaient déplacés pour le voir. Mary Gallagher invita Jackie à la rejoindre, mais celle-ci ne bougea pas. « Oh, Mary ! », répondit-elle sans même lever la tête de sa tâche.

À présent que les élections étaient terminées, Jackie aurait pu espérer que Jack accorderait plus de temps à sa femme et à sa fille. Mais, depuis qu'elle avait risqué sa santé et celle de l'enfant à venir pour achever en beauté la campagne à New York, elle continuait à se protéger des exigences du public insatiable de JFK – un public qu'elle prenait de plus en plus en grippe.

Pour être juste, celle qui allait être la première dame devait faire face à ses propres obligations. Pour commencer, il fallait qu'elle se débrouille du flot de cadeaux de naissance qui ne cessait d'arriver dans la maison de N Street depuis les élections. On y trouvait entre autres des couvertures, des bonnets et des couvre-lits au crochet, presque tous bleus, puisque tout le monde attendait un garçon.

Jackie se donna encore une autre obligation : celle d'écrire un livre dans un délai très court. Elle affirma plus tard que bizarrement elle n'avait pas eu envie de raconter son existence de First Lady. « Il y a tant de gens qui débarquent à la Maison-Blanche, le magnétophone à la main, dit-elle. Je n'ai même jamais tenu de journal. Je pensais : je veux vivre ma vie, je ne veux pas l'enregistrer. »

En revanche, elle essaya, selon les termes d'un éditeur, de « coiffer tout le monde au poteau » en publiant ses mémoires *avant* d'entrer à la Maison-Blanche. « C'était également une occasion pour Jackie, ajouta l'éditeur, de se faire de l'argent, et elle n'allait pas la laisser passer » – cent cinquante mille dollars rien que pour les droits américains, réglés avec bonheur par le *Ladies' Homes Journal.*

L'amie de la famille, Mary Van Rensselaer Thayer, fut embauchée pour travailler sur le manuscrit avec Jackie. On considère Mary Thayer comme le seul auteur de *Jacqueline Bouvier Kennedy*, pourtant c'étaient bien les mots de Jackie, griffonnés sur des blocs de papier jaune et envoyés aux éditeurs inquiets à New York. Ce livre permit à Jackie d'imposer d'emblée sa propre version des événements et d'assurer la pérennité de l'arbre généalogique bricolé par son grand-père Bouvier.

Durant les deux mois et demi qui s'écoulèrent entre l'élection et l'investiture, la maison de Georgetown servit de quartier général à la jeune et énergique équipe de transition de Kennedy. Des sommités de tous les horizons politiques vinrent présenter leurs respects, demander des faveurs, ou parfois simplement donner leur avis. Jack demandait à Jackie de bien vouloir rencontrer Mc George Bundy, Robert McNamara, ou encore Dean Rusk – et après les avoir tous fait attendre un laps de temps convenable, elle faisait son apparition. Elle ne fit exception que pour un visiteur. Encore en peignoir, elle se pencha par-dessus la rampe et salua cet invité matinal. « Bonjour, Monsieur le Président », dit-elle gaiement à Harry Truman, qui en fut agréablement surpris.

Mais bientôt, chez les Kennedy, on nagea en pleine crise de nerfs. « Je ne peux plus supporter ce désordre, finit par dire Jackie. Ça me rend folle. » Jack rétorqua : « Oh, pour l'amour du ciel, Jackie ! Ton seul et unique souci pour l'instant, c'est la robe que tu porteras pour le bal, le jour de l'investiture. »

La propriété de Palm Beach était utilisée en alternance avec la maison de N Street comme « quartier général de transition ». Jack y passa les semaines qui suivirent l'élection, se reposant près de la piscine tout en discutant avec son père sur le choix des membres du gouvernement. Jack rendit également visite à Lyndon B. Jonhson dans son ranch du Texas. Il l'accompagna même chasser le cerf de bon matin, mais sans entrain. « J'ai déjà bien assez de choses en tête pour l'instant, dit-il à O'Donnell, sans me coller un complexe de culpabilité parce que j'ai tiré sur un pauvre animal sans défense. » Après avoir tué son cerf, Kennedy fut dégoûté que Jonhson lui envoyât la tête de l'animal empaillée et montée sur socle. Finalement, ce triste trophée fut accroché dans la Fish Room, à la Maison-Blanche, à côté du poisson de près de trois mètres que JFK avait pêché lors de sa lune de miel.

Jack prit l'avion pour Georgetown afin de passer tranquillement Thanksgiving en compagnie de sa femme et de sa fille ; il avait prévu de retourner à Palm Beach le soir même. À trois semaines de la date prévue pour l'accouchement, les médecins avaient formellement interdit à Jackie de quitter la maison. Plus le jour approchait, plus elle était inquiète, ce qui était bien compréhensible ; elle implora son mari de rester à Washington jusqu'à l'arrivée du bébé. « Pourquoi ne resterais-tu pas ici jusqu'à l'accouchement et, ensuite, nous pourrions repartir ensemble ? »

Mais Jack refusa. « Pour la première fois, Jack était vraiment partagé entre Jackie et la tâche pour laquelle il avait été élu », raconta leur ami Bill Walton. Pour Jack, les trois semaines qui restaient à attendre « auraient pu aussi bien être six mois. Caroline était arrivée au moment prévu, et il ne voyait aucune raison pour que les choses se passent autrement cette fois. Il ne pouvait tout laisser en plan sous prétexte que Jackie se sentait un peu nerveuse ». Un autre ami de la famille : « On ne peut pas vraiment faire de reproches à Jack. Il avait un pays à diriger. »

Dès que le dîner de Thanksgiving fut terminé, il s'envola pour Palm Beach, laissant derrière lui une Jackie malheureuse. Une heure plus tard, alors qu'elle se reposait dans sa chambre, Maud Shaw l'entendit crier. Elle se précipita et trouva Jackie sur le bord de son lit, se tenant le ventre. Le couvre-lit était taché de sang. Shaw appela John Walsh, l'obstétricien de Jackie et, quelques minutes plus tard, une ambulance fonçait vers l'University Hospital de Georgetown.

À bord du *Caroline*, Jack était plein d'optimisme et discutait de ses projets gouvernementaux, quand la radio de bord crachota la nouvelle. Il fut aussitôt saisi de peur, « accablé de remords, raconta O'Donnell, parce qu'il n'était pas aux côtés de sa femme ».

À l'aéroport de West Palm Beach, Jack réussit à joindre le Dr Walsh, qui lui dit que Jackie allait subir une césarienne en urgence. Le DC-6 de la presse, qui suivait Kennedy, pouvant atteindre une vitesse supérieure à celle du *Caroline*, Jack le réquisitionna et repartit directement à Washington. En chemin, le président désigné, la mine lugubre, ne quitta pas les écouteurs du cockpit, dans l'attente de nouvelles.

Un peu après une heure du matin, JFK ôta les écouteurs et sourit pour la première fois depuis des heures. On venait de lui annoncer que Jackie avait mis au monde un garçon pesant deux kilos huit. La mère et l'enfant étaient en bonne santé et se reposaient tranquillement. Lorsque Salinger annonça la nouvelle dans les haut-parleurs, les journalistes applaudirent. Jack, immensément soulagé, s'inclina profondément.

Dès qu'elle se réveilla de l'anesthésie, Jackie, qui souffrait encore énormément, demanda à voir son fils. En dépit des rapports médicaux optimistes, la mère et l'enfant restaient sous haute surveillance. John Fitzgerald Kennedy junior passa les six premiers jours de sa vie dans une couveuse. Il fallut des mois à sa mère pour se remettre tout à fait de cette épreuve, d'autant qu'elle faillit succomber à une rechute.

La presse n'arrangea rien ; si longtemps enthousiasmée par le séduisant Mr. Kennedy elle se concentra alors sur sa splendide épouse et leurs rejetons. « Je sens que je suis devenue une sorte de bien public, dit Jackie. C'est vraiment effrayant de perdre son anonymat à trente et un ans. » Même quand l'infirmière particulière de la famille Kennedy, Luella Hennessey, emmena Jackie dans son fauteuil roulant voir son fils dans la couveuse, un photographe jaillit d'un placard et commença à la mitrailler. Une demi-douzaine de flashes explosèrent avant que les agents des Services secrets, pris totalement au dépourvu, ne réussissent à le ceinturer et à arracher la pellicule de son appareil.

Pour compenser son absence, Jack venait voir sa femme et leur fils nouveau-né trois fois par jour – le matin, à l'heure du déjeuner, et encore une fois après le dîner. Accompagnant partout son père, l'adorable et précoce Caroline devint la nouvelle mascotte de la presse. Pendant que son père rencontrait ceux qui allaient occuper les postes les plus importants du gouvernement, elle cavalait dans les escaliers à la vitesse de l'éclair, glissait le long des rampes et faisait des grimaces derrière le dos des journalistes.

Lorsque John junior eut une semaine, Jack et Caroline vinrent à l'hôpital assister à son baptême. Tandis que Jack poussait Jackie et le bébé vers la chapelle, ils repérèrent des photographes de presse qui les attendaient à l'autre bout du hall. « Par pitié, Jack, ne t'arrête pas ! dit Jackie. » Mais, ne voulant pas décevoir la presse et l'opinion publique américaine, Jack s'immobilisa et accepta qu'on prenne quelques photos du bébé vêtu de la robe de baptême de son père avant de repartir.

Alors qu'elle continuait sa convalescence à l'hôpital, Jackie convoqua sa vieille connaissance Oleg Cassini pour faire des projets à propos de sa garde-robe. Quand il entra dans sa chambre avec vingt croquis sous le bras, il fut surpris de la voir « entourée de dessins, réalisés par les meilleurs stylistes américains – Norell, Sarmi, Andreas de chez Bergdorf Goodman, à New York – le meilleur de leurs collections, de très jolies robes. Mais ce que je voulais lui proposer était beaucoup plus élaboré ».

Cassini souhaitait créer un style particulier pour la nouvelle First Lady, qui mettrait en valeur son allure si royale. « Quand je pensais à Jackie, je voyais une silhouette en hiéroglyphe : la tête de profil, les épaules larges, le buste mince, les hanches étroites, le cou allongé et un port de reine. Avec ses yeux de sphinx, elle avait tout de la princesse égyptienne classique. Néfertiti. »

Cassini ouvrit son carnet de croquis et dévoila une simple robe du soir toute blanche ; il lui affirma que ce serait parfait pour le bal d'investiture. « Vous avez tout à fait raison ! » dit-elle. Mais ce qui la poussa surtout à accepter ces projets, ce fut la vision que le couturier avait d'elle : le symbole de ce qu'on appelait déjà la Nouvelle Frontière. « Je lui parlai d'histoire, raconta-t-il, du message que ses vêtements pourraient transmettre – une élégance pleine de jeunesse et de simplicité, mais magistrale ; à travers son apparence, elle pourrait appuyer la ligne politique que son époux cherchait à imposer dans son gouvernement. "Vous avez là l'occasion, lui dit-il, de créer un Versailles à l'américaine." »

Il y avait un petit problème : Jackie avait déjà commandé sa robe pour l'investiture à Bergdorf Goodman. Elle réussit à faire un compromis : à Cassini la conception et à Bergdorf la réalisation.

Jack estima que sa femme avait fait un bon choix, avec Cassini. En dépit du fait qu'ils avaient tous deux aimé la même femme, Gene Tierney, Jack appréciait la compagnie de l'onctueux couturier russo-américain. « C'était un playboy, comme moi, dit Cassini, mais encore plus, parce qu'il était plus riche que moi. »

Jack était également reconnaissant à Cassini d'avoir mis mille cinq cents dollars dans sa campagne électorale, à l'époque où il se battait contre Hubert Humphrey en Virginie occidentale. « Une des grandes satisfactions que j'ai retirée de la course à la présidence, dit Jack à Cassini, c'est que je me suis aperçu que tous ceux qui étaient censés me soutenir, mes amis chers, avaient disparu. *Personne* ne m'a aidé, personne n'a voté pour moi. Sauf vous et quelques autres. »

« Évidemment, il n'avait pas du tout besoin de mon chèque, dit Cassini. Pour lui, ça avait une valeur symbolique. » Longtemps après son investiture, Jack fulminait encore contre « les bons amis » – y compris les divers Auchincloss, Bouvier et autre population de Park Avenue, qui avaient tranquillement soutenu Nixon. Pourquoi ? « Simple jalousie », commenta Cassini avec un haussement d'épaules.

À l'opposé de Jackie – exception faite d'une volonté de

fer analogue – la première dame en exercice était plus douairière qu'impératrice. Le jour même où Jackie sortait de l'hôpital, Mamie Eisenhower lui proposa de venir visiter la Maison-Blanche ; Jackie voulut décliner l'invitation. « Je ne veux pas y aller, Jack. Je n'en ai pas la force », déclara-t-elle à son mari, mais il insista. « Pour l'amour du ciel, Jackie... » – c'était souvent ainsi que commençaient les réflexions de Jack à sa femme – « tu ne vas pas faire un affront à Mrs. Eisenhower. Il faut que tu y ailles. »

Le président désigné était doté d'un grand sens du devoir. Jackie savait que son mari n'avait pas hésité à passer par-dessus la douleur, l'inconfort et les maladies graves pour remplir ses obligations. Elle ne voulut pas le décevoir. Au grand dam de Luella Hennessey, elle lui obéit et accepta l'invitation de Mamie. « Si vous vous levez maintenant, Mrs. Kennedy, l'avertit Luella, vous risquez d'y rester. »

Mais Jackie s'y rendit, ayant dépêché le Dr Walsh à la Maison-Blanche pour demander qu'une chaise roulante l'attendît à son arrivée. Mise au courant, Mamie n'apprécia guère cette initiative ; elle avait eu l'intention de montrer elle-même la maison à Jackie. L'huissier en chef de la Maison-Blanche, J.B. West, raconta que le simple fait d'imaginer l'autoritaire Mrs. Eisenhower en train de pousser la femme d'un ennemi politique dans les couloirs de l'aile ouest, lui paraissait vraiment « trop drôle ».

« Je vais vous dire ce qu'on va faire, dit Mamie, on va dissimuler une chaise roulante quelque part derrière une porte, invisible. Si elle la réclame, on la sortira. »

West fut impressionné par la pâleur et l'air fatigué de Jackie, quand elle arriva à la Maison-Blanche à onze heures et demie du matin. Pas de chaise roulante en vue, mais Jackie avoua plus tard « avoir eu trop peur de Mrs. Eisenhower pour la lui réclamer ». Deux heures durant, elles arpentèrent toutes les pièces de la Maison-Blanche. Jackie manqua s'évanouir à plusieurs reprises, mais parvint à se reprendre. Son hôtesse ne s'en soucia pas une seule fois, tandis qu'elles montaient et descendaient des escaliers, puis posaient ensemble devant les photographes.

À la fin de la visite, qui se termina comme prévu à une heure et demie précise, Mrs. Eisenhower s'en alla disputer sa partie de cartes hebdomadaire. Jackie remonta dans son break vieux de trois ans, épuisée et souffrant le martyre.

Le 9 décembre, le *Caroline* s'envola pour Palm Beach avec la future First Family à bord. Plein d'entrain, Jack discutait avec ses collaborateurs de ses projets gouvernementaux, noyant le couffin du bébé dans la fumée de cigare. Même si Jackie avait toujours encouragé son mari à fumer pour dissimuler l'odeur de ses propres cigarettes, elle finit par interrompre la conversation pour le prier d'aller fumer à l'autre bout de la cabine.

Ressentant encore les effets de son interminable marche à travers les couloirs de la Maison-Blanche, Jackie passa les deux semaines suivantes dans son lit. Brusquement, la santé du bébé se mit à décliner de façon dramatique. « Dieu merci, il y avait ce pédiatre formidable à Palm Beach. Il lui a vraiment sauvé la vie, alors qu'il était en train de descendre la pente », dira-t-elle par la suite.

Deux jours plus tard, un dimanche, Richard P. Pavlick était garé devant la propriété des Kennedy à Palm Beach ; il attendait que le président désigné sortit de chez lui pour se rendre à la messe en l'église St. Edward. Pavlick, un prétendu terroriste suicidaire dont la voiture contenait sept bâtons de dynamite, prévoyait de foncer dans la voiture de Jack au moment où celui-ci démarrerait.

Mais avant que Pavlick n'ait eu le temps d'appuyer sur l'accélérateur, Jackie et Caroline sortirent dire au revoir à Jack. Luella Hennessey apparut également, avec John junior dans les bras. Ému, Pavlick renonça à son effroyable projet. Même s'il affirma à la police qu'il « ne souhaitait pas faire de mal à Mrs. Kennedy ni aux enfants », Pavlick maintint qu'il voulait toujours « avoir » Jack « à l'église ou autre part ». Quelques jours plus tard, la police l'arrêta pour vérifier son taux d'alcoolémie et découvrit ses projets d'assassinat. Pavlick fut inculpé de tentative de meurtre et envoyé en prison.

Jack fut fasciné en apprenant l'existence de ce complot. Mais il n'était « pas du tout troublé ou inquiet de cet incident très moche ». Jackie, quant à elle, était proprement horrifiée. « Nous ne sommes rien de plus que des canards à tirer dans un stand à la foire », dit-elle.

À un mois de son investiture officielle, Jack ne pouvait pas s'offrir le luxe d'être inquiet. Le rythme qu'il s'était imposé à Georgetown continua sous les palmiers de Floride. Jackie, qui était encore convalescente, avait une fois de plus du mal à supporter cette situation. « La maison était si pleine de monde qu'en sortant de mon bain, je pouvais aussi bien trouver Pierre Salinger en train de donner une conférence de presse dans ma chambre à coucher », dit Jackie.

Ajoutant encore à la confusion, Caroline ne cessait de souffler la vedette à son père. Durant une réunion, elle navigua entre les jambes des journalistes sur son tricycle ; une autre fois, elle se pavana, vêtue de son pyjama et des chaussures à talons aiguille de sa maman.

Pour échapper au chaos, Jackie passait le plus clair de son temps au lit, refusant de se joindre au clan bruyant des Kennedy pour les repas. « Je ne pouvais rien digérer », expliqua-t-elle.

Au milieu de toute cette activité, Jack réussit quand même à faire quelques parcours de golf (une fois, une de ses balles vint frapper par erreur un agent des Services secrets sur la tête), sa séance de natation quotidienne obligatoire et du bronzage intégral dans un endroit entouré de murs, près de la piscine, « le Repaire du Taureau ». (C'était là, dans ce repaire, que Joe, vêtu seulement d'un chapeau à large bord, gérait son empire industriel au téléphone.)

Jack passait également du temps avec son vieil amour, Florence Pritchett, qui avait épousé l'ambassadeur américain à Cuba, Earl Smith. « Il aimait bien rouler les types des

Services secrets, dit Don Marvin. Il s'échappait par-derrière et passait par la plage pour se rendre chez les Smith, et là, il passait l'après-midi seul avec Flo. »

Jackie était peut-être trop perturbée pour remarquer que son époux « courait » toujours les filles, comme il aimait appeler cela. Le jour même où elle apprit qu'un homme avait failli faire sauter toute sa famille, Jackie envoya une longue lettre à Cassini.

Merveilleusement tournée et machiavélique dans sa diplomatie étudiée, la lettre commençait par évoquer le compromis qu'elle avait négocié entre Cassini et Bergdorf Goodman.

Dieu merci tout ce conflit est terminé – et sans que j'aie manqué à ma parole, pas plus avec vous qu'avec Bergdorf. À présent, je sais ce que ressent le pauvre Jack quand il promet à trois personnes différentes le poste de ministre des Affaires étrangères.

Mais il me semble que les choses ont tourné à votre avantage – non ? – et vous vous êtes montré charmant et galant et un vrai gentleman et tout ce que vous devez être et que vous êtes, d'ailleurs...

Jackie continuait en disant que le reste de sa lettre n'était qu'une « suite de pensées incohérentes » qu'elle devait mettre en ordre, afin de passer les semaines à venir à se remettre pour de bon, sans avoir à réfléchir aux détails.

1) J'ai demandé à Bergdorf de vous envoyer mes mesures pour que vous puissiez avancer sur les vêtements.

2) Pour toutes les robes du soir que je vous commanderai, pourrez-vous envoyer un échantillon

a) à Mario – chez Eugenia de Florence pour faire faire les escarpins du soir – décidez si les chaussures doivent être en faille ou en satin – si nécessaire, envoyez le tissu pour les réaliser – et dites-lui de se dépêcher.

b) à KORET – il y à là-bas un homme qui me fait des sacs du soir assortis, de simples pochettes ou des carrés. Envoyez-lui du tissu identique à celui de la robe. Si vous pouvez vous charger de ces deux choses, vous n'imaginez pas les migraines que vous m'épargnerez.

c) aussi à Marita – Custom Bats chez Bergdorf Goodman – également un échantillon. Elle fait mes gants et mes chapeaux – indiquez-lui la bonne couleur à chaque fois.

3) Diana Vreeland vous téléphonera à propos...

Elle poursuivait en disant qu'elle voulait que Cassini l'habille comme si Jack était le président de la France... « Êtes-vous sûr que c'est dans vos cordes, Oleg ? Je vous en prie, dites oui. » Elle lui écrivit aussi qu'elle ne pouvait pas consacrer plus de temps aux problèmes de sa garde-robe : « Ou je ne verrai plus mes enfants et je ne ferai pas les millions de choses que je dois faire. »

Revenant sur les accusations dont elle avait été l'objet durant la campagne, elle lui écrivit : « Je refuse que de scandaleuses histoires de mode viennent perturber le gouvernement de Jack... Je ne veux pas avoir l'air d'acheter trop de choses. »

Elle souhaitait aussi qu'Oleg soit sûr que personne n'ait la même robe qu'elle... « Je veux que la mienne soit unique et je refuse de contempler de grosses petites bonnes femmes sautillant dans la même. »

Enfin, Jackie achevait sa liste de recommandations par « quelques dernières petites choses ».

1) Pardonnez-moi de ne pas avoir fait appel à vous dès le départ. Je suis contente maintenant.

2) Protégez-moi – puisque je suis tellement exposée et que je ne sais pas comment m'en débrouiller (j'ai lu ce soir que je me teignais les cheveux parce qu'ils étaient gris souris !).

3) Prévoyez de rester dîner chaque fois que vous venez à Washington avec des esquisses – et distrayez le président et sa femme dans cette lugubre Maison-Blanche *– et restez discret à notre propos – quoique je n'ai pas besoin de vous dire une chose pareille – vous avez trop de tact pour vous conduire autrement.*

4) J'avais toujours pensé que si Jack et moi nous allions en voyage officiel en France, je demanderais en cachette à Givenchy de créer mes vêtements pour ne plus avoir honte – mais à présent, ce ne sera plus nécessaire – les vôtres vont être si beaux – c'est le plus grand compliment *que je puisse vous adresser – en tant que couturier en tout cas !*

Bien à vous, Jackie.

En moins d'une semaine, Cassini avait rassemblé l'équipe nécessaire pour obéir aux ordres sans ambiguïté de la nouvelle First Lady. Il avait sous la main en permanence trois mannequins différents, et un modèle en chair et en os, aux mensurations de Jackie (90 - 66 - 96). Jack eut beau continuer à cracher comme le Vésuve en apprenant les dépenses de Jackie, Joe, comme toujours, se chargea de tout. « N'ennuyez pas les enfants avec les factures, dit Joe à Cassini. Envoyez-les-moi. Je les réglerai. »

Avant même que Jackie fût devenue la First Lady habillée par Cassini, *Life* ne parlait déjà que de son influence sur la mode américaine. « Rien ne fait scintiller plus coquinement les publicités de mode que les grands yeux inimitables de Jackie, disait l'article. Sa coiffure gonflante devient le mot de passe dans tous les salons de beauté. Petit à petit, les adeptes de la mode créée par la timide et belle First Lady sont en train de fomenter une vraie révolution... en dépit d'elle-même, elle est devenue le mannequin vedette de l'ensemble du pays. »

Avant de s'envoler pour Palm Beach, Jackie avait embauché sa vieille amie Letitia Baldrige, qui travaillait alors comme chef de publicité chez Tiffany, pour s'occuper des relations publiques. Amie de femmes journalistes comme Maxine Cheshire du *Washington Post* et Betty Beale du *Washington Star*, Tish Baldrige eut d'emblée des problèmes quand la presse lui demanda ce qu'elle pensait vraiment de la future First Lady. « C'est une femme qui possède tout, répondit Tish, y compris le prochain président des États-Unis. »

Cependant, ce fut Tish à qui Jackie en raconta de belles après sa visite de la Maison-Blanche avec Mamie Eisenhower. Jackie pensait que la demeure présidentielle ressemblait à « un Hotel Statler qui aurait été décoré par un magasin de gros, en profitant des soldes de janvier ».

« Oh, mon Dieu, dit-elle à une autre amie. C'est l'endroit le pire au monde. Tellement froid et sinistre. Une forteresse comme la Loubianka. On dirait que le mobilier a été acheté dans des magasins qui vendent au rabais. Je n'ai jamais rien vu de pareil. Je ne peux pas supporter l'idée d'emménager là-dedans. Je déteste cet endroit, je le déteste, je le déteste. »

Mais Jackie était déjà bien décidée à marquer la Maison-Blanche de son sceau, avant même d'en avoir fait le tour avec Mamie. « À la minute où j'ai appris que Jack allait se présenter aux élections présidentielles, avoua-t-elle, je savais que, s'il gagnait, la Maison-Blanche serait un de mes premiers objectifs. »

À Palm Beach, Jackie étudia les plans et les photographies de la Maison-Blanche jusqu'à ce qu'elle eût pratiquement mémorisé chaque pièce dans ses moindres détails. Le 16 janvier, quatre jours avant l'investiture, elle revint seule à Georgetown. Caroline et le bébé restèrent à Palm Beach avec leur père, Maud Shaw et Mrs. Philips, la nouvelle nourrice chargée de s'occuper de John junior.

À peine arrivée dans la maison de N Street, elle retrouva Sister Parish, qui avait décoré sa maison dans la propriété de Hyannis Port, ainsi que celle de Georgetown. Elles étalèrent les échantillons de moquettes, de papiers peints et de peinture sur la table de la salle à manger et se mirent au travail.

« Tous ces gens viennent visiter la Maison-Blanche, dit plus tard Jackie pour expliquer ses désirs de transformation, et ils ne voient pratiquement rien qui soit antérieur à 1948. Tous les garçons qui pénètrent ici devraient y trouver de quoi stimuler leur sens de l'histoire. Quant aux filles, la maison doit leur paraître belle et accueillante. Il faut qu'elles puissent se rendre compte de l'effet positif d'un feu de cheminée ou d'un bouquet de belles fleurs. »

Elle expliqua à Sister Parish que tout, à la Maison-Blanche, devait avoir une raison d'être : « Ce serait sacrilège de se contenter de la "rénover" – un mot que je déteste. Il faut la réhabiliter – et ça n'a rien à voir avec la décoration. C'est une question de culture. »

Tout comme elle avait donné ses instructions à Cassini sur la manière de s'occuper de ses vêtements, Jackie confia à Sister Parish la tâche de dresser une liste de noms pour constituer un comité responsable de l'effort de restauration. En définitive, ce furent des douzaines de spécialistes, depuis les historiens d'art jusqu'aux horticulteurs, qui furent impliqués dans cette gigantesque entreprise. Jackie les surveilla tous.

Plus les cartons s'empilaient, plus la maison de N Street ressemblait à n'importe quelle autre en plein déménagement. Jackie était débordée – elle devait décider ce qu'elle envoyait au garde-meubles et ce qu'elle expédiait à la Maison-Blanche – sans compter l'essayage de ses robes et l'arrivée imminente de son coiffeur, Jean-Louis. Il fallait ajouter à cela la présence de l'équipe de transition de Jack, et pour la première fois, elle sentit qu'elle ne s'en sortirait pas.

« Si tu crois que je vais emménager à la Maison-Blanche sans faire le moindre préparatif, tu es fou, dit-elle à Jack, et si tu restes dans cette maison, je ne peux plus bouger. Il faut que tu partes ! »

Le 18 janvier, Bill Walton, qui connaissait les Kennedy depuis longtemps et qui était leur voisin à Georgetown, reçut un coup de téléphone d'Alice Roosevelt Longworth.

« Dites-moi, demain, vous avez un invité...

– Qu'est-ce que vous voulez dire ? demanda Walton.

– Vous n'êtes pas au courant ?

– Non, répondit Walton. Je ne sais pas.

– Ha, ha, ha. Ils viennent juste de l'annoncer à la télévision, dit Mrs. Longworth. Demain, il s'installe chez vous. » Avant que Walton n'ait eu le temps d'appeler le futur président, les Services secrets frappaient à sa porte. « Puisque Jackie lui demandait de partir, alors il s'en allait. Jack faisait toujours ce qu'il fallait pour qu'elle soit contente. Ça le rendait fou quand elle était malheureuse. »

Un peu avant midi, le lendemain, veille de l'investiture, les premiers flocons commencèrent à tomber sur la capitale. À la tombée de la nuit, Washington était plongée dans une énorme tempête de neige. On allait avoir droit à une investiture en blanc, et la plus froide de l'histoire.

Ce soir-là, tandis que la neige ne cessait de s'amonceler, bloquant totalement la circulation, Frank Sinatra était en proie à la panique, comme on peut facilement l'imaginer. Tous les yeux étaient fixés sur lui, parce qu'il était le producteur du Gala d'Investiture. La distribution était prestigieuse, et les invités triés sur le volet, mais tout avait été organisé pour ramasser les deux millions de dollars nécessaires pour éponger la dette de la campagne démocrate.

Dans la maison de N Street, Jack et Jackie se comportaient comme n'importe quels jeunes parents se préparant à sortir le soir. À sept heures et demie, Jack déjà en smoking attendait Jackie, qui n'en avait pas fini avec sa coiffure. Vêtue des pieds à la tête de satin blanc chatoyant, elle avait bien envie de ne pas mettre le moindre bijou. Jack, quant à lui, voulait lui voir porter un collier d'émeraude et les boucles d'oreilles assorties.

Finalement, Jack demanda à Mary Gallagher de venir jouer les arbitres. Ignorant l'opinion de chacun des époux, elle regarda la future First Lady présenter la robe sans bijou, puis avec. Mary Gallagher vota pour les émeraudes, se rangeant sans le savoir du côté du président. Bien que contrariée de ce que Jack ne lui ait pas fait confiance sur de tels sujets, Jackie n'en porta pas moins les émeraudes.

Puis ils mirent Caroline au lit, et sortirent de la maison de N Street à l'abri des parapluies que tenaient les agents des Services secrets. Les flashes crépitèrent quand elle releva le bas de sa robe et marcha sur la pointe des pieds jusqu'à la limousine Chrysler qui les attendait. Après avoir dîné chez le propriétaire du *Washington Post*, Philip Graham, et sa femme Katherine, ils partirent assister à un concert au Convention Hall. Même sous la neige, les gens s'entassaient dans les rues pour apercevoir au passage leur séduisant nouveau président et sa somptueuse épouse. Jack se pencha en avant pour ordonner au chauffeur d'allumer les lumières de la voiture « afin que l'on puisse voir Jackie ».

Ils arrivèrent à temps au Convention Hall, mais tous les musiciens n'eurent pas cette chance ; le concert commença, avec seulement quarante membres du National Symphony. Le concert terminé, le couple partit pour l'Arsenal National. Leland Hayward, le producteur de Broadway, avait accepté d'interrompre deux de ses spectacles à succès – *Gypsy* et *Becket* – afin qu'Ethel Merman chantât *Everything's Coming Up Roses* et que les vedettes de *Becket*, Laurence Olivier et Anthony Quinn, finissent quelques lectures théâtrales. Joey Bishop, le maître des cérémonies, était assisté par les comiques Milton Berle et Alan King. On attendait aussi à cette soirée Nat King Cole, Harry Belafonte, Ella Fitzgerald, Bette Davis, Juliet Prowse, Shirley MacLaine, Tony Curtis et Janet Leigh, pour n'en citer que quelques-uns.

« Ce fut une soirée effrayante », dit Leonard Bernstein, qui dirigeait une fanfare qu'il avait écrite pour l'occasion, ainsi que le *Hallelujah Chorus.* « J'étais coincé dans la voiture de Bette Davis. On était six là-dedans, complètement asphyxiés dans cette limousine qui ne pouvait pas avancer. Les voitures étaient tombées en panne et bloquaient les rues, et cette neige qui n'arrêtait pas de tomber... L'un de nous connaissait quelqu'un qui n'habitait pas loin et on est sortis pour aller téléphoner. Nous avons demandé à la Maison-Blanche qu'on vienne nous chercher pour nous emmener à l'Arsenal, afin qu'on puisse jouer, mais toutes leurs voitures étaient en train de récupérer d'autres gens égarés. »

Finalement, des voitures de police vinrent chercher Bernstein et Bette Davis pour les conduire jusqu'à l'Arsenal en roulant sur les trottoirs. « Oh, c'était *épouvantable*, dit Bernstein en essayant de retrouver l'atmosphère de cette soirée. Nous roulions entre les arbres, sur les trottoirs, à bord de cette voiture de police idiote, vers l'Arsenal, pas lavés, pas changés, sans tenue de soirée, et tout le monde était dans cet état caractéristique des tempêtes, quand on sait que, de toute façon, on ne peut rien faire et qu'on voit de parfaits inconnus s'embrasser, chanter et danser dans la neige... »

L'Arsenal n'était qu'à moitié plein quand Jack et Jackie y arrivèrent peu avant onze heures – deux heures après le moment prévu pour le début du spectacle. Tout le monde se leva, applaudissant à tout rompre, tandis que Jack et Jackie s'asseyaient, puis le futur président se leva pour répondre à l'ovation.

« Jack, comme à son habitude, a rendu fous les gars des Services secrets, raconta Lowe qui, parce qu'il n'avait pas pu retourner à son hôtel, travailla toute la soirée vêtu d'une veste de sport et d'un nœud papillon. Il n'arrêtait pas de se lever d'un bond pour courir dans une travée serrer la main d'un ami ou disparaître par l'escalier de service. »

De façon surprenante, le spectacle lui-même se déroula sans anicroche. Parmi les moments forts l'exubérant numéro de danse de Prowse, la lecture par Frederic March du *Discours inaugural* de Lincoln, et Frank Sinatra chantant sa romance patriotique de la Seconde Guerre mondiale, *The House I Live In*, qui fit fondre Jackie en larmes. À l'entracte, elle s'esquiva discrètement, et revint à Georgetown s'écrouler dans sa chambre.

Lorsque le gala se termina, vers deux heures du matin,

Jack se leva pour s'adresser aux dix mille personnes de la salle comble. « Je sais que nous devons tous beaucoup à un grand ami – Frank Sinatra, déclara Jack. Bien longtemps avant de pouvoir chanter, il animait une circonscription démocrate dans le New Jersey. Cette circonscription aujourd'hui couvre tout le pays... » Il remercia aussi son beau-frère Lawford. « Je veux que Frank et Peter sachent que nous leur sommes très reconnaissants de ce qu'ils ont fait, et nous sommes fiers de les avoir avec nous. »

Tandis que Jackie passait seule sa dernière nuit dans la maison de N Street (« Ma jolie petite maison [qui] penche légèrement d'un côté. »), Jack ne montrait aucun signe de fatigue. Il se rendit à une réception organisée par son père au restaurant de Paul Young. À un moment, il entraîna Red Fay dans un coin de l'office et chuchota : « As-tu déjà vu autant de gens attirants rassemblés dans un seul lieu ? Je t'assure que papa sait organiser une fête. Et voilà le paradoxe de l'affaire. Moi, je suis le président désigné des États-Unis et si je danse ou si je parle avec une fille plus de trente secondes, quelqu'un essayera d'en tirer des conclusions... et voilà notre Vieux adorable qui maîtrise une des opérations les plus réussies que j'aie jamais vues et personne ne remarque rien ! » À six heures du matin, Jack partit et rentra à N Street, juste avant l'aube.

Trois heures plus tard, Jack, qui avait déjà assisté seul à la première messe, était dans la bibliothèque de la maison de Georgetown. Tandis que Jackie prenait son petit déjeuner au lit, il répéta son discours inaugural.

Cette fois, ils ne pouvaient pas se permettre d'arriver en retard. Jack devait endosser le manteau de président à midi pile. Il supplia Jackie d'être à l'heure ; quant à lui, il se faisait du souci à l'idée d'avoir pris du poids. Son visage était devenu bouffi au cours des dernières semaines, impossible de fermer le col de sa chemise. Après plusieurs essais infructueux, il envoya Muggsy emprunter une chemise à son père.

Une fois de plus, Jackie le fit attendre pendant qu'elle mettait la dernière touche à sa tenue. Elle fit enfin son apparition – mi-écolière, mi-princesse russe – vêtue d'un manteau en laine de couleur fauve, avec un col de zibeline et un manchon assorti. Une toque beige couronnait sa coiffure bouffante. Ce style allait coller à l'image de Jacqueline Kennedy pour les années à venir.

Le président désigné, vêtu d'une queue-de-pie et d'un pantalon rayé, dut attendre encore un peu, le temps qu'elle trouvât un poudrier dans son sac, pour une retouche de dernière minute. « Dépêche-toi, je t'en prie », lui cria-t-il. Pas de réponse. Jackie n'aimait pas qu'on la presse. « Viens, Jackie ! Pour l'amour du ciel ! » hurla-t-il et cette fois, il était vraiment en colère. Ce fut efficace.

Que JFK préférât aller tête nue était légendaire – les chapeliers ne se remirent jamais de sa prise de fonction – mais il n'en mit pas moins un haut-de-forme. « Qu'en penses-tu ? lui demanda-t-il.

– Tu n'as qu'à le tenir à la main, Jack, répondit-elle. Ce sera bien. »

À onze heures, le porte-parole de la Maison-Blanche, Sam Rayburn, et le président de la cérémonie d'investiture, John Sparkman, arrivèrent à la maison de N Street dans la Lincoln présidentielle à toit transparent, pour escorter les Kennedy jusqu'à leur nouvelle demeure. Les Nixon et les Johnson les attendaient aussi là-bas. Après avoir pris un café et échangé quelques mots contraints, le nouveau président, en compagnie de l'ancien, se rendit au Capitole pour prêter serment.

Mamie et Jackie suivirent dans une seconde voiture. « Ike ressemble à Paddy l'Irlandais avec son haut-de-forme », dit Mrs. Eisenhower en riant, avant de se rappeler brusquement les origines de l'homme qui allait bientôt être investi de ses nouvelles fonctions. Les deux femmes restèrent silencieuses pendant le reste du trajet.

Regroupés pour essayer de lutter contre le froid pénétrant, les spectateurs regardèrent le poète Robert Frost, âgé de quatre-vingt-six ans, se débattre avec la lumière aveuglante pour lire un poème qu'il avait composé pour l'occasion. Jackie, assise entre le président Eisenhower et lady Bird, surveillait avec inquiétude Lyndon Johnson qui essayait aimablement de protéger les feuillets de Frost avec son haut-de-forme, mais finalement le poète renonça et récita une autre de ses œuvres de mémoire. Quand il eut fini, Jack, ayant ôté son pardessus, bondit sur ses pieds pour le raccompagner jusqu'à son siège.

À midi, Jackie se leva pour contempler, avec un émerveillement de circonstance, son mari qui, la main sur la bible de la famille Fitzgerald, prêtait serment devant le président de la Cour suprême, Earl Warren. Jack, à quarante-trois ans, devenait le plus jeune président de l'histoire des États-Unis, succédant au plus âgé, Ike, qui avait soixante-dix ans. Jack était aussi le premier président né au XXe siècle et le premier catholique romain à occuper cette fonction.

Le discours d'investiture de Jack, avec son message insistant : « Ne demandez pas ce que votre pays peut faire pour vous », remua toute la nation. Mais Jackie n'eut pas l'occasion de féliciter son époux sur l'estrade. Il ne l'embrassa pas immédiatement après avoir prêté serment, comme le voulait la tradition. Et dès que Marion Anderson eut mis le point final à la cérémonie par une vibrante interprétation de l'hymne national, Jack – succombant à l'excitation du moment – dévala les marches recouvertes d'un tapis rouge et quitta l'estrade, abandonnant inexplicablement Jackie derrière lui.

Quelques instants plus tard, ils se retrouvèrent sous la coupole du Capitole. « J'étais tellement fière de Jack, dit-elle. J'avais tellement de choses à lui dire. Mais j'ai pu à peine l'embrasser devant tous ces gens, je me souviens d'avoir simplement posé ma main sur sa joue en disant : “Jack, tu as été merveilleux !” Et il a souri d'une manière tellement émouvante et fragile ! Il paraissait si heureux. »

De là, ils furent poussés vers le déjeuner officiel dans la vieille salle de la Cour suprême, au Capitole. L'atmosphère fut agréable, même festive – formant contraste avec le « déjeuner » offert de bonne heure, avant la prestation de serment, aux membres des familles Kennedy, Fitzgerald, Bouvier, Lee et Auchincloss au Mayflower Hotel.

Quand Joe Kennedy, qui payait ce déjeuner, aperçut le buffet gargantuesque qui croulait sous les crevettes, le caviar et les homards – sans parler des boissons à volonté –, il appela Tish Baldrige.

« Qui sont tous ces gens ? demanda-t-il à Tish qui avait tout organisé.

– Votre famille, monsieur l'ambassadeur, répondit-elle.

– Sûrement pas, répliqua-t-il. Au nom du ciel, qui sont ces pique-assiette ? Je veux savoir exactement pourquoi vous les avez invités. »

Joe fit alors subir un interrogatoire serré à une bonne douzaine d'invités avant de s'excuser auprès de Tish Baldrige. « Ils font tous partie de la famille, reconnut-il. Et c'est la dernière fois qu'on les invite en même temps, si vous me permettez de donner mon avis ! »

Après le banquet au Capitole, Jack et Jackie, malgré le froid polaire, prirent la tête du défilé d'investiture et se rendirent à la Maison-Blanche dans une voiture décapotable. Avant de procéder à la revue, Jack ne put résister au désir d'essayer son bureau dans le Cabinet ovale, faisant tourner son fauteuil, ouvrant et fermant les tiroirs. Lorsque le nouveau président rejoignit enfin Lyndon B. Johnson et les autres dignitaires sur l'estrade, Joe Kennedy fit une chose qu'il n'avait jamais faite auparavant : il enleva son chapeau et resta tête nue, par respect pour son fils. Jack, profondément ému par ce geste, serra la main de son père et lui fit signe de se rasseoir.

Dans Pennsylvania Avenue, les unités des forces armées, les orchestres d'écoles avec leurs majorettes, les chars, tous défilèrent devant leur nouveau commandant en chef. Il y eut encore un moment chargé d'émotion lorsqu'un char transportant son ancien équipage du PT-109 s'arrêta devant l'estrade. Ils saluèrent leur nouveau commandant en chef, celui-ci les acclama à son tour.

Fatiguée, frigorifiée, et sachant qu'une longue soirée l'attendait, Jackie se fit excuser au bout d'une heure. « Je suis éreintée, Jack. On se retrouve à la maison. » Le président hocha la tête. Manifestement décidé à ne pas perdre une seule minute de toute cette magie, il demeura dans le froid pendant les trois heures et demie que dura le défilé.

La « maison » pour les Kennedy, c'était désormais 1600 Pennsylvania Avenue. Tandis que les peintres et les tapissiers mettaient la dernière main à la chambre de John junior et à la salle à manger familiale, Jackie s'installa dans la Chambre de la reine (ainsi nommée parce que cinq reines y avaient dormi), au deuxième étage. Jack, pendant ce temps, devait dormir dans l'aile est, dans la Chambre de Lincoln.

Ce premier jour à la Maison-Blanche, Jackie le passa non seulement en compagnie de Tish Baldrige, mais aussi de Pam Turnure. Jack avait dit à Pierre Salinger, désormais porte-parole de la Maison-Blanche, de « prendre Pam et de lui expliquer ce qu'elle avait à faire ». Ce qui signifiait embaucher la maîtresse à éclipses de Kennedy comme porte-parole de la First Lady. « Mais pourquoi, au nom du ciel, ai-je besoin d'un porte-parole ? » demanda Jackie à l'huissier en chef, J.B. West.

À usage strictement public, Jackie rédigea une lettre de bienvenue en style fleuri à Pamela Turnure, qui avait vingt-trois ans et aucune expérience de la presse : « Plus j'y pense, plus je suis heureuse que vous fassiez cela – précisément parce que vous n'avez aucune expérience de la presse – mais vous avez suffisamment de bon sens et de savoir-vivre pour ne pas vous affoler et trouver toujours les mots justes. »

À tout le moins, Jackie soupçonnait Pamela Turnure et son époux d'entretenir encore des relations intimes. « La seule fois où Jackie m'a fait comprendre qu'elle était au courant des histoires de femmes de Jack, raconta Betty Spalding, ce fut lorsqu'elle me demanda, alors qu'ils étaient à la Maison-Blanche, si j'étais au courant de sa liaison avec Pamela Turnure. Je lui répondis que je l'ignorais mais que, même si je le savais, je ne lui en dirais rien. » Betty Spalding estimait que ce qui dérangeait Jackie, ce n'était pas tant la liaison de Jack que le fait d'être obligée de voir Pamela tous les jours.

Cet après-midi-là, tandis que Jackie se reposait à l'étage, la famille arriva par cars entiers pour assister à une réception dans la salle à manger d'apparat. Rose, Janet et Peter Lawford se déplaçaient d'un groupe à l'autre, contrairement aux diverses tribus qui restaient soudées. L'atmosphère devint de plus en plus tendue ; tous les regards étaient fixés sur la porte par laquelle la First Lady devait faire son entrée.

Ils attendaient toujours, deux heures plus tard, quand Jack arriva du défilé et se plongea dans la foule, souriant et échangeant des poignées de mains. Il fit des yeux le tour de la salle avant de demander :

« Où est Jackie ?

– En haut, en train de se reposer », répondit quelqu'un.

Le regard interrogatif de Jack marqua rapidement la résignation. Janet monta pour essayer de la faire venir, à force de cajoleries. « Je ne peux pas, répondit Jackie de son lit. Vraiment, je ne peux pas. » Vers huit heures du soir, les invités commencèrent à repartir sans avoir vu leur célèbre parente. Les réactions allaient de la déception à la colère. On disait que Jackie s'était conduite avec une rare grossièreté en snobant ainsi sa famille d'une façon aussi désinvolte. À coup sûr, elle aurait pu se donner le mal d'apparaître, même brièvement.

Personne ne savait qu'elle avait failli mourir après sa césarienne, ni qu'elle avait subi une importante rechute après son éreintant tour de la Maison-Blanche en compagnie de Mamie. Elle ne possédait pas les réserves naturelles d'énergie de Jack, et elle ne consommait pas ces doses quotidiennes de cortisone qui, à l'époque, donnaient à Jack des forces presque surhumaines. Sachant qu'une longue et difficile soirée l'attendait – elle était décidée à se montrer absolument royale – Jackie avait dû fixer des priorités. Ses tantes, oncles, neveux, nièces et cousins – qu'elle n'avait pas vus, pour la plupart, depuis des années – n'en faisaient pas partie.

Jackie se faisait beaucoup de souci pour sa sœur, Lee, qui était au fond de son lit à Londres, trop malade pour assister à l'investiture. Par un étrange caprice du destin, Lee, elle aussi, attendait un enfant pour le mois de novembre. Mais Anna Christina, sa fille, était née avec trois mois d'avance, et se débattait entre la vie et la mort dans une couveuse. Ne pouvant même pas prendre sa fille dans ses bras, Lee traversait de graves crises de dépression post-partum. Jackie, se sentant totalement impuissante, décida que le seul moyen de remplir ses obligations vis-à-vis de Jack, c'était de ménager ses forces.

« Chérie, tu n'as jamais été plus jolie. Ta robe est magnifique », dit le président quand elle apparut enfin, vêtue d'une robe de crêpe en soie blanche, dont le corsage était brodé de fils d'argent. Par-dessus, une cape avec un haut col mandarin traînait jusqu'à terre. Elle portait de longs gants de théâtre, et des pendants d'oreille en diamants empruntés à Tiffany. Jackie, brusquement, semblait pleine d'énergie, remontée par un cachet de déxédrine avalé quelques instants auparavant.

Lyndon Johnson et lady Bird dans leur sillage, ils se rendirent au Mayflower pour le premier des cinq bals d'inauguration. Un cri monta de la foule quand ils firent leur entrée aux accents de *Hail to the Chief.* « Si seulement les hommes savaient comme ils sont beaux en redingote et cravate blanche, dit Jackie à Tish Baldrige, ils les porteraient tous les soirs de leur vie. »

Ensuite, ils se rendirent dans un autre bal, au Statler Hilton. Mais Jack s'esquiva de la loge présidentielle pour se rendre à une autre fête, donnée par Frank Sinatra. Là, il rencontra Angie Dickinson, l'époustouflante et blonde actrice de vingt-huit ans avec laquelle il se serait baigné nu chez les Lawford, le soir où il avait été élu candidat. Red Fay, dont la femme était en Europe, avait accepté sans la moindre hésitation d'être le chevalier servant d'Angie pour cette soirée.

« Du moment où on me l'a présenté, j'en ai été dingue, comme tout le monde, raconta Angie Dickinson. C'était le tueur type, l'homme terriblement séduisant, charmant – le genre que votre mère ne souhaite pas vous voir épouser. » Quand on lui demanda ce qu'elle pensait des relations sexuelles avec le président, elle est censée avoir répondu : « Ce furent les sept minutes les plus excitantes de ma vie. »

Une demi-heure plus tard, Jack revint d'un air penaud dans la loge présidentielle, le *Washington Post* sous le bras, « comme si, raconta Kenny O'Donnell, il était simplement sorti chercher le journal. Sa femme, qui savait à quoi s'en tenir, lui jeta un regard glacé ».

Ils se rendirent ensuite au bal le plus important, qui avait lieu dans l'immense arsenal de dix mille mètres carrés de Washington. La foule se mit à applaudir à tout rompre quand Jackie gagna son siège. Durant toute la soirée, tous les regards restèrent fixés sur la loge présidentielle. Jackie, assise entre son époux et Lyndon B. Johnson, se plaignit que si peu de gens fussent en train de danser. « Juste une poignée de gens qui tournent en rond comme du bétail hypnotisé », fit-elle observer. Jack n'était pas d'accord : « Je pense que c'est une façon idéale de passer la soirée, dit-il en s'adressant à la foule. Vous nous regardez et nous vous regardons. »

À minuit, Jackie commença à flancher. « J'étais décomposée, dira-t-elle plus tard. Je n'avais plus la moindre force. » Elle présenta ses excuses et pria Jack d'aller sans elle aux deux bals où ils étaient encore attendus.

Recommandation inutile pour son inépuisable époux. Débarrassé de Jackie, Jack retrouva Red Fay et Angie Dickinson. Il leur proposa de l'accompagner dans les autres réceptions ; Fay demanda alors si le reste de leur quatuor – l'actrice Kim Novak et l'architecte Fernando Parra – pouvait venir. Là, le président réagit. « J'imagine les journaux demain, répondit Jack à son vieux copain de guerre : "Le nouveau président achève sa première journée en faisant la noce avec Kim Novak et Angie Dickinson, tandis que son épouse se remet de la naissance de leur premier fils." » Résigné, il ajouta : « Écoute, Redhead, l'espace d'un instant, j'ai presque oublié que j'étais président des États-Unis. Cela comporte des avantages et des inconvénients, et voilà justement un des inconvénients. Bonne nuit. »

Au moment où sa voiture quittait l'Arsenal, Kennedy aperçut un vieil ami qui avait mené campagne pour lui quand il s'était présenté au Congrès pour la première fois, en 1946. Sur la demande du président, celui-ci chanta quelques mesures de *Danny Boy.* Jack le remercia et, rayonnant, s'attaqua à la réception suivante. Après le cinquième et dernier bal, Jack débarqua encore dans une petite fête à deux heures du matin, chez Joe Alsop, où il resta pendant une heure et demie. « Le président était affamé. Je lui offris donc de la tortue d'eau douce », raconta le chroniqueur, oubliant de mentionner que plusieurs jeunes et jolies femmes assuraient également le service.

Après la réception chez Alsop, Jack regagna enfin la Maison-Blanche. Jackie dormait dans la Chambre de la reine, de l'autre côté du hall, et le nouveau président grimpa dans l'énorme lit d'Abraham Lincoln, tout sculpté de roses, où il finit par succomber au sommeil.

Moins de cinq heures plus tard, le président Kennedy était derrière son bureau, dans le Cabinet ovale, présidant une réunion de son état-major. Ce fut ce jour-là que Jacques Lowe, qui avait été convoqué pour couvrir l'événement, remarqua combien Jack avait vieilli en quelques mois. « La première fois que je l'avais vu, plusieurs années auparavant, il aurait presque pu passer pour un jeune étudiant, déclara Lowe, mais là, il avait bien l'air de l'homme mûr qu'il était. Son visage était ridé, il avait les joues plus pleines, il était toujours très séduisant, mais plus massif. À présent qu'il se retrouvait aux commandes du monde libre, il avait la tête de l'emploi. »

Jackie prit le week-end pour récupérer mais, le lundi, elle se mit au travail avec zèle. Vêtue de jodhpurs, d'une chemise blanche et de bottes cavalières, elle s'assit sur le bord de son bureau et interrogea tous les membres du personnel de maison, en les faisant passer trois par trois. Le personnel fut choqué de voir la célèbre gravure de mode habillée de façon aussi ordinaire, d'autant que ses cheveux d'habitude lissés avec tant de soin « étaient, selon l'une d'elles, complètement ébouriffés ».

Mais c'était Jackie, telle qu'elle était derrière les portes closes de la Maison-Blanche. Elle ne portait jamais de robe quand elle n'était pas en représentation, préférant vadrouiller en pantalon, avec une chemise ou un pull-over. Plus souvent qu'à son tour, elle entrait sans crier gare dans une pièce, ôtait vivement ses chaussures et s'installait par terre.

Cependant, elle n'acceptait pas la moindre familiarité. De personne. « Elle était bien connue pour son caractère insaisissable, ses humeurs changeantes, dit Cassini. Elle pouvait se montrer très chaleureuse un jour et totalement glaciale le lendemain ; elle faisait ça à tout le monde, même à ses meilleurs amis. »

J.B. West, qui servit tous les présidents depuis Franklin Roosevelt jusqu'à Richard Nixon, estimait que Jackie était « la personnalité la plus complexe » de toutes les premières dames qu'il avait connues. « En public, elle était élégante, distante, pleine de dignité, royale. En privé, elle était désinvolte, malicieuse et irrévérencieuse. Elle avait une volonté de fer, et elle possédait plus de détermination que quiconque. » Il y avait une frontière invisible que personne n'osait franchir, mais cette frontière, comme Jack ne le savait que trop bien, bougeait constamment.

« La montée en puissance de Kennedy continua, écrivit son partisan de la première heure, James MacGregor Burns. Les adjectifs culbutaient les uns sur les autres. Il n'était pas seulement le plus beau, le mieux habillé, le plus intelligent, et aussi gracieux qu'une gazelle. Il était aussi omniscient ; il avalait et digérait des livres entiers en quelques minutes ; il dépassait les spécialistes par ses connaissances dans leur domaine. Il était omnipotent. »

Tout ceci rendait Burns et une bonne partie de l'entourage de Kennedy nerveux. « Cet engouement manque trop de discernement. Il ne durera pas. L'opinion publique peut se montrer cruelle, tout comme la presse. Les Américains construisent leurs arcs de triomphe en briques, afin d'avoir des projectiles à portée de la main quand leurs héros sont déchus. » Mais, comme le fit remarquer le *Time* dans son numéro du 15 avril 1961, Jack et Jackie ne ressentaient « manifestement pas la moindre inquiétude » tandis que « leur inlassable activité faisait la une des journaux et remplissait les écrans de télévision ».

Deux jours plus tard, le 17 avril, Jack essuya sa première défaite importante en politique étrangère, quand mille deux cents exilés cubains, lancés à l'assaut de Cuba, se firent repousser. Le fiasco de la baie des Cochons ébranla sa confiance, tant dans ses conseillers, que dans son propre jugement. Et pourtant, ce n'était encore rien. Les crises politiques qui se préparaient allaient secouer la République jusque dans ses fondements et amener le monde au bord de la guerre atomique.

Pendant que Jack était confronté à l'écrasante responsabilité de gouverner le pays, Jackie, elle, s'attela aux tâches qu'elle s'était choisies : faire de la Maison-Blanche quelque chose « de si somptueux que de Gaulle aurait honte de Versailles » ; imposer une exigence de culture et de beauté qui serait une source d'inspiration pour les générations à venir, et par-dessus tout, créer un foyer pour son mari et ses jeunes enfants. Dans l'accomplissement de ces tâches, elle allait remporter des succès spectaculaires.

CHAPITRE 10

Quand ils arrivèrent à la Maison-Blanche,
ils tombèrent de nouveau amoureux l'un de l'autre.

OLEG CASSINI

Jackie l'aimait. Jack l'aimait.
Peut-être pour des raisons différentes...

JACQUES LOWE,
AMI ET PHOTOGRAPHE PERSONNEL DE JFK

En dépit de toutes les épreuves qu'ils traversèrent, elle décida de rester aux côtés de son homme. Je ne peux pas imaginer une meilleure définition de l'amour.

LETITIA BALDRIGE

Les jouets des enfants furent les premières caisses livrées en secret à la Maison-Blanche, deux semaines avant la prise de fonction officielle. « Parfait, dit Jackie quand on lui dit que J.B. West les avait cachées dans un placard, à l'abri des regards. On les sortira dès que les chambres seront prêtes. »

West, qui lui avait envoyé des plans et des photos après son abominable visite avec Mamie, s'aperçut rapidement que la nouvelle First Lady connaissait le moindre recoin de la demeure présidentielle. Passant d'une pièce à l'autre ce premier lundi, elle laissa échapper un certain nombre de remarques cinglantes que West trouva « désopilantes ». Elle qualifia le caverneux Salon est de « piste de patins à roulettes », les rideaux de la chambre à coucher étaient d'un

« vert à faire vomir », et le hall du rez-de-chaussée ressemblait à « l'abri anti-bombes d'un cabinet de dentiste ». Elle se répandit en injures contre « les guéridons avec leurs cendriers genre wagon Pullman », la « décoration hideuse » et le mobilier copie Grands Rapides qu'elle traita, en toute simplicité, de « camelote ».

Elle annonça clairement ses intentions à Sister Parish : « Prenons beaucoup de chintz et égayons ce vieux dépotoir. » Tout comme elle l'avait fait avec Cassini, Jackie rédigeait note sur note pour bien préciser ses exigences : « Pas de rose Mamie sur les murs, sauf dans la chambre de Caroline » ; « Il faut faire quelque chose avec les stores des fenêtres dans toute la Maison-Blanche. Ils sont énormes, avec des poulies et des cordes. Quand je les baisse, j'ai l'impression d'être un marin en train de replier une voile » ; « Ni cendriers ni bibelots en verre et cuivre » ; « S'il y a une chose que je ne peux pas supporter, c'est bien les miroirs victoriens – ils sont hideux – je ne veux plus les voir. Enlevez-les et jetez-les aux ordures. »

La famille étant la priorité de Jackie, elle décida que les premiers changements d'envergure seraient pour leurs appartements privés. « Quand je suis arrivée, j'ai eu l'impression d'être un papillon de nuit qui se cogne contre une fenêtre, raconta Jackie. C'était terrible... Comme ils étaient en train de repeindre le premier étage, ils nous ont installés à l'autre bout. L'odeur de peinture était envahissante. On a essayé d'ouvrir les fenêtres dans les chambres, mais impossible. Personne n'y avait touché depuis des années. Après, quand on a voulu faire du feu dans les cheminées, elles se sont mises à fumer parce qu'elles n'avaient pas servi depuis belle lurette.

« Parfois, je me demandais : "Comment allons-nous mener une vie de famille dans cette immense demeure ?" J'ai bien peur qu'on ne puisse jamais vraiment s'y sentir à l'aise. C'est un bâtiment administratif. »

Quand elle se sentait débordée, ce qui arrivait souvent,

Jackie allait s'asseoir dans la Salle Lincoln. « C'était la seule pièce de la Maison-Blanche dans laquelle on percevait les échos du passé. Cela me réconfortait énormément... Quand on voit ce grand lit, on dirait une cathédrale. Toucher quelque chose, en sachant que Lincoln l'avait touché, c'était comme un lien entre nous. Quand je m'asseyais dans la Salle Lincoln, je sentais vraiment sa force. Comme si je parlais avec lui. Jefferson est le président avec lequel je me sens le plus d'affinités. Mais Lincoln, c'est celui que j'aime. »

En face du Salon jaune ovale, avec ses portes ouvrant sur le Balcon Truman, il y avait les chambres des enfants. Jackie effaça toute trace de la décoration moderne et anonyme. La chambre de Caroline fut refaite en rose et blanc, avec un couvre-lit et des rideaux assortis, à motif boutons de rose, un lit à baldaquin blanc, des chevaux à bascule, des animaux en peluche, une Grandma Moses sur le mur – et enfin, une magnifique maison de poupée offerte par Charles de Gaulle. La chambre de son frère était blanche et bleue, et entre les deux, il y avait une petite pièce stratégiquement occupée par leur nourrice. « Il ne faudra pas grand-chose pour Maud Shaw, écrivit Jackie à J.B. West. Trouvez simplement une corbeille à papiers en osier pour ses peaux de banane et une petite table pour poser son dentier la nuit. »

Une fois les enfants installés, ce fut au tour de Jack et Jackie. La chambre de Jackie, éclairée par des lustres « genre province française », fut décorée dans des nuances de bleu et de vert, avec des peaux de léopard jetées de ci de là pour mettre un peu de piment. Séparée de celle de la First Lady par un cagibi qui contenait leur stéréo, la chambre blanc cassé du président était dominée par le grand lit en acajou d'Harry Truman. Jackie choisit un motif bleu et blanc pour le dessus de lit, le baldaquin et les rideaux. Tout, dans la chambre, disait que Jack souffrait du dos : le matelas très ferme conseillé par le Dr Travell, un coussinet chauffant toujours à portée de main sur la table de chevet, un fauteuil à bascule rembourré et tapissé par Jackie. Au mur, était accroché *Le Jour du drapeau* de Childe Hassam.

Rien n'était plus révélateur de leur divergence d'intérêts que le choix de leurs lectures, étalées sur des tables au pied de leur lit. Pour Jackie : *Paris-Match*, *Réalités*, *Art à la mode*, *Elle*, *Vogue*, *Femme Chic.* Pour Jack : Le *New York Times*, Le *Washington Post*, *Time*, *Newsweek*, et son préféré, *History Today.*

Pour le plus grand plaisir de son mari, Jackie transforma les appartements familiaux en galerie d'art, ornant les murs de paysages de Cézanne, d'aquarelles de John Singer Sargent et de vingt portraits d'Indigènes américains, signés George Catlin.

Comme les précédents habitants, Jackie n'aimait pas la salle à manger « familiale », froide et impersonnelle, située au premier étage. D'autant que les repas, préparés dans la cuisine au rez-de-chaussée, y arrivaient généralement froids. Alors, elle se résolut à arranger cela ; au deuxième étage, dans les appartements de la famille, elle créa sa propre cuisine et sa propre salle à manger, à quelques pas du Salon ouest où la famille se rassemblait.

Il y avait encore d'autres problèmes matériels à régler. Pour Jackie, aucun sujet n'était trop vaste (elle se plaignit que la Maison-Blanche ne fût même pas aussi bien chauffée que n'importe quelle « guimbarde ») ni trop restreint (elle envoya une note sèche à West après s'être aperçue qu'une des boîtes à cigarettes du Salon bleu était vide). Mais elle se montra particulièrement attentive vis-à-vis du personnel. « Un des gros problèmes des femmes de chambre de la Maison-Blanche, écrivit-elle à West, c'est qu'elles ont tellement peur de la First Family qu'elles en sont complètement crispées et qu'elles s'affolent pour un rien – même Lucinda qui me connaît bien, s'excuse pendant dix minutes si elle laisse tomber une épingle. Je ne peux rien leur apprendre – et je n'ai guère de temps à leur consacrer – si elles sont aussi terrifiées. » La cuisinière de Jackie à Georgetown, Pearl, eut raison d'avoir peur. Peu de temps après son arrivée à la Maison-Blanche, Jackie embaucha un chef français, René Verdon, et confia à West la lourde tâche de renvoyer la grosse et rébarbative Pearl.

Au bout de trois mois, Jackie avait achevé sa tâche dans les appartements privés. « Elle voulait rendre l'atmosphère confortable, avec des fleurs, des photos de famille et les tableaux qu'elle aimait, dit Baldrige. En un tournemain, elle a transformé cet endroit froid et plein de courants d'air en un lieu chaleureux, adapté à de jeunes enfants. »

Tout aussi rapidement, la vie de la famille s'organisa selon un emploi du temps qui resta à peu près immuable durant les mille jours qu'ils passèrent à la Maison-Blanche. Le président et la First Lady ne se voyaient presque jamais le matin. Vers huit heures, l'infatigable commandant en chef dévorait un bon petit déjeuner – deux œufs à la coque, du bacon, des toasts, du jus d'orange et une tasse de café dans laquelle il ajoutait trois ou quatre cuillerées de sucre et de crème.

Ensuite, il se consacrait aux journaux du matin et aux télégrammes urgents dans sa baignoire (« Il arrivait souvent que l'on récupère une feuille de papier trempée d'eau », dit Salinger). Maud Shaw lui amenait alors les enfants. Après avoir embrassé son père, Caroline allumait la télévision et s'asseyait par terre pour regarder des dessins animés. Jack LaLanne passait à neuf heures, et Jack applaudissait en riant tandis que les gamins imitaient les exercices quotidiens de LaLanne.

Une fois qu'il était habillé et fin prêt, Caroline l'accompagnait, en le tenant par la main, jusqu'au Cabinet ovale. De là, elle partait pour l'école que Jackie avait organisée au troisième étage, à l'intention de ses propres enfants et de seize autres, fils et filles d'employés de la Maison-Blanche et de quelques amis proches.

En montant à l'école, Caroline s'arrêtait pour voir sa mère. Suivant l'heure à laquelle elle s'était couchée la veille, Jackie prenait son petit déjeuner, sur un plateau dans sa chambre, entre huit heures et midi. Après avoir parcouru les journaux, elle convoquait Mary Gallagher à son chevet, et pendant une heure, lui dictait des lettres et des notes d'une façon ininterrompue qui aurait fait honte à n'importe quel fonctionnaire.

Une fois qu'elle avait fini, Jackie s'habillait simplement et partait se promener d'un bon pas, toujours seule, pendant une heure, dans le parc entourant la Maison-Blanche. (Plus tard dans la journée, elle prenait le temps de pousser le landau tout autour de l'allée circulaire.) Puis la First Lady travaillait, assise au bureau qu'elle considérait comme son bien le plus précieux : le secrétaire style Empire décoré de chrysocale, qui avait appartenu à Black Jack Bouvier.

Si elle en avait le temps, elle assistait au déjeuner de Caroline et John junior – en général un hamburger ou un hot dog servi par un maître d'hôtel sur un plateau d'argent.

Quant à Jack, il quittait son bureau vers une heure et demie, se dirigeait vers la piscine couverte, ôtait tous ses vêtements et plongeait dans l'eau à vingt-cinq degrés. « Il détestait nager seul, raconta Lowe, alors il cherchait toujours à alpaguer quelqu'un pour l'accompagner. » Son partenaire le plus régulier pour cette séance quotidienne de natation naturiste, c'était Dave Powers, dont le talent pour raconter des histoires lui avait valu le sobriquet de « Bouffon de la cour ».

Une demi-heure plus tard, Jack quittait la piscine, enfilait un peignoir éponge, sortait par une porte dérobée. Il traversait la boutique de fleurs et la salle d'entraînement de la Maison-Blanche et se retrouvait devant les ascenseurs qui menaient aux chambres. Dès qu'il était sorti de l'ascenseur, encore ruisselant, on n'entendait plus un bruit. Maud Shaw avait couché Caroline et John junior pour la sieste, et Jackie attendait le président au salon pour déjeuner.

« Mrs. Kennedy laissait tout tomber, quelle qu'en fût l'importance, pour rejoindre son mari, raconta West. Si elle était en train de s'occuper de visiteurs, elle me les laissait sur les bras. » Pendant deux heures environ, les portes du deuxième étage restaient closes. Pas de visiteurs, pas de coups de fil, pas de messages, pas de domestiques. C'était le moment que Jack et Jackie se réservaient pour être seuls.

Ils déjeunaient au salon, le président toujours en peignoir – Jackie d'un sandwich au fromage passé au four, Jack en général d'un hamburger à point, ou, puisqu'il faisait constamment attention à son poids, d'un verre de Metrecal, une boisson de régime.

Après le déjeuner, Jackie allumait la stéréo entre leurs deux chambres, et la musique – souvent des musiques de films, du jazz ou de la bossa-nova – envahissait les couloirs. Jack allait dans sa chambre, fermait la porte, ôtait son peignoir et se mettait au lit. Chaussant les lunettes qu'il était trop vaniteux pour porter en public, il lui arrivait de parcourir un dossier si c'était urgent. Mais dès qu'il avait terminé, il faisait un somme.

Jackie, en règle générale, faisait la sieste de son côté. Cependant, quand le domestique de Jack, George Thomas, qui devait réveiller son patron à trois heures et demie, ne le trouvait pas dans sa chambre, il se dirigeait vers celle de Jackie à pas de loup ; il réveillait doucement le président en faisant attention de ne pas déranger la First Lady, endormie à ses côtés.

Une fois, Jackie était tellement absorbée par son travail qu'elle oublia que Jack l'attendait. Le président envoya son domestique la chercher. « Miz Kennedy, dit gravement George Thomas sur le seuil de la porte. Le président dit que si vous ne vous dépêchez pas, il va s'endormir. » Du coup, elle lâcha tout pour se précipiter hors de la pièce.

Après sa sieste, Jack prenait une douche, mettait un costume propre et retournait au Cabinet ovale, tandis que Jackie jouait dehors avec Caroline et John junior avant de se remettre à son monceau de courrier. Pendant ce temps, les femmes de chambre s'occupaient des chambres et changeaient les draps, comme on leur avait ordonné de le faire chaque fois que quelqu'un ne faisait même que s'asseoir sur un des lits. Jackie s'octroyait un peu de temps pour se détendre aux alentours de cinq heures et demie avant de se consacrer à ses enfants, tandis qu'ils dînaient.

Le président réussissait presque toujours à quitter son bureau vers cinq heures et demie et répétait alors son rituel matinal – une autre séance de piscine en tenue d'Adam, avec Dave Powers ou Ken O'Donnell (qui, de l'aveu général, étaient remplacés par de séduisantes jeunes femmes dès que Jacqueline avait le dos tourné), un petit tour dans sa chambre en peignoir pour se doucher, se raser et mettre encore un costume propre.

Si tout le monde se passionnait pour les dépenses vestimentaires de Jackie, personne ne remarquait que Jack changeait trois fois par jour de costume – des costumes sortis de chez les meilleurs tailleurs anglais et américains. Étant donné le nombre de réceptions officielles données par les Kennedy durant la période relativement brève où ils occupèrent la Maison-Blanche, on peut dire que JFK possédait la garde-robe la plus importante de tous les présidents des États-Unis, passés et à venir.

Jackie, qui mettait toujours une robe pour le dîner, rejoignait alors son fringant époux pour boire un verre, en général un daiquiri, dans le Salon jaune. Quand ils n'étaient requis par aucune obligation officielle, ils dînaient presque toujours seuls, ou en compagnie d'amis intimes, comme les Bartlett, les Cooper ou les Bradlee. Pour conserver les traditions hollywoodiennes de la famille Kennedy, il leur arrivait de regarder un film.

Ben Bradlee, qui disait de Jack que c'était « l'homme le plus policé qu'il connaisse », était surpris des goûts si peu raffinés de son hôte en matière de cinéma – westerns, films de guerre, films d'aventure ou d'action, où les dialogues étaient brefs et longues les séquences de bataille. Même ainsi, il n'arrivait pas à rester tranquille pendant toute une projection, et s'en allait le plus souvent au bout de vingt minutes.

Peu de temps après l'assassinat de JFK, le professeur d'instruction religieuse de Caroline, sœur Joanne Frey, demanda à ses élèves de poser leur tête sur la table pour réfléchir à Jésus. Au bout de quelques minutes, elle demanda ce qui leur était venu à l'esprit. Caroline leva la main. « J'ai pensé à comment ma maman regardait des films de cow-boys avec mon papa, dit-elle, parce que mon papa, il a toujours aimé ça. Ma maman n'aimait pas ça du tout, mais elle les regardait parce qu'elle aimait mon papa. »

Même devant les membres du personnel qui les côtoyaient tous les jours, les nouveaux habitants de la Maison-Blanche se montraient extrêmement réservés l'un envers l'autre. Cela venait de Jack qui détestait depuis toujours qu'on le touchât et qui exprimait régulièrement son mépris pour les époux qui « sont toujours collés l'un à l'autre » en public. Mais cela reflétait aussi le sens des convenances que Jackie avait appris à respecter. « Jackie était quelqu'un de très retenu, surtout à la Maison-Blanche, dit Lowe, à qui JFK avait donné carte blanche dans ses reportages sur la vie de la famille. Elle menait une existence assez indépendante, du moins autant que cela lui était possible. À coup sûr, Jack ne sautait pas dans son lit tous les soirs. Mais quand ils étaient là tous les deux, ils se réservaient du temps pour être ensemble... »

« Jack et Jackie avait une relation très intime, très romantique, dit Yusha Auchincloss. Quand j'étais invité à la Maison-Blanche, je dormais dans la Chambre de Lincoln, et on les voyait tout le temps ensemble. Formellement, ils faisaient chambre à part, mais ils dormaient ensemble. Ils riaient beaucoup. Chacun appréciait la compagnie de l'autre. Ils *s'amusaient.* »

Tish Baldrige réfuta l'idée qu'il n'y avait pas de tendresse entre eux. « Elle avait l'habitude de laisser des petits mots amusants dans toute la Maison-Blanche, pour lui remonter le moral, raconta-t-elle. Il lui arrivait d'éclater de rire en les lisant. C'étaient des plaisanteries intimes.

« Peut-être n'étaient-ils pas toujours accrochés comme des fous l'un à l'autre, insista-t-elle, mais il y a eu beaucoup de moments tendres où je les ai surpris, lui en train de la prendre par la taille ou elle posant la tête sur son épaule... » La nuit, quand Jack n'arrivait pas à dormir à cause de son dos, Jackie bravait le sol froid pour passer l'enregistrement de Lerner et Loewe, *Camelot.* La réplique qu'il préférait était chantée par Richard Burton, tout à la fin du disque : « *Don't let it be forgot, that once there was a spot, for one brief shining moment...*[1] »

Cependant, le public n'était guère au courant de ces moments-là. Du coup, on a toujours beaucoup parlé du manque manifeste de tendresse entre les époux Kennedy. Pourtant, tout cela n'a rien de très mystérieux. Non seulement leurs parents respectifs étaient d'une froideur calculée l'un envers l'autre, mais en plus, Jack et Jackie avaient grandi à une époque où les démonstrations publiques d'affection n'étaient guère appréciées – surtout parmi les riches habitants du Nord-Est.

Il existait indéniablement un abîme affectif béant que Jack et Jackie s'efforcèrent de combler durant leur bref séjour à la Maison-Blanche. Mais si leurs siestes communes – il y en eut des centaines pendant la présidence de JFK – n'étaient pas une preuve d'intimité, elles n'en révélaient pas moins un engagement mutuel.

« Jack respectait Jackie, dit Spalding. Il savait qu'elle l'avait aidé à parvenir à la première place. » Régulièrement, les amis lui rappelaient le rôle important que sa femme avait joué dans sa victoire électorale. Portant un toast à la santé de ses hôtes, Yusha Auchincloss fit remarquer : « Si

1. « N'oublions surtout pas qu'un jour il y eut un moment, un bref instant lumineux... »

Jack n'était pas là, je ne dormirais pas à la Maison-Blanche, et si Jackie n'était pas là, – lui non plus, d'ailleurs. »

Après avoir créé un décor chaleureux pour sa famille et un semblant de vie normale, Jackie consacra alors toute son énergie à la tâche de restaurer le reste de la Maison-Blanche. Les locaux officiels, essentiellement meublés de copies bon marché de B. Altman, lui posèrent un problème majeur.

« Ma mère m'avait amenée à Washington pour les vacances de Pâques, quand j'avais onze ans, raconta Jackie. C'était la première fois que je voyais la Maison-Blanche. Je me souviens de l'effet que la bâtisse me fit de l'extérieur. Mais à l'intérieur, il n'y avait même pas un dépliant à acheter. Mount Vernon et la National Gallery faisaient beaucoup plus d'effet. Je me souviens du FBI surtout, parce qu'ils ont relevé mes empreintes digitales. »

Jackie avoua qu'en emménageant à la Maison-Blanche, elle avait regretté « de ne pas avoir épousé Thomas Jefferson, parce qu'il aurait su ce qu'il y avait de mieux à y faire ». Cherchant ses mots pour expliquer pourquoi elle s'intéressait tant à la Maison-Blanche, Jackie dit à Hugh Sidey : « Je ne sais pas... si c'est en hommage à la beauté ou à l'histoire ? Les deux, je pense. Ces choses-là m'ont toujours intéressée. Mes meilleurs amis s'y intéressent aussi. Je ne sais pas... si on lit Proust, si on écoute Jack parler d'histoire ou si on visite Mount Vernon, on comprend. Je suis très attentive aux enfants qui viennent ici. Quand je songe à mon fils et à ce qu'il faudra faire pour qu'il ressemble à son père, je pense au grand sens historique de Jack. »

En plus de Sister Parish et de son vieil ami, l'artiste Bill Walton, Jackie s'entoura d'un vaste cercle d'experts. Pour présider le Comité des beaux-arts de la Maison-Blanche, elle choisit Henry Francis DuPont, un des meilleurs spécialistes des antiquités américaines et le fondateur du Winterthur, le grand musée des Arts décoratifs américains dans le Delaware. Les noms des autres membres fleuraient tous le bon goût et, plus précisément, la richesse. Parmi eux :

Mrs. C. Douglas Dillon, Mrs. Charles Engelhard, Mrs. Henry Ford II, Mrs. Albert Lasker, Mrs. Paul Mellon et Mrs. Charles Wrightsman.

Un Français, Stéphane Boudin, fut chargé de coordonner les efforts de restauration de la demeure la plus chérie de l'Amérique. C'était le patron de Jansen, la maison de décoration parisienne. Boudin, qui fut le décorateur français le plus à la mode dès les années 1930 et jusqu'à sa mort en 1967, comptait parmi ses clients le duc et la duchesse de Windsor.

D'emblée, le projet fétiche de Jackie fut politiquement périlleux. « On m'a prévenue, suppliée, pratiquement menacée de ne pas entreprendre cette rénovation », raconta Jackie. En dépit des dénégations de Salinger, certains membres de la presse soupçonnaient Jackie de tripatouiller inutilement une institution chérie des Américains – plus précisément, elle essayait de la rendre plus... *française.* « Tout devenait sujet à controverse, nota Tish Baldrige. On ne pouvait même plus se faire une tartine de beurre de cacahuète dans la cuisine sans que quelqu'un se fâche. »

Jack, inquiet pour son image, craignait que tout cela ne lui nuise politiquement. « Pour l'amour du ciel, Jackie, dit-il quand elle fit repeindre en blanc les murs du Salon bleu. Le Salon bleu ne devrait-il pas être *bleu ?* » West fit remarquer que JFK « se tracassait pour la couleur des murs, la hauteur des palissades, n'importe quelle entorse à la tradition. Il était toujours complètement sérieux quand il s'agissait de la Maison-Blanche ».

Dans les coulisses, le patricien DuPont, un puriste ombrageux, s'affronta immédiatement avec l'exubérant Boudin, qui s'intéressait moins à la précision historique qu'à son propre flair. DuPont avait les érudits dans son camp, ainsi que les industriels américains qui considéraient que faire usage de meubles ou de tissus fabriqués à Paris relevait de la haute trahison. Très souvent Jackie, la fervente francophile, pencha du côté de Boudin. Plutôt que de créer une atmosphère de grandeur pleine de cérémonie, ils préféraient acheter des meubles Louis XVI et Empire et se justifièrent en disant que les premiers présidents auraient détesté avoir quoi que ce soit d'anglais.

N'empêche, Jackie essayait désespérément de caresser chacun dans le sens du poil. Après avoir fait visiter la Maison-Blanche à Boudin et à DuPont en même temps, elle comprit qu'il ne fallait plus qu'ils se revoient si on voulait que la restauration fût un jour achevée. S'occupant de chacun séparément, elle satisfaisait leur *ego* démesuré, les priant, les cajolant et les amadouant jusqu'à ce que les deux hommes finissent par accepter ce que, *elle*, voulait.

Une des plus grosses bagarres tourna autour de l'accrochage des tableaux. DuPont voulait qu'on les accrochât de façon individuelle, alors que Boudin voulait les rassembler, pour égayer les immenses murs nus de la Maison-Blanche. Là, ce fut Boudin qui remporta la victoire, mais DuPont imposa sa loi dans le Salon vert, pour lequel il fit venir de fragiles meubles anciens américains, du XVIIIe siècle, qui se retrouvèrent écrasés par l'architecture. Quand Jackie fit visiter la pièce refaite par DuPont à Boudin, celui-ci jeta un œil au frêle mobilier et s'exclama : « Il n'y a que des *pattes !* »

Le capricieux décorateur français, cependant, eut gain de cause presque partout ailleurs. « Les projets de Boudin pour le Salon bleu, le Salon rouge, la Salle à manger d'apparat, la chambre des Traités et le Cabinet ovale, déclara le *New York Times* en 1995, demeurent le haut de gamme en matière de style officiel américain. » Cependant, pour éviter les controverses, Jackie minimisa la contribution de Boudin. Il en rajouta lui-même, affirmant partout qu'il n'était rien de plus qu'un « ami de la famille ».

Personne n'a plus contribué à cette restauration que Jackie elle-même. Au cours de ce qu'elle appelait ses opérations « de spéléologie », elle fouilla dans les sous-sols et les réserves de la Maison-Blanche, exhumant un trésor après l'autre – les couverts en or et en argent de James Monroe, le service en porcelaine de Lincoln, un portrait d'Andrew Jackson qui moisissait dans un coin jusqu'à ce qu'elle l'accrochât à la place d'honneur dans la salle du Conseil. Dans des toilettes pour hommes, Jackie découvrit des bustes de Martin Van Buren, de Christophe Colomb et d'Amerigo Vespucci qui avaient été commandés aux meilleurs sculpteurs du XIXe siècle. « Je me suis rompue le dos tous les jours pendant trois mois, dit-elle. Mais maintenant, je connais à fond tous les coins de la Maison-Blanche. J'ai mis mon nez partout. C'était très excitant, tous les jours, il y avait un nouveau mystère. »

Peut-être sa plus grosse trouvaille fut-elle la table Bellange à colonnes du président Monroe, datant de 1817. Cette table historique était devenue méconnaissable parce que, en 1924, quelqu'un l'avait recouverte de peinture dorée. Jackie finit par tomber dessus dans un des ateliers de menuisiers, au sous-sol, où elle servait de chevalet.

Elle fit encore une autre découverte dans le sous-sol : un énorme bureau sculpté dans les poutres du navire de guerre britannique H.M.S. *Resolute*, cadeau de la reine Victoria au président Rutherford B. Hayes en 1878. Woodrow Wilson s'en était servi, et Franklin Roosevelt y était assis quand il s'adressa à la nation pour sa célèbre « Causerie au coin du feu », à la radio.

Dès le premier jour dans le Cabinet ovale, Jack ordonna que les murs « d'un vert à faire vomir » fussent repeints en blanc cassé, puis se chargea personnellement d'apporter des photos de ses enfants et une aquarelle, prises dans les appartements privés, pour réchauffer la pièce. Au cours des jours suivants, le bureau prit une allure nettement nautique. Jack le décora d'objets sculptés par des marins, de peintures navales, de drapeaux, sans oublier la noix de coco de l'époque de la guerre, avec le SOS gravé dessus, et une plaque avec une vieille prière des pêcheurs : « *Ô Dieu, Ta mer est si grande et mon bateau si petit.* »

Jackie fit restaurer le bureau *Resolute* et on l'installa dans le Cabinet ovale en février. Le président l'aimait tant qu'il demanda à sa femme d'en faire faire une copie qu'il emporterait en quittant ses fonctions. Ce bureau représenta pour un autre membre de la famille une source inépuisable d'amusement.

Alors que JFK était plongé dans des discussions sérieuses avec des conseillers présidentiels, des membres du cabinet, ou même des chefs d'État en visite, brusquement, on entendait un drôle de petit grattement sous le bureau. « Y a-t-il un lapin là-dedans ? » s'exclamait le président d'un air faussement horrifié. Une porte à charnières s'ouvrait et John junior surgissait ; il se mettait à rire et à pousser des cris de joie en gambadant dans la pièce. John junior, dont les parties de cache-cache avec son père sous le bureau du Cabinet ovale furent immortalisées par Stanley Tretick, de *Look*, et par d'autres, reçut le surnom de « John-John », parce que, dès que le président répétait son nom plusieurs fois, le petit garçon abandonnait aussitôt ce qu'il était en train de faire et arrivait en courant.

« John-John et JFK piquent ensemble des fous rires, faisait remarquer Ben Bradlee. Kennedy aime rire et faire rire, et son fils est l'interlocuteur idéal. » Caroline, qui se conduisait avec plus de sérieux, avait elle aussi ses accès de folie. Un soir, au moment où les invités du président sortaient de l'ascenseur, ils faillirent être renversés par Caroline, complètement nue, qui s'enfuyait dans le grand couloir, poursuivie par Maud Shaw, confuse.

« C'étaient vraiment deux personnes très différentes qui vivaient alors à la Maison-Blanche, dit Jacques Lowe en parlant de Jack et Jackie, mais cela ne voulait pas dire que chacun ne profitait pas de ce que l'autre pouvait lui apporter. » Le président, qui n'avait jamais jusque-là manifesté le moindre intérêt pour les meubles, promenait à présent les visiteurs de pièce en pièce, ouvrant et fermant les portes, faisant remarquer les couleurs « écœurantes » des murs. « Regardez, disait-il en se mettant à quatre pattes pour examiner une table. Ce n'est même pas une bonne *copie*. »

Les puissants amis des Kennedy apportèrent des contributions de poids. Bunny Mellon envoya un portrait de Thomas Jefferson, peint par Rembrandt Peale. Les C. Douglas Dillon firent don de tout un ensemble de meubles Empire, dont le sofa de Dolley Madison. Mary Lasker offrit un tapis ancien de la Savonnerie pour le Salon bleu, tandis que les Englehard meublaient la Salle à manger d'apparat en précieux style fédéral.

Mais, de tout le pays, arrivaient à flot des cadeaux imprévus. Des lampes, des tableaux, des tables, des quilts, tout un fourbi inimaginable envahit la Maison-Blanche. En triant tout cela, Jackie tomba sur de fort agréables surprises. Une femme de Des Moines, dans l'Iowa, envoya un bureau de Baltimore, une pièce rare du XIXe siècle, décoré de trois panneaux en verre gravé, représentant la Gloire, la Tempérance et la Justice. Quelqu'un d'autre donna une chaise haute en acajou, du XVIIIe siècle, pour John-John. Un collectionneur fit parvenir un ensemble de chaises Bellange qu'on utilisait jadis dans la salle à manger de la Maison-Blanche, à l'époque de James Monroe.

Pendant plusieurs mois, les tableaux, les meubles, et même les lustres en cristal furent trimballés d'une pièce à l'autre. Un grand portrait de Lincoln, où il paraissait soucieux, passa du vestibule à la Salle à manger d'apparat. Harry Truman fut mis à la place d'honneur, en haut de l'escalier principal, et William McKinley quitta le Salon rouge pour un palier du premier étage.

En dépit des dons généreux, il fallut quand même des centaines de milliers de dollars pour acheter des tableaux et des meubles, et payer les spécialistes et les artisans chargés de les restaurer. Des contributions de riches amis et d'organisations comme la DAR [1] permirent d'assumer une partie

---

1. DAR : abréviation de *Daughters of the American Revolution* : club des descendantes des Combattants de la Révolution américaine. (N. du T.)

des dépenses, mais finalement, ce fut l'idée de Jackie qui sauva la mise : elle proposa de publier le premier guide de la Maison-Blanche. « Elle fit accepter ce projet à la hâte, raconta Arthur Schlesinger, un des collaborateurs du président. Au niveau de la réalisation, cela représentait un effort énorme, mais elle s'en chargea avec un amour perfectionniste du détail, une détermination de fer et une charmante autorité. »

Ce guide remporta un tel succès qu'il fit bien plus que simplement payer la restauration de la Maison-Blanche. Depuis sa publication, à l'été 1962, *The White House : an historic guide*, a été vendu à plus de 4 400 000 exemplaires, ce qui le place au rang de best-seller absolu.

Jack était enchanté du travail de Jackie. « C'était visible. Ses yeux brillaient, déclara Schlesinger, quand il parlait d'elle ou quand elle entrait à l'improviste dans le bureau. » Tish Baldrige renchérit : « Il la savait cultivée et très raffinée dans ses goûts, mais je crois qu'il fut surpris par ses talents de diplomate. Il avait eu très peur d'un retour de manivelle. N'oubliez pas, on a fait tout un foin quand Dolley Madison a acheté un miroir de cinquante dollars sans en demander l'autorisation au Congrès ! Non seulement il était sidéré de la voir accomplir un tel exploit, mais surtout, il était émerveillé qu'elle ait réussi à imposer avec tant de brio l'idée de restaurer la Maison-Blanche. »

Et ça, on peut dire qu'elle l'avait fait ! Le 14 février 1962, avec Charles Collingwood, le vétéran de CBS, dans son sillage, elle emmena les Américains faire leur première visite télévisée de la Maison-Blanche. « Jack était passé maître dans l'art d'utiliser la télévision, mais il avait eu du mal à la convaincre, raconta Collingwood, qui connaissait les Kennedy depuis des années. Jackie m'a pris à part pour me chuchoter : "C'est mon mari qui m'a demandé de faire cela, vous savez."

« Elle avait l'impression de ne pas très bien passer à l'écran. Elle n'avait pas complètement tort. C'était la première fois que le public américain pouvait la regarder à loisir, et il fallait du temps pour s'habituer à sa voix essoufflée et à son regard de biche-prise-dans-la-lumière-des-phares. » Au début de l'émission, Collingwood essaya de détendre l'atmosphère : « Oh, on a là une ambiance très différente de celle du Salon rouge !

– Oui, répliqua Jackie sans hésitation. C'est bleu. »

À la fin de l'émission, Jack fit une brève apparition. Plus de quarante-six millions de téléspectateurs avaient suivi Jackie d'un bout à l'autre de la Maison-Blanche. À l'époque, cela pulvérisait tous les records d'audience. Pour Jackie, c'était à n'en pas douter un très gros succès. Elle ne se laissa même pas troubler par Norman Mailer, la seule voix discordante du concert, qui écrivit qu'elle « traversa cette émission comme une starlette qui n'apprendrait jamais à jouer ». Elle se contenta de hausser les épaules. « Il a probablement raison. »

Il s'appelait « Lancer ». Elle, « Lace ». Jack et elle n'étaient pas les seuls habitants de la Maison-Blanche que les Services secrets avaient affublés de noms de code, ce qui contrariait beaucoup Jackie. Caroline s'appelait « Lyric » ; John-John, « Lark ». Même avant la Maison-Blanche, ce que redoutait Jackie, ce n'était pas tant le danger physique que la possibilité qu'ils soient marqués psychologiquement, volés de leur enfance.

« Je veux que mes enfants grandissent dans un environnement plus personnel, pas dans des pièces d'apparat, insista Jackie. Et je ne veux pas qu'ils soient élevés par des nourrices et des agents des Services secrets. » En plus de l'école installée dans le solarium du troisième étage, elle créa pour Caroline et John une aire de jeux en plein air, pas très loin du Cabinet ovale.

Les menuisiers de la Maison-Blanche suivirent ses instructions à la lettre : ils construisirent un tunnel, un toboggan, une balançoire en cuir, un clapier à lapins, un trampoline entouré d'arbres (« tout ce qu'on doit voir, c'est ma tête, dépassant de la cime des arbres », fit observer Jackie) et, installée dans les branches du chêne blanc d'Herbert Hoover, une cabane avec un toboggan. « Le toboggan descend de l'arbre exactement comme il faut, dit Jackie à J.B. West. En fait, Caroline veut y faire glisser son petit frère, poussette comprise. »

Ensuite, on y ajouta des niches pour les chiens de la famille, Charlie et Pushinka (« Faites-moi sortir ces sacrés chiens », s'exclamait toujours le président, qui y était allergique, quand il les trouvait sur son chemin), une écurie pour les poneys des enfants, Macaroni et Tex, et des étables pour les agneaux, les canards et les cochons d'Inde. Les hamsters de Caroline et son animal préféré, un canari qui s'appelait Robin, étaient installés dans sa chambre.

« Depuis Shirley Temple, qui avait atteint une renommée internationale, écrivit un journaliste à propos de Caroline, aucun enfant américain n'a été autant sollicité par la presse mondiale en un laps de temps aussi court. » Ce genre de déclaration faisait froid dans le dos à Jackie. Totalement décidée à protéger l'intimité de ses enfants, elle ordonna de planter des arbres et des buissons dans différents endroits stratégiques, tout autour de la Maison-Blanche, pour décourager les badauds. Quand Jack s'y opposa en disant que le peuple américain avait le droit de voir la Maison-Blanche, Jackie céda. « Ils peuvent prétendre à une certaine vue de la Maison-Blanche... Mais je n'en peux plus de jouer les stars dans tous les films tournés par les pères de familles ! » Cela devint un refrain familier. « Je ne peux plus supporter tous ces gens qui nous espionnent par-dessus la palissade, disait-elle. Je vais finir par abdiquer. »

« Si on avait laissé faire Mrs. Kennedy, estimait West, on aurait fait entourer la Maison-Blanche de hauts murs de brique. Et d'un fossé rempli de crocodiles. »

Quant aux articles sur Caroline et John-John, elle considérait que les magazines comme *Life* et *Look* étaient convenables – tant qu'elle contrôlait la liberté des photographes et des journalistes et les conditions dans lesquelles ils faisaient leur travail. À cette époque-là, le public eut droit à des photos réconfortantes : Caroline sur son poney, Macaroni, ou dans une calèche en compagnie de sa mère, à Glen Ora, le refuge campagnard que la famille louait dans les collines de Virginie ; Caroline et John-John dansant la gigue dans le Cabinet ovale, sous les yeux de leur père rayonnant, qui les applaudissait ; les gosses montrant leurs déguisements de Halloween au personnel de la Maison-Blanche, ravi. (La nuit de Halloween, en 1962, Arthur Schlesinger alla ouvrir la porte de chez lui, à Georgetown, et se retrouva face à quelques lutins sautillants. « Au bout de quelques instants, une mère portant un masque s'écria qu'il était temps de passer à la maison voisine. » À n'en pas douter, c'était la voix de Jackie. Avec les Services secrets s'agitant dans l'ombre, elle suivait Caroline et ses cousins dans leur tournée d'Halloween. « Ils venaient juste de tirer la sonnette de Joe Alsop ; Dean Acheson était le prochain sur la liste. »)

Des aperçus sous contrôle de la vie de la First Family, c'était une chose, des clichés pris sans autorisation par des photographes trop zélés, c'en était une autre. « Mrs. Kennedy, dit le photographe de *Look*, Stanley Tretick, avait une façon de se comporter qui vous plongeait dans la terreur. C'était une femme extrêmement déterminée et très dure. Et quand elle avait une idée en tête, elle n'en démordait pas. Je pense que le vieux Joe Kennedy appréciait cela chez elle, ce côté dure-à-cuire. »

Tretick lui-même en fut la victime quand il arriva dans le clan Kennedy pour la célébration du 4 Juillet, à Hyannis Port, en 1961. Il était là pour illustrer un article sur les Shriver et Jackie l'avait bien prévenu de ne pas photographier Caroline en train de jouer avec ses cousins ; cependant, il ne put résister. La rédaction de *Look* conserva les clichés sans les publier une année durant, espérant toujours recevoir l'accord de Jackie. Mais elle ne l'obtint jamais.

Quand *Look* se décida quand même à les sortir, « Kennedy se mit très en colère, parce que Jackie lui avait passé un sacré savon, dit Tretick. Ted Sorensen m'a dit : "Heureusement que vous n'étiez pas là à ce moment. Le président a essayé de vous joindre au téléphone." Il a dit "Passez-moi ce... de Tretick." Il a utilisé son expression préférée de la marine. Dieu merci, j'étais sorti faire une course... Mais il avait dû rester fâché pendant environ deux minutes. Je ne pense pas qu'il fût du genre rancunier, sauf si on lui faisait quelque chose de vraiment méchant. Cette fois-là, il était fou de rage parce que je suis sûr que Jackie l'avait chauffé à blanc. Il voulait simplement faire tout ce qu'il pouvait pour la rendre heureuse. »

Le président avait, en effet, un caractère explosif mais, comme le fit remarquer Jacques Lowe, ses colères ne duraient pas longtemps. « J'ai décroché le téléphone et j'ai entendu : "*Jacques !* C'est le président !" et après, il s'est mis à gueuler. Le magazine du dimanche du *New York Times* avait publié une photo de lui avec ses lunettes sur la tête, et même si la photo avait déjà été utilisée à plusieurs reprises sans qu'il y trouvât rien à redire, cette fois, il était hors de lui. Absolument furieux. J'ai juste bégayé quelques mots de réponse, en me demandant ce qui allait se passer. Quand le président des États-Unis vous engueule, on s'en aperçoit. Mais le lendemain, il avait tout oublié. »

Tish Baldrige faisait également partie des cibles régulières du président. « Lors de notre première réception officielle à la Maison-Blanche, je me suis retrouvée dans mes petits souliers face au président », raconta-t-elle. Tish Baldrige avait failli à la tradition en organisant la réception un dimanche. Il y avait différents buffets et des bars répartis dans tout le premier étage, et les membres de la presse étaient libres de déambuler à leur guise et de se mêler aux autres invités.

Le lendemain, Tish Baldrige fut appelée dans le Cabinet ovale ; elle s'attendait à « ce qu'on lui tapât dans le dos » pour la féliciter du succès de l'entreprise. « Tish, déclara le président d'un air fâché, pourquoi ne m'avez-vous pas dit qu'on ne servait jamais d'alcool fort dans ce genre de réception ? Et pour corser encore les choses, c'était un *dimanche !* » Il lui tendit alors un des journaux du matin qui titrait en première page : JAMAIS LE DIMANCHE CHEZ JFK, DÉCLARE LE DÉPUTÉ BAPTISTE.

« Il était fou de colère – et il avait raison, dit Baldrige. Je suis revenue dans mon bureau pour lécher mes plaies et prendre un médicament contre les ulcères. » L'après-midi même, il l'appela et s'excusa de s'être montré « un peu désagréable » le matin. « Il me dit qu'il fallait que je comprenne qu'il avait beaucoup de choses en tête, et qu'il n'avait pas du tout l'intention d'être brusque avec moi. JFK, il était comme ça. »

Mais Jackie n'avait pas l'excuse aussi rapide, et elle ne craignait pas de froisser les sentiments des membres du personnel de la Maison-Blanche. « Jackie protégeait férocement sa vie privée, dit Salinger, qui écopait de plein fouet quand la lionne avait l'impression que ses petits étaient en danger. Dès le moment où elle posa le pied à la Maison-Blanche, elle voulut les mettre à l'abri des feux de la rampe. »

« Jackie ne voulait pas que Caroline et John-John soient traités comme des stars, dit Tish Baldrige. Mais, évidemment, *c'étaient* des stars. Les Américains étaient tombés totalement amoureux d'eux. »

« Elle devint très paranoïaque vis-à-vis de la presse, dit Jacques Lowe. Mais Jack savait que les gosses représentaient un grand plus pour son image politique. Il était fier d'eux. Il voulait les montrer. Ça a fini par devenir un jeu entre eux deux, et moi, j'étais coincé au milieu. »

Un jour, Kennedy convoqua Lowe : « "Jacques, prenez des photos de Caroline et donnez-les à Ben Bradlee." Bradlee travaillait à l'époque pour *Newsweek*. "Vous savez bien que je ne peux pas faire ça, monsieur le Président, répondis-je.

Vous savez bien que Jackie refuse qu'on publie des photos de Caroline en train de cavaler dans la Maison-Blanche." JFK haussa les épaules. "Vous n'avez qu'à ne pas lui dire."

« J'ai pris les photos, et évidemment, quand elles ont été publiées dans *Newsweek*, Jackie s'est mise en colère. Naturellement, le président a joué les innocents. Alors, c'est moi qui ai pris le savon. Il m'est souvent arrivé de me trouver coincé entre eux deux. »

Salinger aussi était victime des petits jeux tordus du président.

Quand Jackie venait se plaindre parce qu'un photographe avait pris ses enfants sans en avoir l'autorisation, il lui expliquait que JFK avait donné son accord. « Je m'en soucie comme d'une guigne, répliqua Jackie. Il n'a pas le droit de venir contredire mes ordres en ce qui concerne les enfants. »

Le président lui-même n'avait pas le courage d'affronter sa femme quand il s'agissait des enfants et de la presse ; donc, tous ces subterfuges se déroulaient quand elle était en voyage. « Dès qu'elle avait le dos tourné, dit Tretick, je débarquais en douce. »

Tretick, qui avait fait beaucoup de photos de JFK lors de sa campagne électorale, était impressionné par la tendresse qu'il manifestait à l'égard de ses enfants – surtout de son fils. « L'intérêt qu'il portait au petit garçon était incroyable. C'était presque sensuel. Un soir, John-John était assis par terre dans le Cabinet ovale et le président lui parlait. Et il répondait au président et le président lui répondait à son tour. Et puis le président s'est penché pour l'attraper – il a pris le petit et il a soulevé son pyjama – vous savez sa robe de chambre et son pyjama – et il a caressé la peau nue juste au-dessus des fesses. Il voulait le toucher.

« Et puis, une autre fois, il était assis dehors avec John-John, il l'a couché sur ses genoux comme s'il voulait lui donner une fessée, mais rien qu'à les regarder, on voyait bien qu'ils s'amusaient tous les deux. Et vous savez, c'était sincère entre eux. Le gamin ressentait la même chose que son père. Je pense que leur relation se serait vraiment développée... »

Ce bonheur toujours grandissant que JFK (qui, pendant des années, avait été l'« Oncle Jack » préféré de tout un tas de neveux et de nièces) trouvait auprès de ses deux enfants n'échappait à personne. En fin d'après-midi, il ouvrait grand les portes du Jardin des Roses, claquait dans ses mains et ils accouraient.

« Les enfants pouvaient jouer autour de lui sans que ça l'empêche de diriger une réunion ou de rédiger un discours », raconta Tish Baldrige. JFK débarquait souvent dans la classe de Caroline et de ses camarades, à l'école que Jackie avait créée à la Maison-Blanche. « Il montait sans arrêt les voir. Il sortait sur la Pelouse sud pour jouer et discuter avec eux, et puis ils entraient tous dans son bureau au pied levé, dès qu'il en donnait la permission.

« La maison était donc pleine d'enfants, matin, midi et soir. On ne savait jamais quand une avalanche de jeunesse allait vous engloutir – avec le nez qui coule, les moufles jetées au milieu du hall, les bicyclettes... »

La paternité poussa Jack à s'intéresser à tous les enfants, pas seulement aux siens. À Palm Beach, Chuck Spalding était en train de se baigner avec ses jumelles, Josie et Elizabeth, quand le président les rejoignit. « Jack a pris Josie sur son dos et moi j'ai pris Elizabeth, et on a fait une grosse bataille dans l'eau, raconta Spalding. Évidemment, l'objectif était qu'une des filles renversât l'autre. Ça a duré très longtemps, et la lutte fut acharnée. Il avait un sens de la compétition incroyable, il n'était pas question qu'il perde, et comme on pouvait s'y attendre, Josie et lui ont fini par gagner. » Spalding observa ensuite Jack sortir de l'eau avec précaution, en grimaçant de douleur, et remettre son corset.

« Des années plus tard, continua Spalding, j'ai sorti de mon portefeuille une photo de Jack et moi et, pour la première fois, j'ai remarqué que Josie avait griffonné quelques mots au dos. “On dit des choses atroces sur lui, avait-elle écrit, et j'ignore si elles sont vraies ou pas, mais c'était le type le plus génial que j'aie jamais vu. On a joué à la guerre dans la piscine et je ne l'oublierai jamais !" »

Comme tous ceux qui appartenaient au cercle des intimes des Kennedy, Arthur Schlesinger a vu Jack raconter des histoires à Caroline et John-John : « Des histoires à propos de Caroline – il l'appelait "Buttons" – partant à la chasse avec les meutes de l'Orange Country et remportant le Grand National, et sur John-John dans sa vedette militaire en train de couler un destroyer japonais. Il leur parlait de Bobo le Lobo, un géant, et de Maybelle, une petite fille qui se cachait dans les bois, et aussi de Requin Blanc et de Requin Noir. Le Requin Blanc se nourrissait de chaussettes et un jour, alors que le président faisait du bateau à voile avec Caroline et Franklin Roosevelt junior, au large de Newport, Kennedy a fait semblant d'apercevoir le Requin Blanc et il a dit : "Franklin, donnez-lui vos chaussettes, il a faim." Aussitôt, Franklin a jeté ses chaussettes dans l'eau, ce qui a beaucoup impressionné Caroline. »

Les autres invités n'étaient pas à l'abri de telles exigences. « Nous savions tous que, lorsque Jack se mettait à raconter les histoires du Requin Blanc à Caroline, dit Lem Billings, il valait mieux s'installer à l'autre bout du bateau. »

Le jeu préféré de John-John avec son père, c'était « le Tunnel », qui avait lieu en général sur le chemin du bureau. « Le président Kennedy devait rester debout, raconta Maud Shaw, et John lui passait entre les jambes, un nombre de fois infini. John ne se lassait jamais de ce jeu. Je suis sûre que ce n'était pas le cas du président. »

Plus John grandissait, plus Jack prenait le temps de répondre à ses questions. « John avait un esprit très curieux... À Camp David, j'ai vu le président emmener John dans le hangar ; ils sont restés longtemps assis dans l'hélicoptère, Jack lui a fait essayer le casque et lui a montré comment ça fonctionnait, en mettant les trucs en marche, comme s'il était un grand garçon. »

Avant que l'article de *Look* sur John-John ne fût publié, Tretick remit au président un jeu de photos. « Il courut dans toute la Maison-Blanche avec, et il les montrait à tout le monde. C'était vraiment un type dont le portefeuille était bourré de photos. Quand Jackie est rentrée, il est allé les lui présenter et elle les a trouvées bien. Elle n'était pas du tout en colère. »

Jackie était heureuse de voir que Jack passait de plus en plus de temps en compagnie des enfants. « Parfois, il déjeunait même avec eux, dit-elle. Si on m'avait dit que cela arriverait, je ne l'aurais jamais cru. Mais après tout, un président se retrouve coupé de ses liens avec le monde extérieur, et il faut vraiment compter sur l'autre. »

Ce qui ne signifiait pas, et de loin, que JFK fût devenu casanier. « Si je commence à lui poser des petites questions insignifiantes pour savoir si Caroline doit être présente à une quelconque réception ou si je dois mettre une robe longue ou courte, il se contente de claquer des doigts en disant : "C'est ton affaire." Et je réponds : "Oui, mais c'est toi le grand décideur. Pourquoi est-ce que tout le monde, sauf moi, a le droit d'en profiter ?" »

Le monde extérieur était une chose dont Jackie avait vraiment peur pour ses enfants. Sa réaction positive aux photos de John-John prises par Tretick était l'exception qui confirmait la règle. Elle ordonna aux agents des Services secrets de saisir la pellicule de n'importe quel photographe qui se permettrait de travailler sans avoir demandé l'autorisation auparavant. Une de ces photos pirates, où on voyait Caroline sur le dos de Macaroni, fit le tour du pays. Jackie en fut furieuse. « Je croyais que vous aviez passé un accord avec les photographes pour qu'ils ne prennent pas les enfants en train de jouer à la Maison-Blanche, écrivit-elle à Salinger. Ils possèdent toutes les photos de Macaroni dont ils ont besoin. Je ne veux plus de ça – et je le dis sérieusement – et si vous vous montrez ferme et déterminé, vous y arriverez. Alors, je vous en prie, faites-le. Un porte-parole, certes, est là pour aider la presse, mais aussi, pour nous protéger. »

« Pauvre Pierre, dit Tish Baldrige. À cause d'elle, il en arrivait à voir un photographe derrière chaque arbre. » L'influente porte-parole de Jackie qui, comme Salinger, était très admirée des journalistes, n'échappait pas à la vindicte de sa patronne. « Vous êtes d'abord responsable de la famille, dit-elle à Tish, et pas de la Maison-Blanche. »

Lorsqu'une autre photo de Caroline – cette fois en train de jouer sur la pelouse de la Maison-Blanche – s'étala sur toutes les premières pages du monde, Jackie tenta de maîtriser sa colère :

NE VOUS INQUIÉTEZ PAS – UN PETIT MOT GENTIL !

Pierre,

Durant tout l'automne, vous avez parfaitement réussi dans votre politique anti-peep shows – mais s'ils s'en sortent cette fois, j'ai bien peur que tout recommence de plus belle – donc, réprimandez ce photographe – ou l'agence de presse qui a acheté le cliché – s'il a été pris par un touriste.

Il faut dire aux gardiens de surveiller les gens à travers les grilles. Les gardiens au portail auraient dû empêcher ça – s'il le faut, qu'il en y ait un qui monte la garde devant le portail sud-ouest. Je ne pense pas qu'on en ait besoin d'un au bout de la pelouse sud puisque c'est tellement visible – mais à la minute où d'autres photos seront aussi prises de là, postez-y immédiatement un garde...

Allez voir ceux qui surveillent en ce moment. Ce cliché a dû être pris de la rue barrée, près du bureau de JFK – ou de la fenêtre de l'ancien ministère des Affaires étrangères. Il faut surveiller les gens là, s'ils montent sur les voitures pour prendre des photos...

Jackie ne voulait pas non plus que la vie de leurs animaux familiers fût étalée sur la voie publique. Un article anodin sur Charlie, le terrier écossais des Kennedy, mit Jackie dans une terrible colère contre le gardien du chenil. « Que je ne vous y reprenne plus à donner quoi que ce soit à ces fouineurs de journalistes », ordonna-t-elle.

À propos des enfants, la seule chose qui contrariait Jackie davantage que l'insatiable appétit de la presse, c'étaient les flagrantes tentatives pour en faire des objets commerciaux. Elle s'en plaignit dans une autre note encore adressée au malheureux Pierre.

À présent, on vend pour Noël des poupées Caroline – avec garde-robe, et des poupées Jacqueline avec garde-robe officielle, chez F.A.O Schwartz [sic] *– et c'est la première fois que de tels articles se trouvent vraiment en rayon, et particulièrement bien placés. Ces poupées sont en vitrine ou du moins y étaient. Pouvez-vous faire quelque chose ? John McInerney a déjà effectué sur ma demande quelques recherches juridiques. Si un coup de téléphone du même type que celui que vous aviez adressé aux gens des lunettes de soleil ne suffit pas, essayez alors Clark Clifford, MacInerney ou Better Business Bureau.*

Une société qui s'appelle Ideal Toy Co. essaie de m'obliger (à travers Tom Walsh) à donner mon accord pour une poupée Caroline que nous soutiendrions et dont les bénéfices reviendraient aux bonnes œuvres et il n'y en aurait pas d'autres. Je préfère encore voir une poupée différente tous les mois que d'en cautionner une.

Mais tout cela est agaçant, alors je vous en prie, voyez ce que vous pouvez faire, appelez F.A.O. Schwartz [sic] *– à N.Y.C., je crois. C'est JFK qui m'a dit de vous écrire.*

Jackie.

Toutes les tentatives pour tirer profit de la Maison-Blanche irritaient Jackie. « J'aimerais autant que vous n'utilisiez pas notre photo pour la pochette de votre Album Inaugural, écrivit-elle au chef d'orchestre Meyer Davis, qui avait joué pour leur mariage, pour l'investiture et lors de bien d'autres réjouissances Kennedy. De même, je ne souhaite pas que vous reproduisiez ma lettre. J'ai le sentiment que c'est un moyen de faire de l'argent avec la présidence – ce que je combattrai avec acharnement durant tout le mandat de mon mari. Il me semble que s'il est mentionné au dos de votre disque que vous avez joué au mariage de ma mère, à mon premier bal, à mon mariage et le jour de l'investiture de mon époux – voilà de quoi intéresser suffisamment tout le monde. »

Pour conserver une atmosphère sereine à la Maison-Blanche, Jack prenait garde à ne pas contredire ouvertement Jackie quand il s'agissait de la presse. Cependant, il y eut des exceptions. Quand un photographe prit Jackie sur le vif, dans la propriété en Virginie de Paul Mellon, au moment même où elle était éjectée tête la première de sa selle, elle téléphona à JFK pour lui demander d'intervenir et d'empêcher la publication de la photo. « Ceci constitue, affirma-t-elle, une violation de la vie privée.

– Je suis navré, Jackie, répondit Jack, mais quand la First Lady tombe sur le cul, c'est de l'actualité. » Détail révélateur, le hongre bai qui avait fait tomber Jackie s'appelait Brin d'Irlande.

Les relations de Jackie avec la presse furent crispées d'emblée ; en partie, parce qu'elle ne cherchait pas à cacher qu'elle n'aimait guère être soumise aux feux de la rampe. « Parfois, dit-elle d'un ton songeur, je crois qu'on devient une sorte de – j'aimerais qu'il existe un mot plus sympathique que *monstre*, mais je n'en trouve aucun. »

« En ce qui concerne la presse, toutes les First Ladies ont ma sympathie, déclara Betty Beale, une des plus vieilles chroniqueuses de Washington, parce que, quels que soient leurs choix, elles sont toujours jugées. Ce que Jackie faisait, elle le faisait bien. Mais en de nombreuses occasions, elle était plutôt du genre tire-au-flanc. Elle n'avait aucune intention de se rendre à des déjeuners de dames et de faire les choses qu'on avait toujours attendu d'une First Lady. Ce qui rendait certaines personnes *folles de rage*. »

Jackie se débarrassait de ces devoirs traditionnels en

disant qu'ils étaient ennuyeux et représentaient une perte de temps inutile. « Pourquoi irais-je traîner dans les hôpitaux à jouer les dames de charité, alors que j'ai tant à faire ici pour rendre cette maison vivable ? Je me contente de leur envoyer des fruits, des noisettes et des fleurs. »

« Lorsque les femmes de députés donnèrent un déjeuner en son honneur, Jackie ne se donna même pas le mal de s'y rendre, raconta Betty Beale. Mais le président y alla, et présenta ses excuses. On apprit qu'elle avait préféré assister à un ballet à New York. » Une autre fois, elle choisit d'aller chasser le renard à Glen Ora plutôt que d'accueillir des milliers d'étudiants étrangers à la Maison-Blanche. Et quand Betty Beale raconta que Jackie avait dansé toute la nuit le twist avec le secrétaire à la Défense, Robert McNamara, elle s'attira ses foudres : « Elle a grimpé au plafond. De fait, elle m'a interdit à l'avenir de faire des reportages sur tout ce qui se passait à la Maison-Blanche. Évidemment, le président était beaucoup moins susceptible et infiniment plus réaliste que cela. Il me réinstalla dans mes fonctions dès qu'on l'eut mis au courant. »

Poussée par Jack, Jackie essayait de se montrer amicale à l'occasion. En avril 1961, elle convia deux cents femmes journalistes, venues de tous les coins du pays, à un somptueux déjeuner dans le Salon est de la Maison-Blanche. À l'instar des chefs d'État, on les fit passer par le Portail sud-ouest, et elles visitèrent la mare aux canards, l'aire de jeu des enfants et la cabane dans l'arbre.

En dépit de quelques grognements parmi les journalistes qui trouvèrent Jackie crispée, l'événement atteignit son but. « C'était exactement le genre de réception entre femmes à laquelle on ne peut couper qu'en fin de carrière, écrivit Eugenia Sheppard, du *New York Herald Tribune.* Mais curieusement, à la Maison-Blanche, ce fut différent. »

Le *Time* décrivit avec pittoresque le déjeuner comme « un geste gracieux à l'égard des journalistes femmes du pays » et raconta que « Jackie accueillit chaque convive de façon amicale et chaleureuse ». Plus loin, on disait que « Jackie se leva pour leur souhaiter la bienvenue en des termes qu'elles apprécièrent » et se montra « reconnaissante » de leurs « articles si sympathiques ».

À de rares occasions, elle taquinait la presse avec bonne humeur : quand on lui demanda ce que mangeait le nouveau chiot de la famille, elle répondit : « Des journalistes. » Mais le ressentiment de Jackie confinait parfois à l'obsession. Incapable d'empêcher leur présence lors des événements officiels, elle suggéra, dans une note rédigée à l'intention de T. Baldrige, après une réception donnée en l'honneur de l'astronaute John Glenn, qu'on leur permît d'assister aux réceptions importantes, mais qu'on les cachât derrière les colonnes et les palmiers en pot, parce qu'ils étaient trop ostentatoires. « Ils entourent nos invités et ils les monopolisent. Personne ne pouvait approcher John Glenn, l'autre soir. De même, à la minute où les photographes ont fini leur travail, il faut les reconduire à la porte afin que l'orchestre de la marine puisse entonner *Hail to the Chief.* »

Elle ne voulait pas non plus de journalistes lors des dîners officiels. « C'est le moment qu'ils choisissent pour poser des questions à tout le monde, et je trouve que leur présence est un manque de dignité. Avec eux, j'ai toujours l'impression de recevoir les gens par pur arrivisme. Leurs calepins aussi me dérangent, mais peut-être devrait-on les autoriser à les garder pour qu'au moins, on sache qu'ils sont de la presse ; on devrait les obliger à porter de gros insignes et leur demander de quitter les lieux dès le moment où on passe à table. »

Plus le temps passait, plus Jackie se lassait de donner des interviews. Déclinant la demande d'un des plus importants magazines féminins, elle écrivit : « Je voudrais bien pouvoir vous dire soit que je serais enchantée de répondre à vos questions, soit que je viens de me faire écraser par un autobus et que je ne puis être photographiée avant un mois. Ce sont des articles merveilleux, mais n'en soyez pas trop fâchée, je pense que je vais décliner d'emblée votre proposition – et que je ne vais pas révéler mes petits secrets de beauté ni le désordre de ma garde-robe ! »

Après être apparue successivement dans *Life*, *Look*, *Ladies' Home Journal*, *Redbook* et *McCalls*, elle plaida sa cause auprès d'un autre rédacteur en chef : « Je suis tellement lasse de tout le travail et de toute l'agitation qu'exige un article – surtout s'il comporte des photos – et pour l'instant, je ne me sens plus très enthousiaste... Je vous en prie, pas de petit essai de photo. Avec Jacques Lowe, je viens de faire trois séances de ce genre – changer de tenue, fixer les projecteurs, partir en voiture pour trouver de charmants décors, essayer de faire rire le bébé. Je suis persuadée qu'il veut éviter tout ceci autant que moi ! »

À la fin de 1961, Jackie offrit un cadeau à Salinger : une photographie de la First Lady ainsi dédicacée : « De la part de la plus grosse croix que vous devez porter. »

CHAPITRE 11

À la Maison-Blanche, on a vu un certain nombre d'épouses exceptionnelles – comme Abigail Adams et Dolley Madison – tellement exceptionnelles qu'on ne peut évoquer leurs époux sans penser à elles. On dirait bien que c'est le cas à présent.

ROBERT FROST

Je vais garder blanche la Maison-Blanche.

JFK À CHARLIE BARTLETT,
QUI L'INTERROGEAIT SUR SON STYLE DE VIE

Il circulait toujours entre eux cette espèce de courant électrique, et chaque jour passé à la Maison-Blanche le rendait plus fort.

JAMIE AUCHINCLOSS, LE DEMI-FRÈRE DE JACKIE

« Jackie se montrait très distante à l'égard de la presse. Aucun doute là-dessus, dit Tish Baldrige. Mais tout le monde oublie que, durant cette première année, elle n'était pas en bonne santé. Après tout, elle avait presque failli mourir au moment de la naissance de John-John, et elle n'avait qu'une envie, ne rien faire. Jackie s'était lancée dans cette gigantesque entreprise de restauration de la Maison-Blanche, et il ne lui restait guère d'énergie pour entreprendre autre chose. Le président, quant à lui, ne cessait de voir des photographes derrière tous les arbres... »

En mai 1961, alors qu'ils s'apprêtaient à partir pour leur

premier voyage officiel à l'étranger, Jack se faisait beaucoup de souci pour Jackie. Ce voyage au Canada était prévu comme un geste de bonne volonté à l'égard du plus important partenaire commercial des États-Unis, mais aussi comme un galop d'essai avant le sommet européen, qui devait avoir lieu le mois suivant, en présence de Nikita Khrouchtchev.

Plusieurs jours avant la date de leur départ, Jack convoqua Max Jacobson (le « Dr Feelgood ») à Palm Beach, où Jackie et lui louaient la somptueuse propriété, face à l'Océan, de leurs amis Charles et Jayne Wrightsman. À peine arrivé à l'hôtel, Jacobson fut emmené en quatrième vitesse par les agents des Services secrets. « Mr. et Mrs. Dunn », selon le nom de code qu'on avait indiqué au médecin pour désigner le président et sa femme, l'attendaient. Jacobson s'assit sous la véranda, et au bout de quelques instants, il vit le président s'avancer vers lui, venant du jardin.

« Il en vint directement au fait, raconta Jacobson. Il était très inquiet pour Jackie, car il craignait des séquelles de son dernier accouchement. Elle souffrait de migraines chroniques et d'accès de dépression. Il voulait savoir si elle serait en mesure de supporter les fatigues du voyage au Canada et surtout, si plus tard, elle pourrait l'accompagner à Paris, Vienne et Londres pour les rencontres au sommet. »

Provi, la femme de chambre de Jackie, le mena dans la chambre de celle-ci. « Elle paraissait malheureuse et se plaignait d'une grosse migraine, raconta Jacobson. "Le moins que je puisse faire, c'est arrêter cette douleur" », lui dit-il. Puis il ouvrit sa trousse, remplit une seringue de speed, et fit une injection à Jackie, qui ignorait ce dont il s'agissait. « Son humeur, se souvint Jacobson, changea du tout au tout. Dès que le président la vit, il ne se posa plus aucune question sur les voyages. » Jacobson offrit également à JFK un « traitement » de son cru.

Le voyage à Ottawa était essentiel pour deux raisons. « C'était la première fois que Jackie se rendait à l'étranger en tant que First Lady, et nous avions tout prévu avec beaucoup de soin », raconta Cassini, qui créa pour elle un tailleur en laine rouge, qu'elle devait porter lors de la revue de la Police montée canadienne.

Jackie s'aperçut que son charme franchissait facilement les frontières. « Sa séduction, sa beauté, sa vivacité et la grâce de son esprit se sont emparés de nos cœurs », s'exclama au Parlement le porte-parole du Sénat canadien. Autre avantage, Jackie détourna l'attention de la presse de JFK et de John Diefenbaker, le Premier ministre canadien, qui n'avaient guère d'estime l'un pour l'autre.

Cassini observa que « pour la première fois, Jack s'aperçut qu'elle n'était pas seulement son épouse, mais un grand instrument politique – une force sur laquelle on pouvait compter et un puissant symbole de l'Amérique. Pour Jackie aussi, ce fut un tournant décisif. Elle commença à comprendre qu'elle possédait une valeur politique en propre, ce qui accrut sa confiance en elle. À partir de ce moment, la relation entre Jack et Jackie changea. Ils devinrent associés ».

Le voyage fut marquant encore pour une autre raison. Au cours d'une cérémonie où on planta un arbre dans les jardins de la résidence gouvernementale, Jack ne se contenta pas de suivre sa femme, qui, devant les caméras, enfonça symboliquement la bêche dans la terre. Lui, il se mit à creuser comme un cantonnier, soulevant dix lourdes pelletées de poussière canadienne. Cette démonstration de virilité lui coûta cher. Le président se fit tellement mal au dos, que jusqu'à la fin de ses jours, il souffrit sans relâche.

Jamais un président en exercice ne réussit à si bien tromper son monde, à l'exception de Franklin Roosevelt qui, handicapé par la polio, s'était toujours débrouillé pour que l'opinion publique ne se rendît pas compte qu'il était incapable de marcher. « Les gens ignorent dans quel état déplorable se trouvait Jack durant son mandat de président, dit Smathers. La plupart du temps, il ne parvenait même pas à rester debout, et encore moins à marcher. Il s'appuyait en permanence sur les types des Services secrets.

« Une fois, à Miami, on l'attendait à un banquet et il pouvait à peine s'habiller seul. Il a fallu que je lui mette ses chaussettes et ses chaussures. Jack était exactement comme Roosevelt, et il avait merveilleusement réussi à le dissimuler. » Mais contrairement à son prédécesseur, JFK s'est débrouillé pour mener à bien ce subterfuge sans la collaboration tacite de la presse. « Jack a même été capable de le leur cacher, à eux. »

Évidemment, il y eut des moments où JFK paraissait l'incarnation même de la bonne santé. Mais, par exemple, quand il se trouvait sur un terrain de golf, il passait presque tout son temps à se déplacer en caddie. « Il avait l'air en forme, et puis brusquement, son visage devenait mortellement pâle, dit Salinger. Il souffrait la plupart du temps, mais je ne l'ai jamais entendu se plaindre, jamais. »

« Examinez bien les photographies, dit Lowe. Il essayait d'éviter de le faire quand il était face à l'objectif, mais de temps en temps, il se laissait surprendre et on voyait qu'il prenait appui. Il s'appuyait toujours sur quelque chose – une table, un bureau, un rebord de fenêtre, un dossier de chaise. » Tish Baldrige raconta que « les gens le couvraient. Il avait ce don troublant de s'endormir debout contre un mur. Il pouvait dormir debout, ce qui m'a toujours sidérée. C'était une petite ruse. Il mettait ses lunettes noires, et tandis que les gens croyaient qu'il était en train de regarder un défilé ou je ne sais quoi, il dormait derrière ses verres fumés ! Je l'ai surpris je ne sais combien de fois ».

Que ce fût à cause de l'enthousiasme avec lequel il avait creusé la terre à Ottawa, ou une des conséquences des médicaments qu'il prenait, en tout cas, il avait parfois les mains qui tremblaient de façon imperceptible. « Pour masquer ceci, raconta Jamie Auchincloss, il glissait la main dans la poche de sa veste avec nonchalance. Évidemment, tout le monde a trouvé cela charmant et on a commencé à imiter cette pose. Mais c'était pour empêcher les gens de le voir trembler. »

Au retour d'Ottawa, après ce premier voyage présidentiel, Jack, furieux et déprimé, fut incapable de franchir la passerelle, même avec des béquilles. Il fallut le faire descendre de l'Air Force One à l'aide d'une grue. Le 23 mai 1961, Jacobson fut convoqué à Washington. On le fit entrer dans les appartements familiaux, où Jackie l'attendait. Après qu'il lui eut injecté son puissant « cocktail » d'amphétamines, elle lui dit : « Jack veut vous voir. »

Pour soulager la douleur, le Dr Travell avait fait une piqûre de novocaïne à JFK et lui avait badigeonné le dos avec du chlorure d'éthyle, un liquide qui insensibilise la peau temporairement en la gelant. Aucun de ces traitements ne paraissait efficace. Jacobson, qui n'allait pas tarder à être à couteaux tirés avec le Dr Travell, proposa d'intensifier la force et la fréquence de ses propres « traitements » – mais à la condition que Jack promît de renoncer à l'alcool et aux calmants. Ajoutés au speed, ça pouvait faire un mélange fatal. Jacobson injecta alors à Jack une dose plus massive que les fois précédentes – « non seulement pour le soulager localement, théorisa Jacobson, mais pour lui donner plus de force pour affronter l'angoisse ».

Le président se leva et arpenta la pièce. « Je me sens beaucoup mieux, déclara-t-il. Je voudrais que vous m'accompagniez en Europe la semaine prochaine. » Jacobson accepta, en ajoutant qu'en tant que juif réfugié aux États-Unis pour échapper à l'Allemagne nazie, il devait à son pays de servir le président « quand celui-ci avait besoin de lui ».

En revenant, le lendemain matin, à la Maison-Blanche (nom de code : château), Jacobson trouva Jackie affolée. « Elle me montra un flacon de Demerol qu'elle avait découvert dans la salle de bains du président. Je lui expliquai que j'étais par principe absolument opposé à l'usage des opiacés et de leurs dérivés... qui risquaient d'interférer avec mon traitement et qui créaient une forte dépendance. »

Jacobson voulut savoir qui avait prescrit le Demerol, et Jackie mena l'enquête. Elle découvrit que le fournisseur du président était un homme des Services secrets. L'individu fut renvoyé sur-le-champ, mais Jacobson estima que cette mesure n'était pas suffisante. Il alla affronter directement le président. « J'ai insisté sur le fait que le Demerol... ne pouvait qu'entraver le fonctionnement de ses organes. » Jacobson avertit le président qu'il ne lui fournirait plus d'élixir magique s'il ne renonçait pas au Demerol. JFK, qui ne voulait surtout rien savoir de la composition des injections de Jacobson, accepta. Au cours des quelques jours précédant le sommet européen, Jacobson fit une douzaine de piqûres au président et à son épouse.

Ce n'était pas la première fois que Jack se procurait des médicaments de façon illégale. « À cause de son dos, il consommait tant de médicaments depuis si longtemps, dit Smathers, et il ne faisait aucune confiance aux médecins. » Et Spalding d'ajouter : « Si quelqu'un disait que telle pilule marchait, il l'essayait. Il ne se donnait même pas la peine d'en parler à ses médecins. Je pense qu'il ne se préoccupait pas du tout du danger que pouvait représenter le mélange de tous ces médicaments. »

Au moment de partir pour cet important voyage en Europe, Jack ne pouvait plus se passer des piqûres de Jacobson. Celui-ci fut même obligé de courir à la dernière minute jusqu'à l'avion présidentiel, sur la piste de l'aéroport d'Idlewilde, à New York (qui s'appellera plus tard John F. Kennedy). Entre Washington et New York, le président avait beaucoup souffert. Avant d'affronter la traversée de l'Atlantique, il voulait que le médecin le soulageât.

Craignant d'éveiller les soupçons en faisant voyager Jacobson à bord de l'Air Force One, la Maison-Blanche s'arrangea pour le faire arriver à Paris par Air France. Ce fut « le vol le plus étrange que j'aie jamais fait », raconta Jacobson. Désireux de ne pas informer la presse de leurs relations, Jack avait réservé tout l'avion pour le docteur et sa femme, Nina. « Nous étions les seuls passagers à bord », dit Jacobson.

Charles de Gaulle accueillit les Kennedy à l'aéroport d'Orly, en les faisant saluer par cent un coups de canon, puis les escorta jusqu'à la somptueuse résidence réservée aux dignitaires en visite au Quai d'Orsay. Les Parisiens, bien connus pour être blasés, étaient déchaînés. Plus d'un million d'entre eux attendaient depuis des heures pour apercevoir le couple le plus séduisant de la planète, hurlant « Jacquie ! Jacquie ! » sur le passage de la voiture présidentielle. « La First Lady rayonne de jeunesse et de beauté », déclara *Le Figaro.* « Dès qu'on la vit arriver souriante, à Orly, renchérit le *Time*, la jeune et radieuse First Lady devint celle qui comptait au sein du couple Kennedy. »

Tandis que les deux chefs d'État discutaient de la montée de la menace soviétique, en particulier de l'avenir de Berlin, Jackie visita la Malmaison, la demeure de l'impératrice Joséphine, en compagnie du Français dont elle souhaitait le plus faire la connaissance (après De Gaulle), André Malraux, le ministre de la Culture.

Pendant le déjeuner, Jackie discuta avec De Gaulle en français, sur l'histoire de la France. À la fin, celui-ci se pencha par-dessus la table et expliqua au président américain que son épouse en savait plus sur le sujet que la plupart des femmes françaises. « Mes grands-parents étaient français », expliqua-t-elle. « Les miens aussi », répliqua De Gaulle.

Jack était enchanté. « C'était comme si, raconta-t-il plus tard à un ami, Mme de Gaulle s'était assise à côté de moi en me demandant de lui parler d'Henry Clay. »

Durant la réception officielle à l'Élysée, Jackie n'hésita pas à montrer son côté espiègle. Yusha Auchincloss était au nombre des invités. « Jackie m'a embrassé avec beaucoup d'affection, dit Yusha, et De Gaulle en fut manifestement sidéré. Puis elle lui expliqua que nous étions frère et sœur, et là, il était totalement perturbé. » Yusha savait « quelle importance Jackie accordait au temps passé en compagnie de De Gaulle. Après tout, elle avait appelé son caniche Gaullie ».

Vêtue d'une robe en dentelle rose et blanche, Jackie continua à éblouir ses hôtes durant le scintillant dîner officiel, dans la Galerie des Glaces à Versailles. De Gaulle trouva Jackie « ravissante » et fit son éloge en l'appelant « la gracieuse et *charmante* Mme Kennedy ». Pour une fois, Jack n'était pas fâché de se retrouver au second plan. « Je pense qu'il n'est pas inutile de ma part de me présenter, dit-il avec fierté. Je suis fier de dire que je suis l'homme venu accompagner Jacqueline Kennedy à Paris. »

Plus tard dans la soirée, Jacobson fut convoqué au Quai d'Orsay. Tous les membres de la suite présidentielle étaient enchantés de l'accueil que la France leur avait fait. Jacobson se fraya un chemin jusqu'à la grande chambre lugubre de Jackie, où elle était en train de discuter avec animation des événements de la journée. Jacobson, interloqué de cette brusque loquacité (qui contrastait avec l'attitude réservée qu'elle adoptait en général à son égard), fit des yeux le tour de la pièce et repéra un défaut dans la moulure par ailleurs impeccable. « Je soupçonnai la présence d'un micro, dit Jacobson, et j'attirai l'attention de Jackie en le montrant du doigt, tout en portant mon autre main à mes lèvres. Elle comprit immédiatement. »

Après avoir fait une injection de Librium à Jackie pour l'aider à dormir, Jacobson se rendit dans la chambre du président – moins gigantesque que celle de Jackie – et lui donna la même chose. Jack alors demanda au médecin de revenir de bonne heure le lendemain matin. « Étant donné le décalage horaire et la lourdeur de son emploi du temps, dit Jacobson, c'était très important pour lui de se réveiller reposé le lendemain, prêt à affronter une nouvelle journée très chargée. »

Le lendemain matin, Jacobson vint comme promis faire sa piqûre au président. Cette fois, Jack proposa à Jacobson et à sa femme de faire le reste du voyage à bord de l'Air Force One.

« Il y avait deux cortèges d'automobiles, raconta Jacobson à propos de leur arrivée à Vienne. L'un escorta Jacqueline Kennedy jusqu'à son rendez-vous avec la femme de Khrouchtchev, Nina. Le nôtre accompagna le président jusqu'à la résidence privée de l'ambassadeur des États-Unis, une demeure splendide dans les Semmerings, où devait avoir lieu la rencontre au sommet avec Khrouchtchev. Sur tout le trajet, la foule s'était massée sur trois rangs pour nous acclamer. On aurait dit une fête nationale.

« On était à peine arrivés que je fus convoqué d'urgence dans la chambre du Président. Il dit : "Khrouchtchev est censé être en route. Cette rencontre risque de durer très longtemps. Arrangez-vous pour que mon dos ne me fasse pas d'ennui si je suis obligé de me lever ou de marcher." »

La première rencontre commença de façon assez agréable. Sous le regard tranquille de Dean Rusk, le ministre des Affaires étrangères américain, et d'Andrei Gromyko, son homologue soviétique, Kennedy et Khrouchtchev tentèrent de briser la glace en buvant un verre. JFK sirota un Dubonnet, et le numéro un soviétique, un martini sec.

« Vous savez, dit Jack, ma femme, Jacqueline, affirme que Gromyko paraît si gentil, si aimable qu'il doit être sûrement charmant.

– N'oubliez pas, Monsieur le Président, répondit Khrouchtchev, qu'on dit parfois que Gromyko ressemble à Nixon. »

En dépit du « soutien » de Jacobson, le sommet fut un désastre. Khrouchtchev, qui faisait montre d'un mépris à peine voilé à l'égard de son homologue beaucoup plus jeune que lui, fut le premier chef d'État à refuser d'échanger des idées avec JFK. Cette expérience, fit remarquer Schlesinger, « perturba profondément » le président américain. Si Jack n'avait pas réussi à impressionner le chef de l'État soviétique, on ne pourrait pas en dire autant de Jackie. Lors du banquet officiel, qui avait lieu au Palais de Schönbrunn, à Vienne, Khrouchtchev bredouilla : « C'est magnifique », quand on lui présenta Jackie – faisant probablement référence à la robe fourreau d'un blanc chatoyant qui lui collait au corps comme une seconde peau.

Khrouchtchev insista pour s'asseoir à côté de Jackie durant toute la soirée, et ils plaisantèrent ensemble, raconta Schlesinger, « comme Abbott et Costello ». Quand il vanta les mérites du régime communiste en affirmant qu'il y avait davantage de professeurs en Ukraine sous les soviets que sous le règne du tsar, Jackie lui dit : « Oh, monsieur le Président, ne m'ennuyez pas avec des statistiques. »

« Jackie parla de Dostoïevski, de Pouchkine, de Tolstoï et de Tchekhov, raconta Yusha Auchincloss, qui les accompagnait à Vienne. Elle connaissait beaucoup mieux la culture russe que Jack. Elle connaissait probablement mieux la culture russe que *Khrouchtchev* lui-même. »

Ce couple mal assorti discuta aussi des recherches spatiales, et Jackie fit remarquer qu'une des chiennes russes qu'on avait envoyées sur orbite venait de mettre bas récemment. « Pourquoi ne m'enverriez-vous pas un petit ? » demanda-t-elle gaiement. Et lorsqu'un chiot arriva à la Maison-Blanche, deux mois plus tard, elle expliqua à Jack d'un air penaud : « Je crains bien de l'avoir réclamé à Khrouchtchev à Vienne. Je ne savais plus quoi lui dire. » Ils baptisèrent le chien Pouchinka.

« Lorsque Jackie faisait une remarque à Khrouchtchev et qu'il s'approchait tout près d'elle, dit Tish Baldrige, le président en était heureux et fier. Après tout, il n'avait pas les moyens d'en faire autant. Ce voyage modifia complètement l'idée qu'il se faisait d'elle. Après avoir été l'épouse qui se plaint parce qu'il laisse tomber ses cendres de cigare sur le tapis, elle s'est mise à séduire les chefs d'État et les nations entières, et elle était en train de devenir la reine de l'univers. »

« L'Europe a été formidable pour eux deux, dit Chuck

Spalding. Ce voyage a montré combien elle savait tenir sa place sur la scène du monde, aux côtés de Jack. Mais également comme il pouvait se montrer agréable quand il ne cédait pas à tous ses désirs. Durant ce voyage, il ne s'est même pas offert ne serait-ce qu'un flirt, avec une autre femme. »

Avant de repartir pour l'Amérique, l'avion présidentiel fit escale à Londres, pour permettre à Jack et Jackie d'assister au baptême de la fille des Radziwill, Anna Christina. (De fait, la cérémonie avait été retardée pour que le président pût être présent.) À peine Max et Nina Jacobson étaient-ils entrés dans leur chambre au Claridge que le téléphone sonna ; le docteur était attendu chez les Radziwill, dans leur maison datant du roi George, de l'autre côté de Buckingham Palace. « La voiture me déposa devant l'entrée des fournisseurs, raconta Jacobson. Le chauffeur me fit traverser le jardin, jusqu'à la porte de service. Puis nous montâmes un escalier fort long et très raide... Je suis entré dans la chambre de Lee Radziwill où Jackie, le président et Lee étaient en train de bavarder tranquillement. Je suis passé avec le président dans une antichambre et là, je l'ai soigné... »

Ce soir-là, Jack et Jackie assistèrent à un dîner officiel donné par la reine Elizabeth et le prince Philip à Buckingham Palace. Parmi les invités, il y avait Louis Mountbatten et Harold Macmillan, le Premier ministre. Le repas terminé, le cortège automobile du président se dirigea vers Heathrow, où l'attendait l'avion présidentiel qui devait le ramener directement aux États-Unis. Jackie, cependant, ne revint pas avec lui. Pendant que Jack rentrait s'occuper des affaires de la nation, elle partait se promener en Grèce avec Lee et Stas Radziwill.

Quelques heures plus tard, à bord de l'Air Force One, Jacobson eut la surprise de voir le président émerger de sa cabine en chemise de nuit. « Il ne put s'empêcher de sourire en voyant mon air abasourdi », dit Jacobson. JFK avait essayé en vain de s'endormir. De nouveau, le médecin, qui régalait le président de ce qu'il appelait ses « blagues juives », lui proposa une injection de Librium pour l'aider à dormir. « Il voulait être au mieux de sa forme pour son retour aux États-Unis », raconta Jacobson.

D'après Jacobson, Jack insistait pour que les piqûres régulières, qu'on lui administrait jusqu'à quatre fois par semaine, « ne se mélangent jamais avec ses apparitions en public ou avec les longues discussions diplomatiques en compagnie des chefs d'État ». Au cours des deux années suivantes, Jacobson fit d'innombrables voyages à la Maison-Blanche, à Hyannis Port, dans la retraite de week-end des Kennedy en Virginie, à Palm Beach et dans la suite de JFK au Carlyle Hotel de New York.

« Lors d'une de mes visites à la Maison-Blanche, raconta Jacobson, j'étais à la fenêtre du salon en train de regarder les hélicoptères décoller de la pelouse. Brusquement, Providencia, la femme de chambre, est entrée en courant. Elle a dit, d'un air très énervé : "Le Dr Travell est au deuxième !" Le *docteur* souhaitait que nous ayons une discussion, elle et moi.

« À moins d'avoir été dûment appelé par le président, personne n'a le droit de pénétrer dans ses appartements privés. J'ai donc esquivé cette rencontre, et tous les incidents qui auraient pu en découler, en sortant discrètement par une porte latérale, avant de regagner New York City. »

Dès qu'il fut de nouveau convoqué à la Maison-Blanche, le Dr Max remit au président sa lettre de démission. « Je dois démissionner, Monsieur le Président, dit-il, je suis arrivé au bout de mon stock de blagues juives. » Kennedy « se mit à rire, déchira la lettre et dit : "C'est hors de question." »

Jacobson, qui portait une pince de cravate à l'image du PT-109 offerte par Jack, refusait tout dédommagement pour ses services. « Le président Kennedy se faisait du souci pour ma situation financière. Par deux fois, j'ai trouvé une enveloppe dans la poche de ma veste alors que je reprenais le chemin de l'aéroport. En l'ouvrant, j'y ai trouvé plusieurs billets de cent dollars... J'ai rendu l'enveloppe et ce qu'elle contenait [au président]. Il a paru légèrement embarrassé et il a ri en l'acceptant. »

Bobby Kennedy et Pierre Salinger – qui, par miracle, réussit à cacher l'identité de Jacobson à la presse – se joignirent au Dr Travell pour supplier le président de laisser tomber le Dr Max. Grâce à son mandat de General Attorney, Bobby demanda que toutes les substances chimiques utilisées par Jacobson pour soigner son frère fussent soumises pour analyse à la Food & Drug Administration.

« Le président, dit Jacobson, après avoir subi moult pressions et l'air assez gêné, me demanda si j'accepterais de me plier à ces analyses. J'acceptai sans hésitation et fis parvenir à Robert Kennedy quinze flacons du médicament utilisé par le président. Une semaine plus tard, le président m'informa que les flacons avaient été examinés, analysés et approuvés. » Le Dr Travell ne reçut jamais la copie de ce rapport, qu'on lui avait pourtant promise. On y lisait que le mélange régulièrement administré au président et à la First Lady contenait non seulement des amphétamines en grande quantité, mais également des stéroïdes. À l'époque, aucune de ces drogues parfaitement légales n'était officiellement considérée par le FDA comme dangereuse ou menant à l'accoutumance.

Jack et Jackie continuèrent à utiliser les services du « Docteur Feelgood » durant tout le temps du mandat présidentiel. Ils n'avaient pas le choix. Soumis à des pressions publiques difficiles à comprendre, victimes de leurs propres angoisses, ils n'avaient pas d'autres moyens de faire face. Et Jack, qui avait toujours souffert le martyre, se sentait soulagé pour la première fois de sa vie. N'empêche, à s'en tenir à la définition clinique, ils étaient à présent dépendants du médicament administré par Jacobson. Le président des États-Unis et la First Lady étaient, sans le savoir, « accros au speed ».

« Je connaissais bien Max, dit Gore Vidal. À Hollywood et dans le milieu du spectacle, nous étions tous parfaitement au courant de ce qu'il faisait. Je ne suis pas porté sur la drogue, mais je dois dire que ses piqûres vous procuraient un sentiment de bien-être total. Cela dit, évidemment, quand l'effet s'estompait, on se retrouvait au trente-sixième dessous. Max a rendu un certain nombre de gens fous...

« Quand j'ai appris que Jack se faisait soigner par le Dr Max, j'ai dit à Jackie : "Attention. Garde tes distances avec lui." À l'époque, j'ignorais qu'elle aussi se faisait faire des piqûres. »

En septembre 1961, Jacobson était à Washington, en train de faire une piqûre à Jackie, quand on l'appela au téléphone ; on l'attendait d'urgence à New York, au Carlyle Hotel. Un peu plus tôt dans le mois, le secrétaire général des Nations unies, Dag Hammarskjöld, avait été tué dans un accident d'avion et les Soviétiques essayaient à présent de neutraliser l'institution internationale en remplaçant le Secrétaire général par une *troïka* – un représentant pour chacune des superpuissances, et un troisième pour les pays non alignés.

Il était prévu que le président Kennedy s'opposerait à la proposition soviétique devant l'Assemblée générale. Mais quand Jacobson arriva au Carlyle, il trouva le président encore en pyjama. « À voir les verres vides ou à moitié vides et les cendriers pleins qui traînaient dans toute la pièce, les réunions avaient dû durer toute la nuit, raconta Jacobson. JFK m'accueillit en murmurant d'une voix tellement rauque que j'eus du mal à le comprendre.

– Alors, Max, comment allez-vous arranger ça ? me demanda-t-il en montrant sa gorge. Je répondis que je pouvais guérir la laryngite à temps pour son discours devant les Nations unies, mais uniquement en le piquant en dessous du larynx.

– Faites ce qu'il faut, répliqua Jack. Je m'en fiche. »

Jacobson ouvrit sa trousse noire et n'y trouva que trois

chemises sales ; on lui avait remis par erreur un sac presque identique au sien, appartenant à quelqu'un d'autre. L'infirmière de Max arriva en courant du cabinet pour apporter le médicament nécessaire. « Je me souviens encore de l'air surpris de Kennedy, raconta Jacobson, quand il s'est remis à parler d'une voix normale. »

Une autre fois, pendant la crise du Fer, Dr Max fit une injection au président juste avant une réception importante dans le Salon est. « À présent, je peux descendre serrer la main de plusieurs centaines d'amis intimes. » Jacobson le traita également pendant la période de tension au cours de laquelle les troupes de la Garde nationale vinrent abolir la ségrégation raciale dans l'université du Mississippi (« N'était-ce pas sacrément casse-couilles ? » dit Jack de ce face-à-face tendu). Et il le fit également durant la crise des Missiles cubains.

Jack ne demandait pas ce qu'il y avait dans les compositions chimiques du Dr Max et manifestement, il ne souhaitait pas le savoir. « Ça m'est égal si c'est de la pisse de panthère, disait-il, du moment que ça me fait du bien. » Il désirait ignorer le fait que Max arrivait toujours dépenaillé, qu'il s'assoupissait sans arrêt, et qu'il avait les ongles noircis par les produits chimiques (une fois, alors que Jacobson s'était endormi dans son bain, son patient de longue date, Eddie Fisher, avait tenté en vain de les nettoyer). Cependant, Jack n'aurait peut-être pas eu la même attitude s'il avait su que la trousse médicale noire et brillante, bien remplie de flacons propres, était elle aussi un attrape-nigaud.

Les règles d'hygiène de Jacobson laissaient beaucoup à désirer. Fisher a décrit la trousse que le docteur prenait généralement comme « un fouillis de flacons sales et sans étiquette, et de préparations chimiques sans nom qu'il étalait sur la table quand il devait préparer une injection ».

Mais pour ses visites chez le président, il ordonnait à son assistant, Harvey Mann, de cirer et remplir son sac noir : « Nous allons voir le Prez. » Mann raconta : « Je faisais effectivement briller le sac, puis je le remplissais de flacons d'amphétamines et de vitamines que j'avais préparés. »

Cinq ou six fois, Mann accompagna Jacobson au Carlyle. JFK « se montrait particulièrement chaleureux avec le docteur, et l'appelait toujours Max. Ils s'aimaient bien, tous les deux. Dr Max suivait JFK dans une autre pièce et parfois, ils y restaient pendant une heure. »

Jacobson et Mann ne furent jamais fouillés par les Services secrets lors de ces visites, et personne n'examina jamais le sac du médecin. « Vous parlez de sécurité ! dit Mann. Ils ne regardaient jamais ce qu'on transportait. J'aurais pu aussi bien tuer le président. Personne, même pas le Dr Max, ne me surveillait quand je faisais les cocktails d'amphétamines, alors j'aurais pu facilement y glisser du poison. »

Ce qui aurait été probablement inutile. « Beaucoup de patients de Max ont fini avec une hépatite, dit Mann, parce que le cabinet était crasseux. »

L'homme qui avait fait se rencontrer Jacobson et les Kennedy fut parmi les premiers à tenter de s'en sortir – au sens propre du terme. « Je conduisais Jacobson à La Guardia, et il était en train de me faire un sacré numéro. Il n'arrêtait pas de me dire d'aller dix fois plus vite, en jacassant sans arrêt à propos de ses expériences avec des cellules de cœur d'éléphant et de placenta de mouton... Manifestement, il avait avalé un peu trop de ses pilules.

« Finalement, continua Chuck Spalding, j'ai simplement arrêté la voiture, je suis descendu, je lui ai donné les clés et j'ai dit : "Allez-y tout seul, à La Guardia." J'avais vraiment peur à ce moment-là, tout cela paraissait complètement hors de contrôle. » Rétrospectivement, Spalding reconnut que la dépendance de Kennedy envers les piqûres de Jacobson menait droit à la catastrophe. « Quand on est président, il me semble qu'on doit être plus prudent. Mais à cette époque, nous avions tous besoin d'un coup de pouce. »

Quelques mois plus tard, JFK tomba sur une lettre de l'ex-président Théodore Roosevelt adressée au commandant des Marines, dans laquelle il suggérait que les hommes fissent régulièrement une marche de quatre-vingts kilomètres pour rester en forme. « Kennedy pensa que c'était une idée formidable, raconta Salinger, et il exigea qu'un membre du gouvernement fasse cette marche avec les Marines. Malheureusement, continua le rondouillard porte-parole, mâchonneur de cigares, il ne cessait de fixer mon tour de taille. Il avait vraiment l'intention de m'envoyer faire quatre-vingts kilomètres, et moi je savais que si j'y allais, j'en mourrais – sérieux ! »

Une fois les intentions du président rendues publiques, la presse s'en donna à cœur joie avec l'Affaire Salinger – jusqu'à ce que le porte-parole tirât sa révérence, en arguant de raisons de santé. Bobby Kennedy réussit à accomplir cette marche, et JFK paria mille dollars avec Stas Radziwill qu'il n'arriverait jamais à égaler le temps de Bobby, soit dix-huit heures. Eunice paria également mille dollars que le prince, qui, avec Lee, faisait à présent aussi partie des patients du « Dr Feelgood », ne pourrait pas battre son frère. Si Radziwill gagnait, l'argent irait à la Fondation de recherche constructive du Dr Jacobson.

« Bobby avait marché dans les bois, et Jack ne voulait pas être démasqué par son petit frère – c'était aussi simple que ça, raconta Spalding qui accompagna Radziwill pendant cette randonnée entre le sud de Palm Beach et Miami. On nous a envoyé des tennis de tout le pays – c'était un sacré événement. Pour être sûr que nous allions gagner, Jack avait envoyé Max nous accompagner. Il nous faisait des piqûres à tout bout de champ, reconnut Spalding, qui, pour les besoins de l'affaire, accepta ce "soutien" chimique offert par Jacobson. Évidemment, on a fait cette marche en un temps record – on est arrivés avec un quart d'heure d'avance sur Bobby. Jack, Jackie et Lee nous attendaient à mi-chemin et nous ont fait un laïus d'encouragement pendant qu'on s'écroulait dans l'herbe. À l'arrivée, Jack nous avait fait préparer un énorme buffet avec du champagne, et le juke-box jouait *Bei Mir Bist Du Schön*, chanté par les Andrew Sisters. Jack nous a même accroché des médailles en papier sur la poitrine. Toute l'affaire a fait la une des journaux d'un bout à l'autre du pays. Ce que les gens ignoraient, c'est qu'avec tout ce speed, on aurait pu marcher jusqu'à Rio, on était tellement shootés ! »

La dernière fois que Dr Max vit le président, ce fut dans sa propriété de Palm Beach, le 3 novembre 1963. « Il était plongé dans la préparation de son voyage au Texas, dit Jacobson qui était "déçu" de ne pas avoir été convié. L'atmosphère était tendue. On disait que ce voyage était trop risqué et pouvait mettre sa vie en danger. Le président, quant à lui, était détendu et de bonne humeur. Je lui ai fait part de mon inquiétude à propos de ce voyage. Il s'est débarrassé de ma remarque en riant et il a ajouté qu'il était impatient de partir. »

Après leur triomphal tour d'Europe au printemps 1961, Jackie prouva qu'elle aussi, quand elle était seule, pouvait attirer les foules. Tandis que Jack se reposait à Palm Beach, son épouse partit faire une croisière sur la mer Égée, à bord du *North Wind*, un yacht de quarante mètres, avec la bénédiction du gouvernement grec.

« Une séduisante jeune femme de haute taille descendit seule du yacht sur le quai, raconta un journaliste, prêtant à peine attention aux deux cents spectateurs massés de l'autre côté de la barrière, qui s'efforçaient de l'apercevoir au passage. Bronzée par le soleil de la mer Égée, jambes nues, habillée simplement d'une robe beige sans manche – on avait du mal à comprendre que c'était la même Jacqueline Kennedy qu'on avait vue traverser Paris, Vienne et Londres, semblable à une reine, seulement quelques jours auparavant. »

Dans le village d'Épidaure embaumant le thym, elle assista à une représentation du Théâtre national de Grèce qui joua une scène tirée de l'*Électre* de Sophocle. Suivie par des centaines de journalistes, elle visita le berceau natal d'Apollon sur l'île de Delos, et les ruines du temple de Poséidon et Hydra, où elle dansa le Kalamatianos dans une taverne. Lorsque des bateaux bourrés de photographes s'aventurèrent trop près de la villa où elle habitait, dans les environs d'Athènes, le capitaine d'un vaisseau de la marine les chassa, puis fit de son mieux pour renverser un des bateaux de la presse.

Jack, dont la libido était passée en vitesse surmultipliée avec le mélange de la cortisone et des injections régulières d'amphétamines du Dr Jacobson, profita de l'absence de Jackie. « La Maison-Blanche n'ôte pas à un homme ses désirs physiques », déclara Smathers. En plus de Pam Turnure, il avait pour se distraire à domicile deux jeunes employées de la Maison-Blanche, que tout le monde connaissait sous le nom de « Fiddle[1] » et « Faddle ».

Les deux filles, âgées d'une vingtaine d'années et friandes de fêtes, partageaient un appartement à Georgetown au moment où elles se présentèrent ; vêtues de la même robe, pour se faire enrôler dans l'équipe de campagne. Après les élections, Fiddle travailla pour Evelyn Lincoln et Faddle pour Salinger.

Les rumeurs à propos de la relation de JFK avec ces deux femmes allaient bon train à l'intérieur de la Maison-Blanche, mais Jackie ne se laissait pas abattre pour autant. Quand elle faisait visiter la demeure présidentielle à un membre de la presse étrangère, Jackie passait la tête dans un des bureaux et disait en français au journaliste : « Et voilà une des jeunes femmes qui est censée coucher avec mon mari. »

Un jour que Jack était installé dans sa suite du Carlyle, il plaqua les Services secrets pour se rendre dans une demeure située à quelques pâtés de maison de là, en empruntant un passage secret creusé sous l'hôtel. Terrifié, l'agent chargé de

1. *Fiddle* signifie, entre autres, combine. (N. du T.)

le surveiller finit par repérer la porte menant au tunnel et la ferma à clé. Quand JFK rentra à trois heures du matin, il fut obligé de pénétrer dans l'hôtel par la porte principale. « D'accord, dit-il d'un air penaud, vous m'avez eu. »

À partir de ce moment-là, les agents des Services secrets accompagnèrent leur patron dans ses excursions nocturnes à travers les souterrains de New York. « C'était une expérience bizarre, raconta Chuck Spalding. Nous marchions dans cet énorme tunnel, la torche à la main, et les types des Services secrets consultaient leur carte... De temps en temps, il y en avait un qui s'arrêtait pour dire : "On tourne à gauche, ici, Monsieur le Président." Je pense que le côté clandestin de l'affaire les émoustillait beaucoup. »

Non seulement les agents des Services secrets étaient au courant de toutes les fredaines du président, mais ils jouèrent un rôle déterminant pour les cacher à la presse et à l'opinion publique. Lors de réceptions privées où le président risquait d'être vu en compagnie de Marilyn Monroe, d'Angie Dickinson, ou même de Jayne Mansfield (« Elle a affirmé qu'ils avaient une liaison, mais elle paraît beaucoup trop ordinaire pour plaire à Jack », fit remarquer Vidal), les agents prévenaient les serveuses, les barmen, et les gardiens de parking qu'ils ne devaient jamais parler de ce qu'ils voyaient. « Vous verrez des choses, mais vous ne verrez rien, disaient-ils au personnel effrayé. Vous entendrez des choses, mais vous n'entendrez rien. »

Marilyn Monroe continuait à voir Jack à New York et en Californie, et elle mettait toujours un déguisement – en général, une perruque noire, parfois rousse, un bandana et des lunettes de soleil – pour se rendre à leurs rendez-vous amoureux. Lors d'une grande réception pour rassembler des fonds, donnée dans la demeure de Bing Crosby, à Palm Beach, le démocrate californien Philip Watson tomba sur une autre fête, plus intime, qui se déroulait dans le bungalow du président. « Le président portait un col roulé, et elle une espèce de peignoir. Manifestement, elle avait beaucoup bu, se souvint Watson. C'était évident qu'ils étaient intimes, et qu'ils allaient passer la nuit ensemble. »

I Believe in You, la chanson tirée du nouveau spectacle à succès de Broadway, *How to Succeed in Business Without Really Trying*[1], devint l'hymne particulier de Marilyn, et pendant les fêtes, elle le chantonnait pour elle-même devant les miroirs – tout comme faisait le personnage principal de la comédie musicale. À trente-six ans, voyant approcher la fin de son règne de déesse mondiale du sexe, elle rêvait que Jack allait quitter Jackie pour elle. « Tu ne m'imagines pas en First Lady ? » demanda-t-elle à sa voisine et amie Jeanne Carmen.

De tels délires n'avaient rien d'étonnant de la part de Marilyn, qui était toujours plongée dans le brouillard, tant à cause de ses problèmes psychiatriques récurrents que de l'abus de drogues et d'alcool. « Il y a toujours eu des femmes pour se jeter à la tête de Jack, mais à présent qu'il était président, c'était incroyable, dit Spalding. Marilyn entrait dans la catégorie de ses petites amies. Jack ne l'a jamais considérée comme une rivale de Jackie. »

N'empêche, avec sa perruque brune et ses lunettes de soleil, elle accompagnait le président à bord de l'Air Force One. Et, contrairement à ce qu'on a toujours cru, JFK l'a reçue à la Maison-Blanche quand Jackie n'y était pas. « Absolument, dit Smathers. Je le sais parce que je l'y ai vue. Elle était là. Et souvent. »

Bien qu'elle fût complètement obsédée par JFK, Marilyn le faisait quand même attendre, comme elle avait toujours fait avec tout le monde. (Elle idolâtrait Clark Gable, mais le fit attendre pendant des heures lors du tournage des *Misfits* en 1961. La crise cardiaque dont mourut Clark Gable, le lendemain du jour où le film avait été achevé, fut en partie provoquée par ce stress.)

1. « Comment réussir en affaires sans vraiment essayer. »

Le manque de ponctualité de Marilyn fut particulièrement flagrant lors d'un gala de charité organisé à l'occasion du quarante-cinquième anniversaire du président, le 19 mai 1962. Quelque quinze cents fidèles partisans démocrates se rassemblèrent à Madison Square Garden pour écouter, entre autres, Jack Benny, Jimmy Durante, Ella Fitzgerald, Peggy Lee et Maria Callas.

Le clou de la soirée, cependant, c'était l'apparition de Marilyn. En apprenant que Marilyn devait jouer un rôle dans ces festivités, Jackie décida de rester en Virginie pour participer à un concours hippique, où elle remporta d'ailleurs la troisième place. Elle avait laissé à Rose, Pat, Eunice et Ethel le soin de s'occuper de Jack, décourageant ainsi la presse qui suggérait que l'événement avait tout d'une fête présidentielle entre hommes.

Pour l'occasion, on avait littéralement cousu sur Marilyn, *sex-symbol* international, une robe couleur chair de Jean-Louis, étincelante de faux diamants. Comme à l'accoutumée, elle ne portait aucun sous-vêtement. Marilyn et Jackie avaient le même coiffeur à New York, Kenneth, mais en coulisses, à la dernière minute, celui du président, Mickey Song, donna aux cheveux platine un mouvement très théâtral, qui lança une mode nationale.

Sachant pertinemment qu'elle allait être en retard, Peter Lawford « présenta » Marilyn dès le début du spectacle : « Monsieur le Président, à l'occasion de votre anniversaire, cette charmante dame est non seulement belle, mais ponctuelle, Monsieur le Président – Marilyn Monroe ! ».

Le public éclata en un tonnerre d'applaudissements, mais comme prévu, Marilyn n'entra pas en scène. Peter fit une moue de désapprobation et le spectacle continua. Une heure plus tard, Lawford fit une autre présentation mélodramatique. Toujours pas de Marilyn. Cette fois, Peter sortit de scène. La tension monta ; Peter réapparut. « Parce que, Monsieur le Président, dans toute l'histoire du spectacle, il n'y a pas eu de femme plus importante... plus présente... Monsieur le Président, *en dernier Marilyn Monroe.* »

Soudain, Marilyn, drapée dans une hermine blanche, se retrouva sous les feux des projecteurs. La foule, dans laquelle on reconnaissait Lyndon Johnson, Adlai Stevenson et Robert Kennedy, se déchaîna. Abrutie de médicaments et complètement affolée, elle s'avança à petits pas vers le micro ; Lawford lui ôta sa fourrure avant de reculer dans les coulisses.

Après un long silence, Marilyn interpréta d'une façon sensuelle et suggestive *Happy Birthday.* On l'imita pendant des années : « *Happy Birthday, Mister Pres-i-dent...* » Un gâteau géant fut apporté sur la scène, et Jack vint rejoindre Marilyn au micro. « Je peux quitter la scène politique, déclara-t-il, maintenant qu'on m'a chanté *Happy Birthday* d'une façon aussi douce et prenante. »

Même si, aujourd'hui, on n'a aucun mal à l'imaginer, pour les Américains de l'époque, il était inconcevable que JFK et Marilyn aient pu être amants. Le numéro joué sur la scène de Madison Square Garden n'a été décrit que comme une manifestation d'orgueil présidentiel sans précédent. Jack était tellement persuadé que personne (et surtout pas Jackie) n'avait le moindre soupçon qu'il jouait ce rôle sans scrupule, au nez et à la barbe de tous ses électeurs ignorants.

Après le gala, Marilyn assista à une fête donnée en l'honneur de Jack chez le patron de l'United Artists, Arthur Krim. « Elle portait ce qu'elle appelle la peau et les perles, fit observer Adlai Stevenson. Je n'ai pas vu les perles. »

Bill Walton, le confident de Kennedy, assistait également à cette fête et s'est souvenu que Jack lui avait dit : « Allez voir la Callas. Personne ne lui parle. Elle boude. » Jack avait monté un coup contre son frère, Bobby, et Bill en rit avec lui. « Il s'est trouvé que nous étions ensemble au moment où il faisait une farce à Bobby, qui n'avait jamais rencontré Marilyn Monroe, raconta Walton. Le président et moi, nous étions en train d'observer ce qui se passait du haut d'un escalier. Marilyn a commencé à faire du plat à Bobby et l'a coincé contre le mur. Il était affreusement gêné. Il ne savait pas quoi faire ni où regarder. Et nous, nous étions là-haut, morts de rire. »

Plus tard dans la soirée, alors que Walton était à la recherche des toilettes, il passa devant une chambre plongée dans l'obscurité ; il se rendit compte qu'il y avait quelqu'un à l'intérieur. Il ouvrit la porte et reconnut Marilyn. « Je l'ai surprise debout devant une fenêtre, nue comme un ver, en train de faire une danse érotique, à l'intention des gardes postés sur un toit voisin. J'ai failli en avoir une attaque, elle était là, dans cette chambre et je n'en croyais pas mes yeux ! C'était une exhibitionniste. »

En partant de chez Krim, Marilyn et Jack se rendirent dans la suite du Carlyle. Ce fut la dernière fois qu'ils se virent. Après avoir appris que leurs rendez-vous amoureux dans la maison des Lawford au bord de la plage avaient été filmés par la Mafia, le président mit brusquement fin à leur liaison. Et quand Marilyn, désespérée, menaça de tout rendre public, JFK envoya Bobby en Californie « pour la ramener à la raison ».

Le General Attorney remplit sa mission avec succès, peut-être même trop bien. Après leur brève rencontre à la fête de Krim, Bobby reprit le flambeau là où son frère l'avait laissé. « D'abord, elle eut une liaison avec John, déclara la chanteuse Phyllis McGuire qui, à l'époque, était la petite amie de Sam Giancana, le pivot central des gangsters de Chicago. Et ensuite, elle a vraiment eu une histoire avec Bobby. Et, vous savez, ça ressemble beaucoup aux Kennedy, de se repasser les choses de l'un à l'autre – Joe Kennedy à John, John à Bobby, Bobby à Ted. C'est exactement ainsi qu'ils procédaient. »

En tout cas, la liaison avec Bobby fut encore plus passionnée qu'avec Jack. En juin 1962, elle raconta à des amis que Bobby allait quitter Ethel pour l'épouser. Mais, le FBI avait déjà obtenu du détective privé Fred Otash et du spécialiste de la mise sur écoute de Jimmy Hoffa, Bernard Spindel, des bandes – des bandes de Marilyn avec les deux frères Kennedy. Le risque d'une catastrophe politique était trop grand ; en juillet, Bobby cessa de répondre à ses coups de téléphone.

Invités à passer quelques jours dans le ranch d'un ami, au nord de Santa Barbara, Bobby, Ethel et plusieurs de leurs enfants y arrivèrent le 3 août. Le lendemain, Bobby partit en hélicoptère retrouver Marilyn dans son domicile de Brentwood. D'après des spécialistes de l'écoute téléphonique, qui ont affirmé avoir entendu des enregistrements de leur conversation ce jour-là, il lui dit que leur liaison était terminée, et une violente querelle éclata.

Le matin du 5 août 1962, quelques heures après sa discussion avec Bobby, Marilyn mourut d'une overdose de médicaments – manifestement, un suicide. Plusieurs dizaines d'années après cette fin tragique, des questions dérangeantes restent toujours en suspens. Mais à l'époque, l'opinion publique américaine, bouleversée par la nouvelle, n'avait pas le moindre soupçon qu'il pût exister un lien entre Marilyn et les frères Kennedy. On interrogea Jackie, qui était aussi émue que tout le monde. « Marilyn, déclara-t-elle, restera éternellement parmi nous. »

Au moment même où il larguait Marilyn, Jack ralentissait le rythme de sa liaison avec Judith Campbell (qui devait devenir Judith Campbell Exner). En tant que petite amie à la fois de JFK et de Sam Giancana, Judith Campbell s'était retrouvée en position de force pour rendre un certain nombre de services, en dehors de ses prestations sexuelles. Elle affirma que, en vingt occasions différentes, durant la campagne présidentielle de 1960, Jack lui avait remis des valises pleines d'argent destiné au chef de la Mafia ; c'était probablement pour le remercier de son aide efficace lors des primaires cruciales, à Chicago et en Virginie occidentale.

De façon encore plus provocante, Judy Campbell affirma qu'elle était perchée sur le rebord d'une baignoire à l'Ambassador East Hotel de Chicago le 28 avril 1961, pendant que JFK et Giancana étaient dans la pièce à côté, occupés à discuter des façons d'assassiner le chef de l'État cubain, Fidel Castro. Elle raconta aussi qu'elle faisait le messager entre les deux hommes, portant des enveloppes contenant tous les détails du complot. « Jack m'a tout dit, raconta plus tard Judy Campbell au journaliste Anthony Summers. Les enveloppes contenaient "des renseignements" qui concernaient "l'élimination de Fidel Castro". »

Non seulement Judy Campbell retrouvait Jack à Palm Springs et à New York, mais en plus, elle lui rendit visite à la Maison-Blanche vingt fois entre mai 1961 et avril de l'année suivante. Et quand ils n'étaient pas ensemble, on s'aperçoit, en étudiant les relevés téléphoniques de la Maison-Blanche, qu'Evelyn Lincoln passa à Jack des appels de Judy Campbell plusieurs fois par semaine durant les dix-huit premiers mois de son mandat présidentiel.

Lorsque la vérité à propos de la liaison torride entre Judy Campbell et le président martyr fit surface à la fin des années 1970, le cercle des intimes de JFK serra les rangs. Dave Powers fit partie de ceux qui se retrouvèrent brusquement frappés d'amnésie. « La seule Campbell que je connaisse, dit-il, c'est la soupe. »

La réponse de Powers est bien à l'image de cette loyauté assez aveugle et souvent irréfléchie qui surprenait JFK lui-même. De sa dévouée secrétaire Evelyn Lincoln, Jack disait : « Si je l'appelais maintenant pour lui annoncer que je viens de couper le cou de Jackie et que j'ajoutais :

"Madame Lincoln, pourriez-vous m'apporter un grand carton pour que je mette la tête de Jackie dedans ?", elle me répondrait : "Oh, parfait, Monsieur le Président, je vais vous le chercher tout de suite." »

Au printemps 1963, les Kennedy ne voulaient plus entendre parler de Giancana. D'après les spécialistes, l'assassinat du 22 novembre 1963, à Dallas, fut la conséquence directe de ce retournement. Mais, que la Mafia fût ou non compromise dans l'assassinat de JFK, il n'en reste pas moins que le président était exposé au chantage, puisqu'il avait eu des relations avec une créature liée au Milieu. « Je ne veux rien savoir de leur vie sexuelle, dit Gore Vidal. Mais dès le moment où la petite amie de Sam Giancana se trouve mêlée à l'Histoire, on comprend qu'il se trame quelque chose de grave, qui n'a rien à voir avec une partie de jambes en l'air. C'est du sérieux. Je sais avec certitude qui a tué Kennedy : la Mafia. »

Jack affichait-il ses liaisons ? Ou les cachait-il plus ou moins ? De toute façon, le moins qu'on puisse dire, c'est qu'il prenait des risques. « C'était le gars le plus courageux que j'aie jamais vu, tant sur le plan physique que mental, dit Smathers. Un jour, on était sur son bateau et il a plongé ; il est resté sous l'eau tellement longtemps qu'on s'est demandé si ce salaud allait finir par remonter. Et puis, au moment où on s'est dit qu'il avait dû se noyer, il a brusquement refait surface. Il ne connaissait pas la peur. Eh bien, il prenait les mêmes risques en ce qui concernait sa carrière, vu la façon dont il se conduisait alors qu'il était président. Il croyait à la stratégie de la corde raide. »

On a beaucoup écrit à propos du *Gentleman's Agreement* conclu entre JFK et la presse de Washington. Et avec le recul, il semble impossible que les liaisons du président aient pu passer inaperçues des journalistes de Washington.

De fait, les fredaines préconjugales de Jack étaient bien connues. Mais, à l'exception de George Smathers et peut-être de quelques autres, même les gens les plus proches des Kennedy ignoraient tout de ses histoires à la Maison-Blanche. « Si je devais témoigner à la barre, déclara Charlie Bartlett, je serais obligé de dire que je n'ai jamais eu la moindre preuve qu'il trompait Jackie. Il cachait parfaitement ses infidélités. »

Ben et Tony Bradlee répétèrent avec insistance qu'ils ignoraient tout de la conduite de Jack. Et quand ils apprirent que la sœur de Tony, Mary Meyer, avait eu une liaison avec

Jack durant les deux dernières années de sa vie, ils en furent bouleversés. En octobre 1964, alors que Mary Meyer se promenait sur le chemin de halage, le long du canal à Georgetown, on la saisit par-derrière et on l'exécuta d'une seule balle en pleine tête. Un jeune Noir fut accusé du crime et plus tard, acquitté. Après la mort de Mary Meyer, les Bradlee trouvèrent son journal intime, dans lequel elle décrivait avec moult détails sa liaison avec Jack Kennedy. Ils le transmirent à la CIA en demandant qu'il fût détruit, mais en fait, il réapparut en 1976. Plus tard, cette année-là, l'original fut rendu à Tony Bradlee, qui le brûla.

« Dire que nous étions stupéfaits ne suffirait pas à décrire notre réaction, écrivit Bradlee dans ses mémoires, *A Good Life.* Comme tout le monde, nous avions entendu parler des infidélités du président, mais nous n'en avions jamais eu la moindre preuve, pas la moindre. »

Smathers et Chuck Spalding n'étaient, eux aussi, « absolument pas au courant » de l'histoire Meyer. Yusha Auchincloss reconnut que Bobby avait probablement eu une liaison avec Marilyn Monroe, « mais pas Jack. Jackie et lui étaient bien trop amoureux l'un de l'autre ».

« Écoutez, déclara Tish Baldrige, il n'y a pas plus prude que moi, mais franchement, nous n'avons jamais rien vu. Les badinages du président étaient bien cachés. Ils étaient totalement exclus de notre vie professionnelle à la Maison-Blanche. »

Pierre Salinger voyait le président à peu près tous les jours et il pouvait se targuer de savoir tout, ou presque, de lui. Cependant, il reconnut que, en dehors de quelques dîners auxquels il fut convié, il n'était pas dans le secret de ce qui se passait derrière les portes closes des appartements privés.

« Bien sûr, j'ai entendu des ragots, raconta Salinger, mais en toute honnêteté, je peux dire que je ne l'ai jamais surpris en compagnie d'une autre femme – que je n'ai jamais eu vent d'une histoire particulière où le président aurait couché avec une autre femme que Jackie, pendant tout le temps où j'ai travaillé à la Maison-Blanche. Mais à l'époque, je ne pensais pas qu'il était un mari totalement fidèle, ça non. Jack Kennedy me poussait toujours à avoir des liaisons, ce qui m'amenait à croire qu'il devait en avoir, lui.

« Les gens disent toujours que c'était de notoriété publique et que la presse le protégeait. Mais ce sujet n'a été abordé qu'une seule fois et par un seul journaliste. Il est entré dans mon bureau un jour et il a dit : "Il paraît que Kennedy a des maîtresses." J'ai répondu : "Écoutez, il est président des États-Unis. Il est très occupé à gouverner le pays. Il n'a pas le temps d'avoir une maîtresse." Ce journaliste n'en a plus jamais reparlé, et personne n'y a plus fait allusion. »

La chroniqueuse Betty Beale déclara que la presse était dans l'ignorance la plus totale. « L'idée que le président puisse avoir une liaison avec Marilyn Monroe ou quelqu'un d'autre... eh bien, c'était purement inconcevable. » Helen Thomas, la correspondante de l'UPI à la Maison-Blanche, ne fit que renchérir. « J'étais là tous les jours, dit-elle, et je ne savais rien. Un point, c'est tout. »

« Ces gens qui aujourd'hui font les malins en disant qu'ils savaient tout des liaisons de Jack se trompent, dit Nancy Dickerson. L'opinion publique ignorait tout, comme la presse. Ben Bradlee ne savait rien, Charlie Bartlett ne savait rien, et si eux ne savaient rien – et moi non plus, je ne savais rien – alors personne ne savait rien.

« À l'époque où Mary Meyer sortait avec Jack, je sortais, moi, avec son ex-mari, Cord Meyer. Donc, j'étais très attentive à toutes ces histoires. Je savais que Jack aimait bien Mary Meyer, mais personne n'a jamais eu le moindre soupçon à leur égard. Aucun de nous n'était au courant. Nous savions qu'il s'intéressait beaucoup aux femmes, mais nous n'imaginions pas qu'il pût être infidèle à Jackie. Je n'ai jamais entendu parler de Judith Exner, ou Campbell, ou je ne sais quoi. Personne, dans la presse, ne la connaissait à l'époque. »

Donc, jusqu'à la fin de sa vie, JFK réussit à garder ses activités de don Juan à l'abri des oreilles indiscrètes de la presse. Si les détails les plus croustillants de la vie privée de JFK avaient été rendus publics, à coup sûr – même Ben Bradlee l'a reconnu – il aurait dû renoncer à son mandat. « Si l'opinion publique américaine avait su, écrivit Bradlee trente ans plus tard, que le président des États-Unis partageait sa petite amie, au sens biblique du terme, avec un chef de gang américain, et avec Dieu sait qui encore, je suis convaincu qu'il aurait été destitué. Cela paraît être une conduite impardonnablement imprudente. »

Mais Kennedy estimait sans doute qu'il prenait suffisamment de précautions. « On critique aujourd'hui l'insouciance de Jack, dit Spalding. Mais il était beaucoup plus raisonnable que ce que nous pensions. On le décrit maintenant comme totalement déchaîné, mais ce n'était pas du tout vrai. Jack était simplement le genre d'homme à qui il faut laisser la bride sur le cou, jusqu'à un certain point. Jackie le savait très bien. »

Puisque les journalistes, et même certains de ses plus proches amis, continuaient à n'être au courant de rien, Kennedy estimait sans doute être suffisamment prudent. Même si, rétrospectivement, on considère que ses efforts pour être discret n'étaient pas très convaincants, à l'époque, cela fonctionnait. Sans aucun doute, le but premier de JFK, c'était de protéger sa réputation et celle de son gouvernement. Si Jackie avait été contrainte, à la suite de révélations publiques gênantes, de demander le divorce, sa carrière aurait pris un coup fatal.

Mais il y avait d'autres raisons, plus personnelles, pour lesquelles Jack n'étala jamais ses infidélités – ou certainement pas de façon éhontée, comme on l'a affirmé ces dernières années. « Jack voulait protéger Jackie le plus possible, déclara Smathers. Jack n'aurait jamais blessé personne de façon délibérée, et Jackie moins que toute autre. Il ne s'est jamais montré grossier ni cruel avec elle ; il la respectait beaucoup trop. Il admirait particulièrement son intelligence, sans parler de sa distinction. Sans aucun doute, elle était folle de lui, et sans aucun doute, il l'aimait. Je pense simplement qu'il était incapable de rester monogame, et il s'en débrouillait du mieux qu'il pouvait... »

CHAPITRE 12

Ma femme est une personne timide et tranquille. Mais quand la situation devient difficile, elle sait parfaitement bien se tenir.

JFK

Inspirée par les éblouissants dîners officiels à Paris, Vienne et Londres – et remontée par les cocktails d'amphétamines de Max Jacobson – Jackie réussit à réaliser le rêve d'Oleg Cassini, un Versailles américain. En moins de trois ans, Jack et Jackie reçurent soixante-quatorze chefs d'État étrangers et organisèrent pas moins de soixante-six dîners et réceptions de gala.

Le premier et le plus ambitieux fut un dîner aux chandelles offert au président du Pakistan, Mohammed Ayub Khan, sur la pelouse de Mount Vernon, face au Potomac. C'était aussi le premier dîner d'apparat qu'on faisait en dehors de la Maison-Blanche.

Pour Jackie et Tish Baldrige, ce fut un cauchemar logistique. On construisit sur place une estrade pour les soixante-quatorze musiciens du National Symphony Orchestra, et on dressa une tente qui croulait sous les guirlandes de fleurs. On installa des cuisines mobiles, pour les plats froids et chauds, à l'intention du chef de la Maison-Blanche, René Verdon. Comme, à l'époque, il n'y avait pas l'électricité à Mount Vernon, on apporta trois gros générateurs. Les camions de l'armée se chargèrent de transporter la porcelaine et l'argenterie de la Maison-Blanche jusqu'à l'imposante demeure de Washington – sans parler des tables rondes et des chaises dorées qu'on utilisait généralement dans le Salon est.

On réquisitionna des vaisseaux de la Marine pour amener les cent cinquante invités de Washington. À l'arrivée, les passagers s'avancèrent entre deux rangées de Marines en tenue de cérémonie, et arrivèrent devant un parc de limousines, celles de la Maison-Blanche, qui les amenèrent jusqu'au lieu de la réception. La Garde coloniale, au son des fifres et des tambours, effectua un exercice compliqué, puis le Strolling Strings de l'Air Force donna une sérénade pendant que les invités dégustaient des *mint juleps* dans des coupes en argent.

Jackie, vêtue d'une robe en organza blanc avec une large ceinture en soie vert jaune, fit une entrée magnifique, escortée par la Garde d'honneur de la Marine en grand uniforme. Après avoir dîné d'*Avocats mimosa au crabe* et de *Poulet Chasseur* – arrosés de Château Haut-Brion blanc et de Moët et Chandon Brut Impérial – ils dansèrent au son d'un orchestre dirigé par le plus coté des chefs, Lester Lanin. « La soirée s'est déroulée sans la moindre anicroche, raconta Tish Baldrige avec émerveillement. Inoubliable ! »

Le lendemain matin, Jackie s'envola pour Hyannis Port où elle passa le reste de l'été. « Il faut absolument que je me repose, dit-elle à Jack. Cette réception m'a pris jusqu'à mon dernier gramme d'énergie. »

Après cela, la Maison-Blanche elle-même fut le théâtre de toute une série de somptueux dîners de gala, et de réceptions fastueuses, qui pouvaient rivaliser avec ce qu'avait connu la cour de Louis XIV. L'hôte et l'hôtesse – lui, bronzé et séduisant en smoking noir, elle, une vision de rêve dans ses robes chatoyantes de Cassini, avec ses coiffures bouffantes élaborées – donnaient le ton.

« Quand ils apparaissaient en haut de cet escalier, se souvint Betty Beale, c'était un couple glorieux, époustouflant, presque incroyable. Je ne sais pas s'ils ont amené la culture à Washington mais, ce qui est sûr, c'est qu'ils ont amené le prestige. Personne n'avait jamais rien vu de tel jusque-là. C'était davantage une cour royale qu'un gouvernement. »

Même les Européens, qui se targuent toujours de leur supériorité culturelle, étaient jaloux. « À coup sûr, ils ont acquis quelque chose que nous avons perdu, il y a une sorte de grandeur désinvolte dans leurs soirées, avec ces jolies femmes, la musique, ces vêtements magnifiques, le champagne et tout le reste », reconnut le Premier ministre anglais, Harold Macmillan.

La présence de Robert Frost, le jour de l'investiture, avait donné le ton du gouvernement Kennedy, qui célébra la culture de façon exceptionnelle. Des acteurs shakespeariens, des stars du Metropolitan Opera, et les musiciens classiques les plus célèbres du monde furent invités à jouer à la Maison-Blanche, pour les chefs d'État en visite.

L'un des dîners les plus mémorables fut celui donné en l'honneur du gouverneur de Porto Rico, Luis Munoz Marin, en novembre 1961. Le légendaire violoncelliste espagnol Pablo Casals devait assurer le spectacle ; il avait passé sa vie dans un semi-exil volontaire à Porto Rico. Alors qu'il avait toujours refusé de se produire dans un pays qui reconnaissait le dictateur espagnol Franco, Casals fit une exception pour Jackie. C'était la première fois que Casals mettait le pied à la Maison-Blanche depuis 1904, où il était venu jouer pour Teddy Roosevelt.

Comparant son dernier dîner de gala pendant le gouvernement Eisenhower avec le dîner Casals, Leonard Bernstein raconta : « C'était le jour et la nuit... La nourriture était ordinaire, les vins de mauvaise qualité et on n'avait pas le droit de fumer... Tout était très différent, c'était assez guindé et finalement, pas très agréable. Le dîner, de soixante-quinze couverts, avait été servi autour d'une immense table en fer à cheval, si bien que personne ne pouvait discuter avec personne. » Par contraste, lors du dîner Casals, « on a d'abord bu d'excellents alcools, et puis il y avait des cendriers partout, qui permettaient de s'empoisonner tranquillement avec des cigarettes ». Au lieu de la grande table en fer à cheval, on avait installé « beaucoup de petites tables, chacune pour une dizaine de personnes, disposées dans trois salles communicantes, si bien qu'on avait tout à fait l'impression de dîner entre amis. Le feu ronflait dans toutes les cheminées. La nourriture était merveilleuse, les vins délicieux, les gens riaient, mais riaient sans retenue, se racontant des histoires, des blagues, ils s'amusaient, ils étaient contents d'être là... C'était un plaisir de regarder ça. On aurait dit un autre monde, comme si on était tombé sur une autre planète ».

La liste des invités conviés à ces soirées se lit comme un *Who's Who* des Arts et des Lettres. Le 11 mai 1962, par exemple, lors d'un dîner donné en l'honneur d'André Malraux, il y avait George Balanchine (qui organisa à la Maison-Blanche un *pas de deux* dansé par Rudolf Noureev et Margot Fonteyn), Andrew Wyeth, Arthur Miller, Tennessee Williams, Elia Kazan et Geraldine Page.

Leonard Bernstein fut également invité à un dîner de douze couverts donné en l'honneur d'Igor Stravinsky, en 1962. Dès que Bernstein arriva à la Maison-Blanche, il demanda à Jackie où il pouvait trouver une télévision pour regarder les premières minutes d'un de ses célèbres Concerts pour la Jeunesse. « Jackie dit qu'il y avait un poste dans la chambre de Caroline, raconta-t-il. Alors, je me suis installé avec Caroline et Maud Shaw ; je me souviens très bien que la petite fille paraissait fascinée, ou du moins c'est ce que je croyais, par cette émission. Nous étions assis, main dans la main, et elle était complètement absorbée par le concert, quand brusquement, elle a levé vers moi son visage tellement lumineux et elle a dit : "J'ai un cheval à moi." Voilà qui m'a brutalement fait redescendre sur terre, si bien que j'ai éteint la télévision et que je suis descendu rejoindre les autres. »

Dans les salons, Bernstein se trouva mêlé à la file des gens qui attendaient pour saluer Stravinsky. « Quand vint mon tour, Stravinsky m'embrassa sur les deux joues, à la mode russe, et je l'embrassai également. On était plongés dans toutes ces accolades et ces embrassades à la russe quand j'ai soudain entendu une voix s'exclamer à l'autre bout de la pièce : "Eh bien, et moi, alors ?" Et c'était le président. C'est ça que je veux dire. C'était tellement sympathique et si follement peu présidentiel, mais en même temps, c'était tout de même plein de dignité. Je n'arrive pas à trouver le bon mot – la *majesté*, c'est le seul terme qui convienne. Une présence majestueuse. »

En mai 1962, lors d'un dîner historique donné en l'honneur de quarante-neuf lauréats du prix Nobel, Linus Pauling, qui l'avait remporté deux fois, tourbillonna, avec sa femme, au milieu de la salle de bal, tandis que Jack, le bras posé sur l'épaule nue de Jackie, bavardait avec des gens comme Pearl Buck et John Steinbeck. À un moment, JFK se leva pour faire l'éloge du groupe, « le plus extraordinaire rassemblement de talents et de savoir humain jamais réunis à la Maison-Blanche, à l'exception probablement des dîners solitaires de Thomas Jefferson ».

Du jour au lendemain, Washington, dont Jack jadis avait sèchement dit que c'était « une ville nordiste par le charme et sudiste par l'efficacité », était devenue une Mecque culturelle. Proclamant l'avènement d'une « nouvelle ère néoclassique de poésie et de pouvoir », Arthur Schlesinger en attribua tout le mérite à Jackie. « La curiosité et le bon goût naturel du président, écrivit-il, ont été stimulés par les exquises et pertinentes réponses de Jackie : l'art est devenu une dimension normale de l'existence. »

De fait, la renaissance culturelle qui s'épanouit durant les années Kennedy reflétait entièrement les goûts de Jackie, et non ceux de Jack. « J'avais toujours beaucoup de succès auprès du président avec tous ces chevelus, dit Tish Baldrige, qui nota qu'il préférait de beaucoup les spectacles chantés, la musique contemporaine, le jazz et même le rock and roll. À une époque, *The Twist* de Chubby Checker fut un de ses morceaux préférés, et pendant les soirées intimes, il demandait à ce qu'on le passe un nombre incalculable de fois.

« Il ne s'intéressait pas à l'opéra, il s'endormait pendant les concerts symphoniques et les ballets l'ennuyaient », dit Ted Sorensen. Lors du dîner historique de Pablo Casals, le président confia à un ami : « Pablo Casals ? Je ne savais même pas de quoi il jouait – il a fallu que quelqu'un me le dise. »

Avec sagesse, Jack s'en rapportait presque toujours aux choix de Jackie pour les cérémonies importantes. Cependant, lors d'un dîner de gala, il appela son collaborateur Chester Clifton et lui murmura quelque chose à l'oreille. Clifton transmit le message à Jackie. « Mrs. Kennedy, dit-il, le président estime que l'orchestre devrait jouer quelque chose de plus "enlevé".

– Ah bon ? répliqua Jackie. Que propose-t-il ?

– Le président pense à des morceaux semi-classiques.

– J'ai choisi moi-même cette musique, dit doucement Jackie. Mais s'il insiste, faites-leur jouer *Hail to the Chief* à répétition. Cela devrait l'amuser. » Durant le reste de la soirée, le Marine Band s'en tint au programme classique de Jackie. (Après le dîner Casals, elle nota à nouveau : « La seule musique que Jack apprécie vraiment, c'est *Hail to the Chief.* »)

Craignant toujours des retombées politiques possibles, le président prit note des critiques qu'il entendait parfois : sous l'influence de Jackie, la Maison-Blanche devenait « trop française ». Quand Tish Baldrige lui expliqua qu'il était impossible d'éliminer le français des menus de la Maison-Blanche, il demanda qu'on lui en apportât un afin de lui montrer comment s'y prendre.

« Nous avons commencé par *Potage aux vermicelles* et il a dit : "Très bien, qu'est-ce que c'est que ça ?" J'ai répondu : "C'est un *consommé* avec des petits trucs qui nagent dedans." Il a dit : "Parfait, appelons-le comme ça : au lieu de *potage*, notons *consommé*. Il y a des députés qui comprendront très bien ce mot." » Après avoir passé tout le menu en revue, JFK ne réussit à éliminer qu'un seul intitulé français : au lieu de *Salade verte, Fromages assortis*, on écrivit *Green Salad and assorted cheeses.*

Un certain nombre de critiques étaient mal venues. Quand *Newsweek* rapporta qu'on avait servi trois vins français lors d'un dîner d'apparat, Jackie téléphona à Ben Bradlee pour se plaindre : « Almaden Cabernet Sauvignon, expliqua-t-elle patiemment, ce ne sont pas trois vins français, mais un seul californien. »

Dans leurs fonctions officielles, Jack et Jackie se montraient charmants et accueillants à l'extrême, mais on peut dire que c'était une façade mensongère. Dès qu'ils n'étaient plus en représentation, ils se sentaient bien seuls. « D'être à la Maison-Blanche ne facilite pas les relations amicales, s'autorisa à dire Jackie. Personne n'est plus comme avant. Jack est encore plus isolé que moi, alors j'essaye d'inviter des amis à dîner le plus souvent possible. La plupart du temps, ce sont les Bartlett ou Bill Walton, ou quelqu'un que nous connaissons vraiment bien, parce que je déteste inviter des gens qui se sentent obligés de venir. » La remarque émouvante qu'elle fit à Oleg Cassini en dit long : « Venez nous tenir compagnie quand vous voulez. Parce que nous sommes tellement solitaires. »

Le premier couple des États-Unis ne pouvait vraiment se détendre qu'au cours de petits dîners donnés dans leurs appartements privés, pour deux ou trois couples d'amis. Leonard Bernstein participa à une de ces réceptions intimes : « On dîne dans la vaisselle d'Abraham Lincoln, avec des cuillères de Madison, et tout cela est très émouvant... Après le dîner, nous étions tous de fort belle humeur, et nous nous sommes assis au salon pour bavarder, et certains se sont même installés par terre. C'était très décontracté. »

En général, Jack s'éclipsait après le dîner, vers neuf heures, rarement après dix heures, mais ce soir-là, il se sentait dans d'heureuses dispositions. À minuit, Bernstein demanda à Jackie : « "Il se fait tard, faut-il que nous partions ?" Elle répondit : "Ne vous inquiétez pas. S'il veut rester debout, qu'il le fasse, ça ne lui est pas arrivé depuis des lustres." Et il ne s'est pas couché avant deux heures du matin. Nous n'avons fait que rire et bavarder, et je serais bien incapable de vous dire de quoi nous avons parlé pendant toute la soirée, nous avons simplement passé un moment délicieux. »

Quand ils se trouvaient avec leurs amis les plus intimes – les Bartlett, Walton, les Fay, Chuck Spalding, Lem Billings, les Bradlee, George Smathers – Jack et Jackie se départaient de leur réserve. Cassini et Jack discutaient, entre autres choses, du *Kama Sutra*. « Ce n'est pas seulement les quatre-vingt-six positions – on ne connaît personne qui ait survécu après les avoir toutes essayées avec succès – c'est un guide pour atteindre le bonheur, affirma Cassini, grâce à une parfaite connaissance de l'autre. Et seul l'amour permet d'y parvenir. »

JFK et Cassini aimaient aussi faire du « zoomorphisme » au dépens de leurs amis. Ils étaient d'accord pour dire que Jackie était un faon, et Joe un hibou. Bobby un basset et Cassini un chat siamois. « Je trouvais que lui, il ressemblait à un beau chien de chasse, comme un golden retriever ou un setter irlandais. »

Buvant rarement plus d'un whisky ou d'un daiquiri lors de ces agréables réunions, Jack en profitait aussi pour foudroyer ses ennemis politiques et diverses personnalités de la scène internationale en les traitant de « salauds » et de « merdes intégrales ». Jawaharlal Nehru faisait partie de ceux qui méritaient de figurer dans les deux catégories, d'après JFK. « Ce salaud moralisateur, disait-il du Premier ministre indien. C'est le pire charlatan que la terre ait jamais porté. »

Jackie, quant à elle, exerçait ses talents d'imitatrice. Après les dîners officiels, elle tournait en dérision de nombreux invités, y compris les chefs d'État et les hommes politiques américains. Le shah d'Iran était une de ses cibles préférées – on faisait beaucoup d'hypothèses sur sa vie sexuelle avec la shabanou Farah Diba, qui était infiniment plus jeune que lui ; même le très respecté chancelier allemand de l'après-guerre, Konrad Adenauer, n'y échappait pas : Jackie le décrivit à André Malraux comme « un peu gaga ». Sur le front intérieur, elle embrochait tout le monde, depuis les ministres Dean Rusk et Robert McNamara jusqu'à Lyndon et lady Bird Johnson, qu'elle surnommait « le colonel Cornpone[1] et sa petite côte de porc ».

« Jackie pouvait se montrer vraiment désopilante, dit Tish Baldrige. La façon dont elle singeait l'accent des gens, leurs manières – c'était observé avec beaucoup de finesse. Il avait beau s'agir des personnalités les plus respectées du monde, les imitations auxquelles elle se livrait, dès qu'ils avaient le dos tourné, étaient cinglantes. Vous vous rendez compte, si un seul de ses petits numéros avait fini par sortir. Si elle n'avait pas été si terriblement drôle, ç'aurait été purement et simplement atroce. Elle avait des dons de comique et, quand on la voyait avec des amis, on comprenait bien que toutes ces histoires de timidité, c'était absurde. C'était du cinéma. Jackie ne se montrait timide qu'avec les gens qu'elle n'aimait pas. »

Vidal en particulier appréciait ce côté des Kennedy. « Elle était très espiègle, mais de la manière la plus charmante, celle qui donne de la valeur à la vie. Elle possédait un humour très noir. Elle avait rarement quelque chose de gentil à dire sur quiconque. Jack était assez semblable, mais

1. *Cornpone*, en anglais, signifie pain de maïs. (N. du T.)

évidemment, il était obligé de montrer un peu plus de retenue. Quand ils se retrouvaient entre amis, ces deux-là se déchaînaient contre tout le monde, et on savait qu'on n'y échapperait pas, dès le moment où on aurait quitté la pièce. C'était une des raisons pour lesquelles je les aimais tant. On s'entendait sacrément bien. »

Du moins jusqu'à une réception privée donnée à la Maison-Blanche en l'honneur du magnat italien de l'automobile, Gianni Agnelli (dont, incidemment, Jack devint jaloux), en novembre 1961. Après s'être disputé avec plusieurs autres invités – surtout avec Lem Billings (« le plus grand pédé de la cour ») et la mère de Jackie – Vidal se mit en quête de ses hôtes. « Dans le Salon bleu, j'aperçus un visage amical : Jackie était assise sur un siège à dossier droit, sans accoudoir... » Vidal s'accroupit à côté d'elle pour bavarder ; au moment de se relever, il posa la main sur son épaule pour ne pas perdre l'équilibre. « C'était l'épaule ou le genou, mais le genou, ça ne semblait pas convenable. Au moment où je me relevais, une main est venue ôter la mienne de son épaule. J'ai levé les yeux. C'était Bobby. » Vidal suivit Bobby jusqu'à la porte du Salon rouge : « Comme on dit, je voyais rouge... et puis j'ai dit quelque chose du genre : "Mais, putain, pour qui tu te prends ?" »

Une âpre discussion s'engagea alors entre les deux hommes, à l'issue de laquelle Truman Capote a faussement raconté que Vidal s'était fait physiquement vider de la Maison-Blanche. En réalité, Vidal, qui poursuivit plus tard Capote pour diffamation et gagna son procès, partit (« Je l'avoue, fou de rage ») en compagnie d'Arthur Schlesinger, de John Kenneth Galbraith et de George Plimpton. Néanmoins, ce fut la dernière fois que Vidal se rendit chez les Kennedy.

Au fil des années, Jackie devenait experte dans l'art de se débarrasser des amis et de la famille – en souffrant elle-même le moins possible. « Je n'ai jamais rencontré quelqu'un qui ait aussi peu besoin des autres, dit Jamie

Auchincloss. On faisait partie de sa vie à un certain moment, et puis, on en sortait, comme ça. Et apparemment, ça ne lui faisait ni chaud ni froid. »

Très peu de gens lui étaient vraiment indispensables : son mari et ses enfants, évidemment. Et Joe. « Quand le père du président venait les voir, dit J.B. West, Jackie dansait dans toutes les pièces en le tenant par le bras, et riait à gorge déployée de toutes ses plaisanteries. » (Joe était tout aussi apprécié des femmes de l'aile ouest de la Maison-Blanche ; il venait souvent rendre visite aux « *girls* », comme il les appelait, et leur apportait des glaces qui sortaient tout juste d'une usine dont il était propriétaire.)

Le 19 décembre 1961, Kennedy senior était en train de jouer au golf à Palm Beach en compagnie de sa nièce préférée, Ann Gargan, quand il fut brusquement saisi de malaise. Ann Gargan le ramena chez lui, le coucha et appela Rose ; celle-ci affirma qu'il se sentirait mieux après un petit somme. Le déjeuner terminé, quatre heures plus tard, on finit par appeler une ambulance. Tandis qu'elle repartait, sirène hurlante, Rose, en état de choc, hébétée, reprit le cours de ses activités – une partie de golf suivie par une séance de piscine.

À la suite de cette grave attaque, le patriarche de la famille Kennedy, âgé de soixante-treize ans, se retrouva paralysé du côté droit et incapable de parler. À peine quelques jours auparavant, Jack et Jackie étaient absorbés par une triomphante tournée éclair à Porto Rico, au Venezuela et en Colombie. Comme à Paris, Jackie avait une fois de plus ravi la vedette au président ; elle s'adressait en espagnol aux gens dans la rue et embrassait les enfants dans les orphelinats et les hôpitaux. Partout où passait le cortège présidentiel, les cris de « JFK ! » se mêlaient à ceux de « Hi, Beautiful ! » et « Salut, miss America ! ».

Le président et la première dame se précipitèrent au chevet de Joe. Ils étaient tous les deux bouleversés. Joe se retrouvait cloué sur une chaise roulante et il ne pouvait plus prononcer qu'un seul mot : « Non ! » Il le répétait sans arrêt, en proie à une lamentable frustration.

Bien qu'il eût le visage tordu et qu'il bavât, Jackie insista pour qu'il participât aux différentes obligations de la Maison-Blanche. À table, elle s'asseyait à côté de lui, elle lui parlait, elle l'aidait à manger, elle lui essuyait le menton avec une serviette. Elle le faisait enrager, exactement comme avant son attaque, en lui rappelant que s'il ne l'avait pas convaincue à l'époque d'épouser Jack, elle ne serait pas aujourd'hui la première dame des États-Unis.

« Jackie et Joe étaient des potes, déclara Ham Brown, l'agent des Services secrets chargé de veiller sur le patriarche. Elle l'aimait et lui, il l'admirait et la respectait. » Brown, qui poussa le fauteuil roulant de Joe à Hyannis Port pendant les années qui suivirent, raconta que tout le monde – Bobby, Teddy, le président – tous pensaient que lui, il comprenait ce que leur père voulait dire. « Un jour, le Vieux n'arrêtait pas de répéter "non, non, non", et Jack m'a pris à part pour me demander ce que voulait son père. "Eh bien, j'ai dit, il veut que Jackie et vous, Bobby et Ethel, Ted et Joan, vous veniez tous dîner demain." Jack a dit : "Oh, bien sûr." Puis Jack s'est tourné vers Joe et il lui a dit : "On sera là demain à sept heures" ; le visage de Joe s'est éclairé. Bon sang, je n'avais pas plus idée de ce que Joe voulait que si j'avais été le Grand Turc. Mais c'est évident que n'importe quel père veut que tous ses enfants viennent dîner. Cet arrangement a satisfait tout le monde. »

En présence de son père, Jack se montrait résolument optimiste et prenait toujours garde à le faire participer à la conversation (« Qu'est-ce que t'en penses, Papa ? » « Je n'ai pas raison, Papa ? »). Mais, dans son for intérieur, il était au supplice. JFK était ému que Jackie fût tellement attachée à Joe – qu'elle partageât sa dévotion à l'égard de l'homme qui était l'épicentre du cosmos Kennedy. Quels que fussent leurs autres péchés et tromperies, cette loyauté inconditionnelle vis-à-vis de la famille et de chacun d'eux fut le ciment qui les maintint unis.

En quittant Hyannis Port à bord de l'hélicoptère présidentiel, Jack regarda son père, installé sur la pelouse, qui agitait faiblement la main sur son fauteuil roulant.

« Tout est arrivé grâce à lui, dit-il à Chuck Spalding. Rien de tout cela n'aurait pu se produire s'il n'avait pas été là. Nous lui devons tout. »

Pour Jack et Jackie, il n'y avait pas de meilleur antidote au désespoir que les potins – et plus ils étaient gratinés, meilleurs ils étaient ; Spalding en était une excellente source. « Un jour, en 1962, je revenais juste de New York, raconta Spalding, et je me suis rendu directement à la Maison-Blanche. Jack adorait savoir ce qui se passait à New York – qui sortait avec qui, enfin tous les ragots. Alors, je suis là, à la Maison-Blanche, perché sur le rebord de la baignoire, et je lui raconte tout ce qui se passe pendant qu'il se rase.

« D'un seul coup, il se retourne vers moi en posant un doigt sur ses lèvres. Et puis il ouvre la porte, et qui est là derrière ? Jackie. Alors il dit : "On a passé un marché. On n'ouvrira pas le courrier de l'autre, on n'écoutera pas les conversations téléphoniques de l'autre et on ne jouera pas non plus les oreilles indiscrètes !" »

« J'ai pensé que, cette fois, il l'avait bien eue ! dit Spalding. Mais au lieu de prendre l'air gêné, Jackie nous a simplement regardés en disant : "Deux petits gamins excités en train de jacasser sur ce qui se passe à New York. C'est lamentable." Évidemment, elle mourait d'envie de connaître les derniers potins, elle aussi. Mais elle a réussi à retourner la situation. Ça m'a impressionné. »

La cible préférée de chacun, c'était l'autre, même si plus souvent qu'à son tour, c'était Jackie qui se moquait de Jack. « Elle se mettait à l'appeler "Bunny", dit un ami, et la corrida commençait. »

« Elle adorait se moquer de lui, raconta Jacques Lowe, et lui, il adorait qu'elle le fît. » Un soir, elle demanda : « Où est donc passé ce fameux esprit Kennedy dont j'ai tellement entendu parler ? Dans les environs, on ne peut pas dire que ça foisonne. » Un après-midi, alors que le président et sa femme attendaient qu'on les photographiât lors d'une grande réception, Jackie s'empara d'une guirlande de fleurs et la lui passa autour du cou, comme s'il était un cheval de course. « Nom d'un chien, Jackie, enlève-moi ça, et arrête de faire l'idiote. Je ne veux pas qu'on me photographie comme ça, pour l'amour du ciel. » Pouffant de rire, Jackie se mit alors à lui faire des grimaces.

Jackie réservait ses commentaires les plus acerbes à ce qu'elle savait des escapades sexuelles de son époux. « Elle adorait le faire enrager, dit Smathers. Lui aussi, il savait assez bien s'y prendre avec elle. Lors des fêtes qu'ils avaient l'habitude de donner à la Maison-Blanche, quand ils dansaient ensemble, si je me mêlais à la conversation, elle disait : "Vous ne m'aurez pas comme ça ! Je vous connais tous les deux. Je parie que vous mourez d'envie de vous retrouver dix ans en arrière, quand vous vous amusiez vraiment. Peut-être dans le sud de la France. Vous aimeriez vraiment être ailleurs ce soir..." »

Il arriva très souvent que Jackie surgît au beau milieu d'une conversation où Jack et Smathers discutaient des qualités physiques de telle ou telle invitée. « On changeait de sujet, mais elle se mettait à rire en disant : "Je sais de quoi vous parliez. Vous, les gars, vous ne grandirez jamais !" »

Une de leurs plaisanteries les plus intimes tournait autour d'un tableau accroché dans le Salon ouest de la Maison-Blanche, intitulé *Arabe dans le désert assis sur un tapis en compagnie d'un tigre.* Une citation de la Bible était inscrite au dos de la toile : « Mieux vaut vivre en plein désert qu'avec une femme querelleuse et fâchée. » Régulièrement, Jack ou Jackie jetait un coup d'œil entendu en direction du tableau, se faisant ainsi comprendre de l'autre sans avoir besoin de prononcer un mot.

Jackie était la discrétion même, mais à certaines occasions, il lui arrivait de faire délibérément des remarques virulentes que d'autres pouvaient entendre. À Palm Beach, en remontant de la plage, elle apostropha Jack : « Tu ferais bien de descendre vite fait. J'en ai vu deux qui devraient beaucoup t'intéresser. »

Une autre fois, Jackie découvrit une culotte sous l'oreiller, dans la chambre du président. « Tu voudrais bien te renseigner pour savoir à qui elle appartient ? demanda-t-elle en agitant le slip sous le nez de son mari. Ce n'est pas ma taille. »

Tous leurs proches s'accordent à dire que, si Jackie était parfaitement consciente des infidélités de son mari, elle ne souhaitait absolument pas en connaître les détails. « D'après le code napoléonien, expliqua Oleg Cassini, un homme n'est coupable d'adultère que s'il le commet dans son domicile. » Cassini pense que si JFK affirmait que les « vieilles familles irlandaises », comme la sienne, fonctionnaient encore selon le mode « féodal » en ce qui concernait les relations sexuelles, c'était parce que cela lui permettait de justifier ses propres liaisons. Ce qui explique aussi, en partie, pourquoi Jackie les tolérait. « Elle les comprenait, dit-il. Ça ne lui plaisait peut-être pas, mais elle comprenait. »

« Jackie acceptait la situation parce qu'elle aimait Jack, à sa manière, fit remarquer Gore Vidal. Cependant, elle n'aurait pas accepté d'être humiliée... Et il faisait très attention à ce qu'elle ne le fût pas. Mais quand les choses commençaient à transpirer, quand elle se sentait menacée, elle le lui faisait savoir. »

Et Jackie se sentit menacée plus souvent qu'à son tour. « Ce n'était pas qu'elle craignît de perdre Jack, dit Spalding. Elle était plus forte que n'importe quelle autre femme, et elle le savait. Personne ne pouvait rivaliser avec elle. Elle l'aimait et, manifestement, elle acceptait d'en supporter beaucoup. Mais elle était également très fière, et elle pouvait se mettre très en colère si jamais on l'oubliait. »

Smathers fut témoin de plus d'un affrontement, entre Jack et Jackie. « La seule personne qui l'ait jamais embêtée, c'est Jackie, dit Smathers. Durant tout le temps passé à la Maison-Blanche, à ma connaissance, il n'y a eu qu'elle pour lui faire des remontrances. Elle lui demandait de but en blanc si les rumeurs étaient vraies et, lui, il niait tout.

« Une fois, il a dit : "Jackie, je ne ferai jamais rien qui puisse me nuire." Et elle, elle l'a regardé en disant : "C'est à moi que tu nuis !" Elle n'appréciait guère les aventures de Jack. Ça la mettait hors de ses gonds. Mais elle préférait faire semblant de ne rien voir tant qu'il se montrait prudent. Jackie ne pouvait pas supporter l'idée que les gens puissent avoir pitié d'elle ou se moquent d'elle. Elle n'aimait pas passer pour une idiote. »

Après ces bagarres à huis clos, Jackie se vengeait généralement en disparaissant (périodiquement, JFK devait remplacer sa femme à des réceptions officielles, parce qu'elle était partie sans crier gare). « Quand elle était en colère, elle s'enfuyait simplement à Glen Ora pour monter à cheval », dit Tish Baldrige.

D'autres fois, elle se mettait à dépenser de l'argent. Les quarante mille dollars qu'elle consacrait chaque année à sa garde-robe (je le répète, l'équivalent de plus d'un demi-million de dollars des années 1990) mettaient JFK hors de lui. Rien que de parcourir les factures, « il se mettait à bouillir », raconta Ben Bradlee, qui fut témoin d'une de leurs disputes à propos d'argent. « Il était plus surpris et outré que vraiment en colère. Alors qu'il pouvait se permettre de ne toucher aucun salaire, Kennedy passait son temps à rouspéter, même de façon bon enfant, à propos de l'argent. À force de jeter l'argent par les fenêtres, Jackie allait l'envoyer directement à l'hospice, avait-il coutume de dire. »

Jackie se défendait de façon convaincante. Elle lui faisait

remarquer que, contrairement aux épouses d'ambassadeur à qui le gouvernement alloue une certaine somme pour couvrir leurs dépenses, la première dame des États-Unis ne touche rien. « Or, elle se devait de faire impression tant à la Maison-Blanche qu'à l'étranger, dit Cassini, et cela revenait cher. »

Mais il n'y avait pas que la garde-robe somptuaire de Jackie qui faisait « bouillir » Jack. Elle dépensa aussi des milliers de dollars pour refaire Glen Ora à neuf, selon ses goûts. Malheureusement, c'était une maison qu'ils louaient et elle ne prit pas la peine de consulter les propriétaires ; ceux-ci exigèrent qu'elle remît les choses en l'état – quel qu'en fût le prix. En effet, ayant décidé qu'elle voulait sa propre maison, Jackie surveillait désormais la construction de Wexford, leur nouvelle résidence secondaire, à Atoka en Virginie. JFK paria cent dollars avec Bradlee que cette demeure reviendrait à moins de cinquante mille dollars ; Bradlee affirma qu'il y en aurait au moins pour soixante-quinze mille. Wexford, qui ne fut achevé qu'en novembre 1963, « coûta en définitive plus de cent mille dollars, dit Bradlee, et je n'ai jamais pu toucher l'argent de mon pari ».

Mary Gallagher, la secrétaire de Jackie, se trouvait « prise au milieu » de ce qu'elle appelait la « Bataille du Budget ». Quelle que fût l'ampleur de la crise internationale, tous les mois, Jack trouvait le temps d'éplucher les factures domestiques de Jackie – et de se mettre en colère contre son côté panier percé.

« Ces jours-ci, le président paraît plus inquiet de mon budget que de celui des États-Unis », dit Jackie. Comme à l'accoutumée, elle se montra sarcastique lorsque Jack confia à Mary Gallagher la lourde mission d'essayer de contrôler les dépenses de Jackie. « Oh, oui, Mary, dit-elle à sa secrétaire, à partir d'aujourd'hui, si je commande quoi que ce soit dont, d'après vous, je n'ai nul besoin, n'hésitez pas à me taper sur les doigts. »

Jackie émit quelques idées personnelles pour faire des

économies : elle ordonna aux maîtres d'hôtel, lors des réceptions à la Maison-Blanche, « de remplir les verres qui paraissaient à peine entamés et qui n'avaient pas de marques de rouge à lèvres sur le bord ». Mary Gallagher fut « absolument sidérée » de cette proposition. « J'ignore si elle parlait sérieusement ou si c'était ironique. »

Ils n'avaient aucun scrupule à se quereller devant leurs amis pour des questions d'argent ; les Bradlee racontèrent plus tard qu'ils servaient « d'isolant » lors de ces bagarres. Mais en dehors de ces petites défaillances, ils ne révélaient rien de leur vie privée au monde extérieur. « Ils considéraient tous les deux la demeure présidentielle comme sacrosainte, dit Tish Baldrige. Elle portait un masque. »

Cassini attribue à « une dignité naturelle » le refus de Jackie d'étaler en public ses problèmes personnels. « C'était une femme d'une grande fierté. Si jamais elle s'était disputée avec Jack dix minutes auparavant, elle ne le montrait jamais.

« La princesse Diana, alors qu'elle était plus âgée que ne l'était Jackie à l'époque de la Maison-Blanche, mettait ses tripes à l'air en public – Mrs. Kennedy n'aurait jamais fait une chose pareille. Jackie était faite d'une autre pâte, beaucoup plus dure. »

Une fois achevée la restauration de la Maison-Blanche, Jackie se mit en quête de nouveaux projets. Sur la demande de Jack, elle partit en mars 1962 faire seule son premier voyage officiel à l'étranger, en tant que première dame du pays. Première étape : Rome, où, vêtue d'une robe noire descendant jusqu'aux pieds, dessinée par Cassini, et d'une mantille empruntée à Ethel, elle fut reçue en audience privée par le pape Jean XXIII – la plus longue qu'il ait jamais accordée. Ils bavardèrent pendant plus d'une demi-heure en français, et, en le quittant, elle s'exclama qu'il avait « dans les yeux, des siècles de bonté ».

D'Italie, Jackie – accompagnée par sa sœur Lee, sa femme de chambre, Provi, son coiffeur, son homme des Services secrets préféré, vingt-quatre gardes, soixante-quatre valises, et soixante journalistes et photographes – s'envola vers l'Inde pour ce qui était annoncé comme une visite d'amitié de deux semaines, culturelle et semi-officielle. Quand elle fut accueillie, à l'aéroport de Delhi par le Premier ministre Nehru, elle avait déjà froissé les délicates susceptibilités diplomatiques en repoussant trois fois le voyage, ce qui avait provoqué quarante-sept changements d'horaires. Elle avait invoqué, pour excuser ce retard, des problèmes de sinus, mais en réalité, Jackie n'avait guère de courage pour se lancer dans un tel voyage. « Jack est toujours tellement fier de moi quand je fais ce genre de choses, dit-elle, mais je ne supporte pas de me retrouver en première ligne. Je sais que ça paraît banal, mais ce dont j'ai vraiment envie, c'est d'être derrière lui, et de me montrer une bonne épouse et une bonne mère. »

Accompagnée par John Kenneth Galbraith, l'ambassadeur américain dégingandé, Jackie vit le Taj Mahal au petit matin et au clair de lune, descendit le Gange à bord d'un bateau orné de soucis, passa devant les buffles indiens et les pèlerins, chevaucha un éléphant âgé de trente-cinq ans qui s'appelait Bibi (« La première et la dernière fois que je suis montée sur le dos d'un éléphant ! »), nourrit des pandas, assista à un match de polo, sauta à cheval en compagnie de soldats de la garde de New Delhi, et se réfugia entre les bras de Nehru en voyant une mangouste attaquer un cobra.

« La scène qui s'est déroulée hier sur la pelouse du Premier ministre restera gravée dans toutes les mémoires », nota Galbraith dans son journal, après avoir décrit un des dîners officiels donnés en l'honneur de Jackie. Les lumières « faisaient briller une impressionnante collection de saris – toutes les femmes présentes avaient passé des heures à faire leur choix ». Les « hôtes de marque » étaient installés « sous un dais, et ce dais n'était fait que de pétales de fleurs. Et surtout, il y avait la scène, remplie de danseurs et de musiciens, vêtus de costumes de couleurs vives, et les femmes, qui tournoyaient en tout sens, étaient particulièrement déchaînées ».

Mais l'ambassadeur Galbraith fut aussi impressionné par l'intérêt que Jackie manifesta vis-à-vis des problèmes sociaux du pays. « Elle s'intéressait au problème de population, en particulier à la politique indienne en matière de contrôle des naissances, dit Galbraith. Je sais qu'elle a informé le président de ce qu'elle pensait de ce problème, ainsi que d'autres. » JFK en a-t-il tenu compte ? « Absolument, répliqua Galbraith. Quand Jackie parlait en vous dévisageant de tous ses yeux, croyez-moi, on l'écoutait. »

Cependant, après deux jours passés dans le célèbre Palais rose, où elle fut reçue par le maharadjah et la maharani de Jaipur, les journaux considérèrent qu'elle consacrait trop de temps à frayer avec les classes supérieures. Le président donna l'ordre qu'on rajoute rapidement quelques hôpitaux supplémentaires à l'itinéraire prévu initialement pour sa femme. Pour rendre hommage au Mahatma Gandhi, elle visita l'endroit où le fondateur de l'Inde moderne avait été incinéré, et y déposa un bouquet de roses blanches.

Peu importait en définitive où elle allait et ce qu'elle faisait. Dès qu'elle posa le pied sur le sol du sous-continent, Jackie fut plus ou moins considérée comme une visiteuse royale. Tandis qu'elle défilait, assise à l'arrière d'une voiture ouverte, donnant ses premiers *namastes*, le signe de bienvenue traditionnel des Indiens, les paumes jointes, la foule emplissait les rues, criant : « *Jackie Ki Jai ! Ameriki Rani !* (Salut Jackie ! Reine de l'Amérique !) » « Tant que Mrs. Kennedy était ici, rien d'autre ne s'est passé », écrivit le *Times of India.* Un autre journal l'appela, en toute simplicité, la nouvelle « Durga, déesse du Pouvoir ».

Parmi les présents prodigués à la « déesse » en visite, il y eut un sari de soie d'or chatoyant, un collier d'or incrusté de perles, un poignard d'argent, des petits vêtements de cérémonie destinés à Caroline et John-John, et des bébés tigres jumeaux. Les bébés tigres, un cadeau d'Air India, moururent avant qu'on ne pût les expédier aux États-Unis.

L'étape suivante fut le Pakistan, où la foule emplissait les rues tandis qu'elle se rendait à bord d'une voiture découverte, en compagnie du président Ayub Khan, de l'aéroport à Lahore. Ensuite, elle fit son entrée au Horse & Cattle Show de Lahore, aux côtés du président, dans une calèche dorée, tirée par six chevaux et escortée par quarante cavaliers vêtus d'uniformes cramoisis. Plus de quarante mille personnes acclamèrent Jackie tandis qu'elle regardait des chevaux arabes de toute beauté effectuer des exercices compliqués et des chameaux danser.

Pour montrer qu'il avait apprécié le spectaculaire dîner d'apparat donné en son honneur à Mount Vernon, le chef d'État pakistanais lui offrit un somptueux collier de rubis, de diamants et d'émeraudes ; mais il lui donna également le plus beau des cadeaux jamais offerts par un chef d'État étranger : Sardar, un hongre pur-sang bai de dix ans, ayant déjà remporté des prix.

Jackie visita Rawalpindi, Karachi et le Défilé de Khyber. Bien qu'elle ait été émue de voir le Taj Mahal, dédié par l'empereur mogol Shah Jahan à la mémoire de sa femme, Jackie parut encore plus émerveillée par les splendides jardins Shalimar du Pakistan, que Shah Jahan avait conçus en hommage à son père. « Ma vie durant, j'ai rêvé de venir dans les jardins Shalimar, déclara Jackie. C'est encore plus beau que ce que j'imaginais. Je regrette seulement que mon mari ne soit pas avec moi. »

Après avoir fait étape à Londres pour déjeuner avec la reine Elizabeth à Buckingham Palace, Jackie rentra à Washington. Son voyage en Inde s'était révélé une mine de publicité pour le gouvernement. Pendant des semaines, les photos de Jackie et Lee perchées sur le dos d'un éléphant et se promenant à côté du Taj Mahal envahirent les magazines. « Il savait comme elle était douée pour rehausser le prestige américain à l'étranger, observa Teddy White. Franklin et Eleanor

Roosevelt étaient très aimés, mais personne n'a su soulever les foules, tant ici qu'à l'étranger, comme Jack et Jackie Kennedy. »

En dépit des critiques de quelques députés républicains maussades, fâchés qu'on utilisât un avion militaire pour transporter Sadar, le cheval de Jackie, du Pakistan aux États-Unis, Jackie revint auprès de son époux avec une confiance accrue dans ses talents de première dame du pays. Elle était également persuadée, et elle n'avait pas tort, qu'il avait passé presque tous ses loisirs en compagnie d'autres femmes.

Ce fut vers cette époque que, à en croire Peter Lawford, Marilyn Monroe aurait téléphoné à la Maison-Blanche pour informer Jackie qu'elle avait une liaison sérieuse avec son mari. « Marilyn, aurait répondu Jackie, vous épouserez Jack, c'est formidable, et vous vous installerez à la Maison-Blanche, et vous assumerez toutes les responsabilités incombant à la première dame du pays, et moi, je déménage et c'est sur vous que retomberont tous les problèmes. »

Certains considèrent cette histoire comme apocryphe. Mais d'autres n'en sont pas si sûrs. « Je n'hésite pas à croire que c'est arrivé, absolument, dit Jamie Auchincloss. Après tout, Jackie était ma sœur, et ça ressemble exactement au genre de choses gonflées qu'elle aurait pu dire. »

En vérité, Jack était en train de ralentir le rythme de ses liaisons avec Marilyn et avec Judy Campbell – pour concentrer toute son attention sur Mary Meyer. Cette aventure prit un curieux tournant lorsque Mary Meyer, à en croire James Angleton, l'important agent de la CIA qui lut plus tard son journal intime, fuma trois joints de marijuana avec Jack à la Maison-Blanche. Angleton affirma aussi que JFK prit du LSD – « un agréable trip à l'acide, pendant lequel ils firent l'amour ».

Jackie ignorait tout de l'histoire avec Mary Meyer, et elle n'avait guère le temps de s'appesantir sur l'importance de la relation de Jack avec Marilyn Monroe. En avril, il y eut les dîners d'apparat pour le shah d'Iran et pour les lauréats du prix Nobel.

Le dîner en l'honneur du shah et de l'impératrice présentait un défi particulier pour Jackie. « Il s'agirait de faire attention, Jackie, se moqua JFK. Il va falloir exhiber tous tes bijoux. » D'après Tish Baldrige, Jackie commença « à emprunter des bijoux à droite et à gauche, comme une folle, pour essayer d'être à la hauteur de Sa Royale Majesté, la reine Farah. » Mais finalement, Mme Kennedy fit quelque chose de très astucieux. Elle décida de ne porter aucun bijou, à l'exception d'un dans les cheveux.

Évidemment, Farah arriva avec le shah, vêtue d'une robe brodée d'or, scintillante de sequins, et chargée de toutes les pierreries du royaume d'Iran devant, derrière et sur la tête. Et le président n'arrêtait pas de se moquer de sa femme en lui disant : « Tu es sûre d'avoir fait le bon choix ? Tu sais, Jackie, elle est tout à fait jolie, et sa robe est très réussie. Je parie que la facture a été encore plus salée que la tienne. »

Le 2 mai, dans l'après-midi, elle accueillit des diplomates, et le lendemain, assista à un déjeuner au Club du Congrès. Le 8 mai, elle baptisa le sous-marin nucléaire *Lafayette*, à Groton, dans le Connecticut (« *Je te baptise Lafayette !* »), le jour suivant, elle reçut le Premier ministre norvégien, et deux jours plus tard, ce fut cette mémorable soirée à la Maison-Blanche donnée en l'honneur d'André Malraux. Le 22 mai, on la vit à côté de son mari, vêtue encore une fois d'une robe splendide incrustée de perles de cristal, présider un dîner officiel pour le président de la Côte-d'Ivoire. Entre-temps, il y eut d'innombrables séances de photos, des réunions et des conférences de presse. « Leur emploi du temps, reconnut White, aurait terrassé n'importe qui d'autre. »

En juin, au moment où ils s'embarquèrent pour leur voyage officiel au Mexique, Jack et Jackie en étaient arrivés à ne plus pouvoir se passer des injections d'amphétamines de Max Jacobson. « En voyant le jeune John F. Kennedy, tête nue, l'émotion des Mexicains fut à son comble, raconta Tish Baldrige, et ils lancèrent une telle masse de confetti que, sur plusieurs pâtés de maisons, les conducteurs de voitures ne voyaient pas plus loin que leurs phares. » Une fois de plus, Jackie effectua son habituelle tournée des institutions charitables pour enfants et conquit tous les publics grâce à son espagnol impeccable.

Presque tout le mois de juillet se passa à Cape Cod, en compagnie des enfants, mais cette brève idylle estivale fut bouleversée par la mort de Marilyn Monroe. La nouvelle fit des vagues dans le monde entier, provoquant un raz de marée d'articles condamnant Hollywood, cette machine à faire des vedettes dépourvue de cœur, et faisant l'éloge de Marilyn, sa dernière victime.

La réaction de Jack à la mort de Marilyn – sans même parler des coups de fil urgents entre Peter Lawford, Bobby et Jack – dépassa largement le fait qu'elle lui avait chanté *Happy Birthday* seulement neuf semaines auparavant. On était vraiment très inquiet à l'idée que le FBI avait réussi à mettre la main sur les bandes où on entendait Marilyn faire l'amour avec les deux frères Kennedy ; en cas de fuite, le gouvernement courait à la catastrophe.

Jackie n'était pas au courant de tous les détails, mais elle savait reconnaître quand une situation se corsait. Exaspérée, elle emmena Caroline et une douzaine d'agents des Services secrets à Ravello, le village près d'Amalfi, en Italie, où les Radziwill avaient loué une villa dominant la mer pour l'été. « C'était sa façon de lui dire, raconta Smathers, que cette fois, il avait été trop loin. Elle craignait vraiment de se retrouver humiliée ou gênée. Ça ne lui plaisait vraiment pas, mais alors, sacrément pas du tout ! »

Poursuivie sans arrêt par des paparazzi infatigables, Jackie se promena dans les rues du village, fit quelques achats, lut, alla faire du ski nautique et emmena Caroline à une fête d'enfants dans la villa d'une amie américaine, le Dr Judith Schoellkopf. Deux semaines passèrent, et Jackie ne montrait pas la moindre intention de rentrer ; la presse commença à le remarquer.

« Jacqueline Kennedy avait, à l'origine, prévu de rester deux semaines à Ravello, raconta le *Time*. Mais les deux semaines sont devenues trois, et maintenant, nous en sommes à quatre. Elle semble tellement s'amuser qu'on dirait presque qu'elle est décidée à s'installer là de façon définitive. »

Pendant son séjour, Naples fut pris dans un tremblement de terre. Jackie, qui en ressentit les secousses, adressa personnellement un message aux victimes de la catastrophe. « Je suis profondément touchée par les destructions provoquées par le tremblement de terre en Italie du Sud, écrivit-elle. Depuis deux semaines, mon admiration et mon affection à l'égard des gens habitant cette partie du globe n'ont cessé de croître et je leur suis très reconnaissante de leur gentillesse et de leur courtoisie. Quelle catastrophe, quand on a une telle générosité de cœur et d'esprit, de souffrir de la perte de ceux qu'on aime et de se retrouver sans foyer. Je prie pour qu'on puisse venir en aide rapidement à toutes les victimes. » Cette réaction spontanée gagna à *la bella Jackie* les quelques cœurs italiens qui ne lui étaient pas encore acquis.

Généralement, Jack appréciait – et même encourageait – les absences de sa femme. Mais on commençait à chuchoter que Jackie avait peut-être d'autres raisons pour rester sur la côte d'Amalfi inondée de soleil. Un autre invité des Radziwill lui accordait toute son attention, le charmant président de la Fiat, Gianni Agnelli.

Jack téléphona plusieurs fois à Jackie, la pressant de rentrer. Lorsque l'Associated Press publia des photographies d'Agnelli et Jackie plongeant depuis le yacht du magnat italien, Jack balança un câble : UN PEU PLUS DE CAROLINE ET UN PEU MOINS D'AGNELLI. La réponse de Jackie fut d'aller faire de la plongée sous-marine avec Agnelli dès le lendemain. (Ce qui, au moins, faisait plaisir à Cassini, dont les ventes de maillots de bain explosèrent après les multiples photos de Jackie en Italie, vêtue de ses une-pièce de couleurs vives.)

« Croyez-le ou non, dit Betty Spalding, mais Jack était jaloux quand il voyait Jackie en compagnie d'un autre homme, même un copain comme Bill Walton, parce qu'il était persuadé qu'elle se comportait de la même façon que lui. Dans l'esprit de Jack, les autres femmes qu'il fréquentait ne venaient pas interférer avec les responsabilités qu'il avait à l'égard de sa femme. »

Après avoir souffert pendant des années des infidélités de Jack dans un silence relatif, elle savourait l'idée de plonger son mari dans les mêmes tourments. « Que puis-je faire ? demanda-t-elle avec une feinte timidité. Je dîne avec quelqu'un, je danse avec quelqu'un, je rends visite à quelqu'un, je me fais photographier avec quelqu'un sans Jack – et automatiquement, tout le monde dit : "Oh, ce doit être son nouvel amant." Ça me dépasse ! »

Jackie fut-elle absolument fidèle durant leurs années à la Maison-Blanche ? David Schoenbrun, qui, après avoir travaillé à CBS, fit partie du gouvernement à Washington, et que JFK admirait beaucoup, racontait en privé qu'il « ne fallait pas s'inquiéter pour Jackie » – elle avait, elle aussi, des liaisons.

Jusqu'à la fin des années 1950, on se posa beaucoup de questions sur ses relations avec Walter Sohier. À coup sûr, Jackie et l'attorney célibataire de Washington étaient très proches ; quand elle se sentait vraiment abandonnée par Jack, elle passait des heures avec Sohier dans sa maison de Georgetown.

Betty Beale, une des plus vieilles chroniqueuses de Washington, reconnut que « Jackie n'avait rien d'une puritaine. À l'évidence, elle appréciait la compagnie d'autres hommes que son mari. C'est difficile de lui en faire reproche. Je pense que Jackie aimait Jack, mais étant donné ce qu'il avait connu, c'est difficile d'imaginer qu'il ait pu se montrer fidèle à une femme. »

« Jack était jaloux d'elle, admit Cassini. Mais si elle avait couché avec quelqu'un d'autre, pour elle, cela aurait été une véritable catastrophe. N'empêche, ajouta-t-il, j'ai toujours eu le sentiment qu'elle était agacée, mais je n'ai jamais pensé qu'elle avait l'intention de lui rendre la monnaie de sa pièce... »

En revenant début septembre, au moment de la Fête du Travail, Jackie reprit son rythme forcené. Au milieu du mois, elle regarda avec Jack l'America's Cup à Newport, puis participa à la réception et au dîner officiels aux Breakers. Quelques jours plus tard, elle assista à l'inauguration du Philharmonic Hall de New York, le premier de ces bâtiments massifs qui allaient constituer l'ensemble du Lincoln Center.

Leonard Bernstein, qui dirigeait l'orchestre, commit ce que certains considérèrent comme un faux pas impardonnable ; le concert fini, il embrassa Jackie dans les coulisses. « Eh bien, la presse en a fait des gorges chaudes, se souvint Bernstein, et toute la Maison-Blanche était consternée parce que j'étais tellement moite. Je veux dire, cet horrible chef d'orchestre en sueur embrassant cette somptueuse créature, sur tous les écrans de télévision américains, ce n'était pas acceptable. Et ça me poursuit toujours. Horrible. Mais ça n'a pas l'air d'avoir perturbé nos relations. »

Le matin du 16 octobre 1962, les espions américains informèrent JFK qu'on distinguait clairement, sur des photos aériennes, la présence de missiles nucléaires offensifs à Cuba. Durant la semaine qui suivit, des réunions ultra-secrètes se déroulèrent derrière des portes closes à la Maison-Blanche. Sans même que le personnel fût au courant, des membres du Pentagone et du ministère des Affaires étrangères dormirent sur des lits de camp derrière ces portes fermées. Jack expliqua à sa femme la gravité de la situation, et l'importance de continuer les activités quotidiennes de la Maison-Blanche comme à l'accoutumée.

Le président n'avait que peu de choix – une attaque aérienne, c'est-à-dire une invasion, la négociation d'un accord par l'intermédiaire des Nations unies, ou un blocus naval de l'île. Au début, Jack, très énervé, et dont le jugement était peut-être faussé par les piqûres d'amphétamines qu'il prenait pour assumer les réunions stratégiques qui duraient vingt-quatre heures sur vingt-quatre, penchait pour une intervention militaire rapide et décisive.

Dans les réunions du Conseil national de sécurité, la voix de la raison fut celle du ministre de la Défense, Roswell Gilpatric. Alors que le conseiller présidentiel McGeorge Bundy préconisait une attaque aérienne, Gilpatric s'interposa. « Fondamentalement, Monsieur le Président, dit Gilpatric, il s'agit d'un choix entre une action dont on maîtrise les limites et une autre dont on ignore où elle peut nous mener ; et la plupart d'entre nous pensent qu'il vaut mieux commencer par une action limitée. » JFK hocha la tête en signe d'approbation.

Le dimanche suivant, J.B. West fut réveillé en sursaut par un coup de fil de Jackie. Il se rendit aussitôt dans les appartements privés de la Maison-Blanche, en passant par une porte dérobée pour ne pas éveiller les soupçons. « Merci d'être venu, dit-elle calmement. Il se mijote quelque chose qui pourrait bien tourner à la catastrophe totale – ce qui signifie que nous serons peut-être amenés à annuler le dîner et le bal en l'honneur du maharadjah et de la maharani de Jaipur mardi soir. »

Bien qu'il fût complètement absorbé par la crise montante, Jack réussit quand même à voler quelques moments avec Caroline et John-John. Celui-ci, pour empirer encore la situation, était au fond de son lit avec quarante degrés de fièvre. Pris d'un accès de mélancolie qui ne lui ressemblait guère, Jack se tourna vers Jackie. « Nous, nous avons déjà eu notre chance, dit-il. Mais les enfants, que va-t-il leur arriver ? »

Le lendemain soir, le président s'adressa au pays pour annoncer qu'il avait ordonné la mise en place d'un blocus. La crise des missiles cubains venait de commencer. Alors que le monde vacillait au bord de la guerre nucléaire, Jackie, si elle fumait encore plus que d'habitude, demeurait d'un calme étonnant. Le dîner officiel ayant été annulé, elle invita quelques amis – Bobby et Ethel, Lee et Stas, ainsi qu'Oleg Cassini – à venir passer la soirée à la Maison-Blanche.

« Jackie essayait de se montrer optimiste, raconta Cassini. Mais l'atmosphère était tendue. » Jack, quant à lui, se montrait « détaché, fataliste ».

Enfin, McGeorge Bundy vint prévenir le président qu'un navire soviétique avait préféré faire demi-tour plutôt que de forcer le blocus. « Bien, dit JFK, on a encore 20 % de chances de se retrouver en guerre avec la Russie. »

Quand ils se retrouvèrent seuls, Cassini demanda : « Monsieur le Président, vous voulez dire que la guerre est encore possible ?

– Oh, oui, répondit Jack sans se démonter. Tout à fait possible. »

La crise dura treize jours. Puis, le 24 octobre, les navires soviétiques porte-missiles firent demi-tour. « Nous sommes nez à nez, déclara Dean Rusk, le ministre des Affaires étrangères, et je crois que l'autre vient juste de froncer les narines. » Et sur cette parole historique, Rusk signifia la fin de la crise. Le monde entier poussa un soupir de soulagement.

Chuck Spalding était sur la route, entre sa maison dans le Connecticut et son bureau de Manhattan, quand la radio annonça que les Russes avaient cédé. « Je me suis arrêté dès que j'ai vu une cabine téléphonique et j'ai appelé la Maison-Blanche. Jack a répondu. "Vous avez réussi ! Vous avez réussi !", ai-je crié.

« Il y a eu un silence, puis il a répondu, très calmement :

"J'imagine que les gars à Wall Street doivent en être assez satisfaits ?" Le monde venait à peine d'échapper à la destruction nucléaire, et lui, il était suffisamment tranquille pour faire ce genre de remarque pleine d'esprit. »

Jack ne put résister à l'envie de révéler à ses amis le nom de ceux qui avaient été sélectionnés pour accompagner la première famille du pays dans l'abri souterrain du gouvernement, situé à cinquante kilomètres de Washington. « Je crains bien, dit-il à Ben et Tony Bradlee pendant le dîner, qu'aucun de vous n'était prévu. »

Même si JFK venait de sauver le monde de l'anéantissement, ce n'était pas suffisant pour conquérir le cœur de tous ses concitoyens. Immédiatement après la crise, il convoqua Tish Baldrige dans son bureau. « Vous savez, j'ai réfléchi, lui dit-il. Aucun de ces gens [McGeorge Bundy, Dean Rusk, Sorensen, McNamara, Salinger, Gilpatric et tous ses proches conseillers] n'est allé se coucher durant ces treize jours. Ils ne m'ont pas quitté d'une semelle et je veux marquer cet événement d'une pierre blanche. Je veux leur faire un cadeau qui rappelle combien je leur suis reconnaissant d'être resté à mes côtés. »

Il lui demanda d'en parler à son ancien patron, le président de Tiffany, Walter Hoving ; il voulait commander quarante calendriers d'argent fin, avec le mois d'octobre surmonté de « JFK » et les treize jours fatidiques encerclés. Quand il se rendit compte que chacun allait coûter quarante dollars, il demanda à Tish Baldrige que Tiffany réalise une version plus économique en Lucite. Hoving refusa.

Alors Jack demanda un rabais. « Jamais, répondit Hoving. Abraham Lincoln a essayé d'avoir un rabais chez Tiffany pour un collier de perles destiné à sa femme et nous n'avons pas accepté. Nous ne concédons jamais de rabais aux présidents. »

Le président se mit en colère. « Quoi ? Dites à ce salaud d'Hoving, cria-t-il à Baldrige, que nous n'achèterons plus jamais rien chez eux – aucun cadeau officiel, rien ! » En définitive, JFK se calma et accepta de payer le prix fort de sa poche, et la Maison-Blanche continua à se fournir chez Tiffany.

Jack expliqua aux Bradlee qu'il avait le sentiment que la « victoire » qu'il avait remportée sur les Russes était, au mieux, inutile. Il était persuadé qu'une fausse manœuvre fatidique était inévitable entre les deux superpuissances, ce qui aurait pour résultat de balayer « tous ceux qui sont à cette table et nos enfants ».

Le côté fataliste de Jack n'étonnait plus ses amis. Il parlait souvent d'assassinat, et se demandait s'il serait tué dans une voiture découverte, en plein centre d'une ville, « au milieu des gens et du bruit... ».

Larry Newman, leur voisin de Hyannis Port, fut convié à écouter la messe en compagnie de Jack, lors d'un week-end. « Croyez-vous que si quelqu'un essayait de me tirer dessus, demanda celui-ci tranquillement, il toucherait d'abord l'un de vous ?

– Non, Monsieur le Président, répondit Newman, mais maintenant que j'y pense, dimanche prochain, je ne m'assiérai pas à côté de vous ! »

Jack sourit. « C'est parfait, dit-il en jetant un coup d'œil aux journalistes installés quelques rangs derrière. J'ai toujours la presse derrière moi pour me protéger. »

Le 8 janvier 1963, le plus célèbre tableau du monde, *La Joconde*, fut dévoilé à la National Gallery of Art de Washington. Essentiellement par amitié pour Jackie, André Malraux, le ministre français de la Culture, accepta que le chef-d'œuvre de Léonard de Vinci quittât le Louvre, non pour être prêté à un musée américain, mais au président à titre personnel. Les journalistes qui suivaient l'événement observèrent que Jackie, vêtue d'une robe mauve sans manches, incrustée de pierreries, volait la vedette à *Mona Lisa.*

Trois jours plus tard, alors que Jackie était en train de dicter une lettre à Mary Gallagher, elle s'interrompit brusquement. « Mary, estimez-vous que, jusqu'à présent, j'en aie fait suffisamment en tant que première dame du pays ?

– Oui, Jackie, répondit Mary Gallagher. Je pense que vous avez fait même plus que votre part. »

C'était une question toute rhétorique, évidemment. Jackie avait été la première dame la plus active que la Maison-Blanche eût connue depuis Eleanor Roosevelt, se déplaçant davantage en deux ans que toutes celles qui l'avaient précédée.

Elle convoqua Tish Baldrige au salon. « Je prends le voile ! » annonça-t-elle gaiement. Elle déclara que, dans l'avenir immédiat, elle avait décidé de se consacrer à sa famille. Elle renonçait à toutes les activités extérieures qui n'étaient pas indispensables – plus de voyages à l'étranger « semi-officiels », plus de déjeuners, plus de séances photo, plus de lancements de bateau ou de visites d'hôpitaux. Elle se limiterait uniquement aux devoirs que son époux estimerait fondamentaux. Bien qu'elle ne donnât pas la vraie raison qui la poussait ainsi à restreindre de façon drastique son emploi du temps, tout le monde la devina. Jackie était enceinte.

Le principal « devoir fondamental » que Jackie se sentait obligée d'assumer, c'était l'organisation des dîners de gala. Après en avoir donné un en l'honneur du président de la Cour suprême Earl Warren et de Lyndon B. Johnson, et un autre pour le président du Venezuela, elle invita en mars les acteurs new-yorkais de *Brigadoon* pour distraire le jeune roi du Maroc, Hassan II. Sol Hurok, Myrna Loy et Agnes de Mille comptaient parmi les invités, ainsi que le parolier de cette comédie musicale, Alan Jay Lerner.

Tish Baldrige avait prévu des solutions de rechange pour tous les problèmes imaginables. À cause de l'espace restreint, il fallait remplacer le Marine Band par de la musique enregistrée. Quand JFK s'inquiéta à l'idée que la bande magnétique se cassât, Baldrige répliqua fièrement qu'une bande de secours passerait en même temps, justement pour faire face à une telle éventualité.

Mais au milieu du spectacle, on alluma un projecteur supplémentaire, ce qui grilla les fusibles. Le Salon ouest fut plongé dans les ténèbres. L'arme au poing, une douzaine d'agents des Services secrets, horrifiés, se précipitèrent vers toutes les fenêtres et les portes. Dans la salle d'un noir d'encre, le président se tourna tranquillement vers son hôte de marque et chuchota : « Votre Majesté, cela fait partie du spectacle, vous savez. »

Les lumières revinrent deux minutes plus tard. Jackie se pencha en avant sur son siège, échangea un regard entendu avec son mari et lui fit un clin d'œil.

Après le spectacle, Jack remercia Lerner, avec qui il était allé à Choate : « Et dire qu'aucun de nous deux ne pensait que l'autre réussirait quoi que ce soit ! »

L'épisode des fusibles grillés ne fut pas le seul incident important qui vint perturber le bon déroulement des réceptions officielles. Lors d'un dîner donné quelque temps plus tard en l'honneur du roi d'Afghanistan, JFK demanda que le feu d'artifice, prévu pour durer huit minutes au-dessus de la Maison-Blanche, fût réduit à quatre. Du coup, les détonations furent tellement intenses que les gardes du corps et les agents des Services secrets bondirent vers le président et le roi pour les protéger. La police de Washington fut submergée d'appels demandant si un avion s'était écrasé ou si la ville avait été attaquée.

À une autre occasion, les chanteurs du Metropolitan Opera donnèrent une représentation de *Cosi Fan Tutte* pour les enfants du corps diplomatique, dans la Salle à manger d'apparat. « Le président alla leur parler, raconta Tish Baldrige. Une des vedettes du spectacle portait un turban de vison orné de grandes plumes d'autruche qui se trouvaient juste à la hauteur des bougies plantées dans des appliques murales. Les plumes s'enflammèrent d'un seul coup, en bloc. »

Le feu fut rapidement maîtrisé, mais certains enfants se mirent à pleurer. « Le président les prit dans ses bras, se souvint Baldrige, mais ils continuèrent à pleurer. Alors, il éclata de rire, parce qu'il n'y avait plus de danger, et ces enfants apeurés – en voyant le président se mettre à rire de bon cœur, eh bien, eux aussi, ils ont commencé à rire, et bientôt, tout le monde riait dans la salle. On a bien vu comme il était formidable. Tout le monde l'adorait. »

Le 18 avril, Jackie annonça officiellement de Palm Beach qu'elle était enceinte. Roswell Gilpatric, l'avocat de New York qui était alors numéro deux au ministère de la Défense, après McNamara, et qui avait représenté la voix de la raison durant la crise des missiles cubains, fut un des premiers à lui adresser une lettre de félicitations. Jackie, à l'évidence, appréciait beaucoup la compagnie de Gilpatric, et leur façon intime de se comporter au cours des diverses réceptions de la Maison-Blanche avait attiré l'attention aussi bien de Jack que de la troisième femme (il en eut cinq) de Gilpatric, Madelin.

« C'était si gentil de votre part de m'écrire à propos du bébé, répondit Jackie. C'est un tel bonheur et je vous remercie d'avoir pris le temps de le faire – Et à présent que je ne suis pas obligée d'aller à tous ces déjeuners de dames, j'espère venir vous voir, Madelin et vous, en mai ou en juin. »

Pendant que le président et Jackie se reposaient au soleil de la Floride, Tish Baldrige resta seule pour répondre aux innombrables demandes où la présence officielle de la première dame du pays était requise. Tish Baldrige était une femme à la personnalité ouverte et sans prétentions, et elle était très appréciée des journalistes de Washington. Elle vint exposer à Jackie les terribles exigences dues à sa position. Elle se donnait beaucoup de mal pour protéger Jackie, mais il lui arriva d'affirmer : « Il faut que vous fassiez cela. »

« Je ne suis pas obligée de faire quoi que ce soit », se plaignit Jackie à son époux.

« J'étais dans une position des plus inconfortables, dit Tish Baldrige, puisque j'étais à la fois une vieille amie et quelqu'un qui travaillait pour elle. » En revenant d'un voyage à New York où elle avait été voir Noureev et Fonteyn se produire au Lincoln Center, Jackie décida que la première chose à faire, c'était de remplacer Tish Baldrige. Elle choisit une autre de ses relations, en fait sa meilleure amie, Nancy Tuckerman.

En mai, Alan Jay Lerner et Eddie Fisher (qui étaient tous deux des patients du Dr Jacobson) organisèrent une fête pour célébrer le quarante-sixième anniversaire de JFK. Comme l'année précédente, cette fête, à la distribution prestigieuse, conçue en vue de collecter des fonds pour le Parti démocrate, se tint à New York – cette fois au Waldorf Astoria. Parmi les artistes sélectionnés, il y avait Sugar Ray Robinson, Tony Randall et Robert Preston.

Le « Docteur Feelgood » aussi était présent parmi les invités. Il découvrit, par l'intermédiaire d'un autre de ses patients, l'ancien trésorier national du Parti démocrate, Nathan Lichtblau, qu'Harry Truman, en toute innocence, avait lui aussi consommé du speed pendant qu'il était à la Maison-Blanche. « Si Max pense que Kennedy est le premier président des États-Unis qu'il a soigné, il se trompe, raconta Lichtblau à Nina Jacobson. Ça m'arrivait souvent de partager mon flacon de vitamines avec Harry. »

« J'en fus complètement surpris, raconta Jacobson. Mais avant que je n'aie eu le temps de dire quoi que ce soit, Kennedy vint nous rejoindre. Nous lui offrîmes tous nos vœux pour son anniversaire. Il répondit qu'il était heureux de nous voir et que cela lui faisait plaisir que j'aie réussi à m'arracher de mon cabinet... » Après leur avoir raconté les derniers exploits de Caroline et John-John, il ajouta : « J'espère que vous vous amusez autant que moi ce soir », et il fila pour ne pas rater le spectacle.

L'interprétation sexy que Marilyn Monroe fit de « *Happy Birthday* », à l'occasion du quarante-cinquième anniversaire de JFK, est gravée dans toutes les mémoires. Mais peu de gens savent que pour fêter sa quarante-sixième année, ce fut encore une de ses anciennes maîtresses qui vint lui jouer la sérénade. Cette fois, Audrey Hepburn fit crouler la salle sous les applaudissements avec sa séduisante version de la même chanson.

Vers la fin de la soirée, Eddie Fisher se tenait à côté d'Audrey, attendant son tour pour féliciter le président. « Après avoir discuté un moment avec elle, il passa devant moi sans avoir l'air de me reconnaître. Mais brusquement, il se ravisa et s'empara de ma main.

– Eh bien, dit JFK en souriant, repensant à leur dernière rencontre dans le cabinet de Max Jacobson, comment vous sentez-vous à présent ? »

De son côté, Jackie avait prévu également une fête pour Jack. Le 29 mai, elle organisa une croisière le long du Potomac, à bord du yacht *Sequoia.* Il aurait voulu que les invités prissent place sur le *Honey Fitz*, mais on lui expliqua que les membrures arrière du bateau étaient pourries – « comme celles de nous tous, j'imagine ».

Il pleuvait le jour de l'anniversaire du président, mais le petit groupe s'embarqua néanmoins. Tandis que les éclairs et le tonnerre se déchaînaient, le *Sequoia* fit cinq fois de suite l'aller-retour. Les invités – Bobby et Ethel, Teddy, les Bartlett, les Fay, les Bradlee, les Shriver, Lem Billings, David et Hjordis Niven, un vieux routard de la politique, le Bostonien Clem Norton, Bill Walton et Mary Meyer – buvaient et riaient, sans se soucier de la tempête qui faisait rage dehors. Trois musiciens du Marine Band jouaient sans arrêt un des airs préférés du président, *The Twist*, jusqu'au moment où celui-ci se décida à ouvrir ses cadeaux.

Une Salem filtre à la main, Jackie se tenait à côté de Jack pendant qu'il déchirait le papier de chaque paquet-cadeau, brandissant chaque présent à bout de bras pour que tout le monde pût le voir. Ses commentaires s'interrompirent brusquement quand Clem Norton, complètement soûl, vint shooter dans le cadeau de Jackie, une gravure de prix. « Il y eut un moment de silence sidéré, écrivit Ben Bradlee. Jackie avait couru les galeries pour la dénicher, mais elle en accueillit la destruction avec cette expression réservée qu'elle affectionnait... »

« C'est vraiment dommage, hein, Jackie ? » dit JFK en mettant la gravure de côté. Puis il prit le cadeau suivant. Elle se contenta de soupirer en disant : « Oh, ce n'est pas grave. Je pourrai la faire arranger. »

« Jackie se montrait presque aussi impassible [que Jack] sur des sujets qui, pour la plupart des gens, auraient probablement été une catastrophe, remarqua Bradlee. Ces deux-là se laissaient si rarement aller à leurs émotions, sauf quand ils riaient. »

Jackie, qui avait enduré une fausse couche, un enfant mort-né et deux grossesses difficiles, était inquiète. Jack partageait ses soucis, en tout cas il approuvait sa décision de passer l'été à se reposer à Hyannis Port.

« Tandis que notre président était probablement occupé à gouverner le pays, dit Truman Capote, l'ami à éclipses de Jackie, les humeurs de son épouse étaient extrêmement variables. Bien sûr, elle a toujours été quelqu'un d'humeur changeante. Impossible de savoir si elle allait se jeter à votre cou ou passer son chemin comme si vous n'existiez pas. Peut-être était-ce simplement parce qu'elle était enceinte, avec toutes ces hormones qui agissaient. Ou peut-être était-ce lié à ce bon vieux Dr Max. »

De façon inquiétante, Jackie, qui, tout comme Jack, s'était depuis longtemps convaincue que les pilules et les injections de « vitamines » du Dr Jacobson n'étaient que d'inoffensifs remontants, continua à ingérer en toute ignorance ces cocktails d'amphétamines pendant toute sa grossesse.

Elle continua également à fumer. Même si, à l'époque, on ne connaissait pas comme aujourd'hui les dangers du tabac pendant la grossesse, on savait déjà parfaitement que les cigarettes favorisent l'hypotrophie. Étant donné l'historique des grossesses de Jackie, sa décision de ne pas arrêter de fumer reflète peut-être simplement une ignorance médicale. Ou, plus probablement, elle avait une telle accoutumance à la nicotine qu'elle ne pouvait plus la dominer – étant donné le stress auquel elle était soumise.

Jack faisait le tour des bases militaires en Californie ; Jackie alla chercher consolation et compréhension auprès d'un de ses conseillers les plus dignes de confiance. La fille de Black Jack Bouvier avait toujours été plus à l'aise en compagnie des hommes, en particulier les hommes mariés d'âge mûr. À cinquante-sept ans, Roswell Gilpatric, qui sortait de Yale, avait dix ans de plus que Jack et vingt-deux de plus que Jackie.

En l'absence de Jack, elle invita Gilpatric à déjeuner en tête à tête avec elle à Camp David. Celui-ci allait quitter son poste de numéro deux au ministère de la Défense pour revenir à New York exercer ses talents d'avocat. Jackie et Jack avaient toujours estimé que le vieux refuge de Roosevelt, Shangri-La, dans les Monts Catoctin du Maryland – que Ike rebaptisa Camp David en l'honneur de son petit-fils – ne correspondait pas à leurs goûts. Mais comme ils avaient dépensé une petite fortune à construire leur maison de campagne, Wexford, ils décidèrent, assez tardivement, que Camp David était, selon les termes de Jackie, « absolument charmant ».

Plus tard, Jackie écrivit à Gilpatric :

J'ai adoré cette journée dans le Maryland. Cela m'a rendue heureuse pendant toute la semaine – on n'est que jeudi aujourd'hui – mais je sais que le charme ne se rompra pas avant demain – et je retournerai à Camp David pour voir ces cabines de motel en Virginie occidentale, avec leurs abris anti-bombes qui se soulèvent par en dessous et les grandes maisons à colonnades.

Hier soir, nous avons eu des gens à dîner qui avaient assisté à une autre fête d'adieu donnée pour vous à Anderson House. Je chasse toujours de mon esprit les choses désagréables en me disant que si on n'y pense pas, elles n'arriveront pas. Mais je suppose que votre départ – dont je n'avais pas encore compris l'imminence avant ce soir – est bien réel.

Je suis navrée pour ceux qui vont vous succéder – (pour eux) – et je ne les aimerai jamais – peu importe de qui il s'agit – et personne d'autre non plus. Ils vivront toujours dans votre ombre et personne ne saura conjuguer comme vous la force et la bonté.

Mais je suis surtout navrée pour nous. Dans cette ville étrange où tout le monde va et vient si vite on s'habitue à ce côté éphémère et volage. Alors quand le départ de quelqu'un crée vraiment un vide – vous devriez en être fier – même si vous êtes la dernière personne à vous targuer d'une chose pareille.

Je sais que vous finirez par trouver la paix. Mais je sais aussi que ce changement de rythme va être assez pénible. Je vous souhaite le meilleur au milieu de tout cela – Cher Ros, sachez que je vous souhaiterai toujours le meilleur. Merci. Jackie.

Lors d'un de leurs petits dîners à la Maison-Blanche, Jackie avait déclaré que Gilpatric, dont les fredaines sexuelles étaient bien connues des intimes de Washington, était « le deuxième homme le plus séduisant du ministère de la Défense », après McNamara. « Les hommes ne peuvent pas comprendre ce qu'il dégage, dit Jackie en désignant Ben Bradlee et son mari. Regardez-les. On dirait des chiens à qui on vient de retirer une assiette de nourriture de sous leur nez. »

Des années plus tard, Gilpatric et Jackie connurent des périodes où ils furent inséparables. Quand ils partirent au Mexique visiter les ruines mayas, le monde entier se demanda s'il n'allait pas devenir le prochain Mr. Jacqueline Kennedy.

Mécontente du dévouement d'esclave de son époux à l'égard de Jackie, Madelin réclama le divorce en 1970. Son mari eut-il une liaison avec Jackie pendant que celle-ci était à la Maison-Blanche ? « J'ai mon propre sentiment sur la question, dit-elle, mais je n'ai pas l'intention d'en parler. Ils étaient certainement très, très proches. Disons simplement qu'il s'agissait d'une relation particulièrement intime, chaleureuse et durable. »

Gilpatric ne le nia pas, bien que, pendant des années, il se montrât rien moins que communicatif sur ses relations avec Jackie. « Tant Jack Kennedy que Jackie m'ont confié des choses que je ne révélerai jamais », dit-il. Mais il voulut bien admettre que Jackie et lui avaient eu « une histoire d'amour » quand elle était la première dame des États-Unis. « Nous nous aimions. Elle avait un certain nombre de besoins, et je crains que Jack n'ait pu tous les combler. J'imagine que j'ai rempli un vide dans son existence, mais cela ne signifie pas qu'ils n'étaient pas amoureux l'un de l'autre. En tout cas, je pense qu'ils se sont rapprochés vers la fin. »

Dans les derniers jours de juin 1963, Jack s'embarqua pour un voyage historique en Europe. À Berlin-Ouest, les trois quarts de la population envahirent les rues pour l'entendre prononcer son fameux discours : « *Ich bin ein Berliner.* » Contrairement à Jackie, il n'avait aucune facilité pour les langues étrangères et il fut obligé de répéter pendant plus d'une heure simplement pour arriver à prononcer correctement cette phrase. La réaction hystérique de la foule galvanisa Kennedy, avant de le perturber. « Il a toujours considéré les foules comme irrationnelles, fit observer Arthur Schlesinger. Peut-être que les Allemands aggravaient ce côté. »

Quelques heures plus tard, Jack reçut un accueil moins tumultueux, mais tout aussi chaleureux, à son arrivée en Irlande. À Dunganstown, dans le comté de Wexford, qu'il avait visité seize ans auparavant, JFK but du thé, mangea des biscuits et reçut maintes accolades de la part de ses lointains cousins irlandais. Après une étape en Angleterre pour discuter du traité sur la limitation des expériences nucléaires avec Harold Macmillan, il se rendit à Rome, où le pape Paul VI le reçut en audience privée. On s'interrogea pour savoir si JFK allait s'agenouiller devant le nouveau pontife et baiser son anneau. « Norman Vincent Peale[1] adorerait ça », se moqua Kennedy, qui se contenta d'échanger une poignée de mains avec le pape.

Jackie passa presque tout le mois de juillet à lire, à peindre et à se reposer dans la demeure qu'elle avait louée, face à l'océan, sur Squaw Island, non loin de Hyannis Port. La maison se trouvait au bout d'une longue route poussiéreuse, et elle était plus isolée, plus somptueuse et plus tranquille que toutes celles du patrimoine des Kennedy.

Le 5 août 1963, ce fut la plus belle réussite du gouvernement Kennedy : le ministre des Affaires étrangères Dean Rusk signa le Traité sur la limitation des expériences nucléaires à Moscou. Cependant, l'euphorie de Jack et Jackie devait être de courte durée. Le 7 août – cinq semaines avant la date prévue pour l'accouchement –, Jackie emmena Caroline et John-John monter à cheval à Osterville, non loin de chez eux. En revenant à la maison, elle commença à ressentir les premières douleurs. Pensant que c'était peut-être une fausse alerte, elle monta s'étendre et téléphona au Dr John Walsh, qui, par bonheur, était en vacances dans la région.

À onze heures du matin, un agent des Services secrets amena la voiture décapotable des Kennedy devant la maison pendant que le Dr Walsh faisait sortir Jackie avec précaution. Lorsque le Dr Travell, qui venait d'arriver, demanda si elle devait prévenir le président, la réponse de Jackie ne se fit pas attendre. « Non ! » hurla-t-elle tandis que la voiture s'éloignait.

Entourée du Dr Walsh et de Mary Gallagher, Jackie se dirigea vers l'hélicoptère qui devait la transporter à l'hôpital

1. Norman Vincent Peale était un prédicateur populaire, auteur d'un certain nombre d'ouvrages sur les rapports entre la philosophie et la religion. (N. du T.)

militaire, à la base aérienne d'Otis. Comme elle savait si bien le faire, Jackie s'était maîtrisée jusque-là mais, brusquement, elle se laissa aller à ses inquiétudes. « Docteur Walsh, s'exclama-t-elle, il faut que vous m'ameniez à l'hôpital à temps ! Je ne veux pas qu'il arrive quoi que ce soit à ce bébé.

– Nous arriverons tout à fait dans les temps », répondit-il, cherchant à la rassurer.

Mais Jackie continua à le supplier. « Je vous en prie, faites vite ! Ce bébé doit vivre ! »

L'hélicoptère arriva quelques minutes plus tard à l'hôpital, où une aile particulière avait déjà été prévue, pour un cas d'urgence comme celui-ci. À midi cinquante-deux, Jackie accoucha par césarienne d'un garçon pesant deux kilos cent, qu'on installa aussitôt dans une couveuse. Bien qu'elle eût insisté à deux reprises pour que Jack ne fût pas prévenu, il était déjà au courant et il arriva à l'hôpital quarante minutes après la naissance du bébé. Sans attendre l'arrivée du président, l'aumônier de la base avait baptisé le petit garçon, Patrick Bouvier Kennedy, en hommage au grand-père de Jack et à Black Jack Bouvier.

Avant même qu'il ait pu voir Jackie, on avertit le président que le bébé souffrait d'un grave problème respiratoire, au niveau de la membrane hyaline du poumon, ce qui est fréquent chez les prématurés.

On prit la décision de transporter le bébé en ambulance à l'hôpital pour enfants de Boston, où on pourrait lui donner des soins plus adaptés. Mais avant, Jack amena Patrick dans la chambre de Jackie et le lui mit dans les bras. Elle le garda pendant quelques minutes contre elle avant qu'il ne retournât dans la couveuse. Ce fut le seul moment pendant lequel Jackie porta le plus jeune de ses enfants, et la dernière fois qu'elle le vit. « Il avait les cheveux noirs, dit Mary Gallagher qui l'aperçut au moment où il passait dans le couloir, et ses traits étaient bien formés. »

Pendant qu'on emmenait Patrick à Boston, Jack alla voir

Caroline et John-John à Squaw Island, puis retourna auprès de Jackie avant de repartir pour Boston. JFK s'installa au Ritz Carlton Hotel, non loin de l'hôpital, mais on l'informa rapidement que le bébé était transporté à l'École de Santé publique d'Harvard, pour être placé sous une tente à oxygène.

De plus en plus inquiet en dépit des propos rassurants des médecins, Jack alla voir le bébé quatre fois dans la journée. L'après-midi, il partit en hélicoptère à la base aérienne d'Otis pour remonter le moral de Jackie, puis revint à Boston. Cette nuit-là, il refusa de quitter l'hôpital. Il passa la nuit dans un lit vide, deux étages au-dessus de la pièce où Patrick se battait contre la mort sous sa tente à oxygène.

Le pays priait pour la guérison de ce premier bébé né en plein mandat présidentiel mais, à deux heures du matin, Dave Powers réveilla Jack pour lui dire que l'état de l'enfant avait empiré. Tandis qu'il arpentait le palier en attendant l'ascenseur, le président passa devant la chambre d'un enfant gravement brûlé. Il s'arrêta pour interroger l'infirmière de garde et prit le temps d'écrire un mot à la mère de l'enfant. « Il était là, avec son propre enfant en train de mourir deux étages plus bas, dit Powers, mais il fallait qu'il prenne le temps d'écrire un mot à cette pauvre femme, lui demandant de ne pas perdre courage. »

Moins de trois heures plus tard, à cinq heures, le matin du 9 août 1963, Patrick mourut. Il était âgé de quarante heures. « Il s'est vraiment battu, dit Jack à Powers. C'était un bébé magnifique. » Puis il retourna dans la chambre vide dans laquelle il avait dormi, ferma la porte, s'assit au bord du lit et éclata en sanglots.

Ensuite il se précipita au chevet de sa femme à la base aérienne d'Otis. Jackie, qui avait déjà appris la tragique nouvelle par le Dr Walsh, essayait de faire bonne figure. Mais en voyant Jack, ils s'effondrèrent de conserve. « Oh, Jack, oh, Jack, sanglota-t-elle. Il n'y a qu'une seule chose que je ne pourrais pas supporter maintenant – ce serait de te perdre, toi. »

Jackie était trop faible pour assister à l'enterrement, mais elle insista pour que le minuscule cercueil fût recouvert de fleurs, comme l'avait été celui de Black Jack Bouvier. Spellman, le cardinal de New York, Bobby et Teddy, Lee, la sœur de Jackie, Jamie et Janet Auchincloss firent partie de ceux qui entendirent le cardinal Cushing dire la Messe des Anges. Quand Cushing eut fini, Jack s'avança et déposa la médaille de saint Christophe que Jackie lui avait donnée le jour de leur mariage dans le tout petit cercueil.

« Puis ils sortirent l'un derrière l'autre, raconta Cushing, et pour la seconde fois, je vis les yeux de Jack Kennedy pleins de larmes, et de larmes abondantes. Il fut le dernier de la famille à quitter la petite chapelle. J'étais derrière lui. Le cercueil était là, dans une boîte en marbre blanc. Le président était tellement anéanti par le chagrin qu'il prit littéralement le cercueil entre ses bras comme s'il voulait l'emporter. J'ai dit : "Venez, Jack. Allons-y. Dieu est bon." »

Au cimetière d'Holyhood, près de son Brookline natal, Jack, inconsolable, se pencha pour toucher le cercueil au moment où on le descendait dans la fosse. Les larmes ruisselaient sur ses joues. « Au revoir, dit-il. On est terriblement seul là-dessous. »

Jackie demeura à l'hôpital une semaine entière. « Le président se faisait beaucoup de soucis pour elle, raconta Arthur Schlesinger. Il essayait d'imaginer des moyens de lui remonter le moral. » JFK demanda à Schlesinger d'aller voir son ami Adlai Stevenson. « Jackie aime tellement Stevenson, dit Jack. Pourriez-vous lui demander de lui envoyer un mot à l'hôpital ? Ce serait très important pour elle. » Quand la lettre arriva, Jackie en fut « profondément émue, dit Schlesinger. Évidemment, elle ne se doutait pas que le président était derrière. Il était simplement content de la voir sourire ». Quand Jackie quitta enfin l'hôpital, elle s'efforçait de faire bonne figure. « Vous vous êtes montrées tellement merveilleuses avec moi, dit-elle aux infirmières en partant, que je reviendrai l'année prochaine pour accoucher d'un autre bébé. »

« Ils furent tous deux bouleversés par la mort de Patrick, dit Teddy White, qui discuta plus tard avec Jackie de l'impact que cela avait eu sur leur relation. Et pour la première fois, Jack se sentit plus proche d'elle qu'il ne l'avait jamais été auparavant. Il y avait toujours eu un mur dressé entre eux, mais ce chagrin partagé abattit ce mur. Enfin, ils réussissaient vraiment à se rejoindre. Mais malheureusement, il s'avéra qu'il n'était plus temps. »

Jack se faisait également du souci pour les enfants, qui avaient attendu avec impatience l'arrivée de leur petit frère. Pour les réconforter, il leur apporta de Washington un chiot cocker, baptisé Shannon. Le jour où Jack ramena Jackie de l'hôpital, ils furent accueillis par Caroline, John-John et toute la ménagerie canine des Kennedy – Shannon, Clipper, Charlie, les chiots de Puchinka, White Tips, Streaker, Butterfly et Blackie, qui gambadaient sur la pelouse.

Le 12 septembre, Ben et Tony Bradlee, les Auchincloss et quelques autres aidèrent Jackie et Jack à célébrer leur dixième anniversaire de mariage à Hammersmith Farm. Les Bradlee arrivèrent dans l'hélicoptère présidentiel avec JFK, et en atterrissant, ils furent frappés de la nouvelle intimité qui régnait entre les Kennedy. « C'était la première fois que nous revoyions Jackie depuis la mort du petit Patrick, raconta Bradlee, et elle accueillit JFK en l'étreignant de façon chaleureuse. Je ne les avais jamais vus ainsi... ce sont les gens les plus distants et les plus indépendants que je connaisse, alors quand ils laissent libre cours à leurs émotions, c'est particulièrement bouleversant. »

Pendant la fête, Jack montra à sa femme un catalogue de J.J. Klejman, l'antiquaire de New York, et lui proposa de choisir un objet pour mille dollars ou plus. Après avoir plaisanté sur les prix, elle sélectionna un bracelet en forme de serpent. Elle lui offrit un album rempli de photographies prises avant et après la rénovation du Jardin des Roses (et dont ils étaient tous les deux très fiers) – et une médaille de saint Christophe pour remplacer celle que Jack avait mise dans le cercueil de Patrick. Plus tard, il lui donna un souvenir de leur tout petit enfant : un anneau d'or avec des éclats d'émeraude – le vert, la couleur de Patrick – qu'elle porta au petit doigt.

Pour ne pas décevoir leurs hôtes, Jackie et Jack se comportèrent avec exubérance. En réalité, aucun des deux n'avait fait le deuil de Patrick. Au mois d'octobre, alors que Jack était à Boston, en train d'assister à un match de football entre Harvard et Columbia, à la mi-temps, il se tourna brusquement vers Dave Powers et Kenny O'Donnell pour leur dire qu'il voulait aller sur la tombe de Patrick – « seul ». Ils s'esquivèrent, évitèrent les journalistes et se rendirent au cimetière. Les Services secrets restèrent à distance respectueuse pendant que le président se dirigeait à pas lents vers la pierre tombale où était simplement inscrit : KENNEDY. « Il est tellement seul ici », dit Jack à Powers et O'Donnell. (Après l'assassinat, Patrick et leur fille mort-née rejoignirent leur père au cimetière national d'Arlington.)

Lee Radziwill cherchait par tous les moyens à remonter le moral de sa sœur quand Aristote Onassis proposa son yacht *Christina* pour faire une croisière en mer Égée. Connu pour son mode de vie extravagant et ses affaires louches, Onassis n'était pas le compagnon de croisière idéal pour l'épouse d'un président américain ; d'autant que celui-ci s'apprêtait à mener une campagne de réélection assez difficile. En plus, Kennedy se demandait si sa belle-sœur n'essayait pas de gagner les faveurs d'Onassis. Bien que la grande chanteuse d'opéra Maria Callas fût depuis longtemps la maîtresse d'Onassis, on disait que Lee avait l'intention de faire annuler son mariage avec le prince pour épouser Onassis.

« Lee avait plus ou moins une histoire d'amour avec

Onassis, dit Evelyn Lincoln. Au début, Jack n'apprécia guère cette idée [de Jackie à bord du *Christina*], puis il se dit que, peut-être, cela lui ferait du bien. » Pour sauver les apparences, Jack envoya le sous-secrétaire d'État au Commerce, Franklin D. Roosevelt junior, et sa femme Suzanne pour servir de chaperons.

Onassis, qui avait bien conscience de la gêne que sa présence pouvait causer, n'avait pas l'intention de les accompagner. Mais Jackie insista pour qu'il vînt. « Je ne pouvais pas accepter son hospitalité si généreuse, expliqua-t-elle, et l'empêcher de venir. Cela aurait été trop cruel. Je n'aurais jamais pu faire une chose pareille. » En plus de Jackie, Onassis, les Radziwill, les Roosevelt, Artemis, la sœur d'Ari et son mari, ainsi que quelques autres amis, se joignirent à la croisière.

Le *Christina*, ce yacht de cent mètres de long aménagé de façon ostentatoire, avec ses tabourets de bar recouverts de scrotum de baleine et ses robinets plaqués or, n'était pas exactement au goût de Jackie. Mais à la surprise générale, la première dame paraissait plus heureuse qu'elle ne l'avait été depuis des mois. Même elle, elle n'avait jamais été dorlotée de la sorte. L'équipage du *Christina* comptait soixante personnes, dont deux chefs, deux coiffeurs, une masseuse suédoise et un orchestre.

À bord, le champagne coulait à flots et on servait jusqu'à huit variétés de caviar. Quand les invités ne dînaient pas de foie gras et de homard, ils dansaient au son de la musique bouzouki dans la salle de danse du *Christina*, au sol recouvert de mosaïque, ou se promenaient dans les rues caillouteuses de Lesbos, de Crète ou d'Ithaque. Onassis et Jackie passaient des heures seuls sur le pont, à discuter tout en contemplant le ciel clouté d'étoiles.

Pendant qu'ils nageaient, dansaient et naviguaient d'une île à l'autre, Jackie ne cessait de dire à ses compagnons de voyage : « J'aimerais tellement que Jack soit avec nous. » Et quand le téléphone ne fonctionnait pas, elle écrivait de longues lettres dans lesquelles elle disait à son mari combien il lui manquait.

Mais quand ils atteignirent l'île de Skorpios, qui appartenait à Onassis, Lee était jalouse de l'intimité qui s'était développée à une telle rapidité entre Jackie et Onassis. Quant à Jack, lorsqu'il vit les photos d'elle en bikini en train de prendre un bain de soleil sur le pont du *Christina*, il se dit que cela commençait à ressembler à ses ébats italiens avec Gianni Agnelli. Le jour où ils débarquèrent à Istanbul pour que Jackie pût visiter la Mosquée bleue, la foule envahit les rues pour l'acclamer. Ce soir-là, au grand dépit de Lee, leur hôte offrit à Jackie un somptueux collier de diamant et de rubis qu'on pouvait transformer en deux bracelets.

« Onassis est tombé amoureux de Jackie, dit Evelyn Lincoln, et du coup, il est devenu un peu plus qu'un ami. » Evelyn Lincoln pensa-t-elle que Jackie avait une liaison avec Onassis avant l'assassinat ? « Oui. Jackie aimait l'argent. Onassis en avait. C'était peut-être ça qu'elle voyait en lui. Et elle n'aimait guère les amis politiques du président Kennedy. Elle n'appréciait pas ce genre de vie... Kennedy ne pouvait pas modifier sa carrière, parce qu'il était un homme politique. Alors, on rentre dans le rang ou on va se faire voir. »

Jack n'avait pas apprécié que Jackie lui dît que, si elle avait le choix, elle préférait le Maroc à l'Irlande. Après avoir quitté Onassis, elle alla donc voir le roi Hassan, qui attendait avec impatience le moment de la remercier de son hospitalité à Washington. Il ordonna qu'on lui offrît tout ce qui lui ferait plaisir dans le royaume. Le jour de son départ, elle fut stupéfaite, en arrivant à l'aéroport, de voir les gardes charger trois voitures entières de présents à bord de son avion.

Au retour de son merveilleux voyage, Jackie fut accueillie par Jack, Caroline et John-John. « Oh, Jack, s'exclama-t-elle en se précipitant dans ses bras, je suis tellement contente d'être rentrée ! »

Jackie se mit à s'intéresser à l'éducation religieuse de Caroline. Quelques mois auparavant, elle avait envoyé miss Grimes, la directrice de l'école de la Maison-Blanche, à l'Institution de la Visitation de Georgetown – un couvent cloîtré – pour voir si cela conviendrait à Caroline et ses six camarades de classe catholiques. Après la mort de son petit frère, Caroline s'était posé beaucoup de questions et il paraissait urgent qu'elle en sache davantage sur Dieu et ses voies impénétrables.

Le premier jour de classe, tous les parents venaient observer sœur Joanne Frey, de la Mission des auxiliaires du Sacré-Cœur, faire le cours de catéchisme. Mais Jackie se trompa d'église, et quand elle arriva enfin, raconta sœur Joanne, « elle était assez énervée et elle s'excusait beaucoup. "Je suis navrée, dit-elle. Ça vous ennuie si j'assiste au cours ?" Évidemment, moi je la regardais en me disant : "Seigneur..." »

Pendant que Jackie allait s'asseoir au fond de la salle, sœur Joanne décida de « commencer par le commencement. Nous avons parlé de la Création ; puis je leur ai demandé de baisser la tête pour prendre le temps d'y réfléchir, et après de dessiner ce à quoi elles avaient pensé.

« Je me promenais dans la salle, et j'ai vu Caroline avec un crayon noir ; très vite, elle a crayonné toute la feuille en noir. Je me suis dit, si c'est l'idée qu'elle se fait de la religion, Seigneur... Les autres enfants avaient fait des animaux, des gens, Adam et Ève. Seule Caroline avait fait un dessin noir. Mais après, elle a pris un crayon bleu et elle est repassée sur le noir. »

Ensuite, sœur Joanne demanda aux enfants s'ils souhaitaient parler de leur dessin, et Caroline leva la main. « Au commencement, il n'y avait que les ténèbres, dit-elle, puis Dieu mit de la lumière dans le ciel – et ce fut la lune. » Elle brandit son dessin et la sœur vit que Caroline avait laissé des trous dans le ciel pour les étoiles et un croissant de lune. Derrière, elle avait signé fièrement : Caroline Bouvier Kennedy en lettres majuscules.

À la fin du cours, Jackie alla voir la sœur. « Si on m'avait enseigné la religion de cette façon, dit-elle, cela aurait constitué pour moi une expérience beaucoup plus heureuse. Cela vous ennuierait que je rapporte ce dessin chez moi pour le montrer au président ? »

Un autre jour, sœur Joanne demanda aux enfants de découper des images dans un magazine et d'en raconter l'histoire devant la classe. « Ma maman m'a aidée, dit Caroline avant de montrer à son institutrice une image représentant un enfant de son âge, et une mère portant son bébé. Voilà maman, expliqua-t-elle, ça, c'est moi et là, ce serait Patrick, mon petit frère. Il est au ciel. »

Jackie accompagnait souvent sa fille en classe, parfois avec John-John. Un jour d'octobre, le petit garçon débarqua dans la salle, portant un bâton sur son épaule. « Il se prend pour un soldat, dit Caroline en levant les yeux au ciel, et il ne sait même pas comment on salue. »

« Un mois plus tard, raconta sœur Joanne, comme tout le monde, j'ai pleuré en le voyant saluer le cercueil de son père. C'était un salut parfait. Quelle ironie du sort, non ? Le plus célèbre salut de tous les temps. »

Bizarrement, la presse ne fut pas au courant de ces cours pendant les huit mois où Caroline les suivit. « Les limousines garées devant l'immeuble crevaient les yeux, dit sœur Joanne Frey. Si on voulait se donner la peine de faire attention, c'était évident qu'il se passait quelque chose. Mais les journalistes n'ont jamais découvert notre présence. »

Peut-être Jackie ressentait-elle une certaine culpabilité après son voyage à bord du yacht d'Onassis. Ou peut-être, après être partie treize fois à l'étranger, estimait-elle qu'il était temps de jouer son rôle de première dame du pays à l'intérieur des frontières. Quelle qu'en fût la raison, elle accepta d'accompagner son époux à Dallas, où il devait effectuer un voyage à visée électorale.

Une querelle entre le sénateur libéral Ralph Yarborough et son gouverneur conservateur John Connally divisait le parti en deux, menaçant de rendre le Texas aux républicains en 1964. Lors de ce voyage de deux jours à travers l'État, il était prévu des collectes de fonds à San Antonio, à Houston, à Fort Worth et à Dallas. Ensuite, les Kennedy avaient décidé de passer le week-end au Johnson Ranch.

Les proches de Jack furent stupéfaits d'apprendre qu'il avait choisi ce voyage pour la première apparition de sa femme concernant la campagne de 1964. « Je n'en croyais pas mes oreilles quand il m'a dit que Jackie venait avec nous », se souvint O'Donnell.

« Vous savez à quel point je déteste ce genre de choses, dit Jackie à des amis. Mais s'il veut que je sois là, alors, c'est tout ce qui compte. Pour moi, c'est un minuscule sacrifice par rapport à ce qu'il considère comme très important pour lui. » Quand on lui demanda si, comme par le passé, Jackie serait peut-être forcée d'annuler pour des raisons de santé, le porte-parole de la Maison-Blanche esquiva. « Elle est prête à l'aider de toutes ses forces, dit-il, compte tenu de ses autres obligations et de ses problèmes de santé. »

Quelques semaines auparavant, à Dallas, une foule hostile avait bombardé Adlai Stevenson d'œufs pourris. Bobby et le sénateur de l'Arkansas, William Fulbright, comprenaient que Jack se sentît obligé d'y aller, mais estimaient que la présence de Jackie n'était pas indispensable. « Si Jack veut que je sois là, déclara-t-elle, j'irai n'importe où. »

Le 13 novembre, Jack, Jackie, Caroline et John-John regardèrent du balcon de la Maison-Blanche les joueurs de cornemuse en kilt du Black Watch jouer pour un public de dix-sept cents jeunes défavorisés sur la Pelouse sud. Le lendemain, Jack partit faire un discours à New York, et sortit le soir par une porte dérobée du Carlyle pour assister à un dîner intime sur la Cinquième Avenue, chez Stephen et Jean Kennedy Smith.

Pendant le repas, Adlai Stevenson raconta comment la foule lui avait craché dessus en lui criant des menaces à Dallas, et insista pour que le président n'y allât pas – avec ou sans Jackie. Au moment de partir, Oleg Cassini se tourna vers Jack pour lui demander : « Pourquoi partez-vous ? Vos amis vous déconseillent d'y aller. » Jack se contenta de hausser les épaules en souriant.

Pendant que Jackie montait à cheval en Virginie, le président passa le week-end à Palm Beach, assistant au lancement d'un missile Polaris à Cap Canaveral, puis regardant un match de football à la télévision. Ce soir-là, après le dîner, en compagnie de Dave Powers et de Kenny O'Donnell, il chanta un de ses airs préférés, *September Song.* Les paroles – « *And the days dwindle down, to a precious few*[1]... » – devaient se révéler terriblement prophétiques.

George Smathers revint à Washington avec son ami à bord de l'Air Force One. « Bon sang de bois, il faut vraiment que j'aille au Texas, lui dit Jack, en plaisantant à moitié. Votre ami Lyndon me fait des ennuis.

– Lyndon vous a aidé à gagner les élections, Jack, répondit Smathers. Vous lui devez beaucoup.

– Comment puis-je esquiver cette corvée ? voulut savoir Jack.

– Vous ne pouvez pas, Monsieur le Président, insista Smathers. Vous êtes obligé d'y aller. Vous avez pris la bonne décision. » Plus de trente ans plus tard, Smathers avoua : « Je regrette tellement d'avoir dit ça. »

Pierre Salinger eut des regrets identiques. Deux jours avant le départ du président, tandis que Salinger lui-même se préparait à partir pour le Japon en compagnie du ministre

1. « Et les jours s'égrènent peu à peu, il n'en reste plus que quelques-uns... »

des Affaires étrangères Dean Rusk, JFK dit : « Je regrette de partir pour le Texas.

– Ne vous inquiétez pas, répliqua Salinger. Ce sera un voyage formidable et vous allez attirer des foules considérables. Et puis partir avec Mrs. Kennedy, ça va être extraordinaire. » Mais Salinger omit de mentionner que, la veille, il avait reçu une lettre d'une femme habitant Dallas qui l'implorait de dire à JFK de ne pas faire ce voyage. « Je me fais du souci pour lui, avait-elle écrit. Je pense qu'il va lui arriver quelque chose d'abominable. »

Le soir précédant leur départ pour ce voyage fatal, Jack et Jackie donnèrent une réception en l'honneur de la Cour suprême de Justice et des autres membres des professions judiciaires. C'était la première apparition officielle de Jackie à la Maison-Blanche depuis la mort de Patrick – et ce fut la dernière.

« Je me sens en forme, dit Jack à Kenny O'Donnell en montant à bord de l'Air Force One le matin du 21 novembre 1963. Voilà des années que je n'ai pas eu aussi peu mal au dos ! » Leur départ avait été légèrement retardé ; comme de juste, Jackie n'était pas à l'heure. Durant le vol, Jack s'inquiéta du confort de sa femme. Les prévisions météorologiques avaient omis de mentionner la vague de chaleur qui s'était abattue sur le Texas ; les tailleurs de laine pastel de Jackie risquaient d'être trop chauds.

Mais Jack fut électrisé par l'accueil débridé qu'ils reçurent à leur arrivée à San Antonio. À l'aéroport, quelqu'un tendit à Jackie un bouquet de roses jaunes tandis que la foule brandissait des panneaux sur lesquels on pouvait lire : BIENVENIDO MR AND MRS PRESIDENT ! ET JACKIE, VENEZ FAIRE DU SKI NAUTIQUE AU TEXAS. Acclamé par 125 000 personnes, JFK se tourna vers sa femme : « Tu vois, ta présence change tout. »

Après avoir pris la parole pour l'inauguration de la nouvelle Air Force School of Aerospace Medicine, Jack fit un arrêt imprévu devant une tente à oxygène ; il demanda à un des scientifiques si la médecine de l'espace permettrait un jour d'améliorer le traitement des enfants prématurés, comme Patrick.

À Houston, la foule fut encore plus nombreuse et plus démonstrative. « Monsieur le Président, aujourd'hui, vous avez fait déplacer autant de monde que l'année dernière, lui dit Dave Powers, mais il est venu cent mille personnes supplémentaires pour acclamer Jackie. » Elle se fit de nouveau applaudir en prononçant un discours devant la Ligue des citoyens latino-américains dans un espagnol impeccable.

L'étape suivante fut Fort Worth, où ils arrivèrent peu après minuit, dans leur suite au huitième étage du Texas Hotel. La dernière nuit de la vie de Jack, Jackie vint dans sa chambre pour dormir avec lui, mais s'aperçut qu'il souffrait de son éternel problème d'estomac – probablement une réaction nerveuse à son emploi du temps chargé. Épuisés, ils tombèrent dans les bras l'un de l'autre, s'embrassèrent et se souhaitèrent bonne nuit, puis elle revint dans sa propre chambre.

Le lendemain matin, sur un parking en face de l'hôtel, Jack s'adressa à une foule qui avait attendu pendant des heures sous la pluie rien que pour entrapercevoir Mr. et Mrs. Kennedy. « Où est Jackie ? Où est Jackie ? » commença à entonner la foule.

« Mrs. Kennedy est en train de se préparer, répondit-il. C'est un peu long, mais évidemment, quand elle se donne cette peine, elle est beaucoup mieux que nous, les hommes. » De fait, Jackie avait demandé à Mary Gallagher de ressortir tous ses produits de maquillage des valises où ils avaient déjà été rangés en prévision du départ pour Dallas. Elle sentait qu'il lui fallait effectuer un raccord de dernière minute pour affronter la dure journée qui l'attendait.

Jack retourna dans la grande salle de bal de l'hôtel où il devait prendre la parole au cours d'un petit déjeuner organisé par la Chambre de commerce. Quand Jackie fit enfin son entrée, avec près d'une demi-heure de retard, vêtue d'un tailleur de laine rose, d'une toque originale et de gants de chevreau blanc, les deux mille personnes rassemblées dans la pièce l'accueillirent à la mode texane – acclamations, sifflements, applaudissements debout sur les chaises.

« Il y a deux ans, je me suis présenté à Paris en disant que j'étais l'homme qui accompagnait Mrs. Kennedy, dit Jack. Je ressens aujourd'hui à peu près la même chose en voyageant au Texas. Pourquoi personne ne s'étonne-t-il des costumes que Lyndon et moi nous portons ? »

Remplis d'allégresse, Jack et Jackie remontèrent dans leur suite pour se reposer avant de partir à Dallas. JFK avait compris depuis belle lurette qu'ensemble, ils constituaient un pôle attractif puissant, mais il ignorait si elle avait l'intention de participer à cette nouvelle campagne comme elle l'avait fait en 1960.

« Ils avaient traversé ensemble tant d'épreuves au cours des années qui venaient de s'écouler, surtout la mort de leur bébé, dit Spalding. Je pense qu'au moment où ils arrivèrent à Dallas, elle considérait qu'ils étaient vraiment associés. »

Kenny O'Donnell monta dans leurs chambres les prévenir qu'il était temps de partir pour Dallas. « J'irai n'importe où avec toi cette année, déclara Jackie à son mari.

– Que dis-tu de la Californie dans quinze jours ?

– Je viendrai », répondit-elle.

Jack se tourna vers O'Donnell. « Vous avez entendu ça ? » demanda-t-il, rayonnant.

Quelques minutes plus tard, à bord de l'Air Force One, l'humeur du président s'assombrit rapidement quand on lui tendit une annonce parue dans le *Dallas News*, une page entière bordée de noir. L'annonce, payée par la « Commission d'enquête américaine », dénonçait la politique « ultra-gauche » de JFK et le traitait de « cinquante fois fou » pour avoir signé le Traité sur la limitation des armements nucléaires. « Aujourd'hui, on va dans un pays de cinglés, dit-il à Jackie en lui montrant le journal. Mais si quelqu'un a l'intention de me tirer dessus d'une fenêtre, personne ne peut l'en empêcher, alors pourquoi se faire du souci ? »

Treize minutes après avoir quitté Fort Worth, l'Air Force One atterrit sur le Love Field de Dallas. Le temps s'était éclairci, et en sortant dans le soleil et la chaleur torride, le président et sa femme furent accueillis par des cris enthousiastes, montés d'une foule qui paraissait très amicale. Comme ce jour de 1960 où il était revenu à Hyannis Port après avoir remporté les primaires, quelqu'un tendit à Jackie un bouquet de roses rouges tandis que Jack se dirigeait vers les barrières pour serrer quelques mains.

Mais il y avait une différence : cette fois, Jackie faisait vraiment équipe avec lui et elle le rejoignit. « J'ai essayé de rester près de mon mari, mais on me poussait tout le temps, vous savez, les gens se penchent pour vous attraper par la main, se souvint-elle plus tard. Ils étaient très amicaux. »

Le cortège présidentiel quitta Love Field à onze heures cinquante-cinq pour le Trade Mart, en centre ville, où Jack devait prendre la parole au cours d'un déjeuner. Les Services secrets avaient souhaité que la Lincoln fût équipée d'un toit transparent résistant à l'épreuve des balles, et Jackie était d'accord – pour au moins, disait-elle en plaisantant, protéger sa coiffure. Mais Jack était bien décidé à ne mettre aucun écran entre la foule et lui. Il s'assit sur la banquette arrière, à droite, Jackie à gauche, le bouquet de roses entre eux deux. Le gouverneur Connally prit place sur le strapontin en face de Jack, et Nellie, la femme du gouverneur, en face de Jackie.

Jack et Jackie étaient stupéfaits de l'accueil qu'ils recevaient, encore plus chaleureux et enthousiaste qu'à San Antonio, Houston et Fort Worth. La foule les acclamait, massée le long des rues. Jack fit arrêter deux fois le cortège – pour échanger une poignée de main avec des enfants, puis avec un groupe de bonnes sœurs.

« Vous ne pourrez sûrement pas dire que la population

de Dallas ne vous a pas réservé un bon accueil, monsieur le Président, dit Nellie Connally.

– Certes non », répondit-il.

Mrs. Connally désigna le pont devant eux. « Nous y sommes presque. Le Trade Mart est juste derrière. » Étouffant dans son tailleur de laine, sans lunettes, aveuglée par la lumière, Jackie pensa : « Parfait. Il va faire frais dans ce tunnel. » Elle saluait la foule à gauche tandis que son mari saluait à droite, devant le Dépôt des livres scolaires du Texas. Dans la voiture qui les suivait, Dave Powers regarda l'heure. Il était midi et demi.

Des millions et des millions de mots ont été écrits sur ce qui s'est passé ensuite – un flot incessant d'hypothèses se noyant dans une mer de conjectures. Mais une chose est certaine. À ce moment-là, Jack et Jackie – l'entité qui s'était emparée de l'imagination du monde – cessa d'exister.

Les motocyclettes qui les escortaient avaient pétaradé et, d'abord, Jackie crut que c'était cela qu'elle avait entendu. Mais elle vit Connally taper du poing en criant : « Non, non, non, non, non ! »

« Puis Jack se tourna et je me tournai, raconta-t-elle plus tard à Teddy White. Il se retourna d'un bloc, sa dernière expression fut si claire... vous savez, cette expression extraordinaire... Il a eu l'air surpris, puis il a glissé en avant. Il a levé la main... J'ai vu un morceau de son crâne se détacher. C'était couleur chair, pas blanc – il le tenait dans la main. J'ai vu ce morceau parfaitement propre se détacher de sa tête. Puis il s'est effondré sur mes genoux, mes genoux étaient pleins de son sang et de sa cervelle. »

Sept bonnes secondes s'écoulèrent avant que Jackie ne grimpât sur l'arrière de la voiture – elle n'en garda aucun souvenir. « Dave, que croyez-vous que j'essayais de faire ? » demanda-t-elle plus tard quand Dave Powers lui montra des photos de cette scène incroyable. Peu importe qu'elle eût essayé de chercher du secours ou de fuir cette horreur. En quelques secondes, Clint Hill, l'agent des Services secrets, sauta sur le pare-chocs arrière de la Lincoln et elle l'aida à monter dans la voiture.

Allongée dans la voiture, avec Hill qui les protégeait, ils foncèrent au Parkland Memorial Hospital, à dix kilomètres de là ; elle suppliait : « Jack, Jack, tu m'entends ? Je t'aime, Jack. » Elle lui maintenait le haut de la tête « pour essayer d'empêcher la cervelle de sortir... mais je savais qu'il était mort ».

Quand la voiture arriva à l'hôpital, elle refusa de laisser son mari. « S'il vous plaît, madame Kennedy, dit Hill. Il faut que le président voie un médecin.

– Je ne vais pas l'abandonner, monsieur Hill », répondit-elle en berçant la tête de Jack sur ses genoux. Les yeux bleus de son mari avaient un regard fixe. « Vous savez qu'il est mort. Laissez-moi tranquille. »

Alors Hill, comprenant enfin qu'elle ne voulait pas que quiconque pût voir que Jack avait perdu le haut de son crâne, ôta sa veste et en enveloppa la tête brisée de JFK. Hill, Powers et un autre agent des Services secrets, Roy Kellerman, sortirent avec précaution Jack de la voiture pour le déposer sur une civière.

À l'hôpital, « ces grands internes texans » essayèrent de se débarrasser d'elle, mais elle refusa de quitter son mari. « Je ne m'en vais pas », leur déclara-t-elle avec fermeté. Les médecins s'aperçurent que, en réalité, il respirait encore au moment de son arrivée. Pendant qu'on lui faisait des transfusions de sang massives, Jackie resta devant la salle, fumant cigarette sur cigarette et se demandant s'il y avait la moindre chance qu'il pût encore s'en sortir, comme il l'avait fait tant de fois auparavant. Mais même si, miraculeusement, il survivait, pensa-t-elle, son cerveau serait gravement atteint, et elle se souvenait de ce qu'il avait dit après l'attaque de Joe : « Ne laisse pas une chose pareille m'arriver. » Jackie n'a pas oublié ce bref moment d'espoir : « Je me disais, je vais prendre soin de lui tous les jours de sa vie, je vais le rendre heureux... mais je savais qu'il était mort. »

Finalement, à une heure, on prévint Jackie que son époux était mort. On fit venir un prêtre. Jack était à présent recouvert d'un drap, et son pied en dépassait, « plus blanc que le drap », se souvint Jackie. Elle se pencha pour embrasser ce pied. Puis elle tira le drap. « Il avait une si belle bouche. Il avait les yeux ouverts. » Elle l'embrassa sur les lèvres, puis lui tint la main tandis que le prêtre lui administrait les derniers sacrements.

Quelqu'un aida Jackie à ôter ses gants de chevreau blanc tachés de sang. Elle enleva son alliance, également maculée du sang de Jack et la lui glissa au doigt. Cependant, sachant qu'elle allait regretter de lui avoir donné son anneau, Kenny O'Donnell le reprit plus tard du doigt de JFK, au Bethesda Naval Hospital et le rendit à Jackie, qui lui en fut reconnaissante.

Caroline apprit la mort de son père par Maud Shaw. « Je ne peux pas m'empêcher de pleurer, Caroline, parce que j'ai une très triste nouvelle à t'annoncer, lui dit la nourrice. Ton père est parti s'occuper de Patrick. Patrick se sentait tellement seul au paradis. Il ne connaissait personne. Maintenant, il a trouvé le meilleur ami qu'on puisse avoir. »

Quand on l'apprit à John-John, il demanda : « Est-ce que Papa a emporté son gros avion avec lui ? » Miss Shaw répondit par l'affirmative. « Je me demande quand il va revenir », dit le petit garçon.

Incapable de dormir, même avec un puissant calmant, Jackie passa une bonne partie de cette première nuit à la Maison-Blanche sans Jack à écrire une lettre trempée de larmes à son époux mort. Elle avait déjà fait faire la même chose aux enfants. « Il faut écrire maintenant à Papa, avait-elle dit à Caroline, pour lui dire à quel point tu l'aimes. » Caroline écrivit en lettres majuscules : « CHER PAPA TU VAS NOUS MANQUER À TOUS. PAPA, JE T'AIME BEAUCOUP. CARO-

LINE ». John-John, âgé de trois ans, griffonna un X sur la lettre de sa sœur.

Soutenue par Bobby, Jackie se rendit dans le Salon est où Jack reposait en grande pompe, veillé par une garde d'honneur. Le cercueil était ouvert, et Jackie mit les lettres dedans, ainsi qu'une paire de boutons de manchette en or qu'elle lui avait offerts et une sculpture en ivoire qu'il aimait. Bobby ajouta un rosaire, son épingle de cravate de PT-109 en or et une mèche de ses propres cheveux. Un des collaborateurs du président apporta une paire de ciseaux et Jackie coupa une boucle des cheveux de son époux.

Les images des jours suivants se sont gravées de façon indélébile dans la mémoire collective : Jackie, les yeux gonflés de larmes, portant toujours le tailleur maculé du sang de son époux (« Je veux qu'ils voient ce qu'ils ont fait »), debout à côté de Lyndon Johnson alors que celui-ci prêtait serment en tant que président à bord de l'Air Force One ; l'assassin Lee Harvey Oswald qui s'empoigna le ventre au moment où Jack Ruby le tua d'une balle (« Encore une chose abominable », dit Jackie) ; tous les chefs d'État du monde, depuis Hailé Selassié jusqu'à Charles de Gaulle, en cortège funéraire derrière le caisson et le cheval sans cavalier qui s'appelait, de façon incroyable, Black Jack ; la veuve en larmes derrière le voile noir, s'agenouillant avec Caroline sous la rotonde du Capitole, pour embrasser le cercueil de Papa, enveloppé dans un drapeau ; le salut bouleversant du minuscule John-John dans son manteau bleu...

L'après-midi du 25 novembre, dans les appartements privés, Caroline se précipita vers Jackie. « Maman, demanda-t-elle, est-ce que les gens aimaient Papa ?

– Oh oui, ils l'aimaient. »

Caroline secoua la tête. « Non, dit-elle, autrement, on ne lui aurait jamais fait une chose pareille. »

Puis la petite fille, manifestement préoccupée, s'enquit : « Et toi, on t'aime ? »

Jackie rassura sa fille en lui disant que les gens l'aimaient.

Puis elle lui expliqua qu'il n'y avait rien de surprenant à ce que tout le monde n'aimât pas Papa. « Après tout, dit Jackie, tout le monde n'aime pas Jésus, alors ? » Rassurée, Caroline galopa vers la petite fête dans le salon. C'était le troisième anniversaire de John-John.

Au début, personne ne dit rien à Joe. Rose ne fit aucune allusion à ce que la famille avait pris l'habitude d'appeler « les événements du 22 novembre ». Et les domestiques, pour empêcher Joe de regarder les actualités à la télévision, débranchèrent son poste en lui disant qu'il était cassé.

Au bout de deux jours, la famille décida qu'il était temps de le mettre au courant. « J'ai été chercher Bobby et Teddy à l'aéroport de Hyannis et je les ai amenés à la maison, se souvint Ham Brown, un agent des Services secrets. Joe était dans son lit, et les infirmières avaient installé sur le palier un appareil d'où elles pouvaient surveiller son état. Bobby, Ted et Eunice sont entrés dans la chambre, nous avons débranché pour les laisser seuls. Dieu sait ce qui s'est passé dans cette pièce quand on lui a dit que Jack avait été assassiné, mais je peux vous dire que parmi tous ceux qui étaient là à attendre, personne n'avait les yeux secs. Quand ils sont sortis, on pleurait tous. »

Jackie arriva à Hyannis Port le jour de Thanksgiving, avec le drapeau plié qui avait recouvert le cercueil du président. Une fois de plus, ils débranchèrent l'appareil à l'extérieur de la chambre de Joe. « Il était couché et même dans ces pénibles circonstances, raconta Ham Brown, il sourit en voyant Jackie entrer. Jackie et Joe étaient des copains.

« Nous avons fermé la porte et ils sont restés à discuter pendant près d'une heure. Comme la fois précédente, tout le monde sanglotait dans le hall. Des larmes partout. Les secrétaires, les infirmières, les agents des Services secrets. Nous étions tous bouleversés. Quand Jackie a rouvert la porte, j'ai jeté un coup d'œil à l'intérieur et j'ai eu cette triste vision de Joe, assis dans son lit, le drapeau plié en triangle encore sur les genoux. »

Le lendemain de l'enterrement – quatre jours après avoir tenu sur ses genoux la tête ensanglantée de son mari – Jackie invita lady Bird Johnson à venir prendre le thé à la Maison-Blanche. « J'ai passé ici certaines des meilleures années de mon mariage. Vous y serez heureux », dit-elle à Mrs. Johnson. Le 6 décembre, avant de quitter la Maison-Blanche pour la dernière fois en tant que première dame du pays, Jackie fit poser une plaque de bronze au-dessus de la cheminée, dans la chambre à coucher du président. On y lisait : DANS CETTE CHAMBRE, VÉCUT JOHN FITZGERALD KENNEDY AVEC SON ÉPOUSE JACQUELINE – DURANT DEUX ANS, DIX MOIS ET DEUX JOURS, IL FUT PRÉSIDENT DES ÉTATS-UNIS – 20 JANVIER 1961 – 22 NOVEMBRE 1963.

Une autre plaque avait déjà été apposée, sur laquelle on pouvait lire : DANS CETTE CHAMBRE, ABRAHAM LINCOLN DORMIT PENDANT LE TEMPS QU'IL PASSA À LA MAISON-BLANCHE, EN TANT QUE PRÉSIDENT DES ÉTATS-UNIS, 4 MARS 1861 – 13 AVRIL 1864.

En ne s'effondrant pas, Jackie empêcha le pays de s'effondrer. Mais elle paya cela au prix fort. Une fois tous les grands de la planète partis, une fois qu'elle eut rempli son rôle officiel de symbole vivant du chagrin du monde, la réalité de ce qui s'était passé la frappa enfin de plein fouet. Sœur Joanne Frey était en train de faire le catéchisme à Caroline et elle lui expliquait que Marie-Madeleine avait lavé les pieds du Christ quand, brusquement, Caroline l'interrompit : « Ma maman pleure tout le temps. »

« J'essayai de reprendre mon cours, raconta la sœur, mais Caroline ne cessait de répéter : "Ma maman pleure tout le temps." Manifestement, la pauvre petite ne savait plus quoi faire. »

Loin des caméras, Jackie était en proie à des abîmes de désespoir. « Je suis une plaie ouverte. Ma vie est finie, dit-elle à une amie. Je suis au bout du rouleau. Je n'ai plus rien à donner et il y a des jours où je n'arrive même plus à me lever. Je pleure nuit et jour jusqu'à ce que je sois tellement épuisée que je n'arrive plus à réagir. Alors, je bois. »

Moins d'un mois après Dallas, Jackie écrivit à ses amis Ben et Tony Bradlee : « Vous avez dit quelque chose à la campagne qui m'a sidérée – vous espérez qu'un jour, je me remarierai. Vous avez été si proches de nous en tant d'occasions. Il y a une chose que vous devez savoir. Je considère que ma vie est finie et je vais passer le reste de mon existence à attendre qu'elle soit vraiment terminée. »

Le 23 mai 1994, Jackie fut enterrée à côté de Jack, de Patrick et de leur petite fille mort-née au Cimetière national d'Arlington. Comme ils l'avaient fait trente ans auparavant, Caroline et John-John firent à leur mère bien-aimée un adieu poignant, mais plein de dignité.

Jack a-t-il jamais aimé Jackie ? La mort tragique de Patrick quelques mois seulement avant l'assassinat de Jack fut un événement déterminant dans la vie des Kennedy, et contribua à redéfinir la nature de leur relation. Pour la première fois, Jack se sentit enfin proche de sa femme, comme il ne l'avait jamais été auparavant. Jackie a-t-elle aimé Jack ? Rien ne permet d'affirmer qu'elle ait jamais *cessé* de l'aimer.

À présent que Jack et Jackie ont tous deux disparu, peut-être l'hystérie qui entoura toujours leurs existences va-t-elle céder le pas à une attitude raisonnable et pleine de compréhension. Peut-être parviendra-t-on enfin à déblayer ces couches d'exagération mystique qui masquaient des êtres humains, des individus souvent vulnérables et pleins de doutes.

Sans aucun doute, JFK fut un homme brillant et sa vision d'un monde meilleur continue à inspirer des millions de gens. Par la vertu de sa beauté, de son charme et de sa dignité, Jackie n'est pas moins admirée, tant aux États-Unis qu'à l'étranger. Mais qu'on en fasse des saints ou des démons, ce n'est pas leur rendre service. Jack et Jackie avaient beau être installés au sommet de l'Olympe, ils ne s'en sont pas moins disputés sur des sujets banals, l'argent, les vêtements, les meubles, leurs belles-familles. Ils se sont colletés avec l'infidélité, la maladie, l'accoutumance à la drogue. Ils se sont tracassés à propos de stérilité et de grossesse, et leurs enfants leur ont causé beaucoup de joies et de soucis. Ils ont partagé le deuil d'un de leurs parents, l'attaque invalidante d'un autre, une fausse couche, un enfant mort-né et le coup le plus brutal de tous – la perte d'un enfant.

Ils n'avaient rien à voir avec nous et ils avaient tout en commun avec nous. Leur mariage fut un mariage américain.

Remerciements

Lauren Bacall et Woody Allen étaient là. Ainsi que Walter Cronkite, Shirley MacLaine, William Styron, Teddy White, Andy Warhol et Swifty Lazar – pour n'en citer que quelques-uns. C'était en février 1978, au cours d'une brillante réception donnée dans la forteresse de l'Arsenal de la Soixante-Septième Rue, à New York, en l'honneur de la publication posthume du roman de James Jones, *Whistle.* Et, lorsque Jacqueline Kennedy Onassis pénétra dans la pièce, tout le monde s'immobilisa, trop stupéfait pour oser s'avancer vers l'icône. Durant une interminable minute, personne, quelle que fût sa réputation ou sa célébrité, n'eut l'audace de franchir les quelques mètres qui isolaient Jackie du reste des invités. Jackie resta donc simplement là, totalement seule au milieu de la pièce – jusqu'au moment où mon épouse, Valerie, et moi-même, nous approchâmes candidement pour la saluer. L'espace d'un instant, le soulagement fut visible sur le visage de Jackie. Un peu plus tard, il y eut une autre scène aussi révélatrice : nous fûmes témoins de l'arrivée de Lee Radziwill qui effectua une retraite en toute hâte en s'apercevant que sa sœur était là.

Bien que Jack et Jackie fussent de la génération de mes parents et que j'aie été élevé, non pas sur la côte Est, mais dans les environs de la baie de San Francisco, nos chemins ne s'en sont pas moins croisés à de curieux moments au fil des années. Le 12 septembre 1953, alors que nous visitions en famille la ville de Newport, à Rhode Island, notre break

Ford rouge et blanc se retrouva coincé au milieu du cortège de mariage de Jack et Jackie.

Neuf ans plus tard, j'échangeai une poignée de main avec le président Kennedy quand il vint parler à Berkeley, puis assistai, avec une incrédulité ébahie, au zèle intempestif d'un de ses admirateurs armé d'un appareil photo, qui surgit de la foule mais fut rapidement maîtrisé, à moins d'un mètre de JFK.

L'année suivante, alors que nous traversions Hyannis, une fois de plus, nous nous retrouvâmes au milieu d'un cortège automobile JFK (la voiture familiale des Andersen était alors une Ford Galaxy bleue). Seulement, cette fois, le président revenait de l'hôpital où Jackie venait juste d'accoucher et où l'enfant prématuré, Patrick, menait une bataille perdue pour la vie.

Habitant et travaillant à Manhattan, où j'exerçais les professions de journaliste et de rédacteur en chef, j'eus l'occasion de rencontrer plusieurs fois Jackie par hasard – au coin d'une rue, tandis qu'elle hélait un taxi, dans les coulisses, le soir de l'inauguration du Palace Theater de Shirley MacLaine, au siège de Doubleday à Park Avenue ; j'étais en train d'examiner la couverture de mon nouveau livre avec le directeur artistique, quand Jackie, qui était alors éditeur chez Doubleday, apparut brusquement à mes côtés, vêtue d'un pantalon noir et d'un col roulé assorti.

Chaque fois que j'ai discuté avec des intimes de Jack et Jackie, on m'a répété que les Kennedy « compartimentaient » soigneusement leurs relations extérieures. Chaque ami ne détenait qu'une pièce du puzzle compliqué que représentait leur vie commune. En tant que biographe de leur relation, il m'est incombé de trier tous ces morceaux jusqu'à ce que, finalement, ils s'emboîtent.

Quand on a l'ambition d'écrire une biographie exhaustive, il est indispensable de faire des montagnes de recherches ; ce fut particulièrement vrai en ce qui concerne *John & Jackie*. Les interviews de centaines de sources différentes ont pris beaucoup de temps : les amis, les membres de la famille, les voisins, les camarades de classe, les collègues, les alliés et les adversaires politiques, les anciennes petites amies de Jack, l'ex-fiancé de Jackie, les journalistes et les photographes qui les suivaient, et tous ceux qui ont travaillé pour eux avant et pendant leur vie à la Maison-Blanche. Seul un petit nombre de ces gens ont demandé à ne pas être nommés et j'ai respecté leur souhait. Quand j'ai pris contact avec Nancy Tuckerman, la confidente de Jackie et son amie de toujours, elle a refusé à son grand regret – comme elle l'a toujours fait et comme elle a promis de continuer à le faire – de se laisser interroger. Cependant, quand nous avons discuté de ce que j'espérais réussir avec *John & Jackie*, elle s'est montrée très encourageante, ce dont je la remercie énormément.

Je suis particulièrement reconnaissant à mon éditeur, Will Schwalbe, d'avoir compris, avec un intérêt aussi passionné, en quoi une biographie équilibrée de Jack et Jackie compensait les excès de ces vingt dernières années. Ceci concerne également toute la famille William Morrow – surtout Rebecca Goodhart, Doris Cooper, Jackie Deval, Sharyn Rosenblum, Brad Foltz, Willard J. Lubka, Deborah Weaver, Lisa Queen et Kathleen Morahan.

Une fois de plus, Ellen Levine a prouvé qu'elle n'était pas seulement un agent littéraire brillant et dévoué, mais aussi une amie formidable. Je dois également toute ma reconnaissance à la talentueuse associée d'Ellen, Diana Finch, ainsi qu'à Deborah Clifford, Jay Rogers, Louise Quayle, Robert Simpson et Anne Dubuisson.

Exploiter les riches veines d'archives qui courent dans les murs de la splendide Bibliothèque John Fitzgerald Kennedy de Boston aurait été impossible sans les conseils, le zèle et la clairvoyance de l'historien Michael Foster. Je dois aussi beaucoup au professeur de la Northeastern University, Ray Robinson, et à l'écrivain Laurence Leamer, qui m'a présenté Michael, ainsi qu'aux bibliothécaires William Johnson, Ron

Whealan, Megan Desnoyers, Maura Porter et Jude Payne. Des remerciements tout particuliers au responsable des archives audiovisuelles de la Bibliothèque JFK, James B. Hill, qui s'est dévoué corps et âme pour m'aider à rassembler les photographies présentées dans ce livre, dont une grande partie était totalement inédite.

Mes remerciements à l'éminent producteur et réalisateur de documents pour la télévision, l'Anglais Charles Furneaux, pour sa gentillesse et son aide généreuse alors que je démarrais *John & Jackie.* Je suis également une fois de plus redevable à mon brillant ami de plus de vingt ans, Sandy Bodner.

Kate et Kelly, mes deux filles, aussi belles qu'intelligentes, ont également contribué à leur manière à la rédaction de ce livre. Mes parents, Edward et Jeanette Andersen, ont toujours représenté une source de conseils et d'encouragement, mais cette fois, il faut en plus que je les remercie pour s'être trompés de chemin et avoir emboîté le pas au cortège nuptial de Jack et Jackie en 1953. Et à Valerie, que j'ai rencontrée alors que nous étions tous les deux étudiants à Berkeley, en 1967, je dédie mon amour comme toujours et – tout aussi important – mon respect.

Je voudrais aussi remercier Pierre Salinger, John Kenneth Galbraith, Charles « Spuck » Spalding, Hugh D. « Yusha » Auchincloss, Nancy Dickerson Whitehead, Charles Bartlett, Letitia « Tish » Baldrige, Gore Vidal, Theodore « Ted » Sorensen, Jamie Auchincloss, le sénateur George Smathers, Oleg Cassini, Jacques Lowe, Paul « Red » Fay, Arthur Schlesinger junior, Roswell Gilpatric, John Husted, Priscilla McMillan, sœur Joanne Frey, Evelyn Lincoln, Joan Fontaine, Rosemary McClure, Gloria Swanson, Robert Drew, John Davis, Cleveland Amory, Betty Beale, Ham Brown, Patricia Lawford, Tony Bradlee, Paula Dranov, Helen Thomas, Vincent Russo, Stephen Corsaro, le regretté Theodore H. White, Charles Collingwood, Doris Lilly, Dorothy Schoenbrun, Wendy Leigh, le regretté Truman

Capote, Bette Davis, Clare Boothe Luce, John Marion, Tobias Markowitz, James E. O'Neil, Dorothy Oliger, Tom Freeman, Alfred Eisenstaedt, Bertram S. Brown, Lawrence R. Mulligan, Larry Newman, Charles Whitehouse, Barry Schenck, Susan Crimp, Earl Blackwell, Jeanette Peterson, Clarence Petry, Diana Brooks, Linus Pauling, Cranston Jones, Charles Damore, Steve Michaud, Yvette Reyes, Debbie Goodsite, Betsy Loth, Joy Wansley, Steve Karten, Diane Tucker, Dudley Freeman, Valerie Wimmer, William van den Heuvel, Hazel Southam, Linda Hanson, Angier Biddle Duke, Lee Wolfhert, Donna Smerlas, Dale Sider, Diane Tucker, Frank Rigg, Terry L. Birdwhistell, Ronald Grele, Drew Middleton, David McGough, Dr Janet Travell, Sandy Richardson, Albert V. Concordia, David Halberstam, Shirley Bombaci, Jim Birchfield, Bill Cooper, Gary Gunderson et Kathy Dolce ; ainsi que la Bibliothèque John Fitzgerald Kennedy, la Bibliothèque des livres et des manuscrits rares de l'Université de Columbia, la Bibliothèque Butler, la Bibliothèque des manuscrits Seeley G. Mudd de l'Université de Princeton, la Bibliothèque Houghton de l'Université d'Harvard, les Archives Robert Drew, la Leukemia Society of America, la Bibliothèque du Congrès, les Services secrets des États-Unis, la Bibliothèque de l'Université de Boston, les Archives de l'Université de Stanford, la Bibliothèque de l'Université du Kentucky, le FBI, les Archives de la Choate School, la Bibliothèque municipale de New York, la Bibliothèque Schlesinger, le Projet d'histoire orale de l'Université de Columbia, la Bibliothèque municipale de Barnstable, la Bibliothèque Redwood et l'Atheneum de Newport, la Bibliothèque du Gunn Memorial, la Bibliothèque du New Milford, la Bibliothèque de Southbury, Sotheby's, la Bibliothèque Bancroft à l'Université de Berkeley, la Bibliothèque du Vassar Collège, le Winterthur Museum, la Bibliothèque Silas Bronson, la Bibliothèque Brookfield, la Bibliothèque de l'Amherst Collège, la Bibliothèque Lyndon

Baines Johnson, l'Archidiocèse de Boston, les Archives Bettmann, la Bibliothèque Woodbury, la Bibliothèque municipale de Boston, l'École de miss Porter, Wide World, Movie Star News, l'Associated Press, le *New Bedford Standard Times*, et la Bibliothèque de l'Université de Georgetown.

Sources des textes

Ces notes par chapitre sont conçues pour donner un aperçu global des sources utilisées dans la préparation de *Jackie et John*, mais en aucun cas, elles ne sont exhaustives. L'auteur a respecté le souhait de nombreuses personnes interrogées qui voulaient rester anonymes et leur nom n'est donc mentionné ni ici ni ailleurs dans l'ouvrage. Les archives écrites et les fonds d'histoire orale d'un certain nombre d'institutions dont, entre autres, la Bibliothèque John Fitzgerald Kennedy, la Bibliothèque Lyndon Baines Johnson, les bibliothèques des universités de Columbia, Harvard, Stanford et Princeton, se sont révélés une mine de renseignements, dont certains n'ont pu être publiés qu'après la mort de Jacqueline Kennedy Onassis, en mai 1994. Quant aux milliers de reportages d'actualité et d'articles à propos des Kennedy parus au cours des cinquante dernières années, ils ont constitué une des sources essentielles pour la rédaction de ce livre – dont les comptes rendus de presse des campagnes électorales de JFK et des mille jours qu'il a passés à la Maison-Blanche, publiés dans *The New York Times*, *The Washington Post*, *The Boston Globe*, *Time*, *Life*, *Newsweek*, le magazine *Look*, et *The Wall Street Journal*, et transmis par les agences AP, UPI et Reuters. Ce qui est surtout mentionné ci-dessous, ce sont les sources concernant la vie privée de Jack et Jackie.

CHAPITRE 1

Les gens interviewés : Hugh D. « Yusha » Auchincloss, Jamie Auchincloss, Charles Bardett, Paul « Red » Fay, George Smathers, Charles « Chuck » Spalding, John Davis, Betty Beale, Letitia « Tish » Baldrige et Nancy Dickerson Whitehead. De nombreux comptes rendus du mariage ont été publiés dans *The New York Times*, *The Boston Globe*, *The Washington Post*, *Time*, *Life* et *Newsweek*. L'auteur s'est également appuyé sur de nombreux récits oraux, dont ceux de Janet Auchincloss, Nancy Tuckerman, Eunice Kennedy Shriver, Richard Cardinal Cushing, Torbert MacDonald, John Galvin, Edward C. Berube, John Husted et James Farrell.

CHAPITRE 2

Pour ce chapitre, l'auteur s'est appuyé sur des conversations avec John Kenneth Galbraith, Nancy Dickerson Whitehead, Gore Vidal, Gloria Swanson, George Smathers, Dr Janet Travell, Charles « Chuck » Spalding, Cranston Jones, Cleveland Amory, Clare Boothe Luce, Barrie Schenck, Priscilla McMillan, Susan Crimp, Doris Lilly, Willard K. Rice, Charles Furneaux et Alfred Eisenstaedt. En ce qui concerne les archives orales : Rose Fitzgerald Kennedy, Ralph Horton, Patrick Munroe, Tom Bilodeau, Mark Dalton, Patrick « Patsy » Mulkern, Robert F. Kennedy, Arthur Krock, Edward M. Gallagher, Joseph Alsop, William O. Douglass, James Farrell, Harold S. Ulen, Harold Tinker, Samuel Bornstein, Dorothy Tubridy, Francis X. Morrissey, Charles B. Garabedian, James Reed, Billy Sutton et Dinah Bridge.

Les dossiers médicaux de JFK, que ce soit les comptes rendus de la marine ou les documents des cliniques Lahey et Mayo, viennent des « Papiers personnels » de John F.

Kennedy. De même, les lettres adressées à JFK par Inga Arvad et Kirk LeMoyne « Lem » Billings. Voir aussi les papiers de Lem Billings à la Bibliothèque JFK. Beaucoup de renseignements concernant les liaisons de JFK, avec Arvad et d'autres, viennent de dossiers du FBI, rendus publics grâce à la Loi sur la Liberté de l'information. On peut trouver d'autres aperçus intéressants sur les origines de JFK dans *The Golden Clan*, de John Corry (Houghton Mifflin, New York, 1977) et *The Search for JFK*, de Joan et Clay Blair (Berkley, New York, 1976). Voir aussi Mary Billings, citée par Peter Collier et David Horowitz, dans *The Kennedys* (Summit Books, New York, 1984).

Pour ces chapitres, il y eut encore d'autres sources intéressantes : les documents Arthur Krock ; la Bibliothèque des Manuscrits Seeley G. Mudd, au département des livres rares et des archives particulières ; les bibliothèques de l'université de Princeton ; les documents Laura Bergquist Knebel à l'université de Boston ; les archives de l'université de Stanford ; la bibliothèque Houghton de l'université d'Harvard.

Parmi les sources publiées : « Guns versus Butter », dans le *Time* du 12 août 1940 ; le *New York Times* du 10 avril 1946 ; *JFK's Reckless Youth* de Nigel Hamilton (Random House, New York, 1992) ; le *New York Times* du 19 juin 1946 ; *PT-109 : John F. Kennedy in World War II*, de Robert J. Donovan (McGraw-Hill, New York, 1961) ; « The secret files of J. Edgar Hoover », in *U.S. News & World Report*, 19 décembre 1983 ; *The Search for JFK*, de Joan et Clay Blair (Berkley, New York, 1976).

CHAPITRES 3 À 5

Les gens interviewés pour cette période : Hugh D. « Yusha » Auchincloss, Jamie Auchincloss, Charles Bartlett, John Husted, George Smathers, Truman Capote, Charles

« Chuck » Spalding, Nancy Dickerson Whitehead, Gore Vidal, Priscilla MacMillan, Letitia « Tish » Baldrige, Vincent J. Russo, John Davis, Joan Fontaine, Larry Newman, Patricia Lawford, Oleg Cassini. L'auteur s'est également appuyé sur les archives orales de la bibliothèque du Mémorial John Fitzgerald Kennedy, celles de Rose Fitzgerald Kennedy, Walter Lippmann, Kenneth P. O'Donnell, Thomas « Tip » O'Neill, John W. McCormack, Torbert MacDonald, Dave Powers, Leverett Saltonstall, Robert F. Kennedy, Kaye Halle, Ernest G. Warren, Joseph E. Rosetti, Joanne Barbosa, Anthony Gallucio, Frank E. Dobie, James M. Murphy, Maurice A. Donahue, Mary Colbert, Andrew Dazzi, John Harris, Joseph Degugliemo, Grace Burke, Benjamin Jacobson, Clement A. Norton, William DeMarco, Dinah Bridge, John F. Dempsey, Joseph Ruso, Garrett Byrne, Joseph Casey, John J. Droney, Howard Fitzpatrick, Daniel O'Brien, Hugh Fraser, John Saltonstall, Foster Furcolo, William F. Kelly, Peter Cloherty, Arthur Krock, James MacGregor Burns, Claiborne Pell.

Les souvenirs de Mary Lasker sont tirés de ses archives orales à l'université de Columbia. Parmi les articles et autres sources publiés, citons : *The New York Times* du 17 décembre 1977 ; *The Boston Globe* du 20 octobre 1979 ; « I have never met anyone like her », de Dave Powers, in *Life* d'août 1995 ; *Jacqueline Bouvier Kennedy*, de Mary van Rensselaer Thayer (Garden City : Doubleday, New York, 1961) ; *St Louis Post Dispatch* du 2 avril 1978 ; « The Senate's Gay Young Bachelor », in *The Saturday Evening Post*, du 13 juin 1953 ; *The Kennedys : Dynasty and Disaster*, de John H. Davis (McGraw-Hill, New York, 1984) ; *The Bouviers Portrait of an American Family*, de John H. Davis (Farrar, Straus & Giroux, New York, 1969) ; « Jackie Kennedy : First Lady at 30 ? » in *U.S. News & World Report*, septembre 1960 ; « First Years of the First Lady », de Mary van Rensselaer Thayer, in *Ladies' Home Journal*, février 1961 ; *A Question of*

Character, de Thomas C. Reeves (Free Press, New York, 1991).

CHAPITRES 6 ET 7

L'auteur s'est appuyé sur des entretiens avec Jacques Lowe, Pierre Salinger, Larry Newman, Charles « Chuck » Spalding, George Smathers, Nancy Dickerson Whitehead, Betty Beale, Charles Peters, Clarence Petry, Priscilla MacMillan, Sophia Loren, Robert Drew, Jamie Auchincloss, Clare Booth Luce, Charles Bartlett, Gore Vidal, Hugh D. « Yusha » Auchincloss, Shirley MacLaine, Theodore H. White. Pour les archives orales : Stanley Tretick, Dory Schary, Sargent Shriver, Mark Shaw, Helen Lempart, Jean McGonigle Mannix, John Droney, Barbara Coleman, Dean Acheson, Joanne Barboza, Fletcher Knebel, Laura Bergquist Knebel, John Kelso, Esther Newberg, Dorothy Tubridy, Lorraine Cooper. Certaines données concernant la relation entre Max Jacobson et les Kennedy viennent des Mémoires inédits de Jacobson. Les archives orales de Jacqueline Kennedy Bouvier ont été constituées par Terry L. Birdwhistell à New York, le 13 mai 1981, comme faisant partie du « Projet d'histoire orale John Sherman Cooper » de la bibliothèque de l'université du Kentucky.

Parmi les articles et les autres sources publiés : *The New York Times*, du 13 septembre 1953 ; *The New York Times*, des 7, 13 et 16 août 1956 ; « The Senator is in a Hurry », d'Eleanor Harris, in *McCalls*, d'août 1957 ; *Jackie Oh*, de Kitty Kelley (Secaucus : Lyle Stuart, N.J., 1979) ; « Pathologist-Sleuth Reopens Kennedy Controversy », in *Science News*, du 22 juillet 1967 ; *Jack : The Struggles of John F. Kennedy*, de Herbert Parmet (Dial Press, New York, 1980) ; « Kennedy Remembered », in *Newsweek* du 28 novembre 1983 ; *The Washington Post* du 29 mai 1987.

CHAPITRE 8

L'auteur s'est appuyé sur des entretiens avec Jacques Lowe, Pierre Salinger, Larry Newman, Charles « Chuck » Spalding, George Smathers, Nancy Dickerson Whitehead, Betty Beale, Charles Peters, Clarence Petry, Priscilla MacMillan, Sophia Loren, Robert Drew, Jamie Auchincloss, Clare Booth Luce, Charles Bartlett, Gore Vidal, Hugh D. « Yusha » Auchincloss, Shirley MacLaine, Theodore H. White. Pour les archives orales : Stanley Tretick, Dory Schary, Sargent Shriver, Mark Shaw, Helen Lempart, Jean McGonigle Mannix, John Droney, Barbara Coleman, Dean Acheson, Joanne Barboza, Fletcher Knebel, Laura Bergquist Knebel, John Kelso, Esther Newberg, Dorothy Tubridy, Lorraine Cooper. Certaines données concernant la relation entre Max Jacobson et les Kennedy viennent des Mémoires inédits de Jacobson. Les archives orales de Jacqueline Kennedy Bouvier ont été constituées par Terry L. Birdwhistell à New York, le 13 mai 1981, comme faisant partie du « Projet d'histoire orale John Sherman Cooper » de la bibliothèque de l'université du Kentucky.

Parmi les articles et les autres sources publiés : *The New York Times*, du 13 septembre 1953 ; *The New York Times*, des 7, 13 et 16 août 1956 ; « The Senator is in a Hurry », d'Eleanor Harris, in *McCalls*, d'août 1957 ; *Jackie Oh*, de Kitty Kelley (Secaucus : Lyle Stuart, N.J., 1979) ; « Pathologist-Sleuth Reopens Kennedy Controversy », in *Science News*, du 22 juillet 1967 ; *Jack : The Struggles of John F. Kennedy,* de Herbert Parmet (Dial Press, New York, 1980) ; « Kennedy Remembered », in *Newsweek* du 28 novembre 1983 ; *The Washington Post* du 29 mai 1987.

CHAPITRES 9 ET 10

Des entretiens de l'auteur avec Pierre Salinger, Gore Vidal, Letitia « Tish » Baldrige, Arthur Schlesinger junior, Priscilla McMillan, Ted Sorensen, Roswell Gilpatric, sœur Joanne Frey, Betty Beale, Jacques Lowe, Hugh D. « Yusha » Auchincloss, Paula Dranov, Oleg Cassini, Halston, Betty Davis, Charles « Chuck » Spalding, Robert Drew, Henry Fonda, Teddy White, Alfred Eisenstaedt, Charles Collingwood, Nancy Dickerson Whitehead, Jack Valenti, Charles Damore, Jamie Auchincloss. Ceux dont les témoignages oraux furent particulièrement précieux pour la rédaction de ces chapitres : Angier Biddle Duke, William Walton, Leonard Bernstein, Peter Lawford, Pamela Turnure, Albert Gore, Joseph Alsop, J.B. West, John Sherman Cooper, Stuart Symington, Cyrus Vance, Sister Parish, Stanley Tretick, Maud Shaw, Helen Thomas, Jean McGonigle Mannix, Donald F. Barnes, Roland Evans junior, Richard Neuberger, Robert Amory junior, Barbara Coleman, Laura Bergquist Knebel et Godfrey McHugh. Le témoignage oral du père John C. Cavanaugh se trouve à la Bibliothèque Andrew Mellon d'histoire orale de la Choate School et aux archives d'histoire orale de la Bibliothèque JFK. Les témoignages oraux de Liz Carpenter et de Katharine Graham ont été consultés avec la permission de la Bibliothèque Lyndon Baines Johnson. Voir aussi : « JFK : The Man, The President », in *The Boston Globe*, conjointement avec la dédicace de la Bibliothèque John F. Kennedy, du 20 octobre 1979.

« This Is John Fitzgerald Kennedy », in *Newsweek* du 23 juin 1958 ; « Most TalkedAbout Candidate for 1960 », in *U.S. News & Report* du 8 novembre 1957 ; « How To Be a Presidential Candidate », in *The New York Times Magazine*, du 13 juillet 1958 ; « Behind the Scenes », in *Time* du 5 mai 1958 ; « Bringing Up the Kennedys », de Luella R. Hennessey, in *Good Housekeeping*, d'août 1961 ; « The Happy Jackie, The Sad Jackie, The Bad Jackie, The Good Jackie », de Susan Sheehan, in *The New York Times Magazine*, du 31 mai 1970 ; *New York Post*, du 9 janvier 1961 ; James Reston, in *The New York Times* du 31 janvier 1961.

CHAPITRES 11 ET 12

Les renseignements nécessaires à la rédaction de ces chapitres viennent en partie des entretiens avec Arthur Schlesinger junior, John Kenneth Galbraith, Oleg Cassini, George Smathers, Jacques Lowe, Ted Sorensen, Dr Janet Travell, Pierre Salinger, Letitia « Tish » Baldrige, Nancy Tuckerman, Hugh D. « Yusha » Auchincloss, Roswell Gilpatric, Larry Newman, Charles Bardett, Gore Vidal, Charles « Chuck » Spalding, Angier Biddle Duke, Ham Brown, Theodore H. White, sœur Joanne Frey, John Davis, Halston, Nancy Dickerson Whitehead, John Husted, Charles Furneaux, Harry Winston, Dorothy Schoenbrun, James Young, Betty Beale, Alan Jay Lerner, Dorothy Oliger, Pat Lawford, Wendy Leigh, Linus Pauling, Evelyn Lincoln, Earl Blackwell. Parmi les témoignages oraux : William Walton, Peter Lawford, Leonard Bernstein, Pamela Turnure, Nancy Tuckerman, Maud Shaw, Tom Wicker, Amiral George G. Burkley, Peter Lisagor, Hervé Alphand, Gerald Behn, Traphes Bryant, Gloria Sitrin, Hugh Sidey, Ted Sorensen, Myer Feldman, Walt Rostow, Jacqueline Hirsh, Cordelia Thaxton, père John C. Cavanaugh, Kenneth Burke, Isaac Avery, Clement Norton, Larry Arata, Joseph Karatis, J.B. West et Richard Cardinal Cushing.

Les volumineux Dossiers sociaux de JFK à la Maison-Blanche, ainsi que les Dossiers des Services secrets et ceux du personnel de la Maison-Blanche furent très précieux, de même que les papiers personnels de John Fitzgerald Kennedy, et ceux d'avant la présidence, les documents de Jacqueline Kennedy Onassis, et ceux d'Arthur Schlesinger junior, de Ted Sorensen, de Dean Rusk, de Godfrey

McHugh, de Rose Fitzgerald Kennedy, de Joseph P. Kennedy, de Paul « Red » Fay, de Kenneth O'Donnell, de Dave Powers, de John Kenneth Galbraith, de Lawrence O'Brien, de Janet Travell, de William Walton et de Teddy White. Les documents de White à propos de l'assassinat et les notes manuscrites de son interview historique avec Jackie, « Camelot », ne furent accessibles en entier qu'en 1995, un an après la mort de Jacqueline Kennedy Onassis.

Également dans les archives orales de l'université de Columbia : Sarah McClendon, Richard Bolling, Toots Shor, Aaron Shikler, Dave Powers, Larry O'Brian.

Parmi les sources publiées, on a consulté : « Joe Kennedy's Feelings about his Son », in *Life*, du 19 décembre 1960 ; « What You Don't Know about Kennedy », de Fletcher Knebel, in *Look*, du 7 janvier 1961 ; « The Curious Aftermath of JFK's Best & Brightest Affair », de Philip Nobile et Ron Rosenblum, in *The New York Times Magazine*, du 9 juillet 1976 ; « What The Thousand Days Wrought », de Arthur Schlesinger junior, in *The New Republic*, du 21 novembre 1983 ; *My Life with Jacqueline Kennedy*, de Mary Barelli Gallagher (David McKay, New York, 1969) ; « Simply Everywhere », in *Time* du 23 février 1962 ; « The First Lady Brings History & Beauty to the White House », de Hugh Sidey in *Life* du 1er septembre 1961 ; *Upstairs at the White House*, de J.B. West (Coward, McCann & Geoghegan, New York, 1973) ; « Queen of America », in *Time* du 23 mars 1962 ; « The Kennedy Mystique », d'Anne Taylor Fleming, in *The New York Times Magazine*, du 17 juin 1979 ; « If Kennedy had Lived », de Theodore C. Sorensen, in *Look* du 19 octobre 1965 ; « The Last Act of Judith Exner », de Gerri Hirshey, in *Vanity Fair* d'avril 1990 ; « One of Their Own », in *Time* du 31 août 1962 ; « Disturbing Issue of Kennedy's Secret Illness » de Lawrence K. Altman, in *The New York Times*, du 6 octobre 1992 ; *Conversations with Kennedy*, de Ben Bradlee (W. W. Norton & Co, New York, 1975) ; « How He Really Was », de Jacqueline Kennedy, in *Life* du 29 mai 1964.

Table des matières

Mise en page P.C.A.
44400 Rezé

Impression réalisée sur CAMERON par

BRODARD & TAUPIN
GROUPE CPI

La Flèche

pour le compte des Éditions Ramsay
en octobre 2003

Imprimé en France
Dépôt légal : novembre 2003
N° d'impression : 20899
ISBN : 2-84114-681-2
RAR 745